제2판

건강을 위한

영양과 식사요법

NUTRITION and
DIET THERAPY
for HEALTH

건강을 위한

제2판

영양과 식사요법

한정순 / 박병준 / 박혜련 / 이경은
임유미 / 조하나 / 최효신 / 홍주영 외 공저

건강을 위한

영양과 식사요법 제2판

편집위원

한정순 • 고려대학교
박병준 • 대구보건대학교
박혜련 • 경일대학교
이경은 • 계명문화대학교
임유미 • 대전과학기술대학교
조하나 • 백석문화대학교
최효신 • 대구보건대학교
홍주영 • 경운대학교

집필진

박선정 • 삼육보건대학교
성정혜 • 수성대학교
엄인영 • 수원과학대학교
윤희경 • 여주대학교
이미자 • 송곡대학교
정현심 • 송원대학교
고은정 • 유원대학교

개정판을 내면서

최근 건강한 생활과 삶의 질에 대한 관심 및 요구가 증가하면서 식품·임상영양과 식사요법 분야는 가장 빠르게 확장되고 있는 일반인과 환자 모두에게 유용하고 필요한 융·복합 학문입니다.

건강은 인간이 태어나서 생명을 마치는 생애주기 안에서 평생 관리해야 하는 문제로, 대부분의 질환은 유전적 요인에 의한 선천적 질병을 제하고는 식품에 함유되어 있는 영양소의 과잉섭취나 결핍으로 인한 대사이상·불균형한 식생활과 생활습관에 의해 발현되는 경우가 대부분이어서 대사질환 혹은 생활습관병이라고 하고 있습니다.

이렇듯 잘못된 식습관이나 생활습관으로 인해 체내 대사에 이상이 생겨 발생하는 질환들은 특정 음식을 주의해서 먹거나 금지하거나 더 섭취해야 한다는 처방을 받는 경우가 많습니다. 수술 전·후에도 일정 기간 동안 식사를 제한받을 수 있으며, 약을 복용할 때도 음식과 상호작용을 하므로 특정 식품을 주의해서 섭취해야 한다는 권고를 받습니다. 이와 같이 대부분의 질병에는 식품이나 음식을 통한 영양과 식사요법이 밀접하게 관련되어 있습니다.

이에 본 저서는 건강과 영양소·영양판정·식사요법에 대한 지식과 정보를 담아 건강에 관심 있는 일반인들 뿐 아니라 보건의료에 관련된 분들이 실용적·실제적으로 적용하고 활용할 수 있게 구성하였습니다.

제1장은 건강에 대한 이해를 돕기 위해 건강을 정의하고 건강유지와 건강증진, 건강을 위한 영양, 바람직한 식생활습관과 영양소 섭취기준, 올바른 식사양식, 한국인 식생활 지침에 대한 내용으로 구성되어 있습니다.

제2장은 식품에 함유되어 있는 영양소에 대한 내용으로, 탄수화물과 식이섬유소, 지질, 단백질, 비타민, 무기질의 종류·기능·소화·흡수·대사·결핍증·과잉증·섭취 기준·급원식품을 소

개하고 체내 구성성분 중 가장 많은 부분을 차지하고 있는 수분의 생리기능 등에 대해 이해하기 쉽게 기술되어 있습니다.

제3장은 영양상태 판정에 대한 내용으로 질환을 예방하기 위한 측면에서 개인의 영양상태를 과학적으로 판정하는 것은 매우 중요한 일입니다. 이에 영양상태를 판정하는 데 있어 중요한 식사조사, 신체계측, 생화학검사, 임상검사 등에 대해 알아야 할 내용을 다루고 있습니다.

제4장은 생애주기에서 발생할 수 있는 선천적 대사 장애질환과 불균형한 식생활과 잘못된 생활습관으로 인해 유발될 수 있는 각종 대사질환을 예방하고 치료에 도움을 줄 수 있는 실제적인 내용으로 구성하였습니다. 식사요법의 목적, 병원식과 영양지원, 구강 및 위·장질환, 간·담낭·췌장질환, 비만과 저체중, 당뇨병, 심혈관계 질환, 신장질환, 암, 근·골격질환, 혈액질환, 신경계 질환, 감염 및 호흡기 질환과 알레르기, 내분비 및 선천적 대사장애, 수술과 화상에 대해 가정이나 병원에서 활용·적용할 수 있는 임상영양학적 내용과 식사요법을 다루고 있습니다.

부록에서는 2020년 한국인 영양소 섭취기준, 당뇨병뿐 아니라 일반인들이나 비만인도 실생활에서 활용할 수 있는 식품교환표로 구성하였습니다.

현대 사회는 과거 어느 때보다도 건강의 중요성이 강조되고 있습니다. 『건강을 위한 영양과 식사요법』이 건강한 삶을 지향하는 많은 분들과 전공자분들에게 도움이 될 수 있으면 합니다.

끝으로, 『건강을 위한 영양과 식사요법』 개정판이 나오기까지 구성과 편집·교정 등 많은 도움을 주신 고문사의 모든 분들께 진심으로 감사드립니다.

2024년 1월

저자 한 정 순 씀

차례

01 건강에 대한 이해 / 1

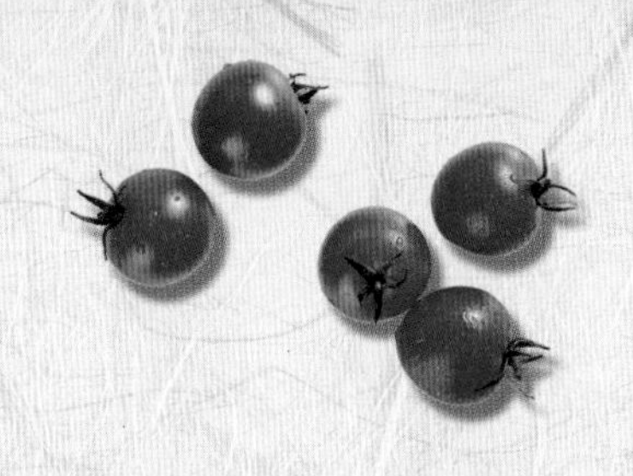

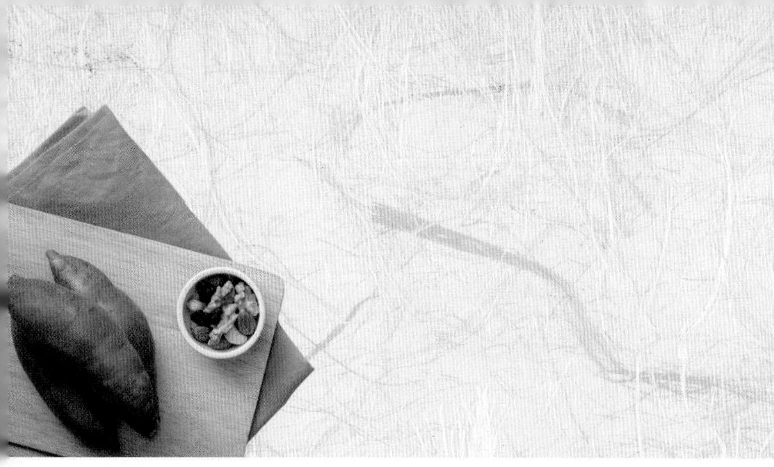

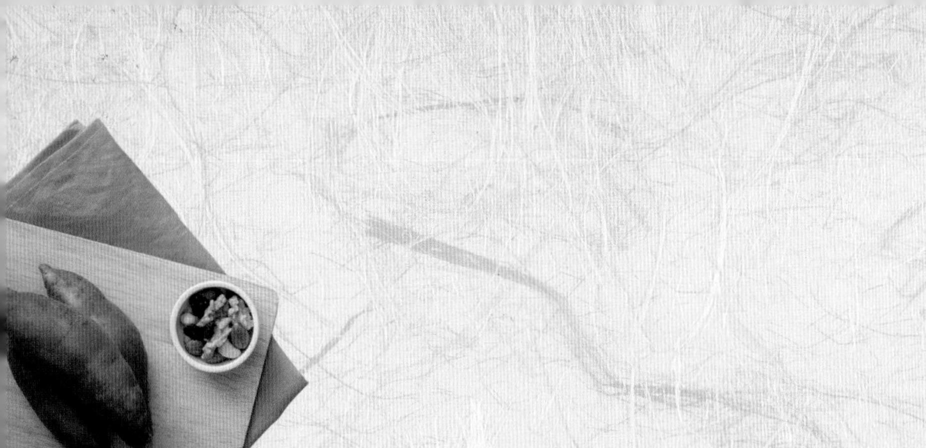

01

건강에 대한 이해

❶ 건강에 대한 정의와 건강증진에 대해 이해할 수 있다.
❷ 바람직한 생활습관에 대해 이해할 수 있다.
❸ 한국인의 영양소 섭취기준, 올바른 식사양식에 대해 이해할 수 있다.
❹ 한국인의 식생활 지침에 대해 이해할 수 있다.

제1절 건강의 정의

세계보건기구(WHO)는 "건강(health)은 신체적·정신적·사회적으로 웰빙(wellbeing)한 상태로 단순히 질병이나 장애가 없는 것을 의미하는 것이 아니다"라고 정의하였다. 또한 생물학자이자 철학자인 르네 뒤보(René Dubos, 1901~1982)는 "건강은 개인의 사회적·정서적·정신적·영적·생물학적 적합성과 연관된 삶의 질로 환경에 대한 적응을 이끌어낸다"라고 하여 건강을 신체적이고 정신적 차원의 복합적인 개념이라고 하였다.

- 신체적 건강: 제대로 기능하고, 질병에 대한 면역력을 유지하고, 일상의 에너지 요구를 충족시키기 위한 신체의 능력으로 인체에 공급된 영양소의 양과 질에 좌우된다. 인간의 몸은 골격을 이루는 뼈에서 아주 미량의 호르몬에 이르기까지 다양한 조합의 영양소들로 구성된다.
- 정서적 건강: 상황에 맞게 감정을 표현하거나 억누를 수 있는 능력으로, 예를 들어 식품 섭취량이 적어 발생되는 저혈당에 의해 영향을 받기도 한다. 저혈당은 일반적으로 배가 고픈 상태의 누구에게나 생길 수 있으며 신체의 음식 요구가 충족되지 않으면 불안감을 느끼고 떨림이 생길 수 있다. 이런 상태일 때 우리는 감정을 조절하는 데 어려움을 느낀다.
- 사회적 건강: 적절한 태도로 다른 사람들과 교류할 수 있고 가족구성원이나 친구, 동료들과 관계를 유지할 수 있는 능력으로 식품과 관련된 상황에 집중되는데 가족이나 친구 관계를 이루는 가족이나 지인들과의 식사 등이 이에 속한다.
- 지적 건강: 배우고 환경변화에 적응하기 위한 지적 능력의 사용을 말하는 것으로 뇌와 중추신경계의 정상적인 기능에 의해 좌우되는데, 영양 불균형은 지적 건강에 영향을 준다. 우유는 단백질, 칼슘, 인을 풍부하게 함유하고 있으나 철분은 적게 함유되어 있어 때때로 너무 많은 양의 우유를 마신 어린이들은 육류나 닭고기, 콩, 녹색 채소 같은 철분이 함유된 식품에 대해 식욕을 느끼지 못하거나 섭취하지 못해 철분 부족상태가 되기 쉽다. 철분결핍 어린이들은 인지능력이 저하되어 학습장애로 이어질 수도 있다.
- 영적 건강: 자연이나 과학의 이해, 삶을 인도적 관점에서 받아들이는 것 등에 의해 인간의 존재에 대한 문화적 믿음들을 이해하고 받아들일 수 있는 능력으로 어떤 종교에서는 특정 식품의 섭취를 금지하는 것 등을 포함한다.

제2절 건강유지와 건강증진

1 건강유지

건강을 결정하는 가장 중요한 두 가지 요소는 유전과 생활습관이다. 생활습관은 균형 있는 영양섭취를 통한 식생활과 운동을 통해 이루어진다. 식생활은 생물체가 필요한 물질(식품)을 외부로부터 섭취해서 소화하고 흡수하여 식품에 함유된 영양소가 몸 안에서 이용되어 생명을 유지하고 성장발육하며 질병을 예방하고 건강을 유지시킨다. 그러나 에너지나 탄수화물, 지방, 나트륨 등의 영양소를 과잉 섭취하면 질환이 유발될 수 있다. 예를 들어 에너지 과잉 섭취는 비만의 원인이 되며 비만은 당뇨병, 고혈압, 동맥경화증, 심혈관질환, 각종 암 등을 유발할 수 있으므로 연령과 활동량에 따른 적절한 에너지 섭취는 질병 예방의 전략이 된다. 또한 질병이 진행된 경우에도 합병증의 위험도를 낮추고 회복을 위해서는 의학적 치료와 함께 영양관리가 중요한 역할을 한다. 그러므로 균형 있는 식생활과 적당한 운동, 바람직한 생활습관은 건강을 유지하는 데 필수요소이다.

2 건강증진

개인·가족·지역사회의 건강수준을 높여 전 국민의 삶의 질을 향상시키는 것을 말한다. 이를 위해서는 국가, 지역사회, 공동체 일원들의 체계적인 계획, 전문인들의 지식, 사회적 지원이 필요하다. 건강을 증진시키기 위해서는 질병을 미연에 예방하고 질병이 발병했을 경우에는 적절한 치료로 건강을 회복할 수 있도록 해야 한다.

3 건강증진에 관여하는 전문가

질병을 예방하고 치료하는 데 필요한 모든 의료행위는 담당하는 여러 전문가들이 협력하여 이루어지는데, 영양관리에 있어 이들의 역할은 서로 중복될 수 있으나 각 분야별 전문가들의 역할은 조금씩 다르다. 건강하게 보이는 경우에도 체내 대사상태가 준건강인 상태에 있을 수 있으므로, 이를 조기에 발견해 대처할 수 있도록 하는 것이 건강증진에 관여하는 전문가가 일차적으로 해야 할 업무이다.

1) 의사

의사는 간호사, 영양사, 기타 건강관리 전문가들과 협력하여 환자의 질병을 치료하고 건강을 회복시키기 위한 관리를 한다. 질병을 진단하고 치료하며, 약 처방, 수술 등을 통해 환자의 질환을 호전시킨다. 또한 준건강인에 대한 각종 질병 예방에도 기여한다.

2) 임상영양사

환자나 병원을 내원하여 상담하는 사람들에게 최적의 영양을 공급하기 위한 식품과 영양에 관한 전문가로서 적절한 영양관리를 한다. 이를 위해 환자의 영양과 식습관 상태를 평가하여 영양문제를 파악한 뒤, 환자에게 적절한 영양관리 방법을 계획하고 실행하여 효과를 평가한다. 환자들에게 질병에 맞는 적절한 영양교육을 실시하며, 환자들의 식품 선택이나 섭취에 대한 상담을 해 준다. 관리자로서 식단을 계획하고 식품의 구매나 재고관리, 위생상태, 안전성 등을 담당하는 등 전반적인 과정을 총괄하고 팀을 이루어 영양관리를 한다.

3) 간호사

간호사는 환자를 가장 최측근에서 돌보는 사람으로 환자의 고충과 질환으로 인한 여러 증상을 먼저 파악할 수 있다. 따라서 영양문제를 나타내는 환자를 선별하여 영양관리팀과 유기적으로 연계하고 환자의 영양상태를 개선하여 질병을 호전시킬 수 있다. 특히 간호사는 경관영양이나 정맥영양에 대한 관리 책임도 갖고 있어 환자를 돌보는 데 매우 중요한 전문인이다. 노인이나 거동을 할 수 없는 환자들이 병원에 오기 어려운 경우 방문하여 간호하는 방문간호사도 환자의 건강관리를 위해 영양에 대한 지식이 꼭 필요하다.

4) 기타 건강관리 전문가

약사, 물리치료사, 언어치료사, 사회복지사, 간호조무사, 간병인(노인·병자·장애자를 집에서 돌보는 보조원), 요양보호사 등이 있으며, 이들은 환자들의 영양문제 및 질환의 상태, 개인적 요구사항과 같은 정보들을 의사, 영양사나 간호사에게 알려주어 치료기간을 단축하고 환자들의 고통을 경감시킬 수 있다.

제3절 건강을 위한 영양

질병은 1차, 2차, 3차 예방인 긍정적인 생활양식 변화를 통해 예방될 수 있다.

1) 1차 예방

1차 예방은 질병이나 건강 악화의 초기 발생을 막는 행위로 영양부족을 막기 위해 다양한 음식을 균형 있게 섭취하는 것이다. 식사와 관련한 건강문제가 발생하기 전에 건강한 식사 습관을 생활화하는 것 등이 있다.

2) 2차 예방

2차 예방은 질병 및 질환의 영향을 없애거나 줄일 수 있도록 조기 검진 등으로 식사 관련 만성질환의 영향을 줄이는 데 효과적이다. 특정 영양소의 섭취를 조절함으로써 관련 질환의 이환율을 낮출 수 있다. 예를 들어 고혈압은 관상동맥질환, 뇌졸중, 신장질환에 위험요소이기 때문에 나트륨 섭취를 줄이는 것은 질병 예방의 전략이 된다.

3) 3차 예방

3차 예방은 질환이 진행된 뒤 행해지는 것으로 합병증의 위험도를 낮추고 건강의 회복을 돕는 것이다. 성인기 이후에 많이 발병하는 궤양, 게실염, 관상동맥질환의 치료나 암환자의 방사선 치료 후 부작용을 줄이기 위해서는 의료적 치료와 함께 식사요법이 중요한 역할을 한다.

제4절 바람직한 식생활 습관

웰빙(wellbeing)은 지속적인 과정이므로 식사 목표를 쉽게 달성할 때도 있고 자신의 식사습관을 조절하지 못하는 무기력감에 시달릴 때도 있는데 이러한 과정 모두 웰빙을 위한 과정 중 하나이다.

웰빙을 위한 우리의 노력을 지원하기 위해서는 긍정적 자기효능감을 높이는 것이 중요하다. 자기효능감은 우리가 스스로의 삶이나 행동에 대해 갖고 있는 조절능력에 대한 자기인식이다. 따라서 긍정적 자기효능감은 개인적인 행동이 변화될 수 있고 자신이 자신의 삶을 통제할 수 있다고 믿는 것이며, 부정적 자기효능감은 상황에 대해 스스로 통제할 수 없고 무력하다고 느끼는 것이다. 긍정적 자기효능감은 최적의 건강을 위한 생활양식을 달성하고 유지하는 데 필수적이다.

제5절 한국인 영양소 섭취기준

한국인 영양소 섭취기준은 건강한 개인 및 집단을 대상으로 국민의 건강을 유지·증진시키고 식사와 관련된 만성질환의 위험을 감소시켜 궁극적으로 국민의 건강수명을 증진하기 위한 목적으로 설정된 에너지 및 영양소 섭취량 기준이다. 2020년 제·개정된 한국인 영양소 섭취기준에는 안전하고 충분한 영양을 확보하는 기준치(평균필요량, 권장섭취량, 충분섭취량, 상한섭취량)와 식사와 관련된 만성질환 위험감소를 고려한 기준치(에너지 적정비율, 만성질환 위험감소 섭취량)를 제시하여 에너지 및 영양소 섭취부족으로 인해 생기는 결핍증 예방에 그치지 않고, 과잉 섭취로 인한 건강문제 예방과 식인성 만성질환에 대한 위험의 감소까지 포함하도록 정하고 있다.

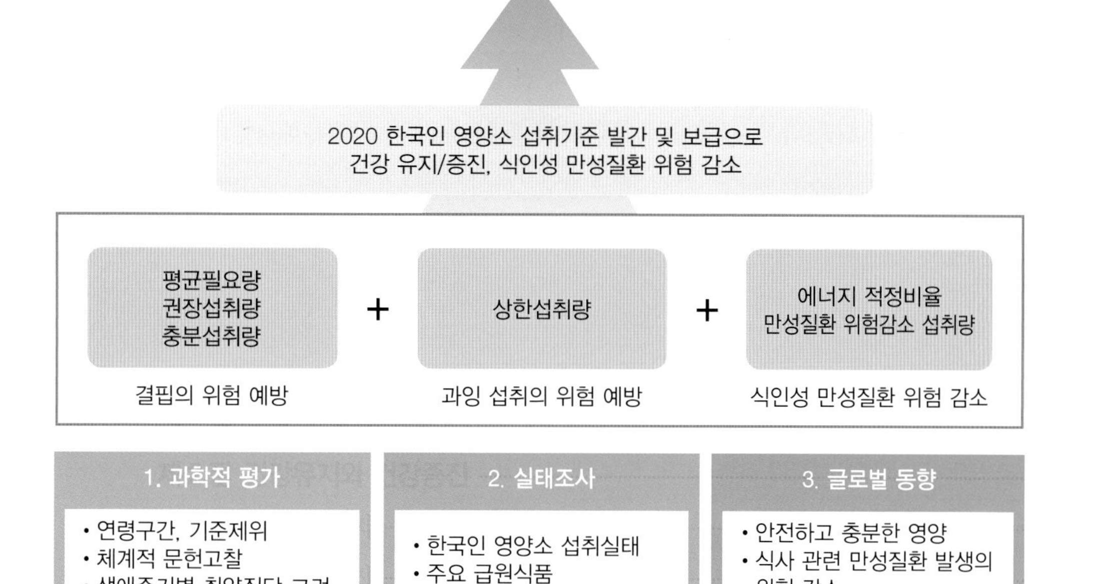

그림 1-1 **2020 한국인 영양소 섭취기준 제·개정 방향**

1) 영양소 섭취기준

영양소 섭취기준 지표는 평균필요량, 권장섭취량, 충분섭취량, 상한섭취량, 에너지 적정비율, 만성질환 위험감소 섭취량으로 구성된다.

(1) 평균필요량(Estimated average requirement; EAR)

평균필요량은 건강한 사람들의 일일 영양소 필요량의 중앙값으로부터 산출한 수치이다.

(2) 권장섭취량(Recommended nutrient intake; RNI)

권장섭취량은 인구집단의 약 97~98%에 해당하는 사람들의 영양소 필요량을 충족시키는 섭취수준으로, 평균필요량에 표준편차 또는 변이계수의 2배를 더하여 산출한다.

(3) 충분섭취량(Adequate intake; AI)

충분섭취량은 영양소의 필요량을 추정하기 위한 과학적 근거가 부족할 경우, 대상 인구집단의 건강을 유지하는 데 충분한 양을 설정한 수치이다. 충분섭취량은 실험연구 또는 관찰연구에서 확인된 건강한 사람들의 영양소 섭취량 중앙값을 기준으로 정한다.

(4) 상한섭취량(Tolerable upper intake; TUI)

상한섭취량이란 인체에 유해한 영향이 나타나지 않는 최대 영양소 섭취 수준이므로, 과량을 섭취할 때 유해영향이 나타날 수 있다는 과학적 근거가 있을 때 설정할 수 있다. 상한섭취량은 유해영향이 나타나지 않는 최대 용량인 최대무해용량(no observed adverse effect level; NOAEL)과 유해영향이 나타나는 최저 용량인 최저유해용량(lowest observed adverse effect level; LOAEL) 자료를 근거로, 불확실계수(uncertainty factor; UF)를 감안하여 설정한다.

$$\text{상한섭취량} = \frac{\text{최대무해용량 또는 최저유해용량}}{\text{불확실계수}}$$

(5) 에너지 적정비율과 다량영양소(Acceptable macrountrient distibution range; AMDR)

각 다량영양소의 에너지 적정범위는 무기질과 비타민 등의 다른 영양소를 충분히 공급하면서 만성질환 및 영양 불균형에 대한 위험을 감소시킬 수 있는 탄수화물, 지질, 단백질의 에너지 섭취비율을 근거로 설정하였다. 따라서 각 다량 영양소의 에너지 섭취비율이 제시된 범위를 벗어나는 것은 건강문제가 발생할 위험이 높아진다는 것을 의미한다.

2020년 한국인 영양소 섭취기준에서 에너지 적정비율은 전체 에너지 섭취량에서 다량영양소(탄수화물, 단백질, 지질)를 통해 섭취하는 에너지 양의 적정범위를 말하는 것으로, 전체 에너지 섭취량 중 탄수화물 55~65%, 단백질 7~20%, 지방 15~30%로 정하였다.

특히 총 당류[1]의 경우에는 총 에너지 섭취량의 10~20%로 제한하고, 첨가당[2]의 경우에는 총 에너지 섭취량의 10% 이내로 섭취하도록 한다.

- 단백질은 불충분하게 섭취할 경우 성장지연과 면역력 저하가, 과잉 섭취 시에는 당뇨, 심혈관질환 발병 위험을 높이므로 적절한 섭취가 중요하다.
  단백질 섭취는 전 연령층에 걸쳐 결핍이 우려되지 않으나, 75세 이상 노인(특히 여성)의 단백질 섭취량이 1일 권장섭취량에 미치지 못하고 있으므로 단백질을 충분하게 섭취하여 노인의 근감소증을 예방할 필요가 있다.

1) 총 당류 : 식품에 내재하거나, 가공 · 조리 시에 첨가된 당류를 모두 합한 값
2) 첨가당 : 식품의 제조과정 · 조리 시에 첨가되는 꿀, 시럽, 설탕, 물엿 등

※ 단, 신장질환을 가진 경우 단백질 섭취에 주의

예 단백질 섭취가 부족한 경우 단백질 급원식품 10순위

① 백미, ② 돼지고기(살코기), ③ 닭고기, ④ 소고기(살코기), ⑤ 달걀, ⑥ 우유, ⑦ 두부, ⑧ 멸치, ⑨ 빵, ⑩ 햄/소시지/베이컨

• 지방은 탄수화물, 단백질에 비해 두 배 이상의 에너지를 공급하기 때문에 과다섭취는 비만의 위험을 높이는 반면, 섭취를 제한하는 경우에는 상대적으로 탄수화물 섭취가 증가하여 콜레스테롤 수치가 증가할 가능성이 있다.

※ 콜레스테롤 섭취량 300mg/일 미만 권고(19세 이상 성인)

※ ω-3 지방산, ω-6 지방산 중 필수지방산의 경우 식사를 통해서만 섭취가 가능한 영양소로 심혈관계 질환 예방에 도움을 준다.

예 EPA + DHA(ω-3 지방산) 급원식품 10순위

① 고등어, ② 멸치, ③ 오징어, ④ 달걀, ⑤ 꽁치, ⑥ 조기, ⑦ 김, ⑧ 다랑어, ⑨ 넙치(광어), ⑩ 어묵

(6) 만성질환 위험감소를 위한 섭취량(Chronic disease risk reduction intake; CDRR)

건강한 인구집단에서 만성질환의 위험을 감소시킬 수 있는 영양소의 최저 수준의 섭취량이다. 이 기준치보다 영양소 섭취량이 많은 경우, 섭취를 줄이면 만성질환의 위험도를 낮출 수 있다.

19~64세 성인의 나트륨 만성질환 위험감소 섭취량은 2,300mg/일로, 현재 나트륨 섭취량이 2,300mg/일보다 많으면 만성질환 위험을 낮추기 위해 섭취량을 줄일 것을 권고한다.

한국인의 평균 나트륨 섭취량은 3,255mg/일(2018년 기준)으로 '만성질환 위험감소를 위한 섭취량'에 비해 매우 높은 수준이므로 섭취량을 줄일 필요가 있다.

제6절 올바른 식사양식

우리는 영양소를 먹는 것이 아니라 음식을 섭취하는 것이다. 올바른 식사(adequate eating)란 우리가 먹는 음식으로 모든 필수영양소와 섬유소, 에너지를 공급받는 것을 말한다. 또한 올바른 식사는 다양성, 균형, 영양소 밀도를 고려한 것이므로 다양한 종류의 음식을 골고루 섭취하는 것을 의미한다. 매일 점심으로 라면을 먹는 것은 간단한 일이나 이보다는 다양한 메뉴를 선택해 섭취하는 쪽이 더 적절하다.

균형 있는 식사는 모든 식품군에서 적절한 양의 음식을 선택해 먹음으로써 각 필수영양소가 적절한 비율로 섭취되어 영양소 간의 균형을 유지하는 것이다.

영양소 밀도는 음식 내 영양소 함유량과 열량 간의 비교에 근거해 음식의 가치를 결정한다. 영양소 함유량이 높고 열량이 적은 음식일수록 영양소 밀도가 높은 것이다. 오렌지 주스 1잔에는 빈 칼로리(empty kcal: 열량이 있긴 하지만 영양소가 없는 알코올, 탄산음료 등) 식품인 탄산음료 1잔보다 훨씬 많은 영양소가 포함되어 있다.

최적의 건강을 위해 필요한 모든 영양소를 포함한 단일 식품은 존재하지 않으므로 다양한 음식을 골고루 균형 있게 섭취해야 한다.

제7절 건강관리에 도움 되는 한국인 식생활 지침

건강은 식사, 활동, 휴식의 조화가 매일의 생활에서 꾸준히 노력할 때 얻어지므로 보건복지부에서는 한국인을 위한 식생활 목표와 식생활 지침을 생애주기별로 제시하고 있다.

1 한국인을 위한 식생활 목표

① 에너지와 단백질은 권장량에 알맞게 섭취한다.

② 칼슘, 철, 비타민 A, 리보플라빈의 섭취를 늘린다.

③ 지방의 섭취는 총 에너지의 20%를 넘지 않도록 한다.

④ 소금은 1일 10g 이하로 섭취한다.

⑤ 알코올의 섭취를 줄인다.

⑥ 건강 체중(18.5 ≤ BMI < 25)을 유지한다.

⑦ 바른 식사습관을 유지한다.

⑧ 전통 식생활을 발전시킨다.

⑨ 식품을 위생적으로 관리한다.

⑩ 음식의 낭비를 줄인다.

2 한국인을 위한 식생활 지침

① 곡류, 채소·과일류, 어육류, 유제품 등 다양한 식품을 섭취하자

② 짠 음식을 피하고, 싱겁게 먹자

③ 건강 체중을 위해 활동량을 늘리고, 알맞게 섭취하자

④ 식사는 즐겁게 하고, 아침을 꼭 먹자

⑤ 술을 마실 때는 그 양을 제한하자

⑥ 음식은 위생적으로, 필요한 만큼 준비하자

⑦ 밥을 주식으로 하는 우리 식생활을 즐기자

3 성인을 위한 식생활 실천지침

- 채소, 과일, 우유 제품을 매일 먹자
  - 여러 가지 채소를 매일 먹는다.
  - 다양한 제철 과일을 먹는다.
  - 우유, 요구르트, 치즈 등 우유 제품을 간식으로 먹는다.
- 지방이 많은 고기와 튀긴 음식을 적게 먹자
  - 고기는 기름을 떼어 내고 먹는다.
  - 튀기거나 볶은 음식을 적게 먹는다.
  - 등 푸른 생선을 자주 먹는다.

- 짠 음식을 피하고, 싱겁게 먹자
  - 장아찌, 젓갈과 같은 짠 음식을 적게 먹는다.
  - 음식을 만들거나 먹을 때 소금이나 간장을 적게 사용한다.
  - 국과 찌개의 국물을 적게 먹는다.
- 활동량을 늘리고, 알맞게 섭취하자
  - 운동은 1회 30분 이상, 1주 3~4회 이상 실천한다.
  - 생활 속에서의 신체 활동을 늘린다.
  - 단 음식과 단 음료를 제한한다.
  - 건강 체중을 유지한다.
- 술을 마실 때는 그 양을 제한하자
  - 되도록 음주를 피한다.
  - 남성은 하루 2잔, 여성은 1잔 이내로 제한한다(2잔은 소주로는 3잔, 맥주로는 2캔, 양주로는 2잔에 해당된다).
  - 임신부나 청소년은 절대 술을 마시지 않는다.
- 세 끼 식사를 규칙적으로 즐겁게 하자
  - 아침을 거르지 않는다.
  - 저녁 식사는 가족과 함께 즐겁게 한다.
- 음식은 먹을 만큼 준비하고, 위생적으로 관리하자
  - 음식은 먹을 만큼 만들거나 주문한다.
  - 남은 음식은 바로 냉장 보관하고, 오래 두지 않는다.
- 밥을 주식으로 하는 우리 식생활을 즐기자
  - 밥과 다양한 반찬을 갖춘 식사로 영양의 균형을 유지한다.

4 노인을 위한 식생활 실천지침

- 채소, 고기나 생선, 콩 제품 반찬을 골고루 먹자
  - 다양한 채소 반찬을 매끼 먹는다.
  - 고기나 생선, 달걀, 콩 제품 반찬을 매일 먹는다.
- 우유 제품과 과일을 매일 먹자
  - 우유, 요구르트나 두유를 매일 먹는다.
  - 다양한 제철 과일을 먹는다.

- 짠 음식을 피하고, 싱겁게 먹자
  - 장아찌, 젓갈 같은 짠 음식을 적게 먹는다.
  - 음식을 만들거나 먹을 때 소금이나 간장을 적게 사용한다.
  - 국과 찌개의 국물을 적게 먹는다.
- 많이 움직여서 식욕과 적당한 체중을 유지하자
  - 자신에게 알맞은 운동을 규칙적으로 한다.
  - 많이 걷고 움직이는 생활을 한다.
- 술은 절제하고, 물을 충분히 마시자
  - 되도록 술을 마시지 않는다.
  - 술을 마실 때는 하루 1잔 이내로 제한한다(1잔은 소주로는 1.5잔, 맥주로는 1캔, 양주로는 1잔에 해당된다).
  - 물을 자주 마신다.
- 세 끼 식사와 간식을 꼭 먹자
  - 세 끼 식사를 규칙적으로 한다.
  - 조금씩 자주 먹는다.
- 음식은 먹을 만큼 준비하고, 오래된 것은 먹지 말자
  - 음식은 한꺼번에 많이 만들지 않는다.
  - 남은 음식은 바로 냉장 보관하고, 오래된 것은 버린다.

5 영유아를 위한 식생활 실천지침

- 생후 6개월까지는 반드시 모유를 먹이자
  - 생후 1년까지는 모유를 먹이는 것이 좋다.
  - 모유를 먹일 수 없는 경우에만 조제유를 먹인다.
  - 조제유는 정해진 양을 물에 타서 안고 먹인다.
  - 잠잘 때는 젖병을 물리지 않는다.
- 이유식은 성장단계에 맞추어 먹이자
  - 집에서 만든 이유식을 먹인다.
  - 신선한 재료를 위생적으로 조리한다.
  - 이유식은 간을 하지 않고 조리한다.
  - 이유식은 숟가락으로 먹인다.

- 곡류, 과일, 채소, 생선, 고기 등 다양한 식품을 먹이자
  - 다양한 조리법으로 만들어 먹인다.
  - 싱겁고 담백하게 조리한다.

6 임신·수유부를 위한 식생활 실천지침

- 우유 제품을 매일 3회 이상 먹자
  - 우유를 매일 3컵 이상 마신다.
  - 요구르트, 치즈, 뼈째 먹는 생선 등을 자주 먹는다.
- 고기나 생선, 채소, 과일을 매일 먹자
  - 다양한 채소와 과일을 매일 먹는다.
  - 살코기, 등 푸른 생선 등을 자주 먹는다.
  - 달걀과 콩 제품을 자주 먹는다.
- 짠 음식을 피하고, 싱겁게 먹자
  - 장아찌, 젓갈 같은 짠 음식과 가공식품을 적게 먹는다.
  - 음식을 만들거나 먹을 때 소금이나 간장을 적게 사용한다.
- 술은 절대로 마시지 말자
  - 술은 절대로 마시지 않는다.
  - 커피, 콜라, 차, 초콜릿 등 카페인 함유 식품을 적게 먹는다.
- 안전한 식품을 선택하고, 위생적으로 관리하자
  - 신선한 재료를 위생적으로 조리한다.
  - 가공식품이나 인스턴트식품을 적게 먹는다.
- 임신부는 적절한 체중증가를 위해 알맞게 먹자
  - 세 끼 식사와 간식을 즐겁게 먹는다.
  - 일상적인 활동과 가벼운 운동을 규칙적으로 한다.
- 수유부는 모유 수유를 위해 알맞게 먹자
  - 음식과 물을 충분히 섭취하여 모유 부족을 예방한다.

7 어린이를 위한 식생활 실천지침

- 채소, 과일, 우유 제품을 매일 먹자
  - 여러 가지 채소를 매끼 먹는다.
  - 우유를 매일 2컵 이상 마신다.
- 고기, 생선, 달걀, 콩 제품을 골고루 먹자
  - 고기, 생선이나 달걀을 매일 먹는다.
  - 콩이나 두부를 매일 먹는다.
- 매일 밖에서 운동하고, 알맞게 먹자
  - 매일 걷기, 줄넘기, 뛰어놀기 등의 운동을 한다.
  - 나이에 맞는 키와 몸무게를 안다.
- 아침을 꼭 먹자
  - 하루에 두 끼 이상을 밥으로 먹는다.
  - 좋아하는 반찬만 골라 먹지 않는다.
- 간식은 영양소가 풍부한 식품으로 먹자
  - 간식으로는 과일과 우유가 좋다.
  - 과자나 음료수, 패스트푸드를 적게 먹는다.
  - 불량식품을 먹지 않는다.
- 음식을 낭비하지 말자
  - 음식은 먹을 만큼 덜어서 먹고, 남기지 않는다.

8 청소년을 위한 식생활 실천지침

- 채소, 과일, 우유 제품을 매일 먹자
  - 다양한 채소와 과일을 먹는다.
  - 우유를 매일 2컵 이상 마신다.
- 튀긴 음식과 패스트푸드를 적게 먹자
  - 스낵류와 튀긴 음식을 적게 먹는다.
  - 햄버거, 피자 등 패스트푸드를 적게 먹는다.
  - 가공식품과 인스턴트식품을 적게 먹는다.

- 건강 체중을 바로 알고, 알맞게 먹자
  - 내 키에 맞는 체중을 안다.
  - 활동량을 늘리고 매일 운동한다.
  - 무리한 다이어트를 하지 않는다.
- 음료로는 물을 마시자
  - 술은 절대 마시지 않는다.
  - 탄산음료를 적게 먹는다.
  - 물을 자주 마신다.
- 아침을 꼭 먹자
  - 아침을 거르지 않는다.
  - 저녁을 제 시간에 먹는다.
  - 한꺼번에 많이 먹지 않는다.
- 위생적인 음식을 선택하자
  - 불량식품을 먹지 않는다.
  - 가공식품의 영양표시와 유통기한을 확인한다.
- 밥을 주식으로 하는 우리 식생활을 즐기자
  - 하루에 두 끼 이상을 밥으로 먹는다.
  - 밥과 다양한 반찬을 갖추어 먹는다.

요약

건강은 신체적·정신적·사회적으로 웰빙(wellbeing)한 상태이다.
건강을 유지하고 증진시키기 위해서는 균형 있는 식생활과 식습관, 생활습관을 바람직하게 유지하는 것이 매우 중요하다.
한국인 영양소 섭취기준은 평균필요량, 권장섭취량, 충분섭취량, 상한섭취량으로 이루어져 있으며, 다량영양소는 에너지 적정비율을 제시하고 있다.
나트륨은 만성질환 위험 감소를 위한 섭취량을 제시하여 과잉 섭취하지 않도록 하였다.
건강을 위한 한국인 식생활지침은 생애주기에 따라 제시하고 있다.

이것만은 꼭 알아놓을까요?

- **건강(health)**: 신체적 · 정신적 · 사회적 건강의 균형
- **건강증진(health promotion)**: 개인, 가족, 집단, 지역사회에서 건강향상을 위해 사용하는 전략
- **영양섭취기준(recommended dietary allowance; RDA)**: 생애주기와 성별에 따른 건강인의 요구에 맞는 영양소 섭취수준
- **상한섭취량(tolerable upper intake level; UL)**: 건강상 위험을 방지하기 위해 초과하지 말아야 할 영양소 섭취량
- **생활양식(lifestyle)**: 행동의 패턴
- **에너지 적정비율(acceptable macronutrient distribution ranges; AMDRs)**: 적절한 필요영양소를 공급하는 동시에, 만성질환 위험성의 경감과 연관된 에너지 급원에 대한 섭취 범위. 지방, 탄수화물, 단백질의 일일 섭취 비율
- **에너지 필요추정량(estimated energy requirement; EER)**: 건강을 유지하기 위해 연령, 체중, 신체 활동 수준에 따라 필요하다고 예측한 에너지 섭취량
- **영양과다(overnutrition)**: DRI 기준에 비해 과다한 에너지 영양소 소모
- **영양부족(undernutrition)**: DRI 기준에 비해 영양소나 에너지 소모가 충분치 않은 경우
- **영양불량(malnutrition)**: 에너지와 영양소 섭취의 불균형
- **영양소 섭취기준(dietary reference intakes; DRIs)**: 평균필요량, 권장섭취량, 충분섭취량, 상한섭취량을 포함한다.
- **영양소(nutrient)**: 신체가 에너지, 성장, 유지, 회복에 요구되는 음식물에 있는 물질
- **올바른 식사(adequate eating)**: 음식의 영양적 가치를 비교하여 적절한 영양소 섭취를 제시한다.
- **충분섭취량(adequate Intake; AI)**: 건강한 특정 집단이나 인구의 관찰이나 실험을 통해 결정된 평균 영양소 섭취량
- **평균필요량(estimated average requirement; EAR)**: 특정 집단에 절반의 요구를 충족시키기 위해 필요한 영양소량
- **만성질환 위험감소를 위한 섭취량(chronic disease risk reduction intake; CDRR)**: 건강한 인구집단에서 만성질환의 위험을 감소시킬 수 있는 영양소의 최저 수준의 섭취량

01

복습하기

01 우리나라 국민의 건강을 위하여 보건복지부가 제정한 식생활 지침에 포함된 내용으로 맞지 않는 것은?

① 술을 절대 마시지 않는다.
② 짠 음식을 피하고 싱겁게 먹자.
③ 밥을 주식으로 하는 우리 식생활을 즐기자.
④ 건강 체중을 위해 활동량을 늘리고 알맞게 섭취하자.

☞ 정답 및 해설은 385쪽에서 확인

02

건강을 위한 영양소의 이해

❶ 탄수화물, 단백질, 지방, 비타민, 무기질의 특성 및 기능에 대해 이해할 수 있다.
❷ 탄수화물, 단백질, 지방, 비타민, 무기질의 소화·흡수·대사과정에 대해 이해할 수 있다.
❸ 수분의 중요성을 인식하고 기능에 대해 이해할 수 있다.

제1절 탄수화물(Carbohydrates)과 식이섬유소(Dietary fiber)

1 탄수화물의 정의

주로 식물에서 얻어지며, 자연계에 가장 많이 존재하는 유기화합물로 탄소, 수소, 산소로 이루어져 있다.

2 탄수화물의 종류

1) 단당류

① 포도당(glucose): 에너지 급원이며, 체내 당 대사의 중심물질로 더 이상 가수분해되지 않는다. 전분, 맥아당 등의 최종 가수분해산물이다.

② 과당(fructose): 설탕을 구성하며 벌꿀, 과즙, 고과당 옥수수시럽 등에 들어 있다.

③ 갈락토스(galactose): 유당(락토스, lactose)을 구성하며 유즙에 주로 있다.

④ 만노스(mannose): 뮤코단백질(mucoprotein)의 구성성분이다.

⑤ 리보스(ribose): 핵산(RNA 구성물질), 조효소(NAD, FAD)의 구성성분, ATP의 구성성분이다.

⑥ 디옥시리보스(deoxyriboses): 핵산 구성물질이다.

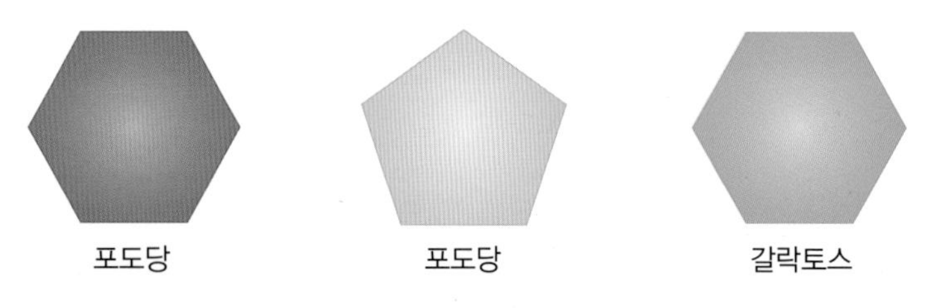

그림 2-1 **대표적인 단당류**

2) 이당류

단당류 2분자가 결합하여 이루어진다.

① 맥아당(maltose): 2분자의 포도당이 연결된 것으로 전분이 가수분해 되면서 생성되며

소화관 내에서 쉽게 포도당으로 분해되므로 체내에서 소화·흡수가 잘 된다.

② 자당(서당, sucrose): 포도당 1분자와 과당 1분자가 결합한 것으로 설탕, 사탕수수, 단풍시럽 등에 들어 있다. 자당을 전화 효소로 가수분해하면 단맛이 강한 전화당이 된다.

③ 유당(lactose): 포도당 1분자와 갈락토스 1분자가 결합된 것으로 포유동물의 유즙에만 들어 있으며, 영유아의 뇌 발달에 필수적인 갈락토스를 제공하고 칼슘의 흡수를 증가시킨다. 장내 유익균인 유산균의 성장을 촉진하여 다른 잡균의 번식을 억제하므로 신생아나 영유아의 장 건강에 도움이 된다.

3) 올리고당류(소당류)

(1) 라피노스(Raffinose)

갈락토스, 포도당, 과당으로 구성되어 있다. 콩류 등에 있다.

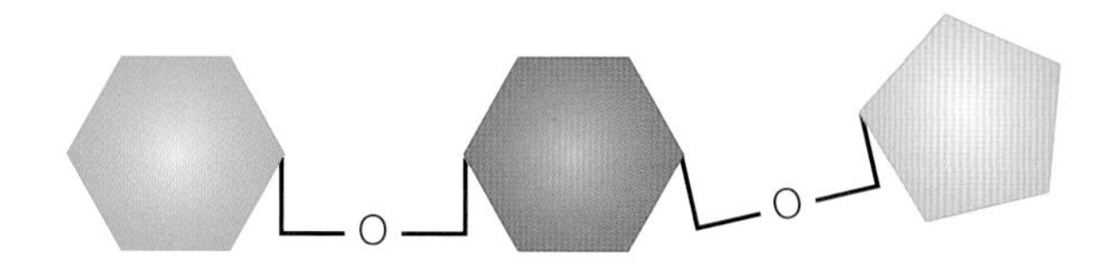

(2) 스타키오스(Stachyose)

갈락토스, 갈락토스, 포도당, 과당으로 구성되어 있다. 콩류 등에 많다.

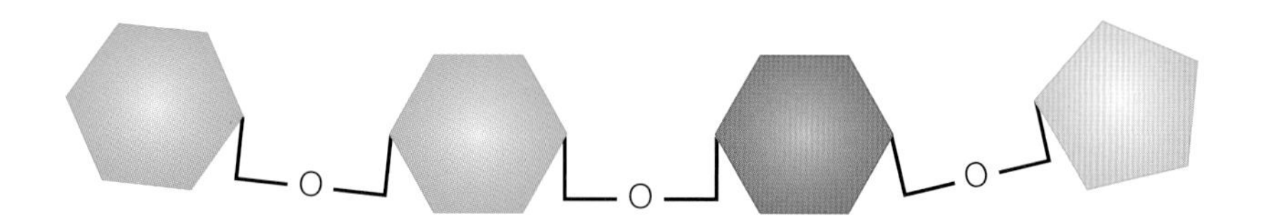

4) 다당류

(1) 단순다당류

① 전분(starch)

포도당의 중합체로 아밀로스[amylose(α-D-glucose가 α-1,4 결합으로 이루어진 구조)]와 아밀로펙틴[amylopectin(α-D-glucose가 α-1,4 결합으로 이루어지다가 α-1,6 결합으로 가지를 친 구조)]으로 이루어져 있다. 효소 아밀라제(amylase)에 의해 포도당(glucose)으로 분해된다.

② 덱스트린(dextrin)

전분을 산, 효소, 열에 분해할 때 생성되는 분해 생성물로 가용성 전분, 아밀로덱스트린(amylodextrin), 에리트로덱스트린(erythrodextrin), 아크로덱스트린(achrodextrin)을 거쳐 말토덱스트린(maltodextrin)으로 분해된다.

③ 당원(glycogen)

포도당이 α-1,4 결합에 α-1,6 결합의 가지를 치고 있으나 전분보다 가지가 더 많다. 성인의 근육에 저장되어 있는 당원의 양은 150g, 간에 90g이며 에너지가 필요할 때 당원을 효소로 분해하여 에너지를 만든다. 포도당을 당원으로 변환하는 과정을 당원생성(당원합성, glycogenesis)이라 한다.

④ 셀룰로스(cellulose)

포도당이 β-1,4 결합된 구조이다. 인체 내 소화효소가 없어 에너지원으로 사용되지 않으나 장운동을 원활히 하여 배변을 촉진한다. 반추동물은 셀룰라제(cellulase)가 있어 포도당으로 분해한다.

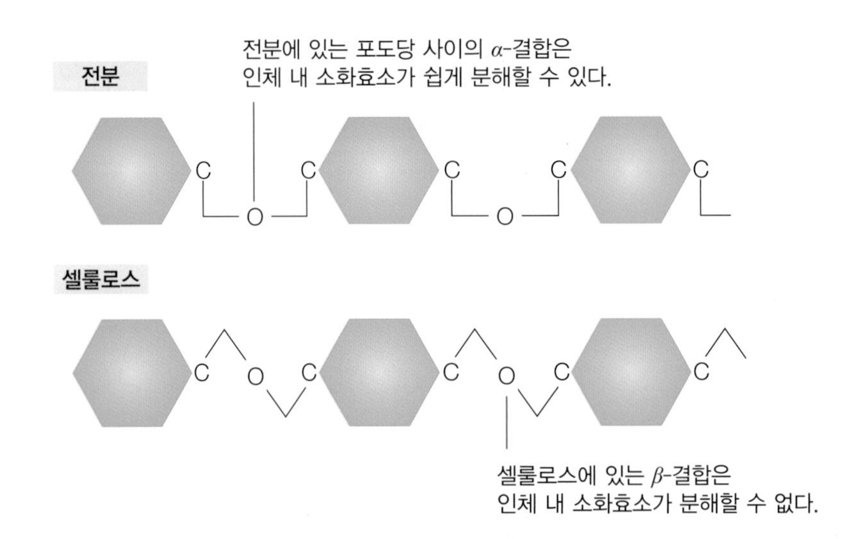

(2) 복합다당류

① 한천(agar)

인체에는 소화효소가 없어 소화되지 않으나 연동운동을 촉진하여 변통을 좋게 하며 변비를 예방한다.

② 헤미셀룰로스(hemicellulose)

인체 내 소화효소가 없어 소화되지 않으나 연동운동을 촉진하여 배변을 원활하게 한다. 비타민 B군의 장내 합성을 촉진하며 혈청 콜레스테롤을 저하시킨다.

③ 펙틴(pectin)

변비에 효과적이며 지방과 콜레스테롤의 흡수를 억제하며 과일, 채소류에 많다.

3 탄수화물의 기능

1) 에너지 급원

탄수화물 1g당 4kcal의 에너지를 공급하며 성인의 경우 한국인 영양섭취기준에서는 1일 섭취에너지의 55~65%를 권장한다.

2) 단백질 절약작용(Protein sparing action)

식사에서 적절한 열량공급을 받지 못하면, 체조직의 구성과 보수에 사용하여야 할 단백질이 열량원으로 사용된다. 그러므로 당질을 충분히 섭취하면 단백질을 절약할 수 있다.

3) 지질대사의 조절

충분한 양의 탄수화물 이용이 가능할 경우 탄수화물과 소량의 지방을 에너지로 사용한다. 그러나 탄수화물이 부족할 경우에는 지방을 체내 대사에 쓰며 이때 지방대사의 중간 생성물인 케톤이 생성된다. 계속적으로 탄수화물 섭취가 부족되면 지방의 과다분해로 케톤산증(ketoacidosis)이 발생할 수 있다.

4) 혈당 유지

정상인의 혈당은 0.1%로 거의 일정하게 유지되고 있다. 신장에서 포도당의 문턱값은 180mg%이고, 그 이상이 되면 소변으로 당이 배설된다.

5) 감미료

단맛을 제공하며 감미도는 설탕의 감미도를 100으로 했을 때 과당 170, 전화당 130, 포도당 74, 맥아당 33, 젖당 16이다.

6) 섬유소의 공급

셀룰로스(cellulose), 헤미셀룰로스(hemicellulose), 펙틴(pectin), 검(gum) 등을 공급한다. 장운동을 원활하게 하며 콜레스테롤 등의 흡수를 억제하여 동맥경화증, 이상지혈증 등을 예방한다.

4 탄수화물의 소화(Digestion)

고분자 화합물인 탄수화물을 체내에 흡수되기 쉬운 형태로 변화시키는 것을 소화라고 한다. 단당류 이외의 탄수화물은 그 자체로는 흡수되지 못하므로 다당류, 이당류는 단당류로 가수 분해된다.

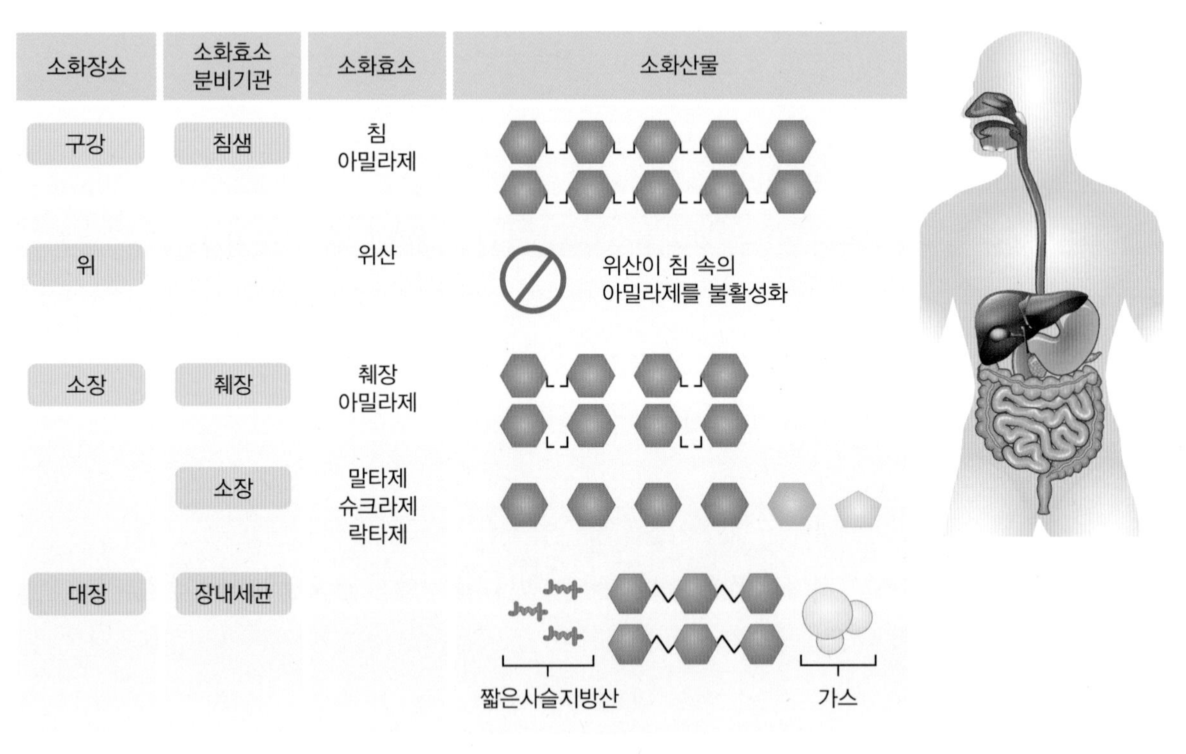

그림 2-2 **탄수화물의 소화**

5 탄수화물의 흡수(Absorption)

소화된 영양소가 소장 점막의 상피세포에서 체내로 들어가는 과정으로, 당질의 흡수 형태는 단당류(포도당, 과당, 갈락토스)이며 흡수율은 98%이다. 포도당의 흡수속도를 100으로 볼 때 당질의 흡수속도는 갈락토스 110, 과당 43, 만노스 19, 자일로스 15이다. 당질의 흡수는 갈락토스, 포도당은 능동수송으로 과당은 촉진확산으로 모세혈관 → 간문맥 → 간 → 간정맥 → 심장을 통해 전신으로 흡수된다.

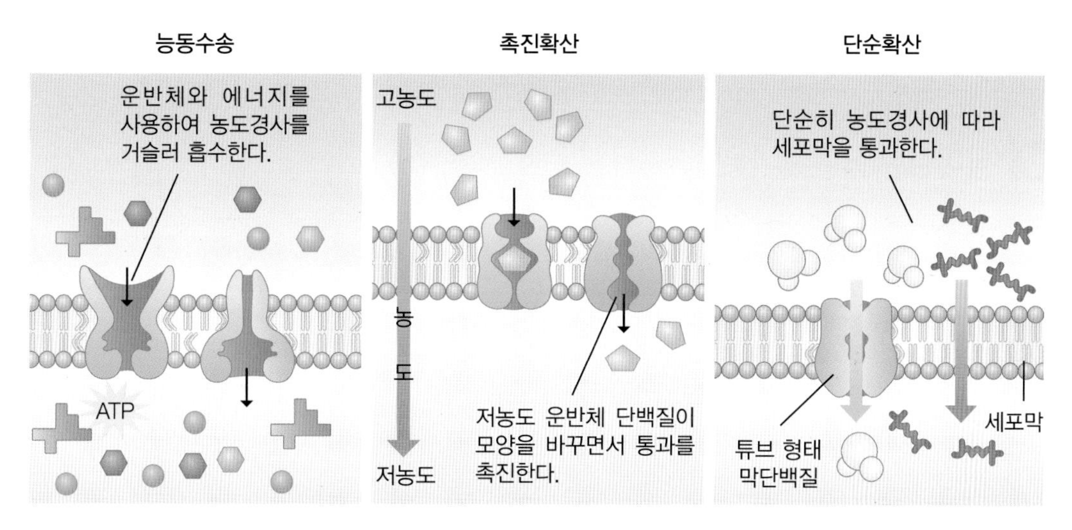

그림 2-3 **단당류의 흡수기전**

6 탄수화물의 대사

각 조직세포가 활동하고 작용하기 위해서는 에너지가 필요하며 이러한 세포의 에너지 공급원은 주로 포도당으로 해당과정, TCA 회로, 전자전달계를 거치면서 고에너지 화합물인 ATP(아데노신 트리포스페이트, adenosine triphosphate)를 생성한다.

1) 당원의 합성(Glycogenesis)과 분해(Glycogenolysis)

당원(glycogen)의 합성과 분해는 주로 간과 근육에서 서로 다른 대사경로를 통해 일어난다. 식사 후 에너지가 충분한 상태에서 남은 여분의 포도당은 간 또는 근육에서 당원의 형태로 전환된다. 포도당이 부족하여 혈당이 떨어지면 간 또는 근육에 저장되어 있던 당원이 포도당으로 전환되어 에너지원으로 이용된다.

근육에는 당원의 분해과정 시 포도당-6-인산에서 포도당으로 전환하는 과정에 필요한 효소가 없기 때문에, 근육에 에너지를 공급해 줄 수는 있지만 혈당을 직접적으로 올려주지는 못한다.

2) 포도당신생성(당신생작용, Gluconeogenesis)

당 이외의 물질, 즉 아미노산·글리세롤·피루브산·젖산 등으로부터 포도당이 합성되는 과정이다. 주로 간과 신장에서 일어나며 세포질 내에서 해당과정과는 별도의 경로를 통해 이루어진다. 적혈구·뇌·신경세포는 포도당을 주요 에너지원으로 사용하므로 탄수화물 섭취가 부족한 경우 포도당신생성이 일어나 체내의 포도당 요구량을 보충한다.

7 식이섬유소

사람의 체내 소화효소에 의해 가수분해되지 않는 고분자 화합물을 말한다.

1) 식이섬유소의 종류

(1) 불용성 식이섬유

셀룰로스(cellulose), 헤미셀룰로스(hemicellulose), 리그닌(lignin), 키틴(chitin) 등이 있으며 세포벽을 구성하고 장 내용물의 장 내 통과시간을 단축하여 배변을 용이하게 한다. 포도당의 흡수를 지연시키며 장내 세균에 의한 발효 및 인체에 유용한 균의 증식을 돕는다. 통밀, 고구마, 감자, 현미, 시금치, 부추, 브로콜리, 양배추, 강낭콩, 팥, 대두, 두부, 호박, 옥수수 등에 함유되어 있다.

(2) 수용성 식이섬유

식물성 검(gum), 해조다당류, 펙틴(pectin) 등이 있으며 음식물의 소장으로의 이동을 느리게 하여 포만감을 준다. 혈중 포도당 수준을 저하시키며 콜레스테롤의 흡수를 억제한다. 인체에 유용한 세균의 장내 증식을 돕는다. 아이스크림, 과자류에 첨가된 구아 검, 아라비아 검, 미역, 다시마, 한천, 근채류, 푸룬, 청국장, 귤·사과·살구·키위·사과·바나나 등의 과일과 양상추·브로콜리·오이·당근·무 등의 채소에 들어 있다.

2) 식이섬유소의 생리기능

포만감이 있어 비만인들에게는 체중조절 효과가 있으며, 정장작용, 대장암 예방, 혈중 콜레스테롤의 저하, 포도당의 흡수를 억제하여 혈당이 급격하게 상승하는 것을 막아 당뇨병을 예방할 수 있으며 치료에 도움이 된다. 그러나 과도한 양의 식이섬유소 섭취는 영양소의 흡수를 방해하며, 복부팽만감(불편함) 등을 유발할 수 있다.

표 2-1 식이섬유소의 기능

질병	역할	체내작용
당뇨병	• 공복 혈당을 낮춤 • 혈당 및 인슐린 필요량 감소시킴 • 인슐린 예민도 증가 • 식사 후 고혈당증 예방	• 소장에서 펙틴, 검 등은 포도당 흡수속도를 느리게 함
비만	• 포만감 증가, 적은 양의 음식 섭취하게 함 • 영양소 체내 이용률 저하 • 영양밀도 감소	• 섬유소 식품은 지방과 열량이 높은 음식을 대체함 • 지방 배설 증가 • 대장 통과시간 단축
관상심장병	• 담즙산의 재순환 방해 • 혈중 중성지방과 콜레스테롤 감소	• 대장의 균총 변화 • 콜레스테롤과 결합하여 배설 • 수용성 식이섬유는 소장에서 겔을 형성하여 지방 흡수 방해 • 고섬유소 식사는 고지방 식품 대체
대장암	결장암 발생위험 저하	• 과일이나 섬유소 함유 식품에는 결장을 보호하는 물질이 있음 • 섬유소가 포함된 음식은 부피가 커서 위를 빨리 채워 지방 포함 음식보다 열량은 적게 제공하면서 포만감을 빨리 느낌
게실증, 변비	저섬유소 식사는 장 내부의 압력을 증가시켜 장근육 약화시키고 약화된 근육은 게실 형성 쉬움	• 대장의 통과시간 단축·보습력이 높아져 변 부드러워짐

3) 영양섭취기준

성인 19~64세 기준 남성은 30g, 여성은 20g을 충분섭취량으로 정해 권장하고 있다.

4) 올리고당

3~10개의 단당류로 이루어진 당단백질이나 당지질의 구성성분으로 세포 내에서는 주로 생체막에 부착되어 있다. 콩류에 있는 올리고당인 라피노스와 스타키오스는 사람의 소화효소로는 소화가 되지 않으며 대장에 있는 박테리아에 의해 분해되어 가스와 그 부산물이 생성된다.

8 탄수화물의 영양섭취기준

탄수화물은 다량영양소 적정섭취비율에서 총 에너지의 55~65%를 권장하고 있다. 19~30세 사이의 성인은 하루 130g의 섭취를 권장하고 있다. 식이섬유소는 하루 20~25g의 섭취를 권장하고 있다.

요약

탄수화물은 체내의 가장 중요한 에너지원으로 단당류, 이당류, 다당류로 이루어져 있다.

이것만은 꼭 알아놓을까요?

- 다당류(polysaccharides): 여러 개의 단당류가 결합하여 이루어진 당. 식물성 식품의 전분, 섬유소, 간과 근육의 당원(glycogen)
- 단당류(monosaccharides): 포도당, 과당, 갈락토스
- 이당류(disaccharides): 자당, 맥아당, 유당
- 식품 탄수화물은 단순당질(단당류와 이당류), 복합당질(당원을 포함한 다당류)로 나눈다.
- 가용성 식이섬유소(soluble dietary fiber): 액체에서 용해되며 펙틴 등이 있다.
- 불용성 식이섬유소(insoluble dietary fiber): 액체에서 용해되지 않으며 셀룰로스 등이 있다.

복습하기

01 탄수화물의 체내 대사와 작용에 대한 설명으로 적절한 것은?

① 탄수화물은 소화·흡수되지 않고 그대로 배설된다.
② 탄수화물이 포도당으로 분해된 후 모두 단백질로 합성된다.
③ 탄수화물은 간과 근육 내 전분으로 저장되어 열량원으로 사용된다.
④ 탄수화물은 거의 모두 열량원으로 사용되고 남은 것은 지방으로 전환된다.

02 신체의 주 에너지원으로 사용되며 영양상 가장 중요한 단당류로서 혈당에 함유되어 있는 성분은?

① 과당
② 맥아당
③ 포도당
④ 갈락토스

03 식이섬유소은 일정량 섭취하여야 하는 다당류의 일종이다. 섬유질의 체내작용으로 적절치 않은 것은?

① 식이섬유소는 중요한 에너지원이다.
② 식이섬유소는 주요 식물의 세포막을 이루는 주성분이다.
③ 식이섬유소는 연동작용을 촉진하여 대변의 배설을 촉진한다.
④ 식이섬유소는 물을 흡수하여 대변의 장 통과시간을 줄여준다.

04 탄수화물은 우리가 섭취하는 열량의 60% 이상을 차지하나 체내에는 소량 존재한다. 그 설명으로 적절한 것은?

① 탄수화물은 간, 근육 및 지방조직에 당원 형태로 저장된다.
② 탄수화물은 모두 지방과 단백질로 전환되어 에너지원으로 사용된다.
③ 탄수화물은 소화·흡수율이 낮아서 소량만이 에너지원으로 사용된다.
④ 탄수화물은 거의 열량원으로 쓰이고 남은 것은 지방으로 전환되어 저장된다.

☞ 정답 및 해설은 385쪽에서 확인

제2절 지질(Lipid)

1 지질의 정의

물에 용해되지 않는 화합물로 탄수화물과 같이 탄소, 수소, 산소로 구성되어 있으나 배열과 조성이 달라 당질과는 전혀 다른 성질을 나타낸다. 당질, 단백질과 같이 생체 구성성분이며, 에너지 효율이 높다.

2 지질의 분류

1) 화학적인 분류

(1) 단순지질

지방산과 알코올의 에스테르 결합으로 이루어져 있으며 중성지방과 왁스가 있다.

(2) 복합지질

단순지질에 다른 성분이 결합된 것으로 인지질, 당지질, 지단백질이 있다.

(3) 유도지질

스테롤이 있다. 콜레스테롤은 동물성 식품에만 존재하며, 뇌, 신경조직, 간 등에 많이 들어 있다. 체내에서 호르몬(성 호르몬, 부신피질호르몬), 담즙산, 비타민 D 등의 전구체이다.

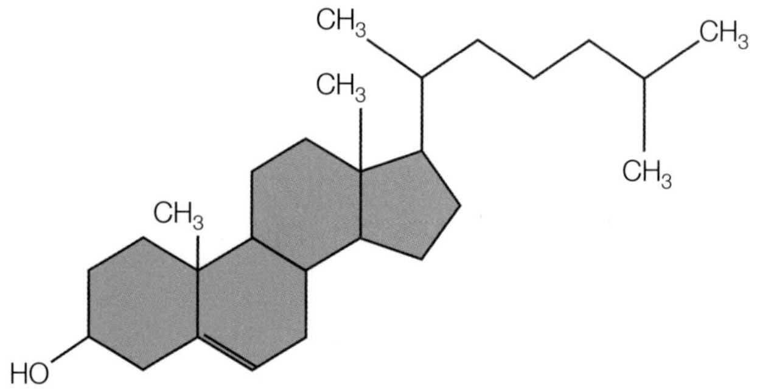

CH_3 CH_3 CH_3 CH_3 CH_3 HO

그림 2-4 **콜레스테롤의 구조**

물에 녹지 않으며, 체내에서 acetyl-CoA로부터 1.5~2.0g 정도 합성된다. 피부에 있는 비타민 D 전구체의 형태(7-dehydrocholesterol)는 자외선에 노출되면 간과 신장에서 비타민 D_3로 전환된다. 간에서 분해되어 담즙산을 생성하며, 지질의 유화와 흡수에 관여한다. 에르고스테롤은 식물에 존재하는 스테롤로 효모나 표고버섯에 많으며 체내에서 비타민 D_2로 전환된다.

3 지방산 구조 및 분류

1) 지방산의 구조

지방산은 탄소원자가 길게 연결된 사슬로서, 한쪽 끝에 카르복실기(-COOH)를 다른 한쪽 끝에는 메틸기($-CH_3$)를 가지고 있다. 자연계에 존재하는 지방산은 탄소수가 거의 짝수이다.

2) 지방산의 분류

탄소의 수는 4~22개까지 다양하며 탄소의 수가 길수록 소수성이 커지며 탄소수 6개 미만의 짧은사슬지방산은 유제품에 많다.

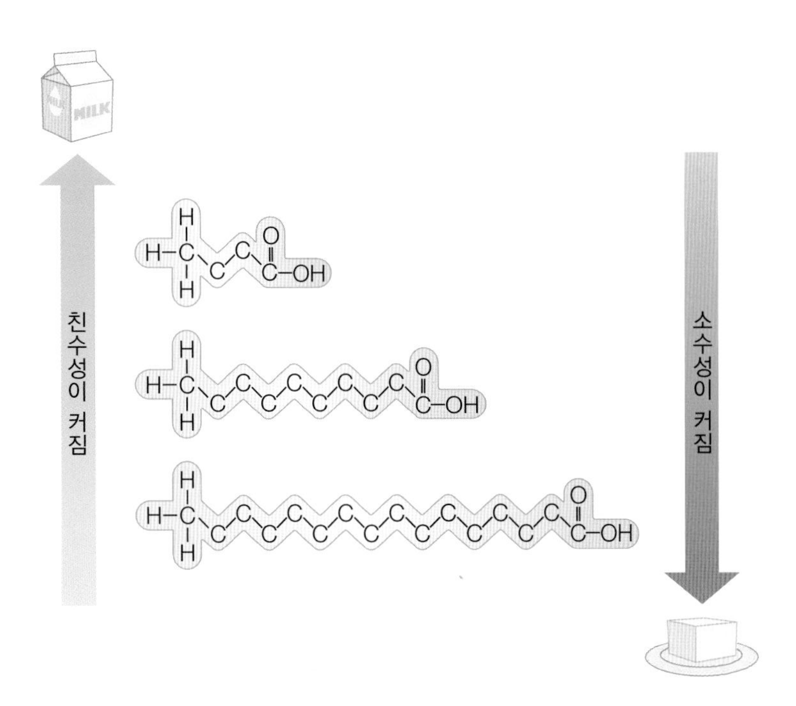

그림 2-5 지방산의 길이와 고체화

(1) 포화 정도에 따른 분류

포화지방산은 이중결합이 없으며 물에 녹기 어렵고 천연유지 중에 함량이 많은 것은 팔미트산(palmitic acid)과 스테아르산(stearic acid)이다. 불포화지방산은 상온에서 액체상태이며 단일 불포화지방산(monounsaturated fatty acid; MUFA)은 이중결합이 한 개인 올레산이 대표적이다. 다가 불포화지방산(polyunsaturated fatty acid; PUFA)은 이중결합이 두 개 이상 있는 지방산으로 불안정하여 공기 중에 쉽게 산화된다.

(2) 이중결합 위치에 따른 분류

오메가 지방산은 지방산의 -COOH기로부터 마지막 위치의 탄소를 ω 탄소라 하며, 이 탄소를 기준으로 하여 첫 번째 이중결합이 나타나는 탄소의 위치에 따라 분류한다.

- 오메가 3(ω-3) 지방산: α-리놀렌산[linolenic acid(C18:3)]은 들기름과 견과류에 함유되어 있다. EPA[eicosapentaenoic acid(C20:5)], DHA[docosahexaenoic acid(C22:6)]는 등 푸른 생선(참치·꽁치·고등어 등)에 많이 함유되어 있다.
- 오메가 6(ω-6) 지방산: 리놀레산[linoleic acid(C18:2)], 아라키돈산[arachidonic acid(C20:4)]이 있으며 콩기름, 옥수수기름 등 식물성 기름 등에 많이 함유되어 있다.
- 오메가 9(ω-9) 지방산: 올레산[oleic acid(C18:1)]이 대표적이며 동·식물성 기름에 많이 있다.

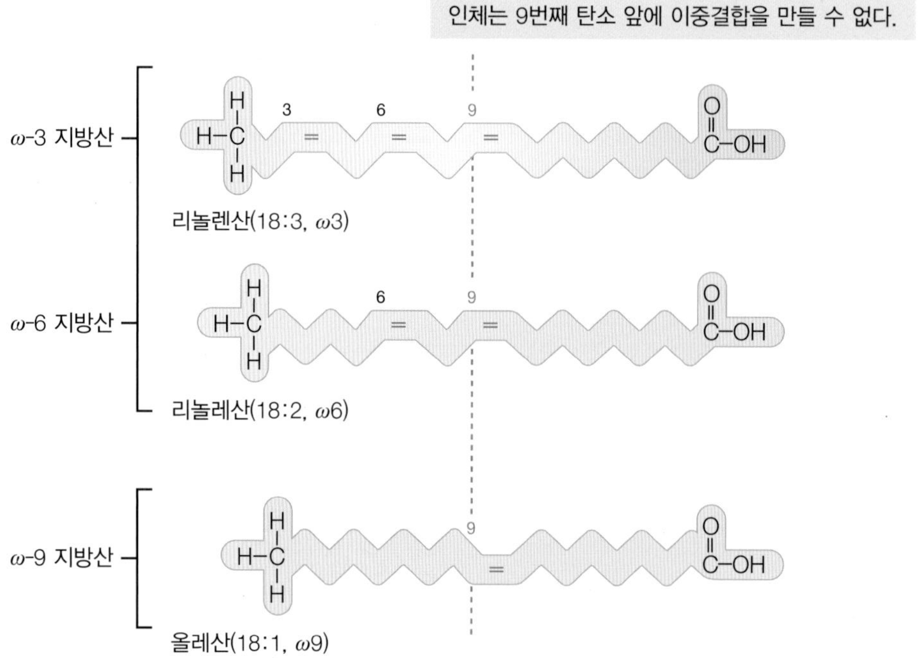

인체는 9번째 탄소 앞에 이중결합을 만들 수 없다.

ω-3 지방산
리놀렌산(18:3, ω3)
ω-6 지방산
리놀레산(18:2, ω6)
ω-9 지방산
올레산(18:1, ω9)

그림 2-6 **이중결합의 위치에 따른 불포화지방산의 종류**

(3) 시스·트랜스형

① 시스형

이중결합을 이루는 탄소 2개에 결합된 수소원자 2개가 같은 방향에 있어 지방산의 탄소 사슬이 이중결합을 중심으로 굽어져 있는 모양을 나타낸다. 대부분의 자연식품에 함유된 불포화지방산은 이에 속한다.

② 트랜스형

이중결합을 이루는 탄소 2개에 결합된 수소원자 2개가 서로 다른 반대 방향에 있어 지방산의 탄소사슬이 굽지 않고 똑바른 모양을 이루어 포화지방산과 비슷한 성질을 나타낸다. 다가 불포화지방산을 함유한 액체의 식물성 기름에 부분적으로 수소를 첨가하여 경화유를 만드는 과정에서 생기는 지방산이다.

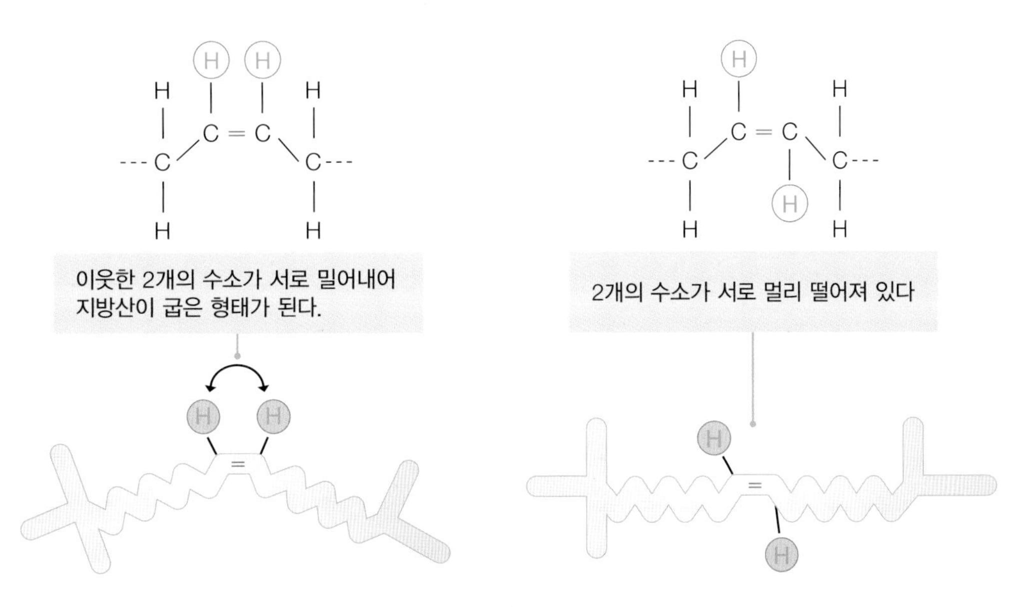

그림 2-7 **시스와 트랜스지방산**

(4) 체내 합성 유무에 따른 분류

① 필수지방산(essential fatty acid; EFA)

체내에서 합성이 되지 않거나 불충분하게 합성되어 반드시 식사로부터 매일 일정량을 섭취해야 하는 지방산으로 신체의 성장과 여러 생리기능을 정상적으로 수행하기 위해 필요하다. 세포막이나 혈청 지단백질의 구성성분이며 아이코사노이드의 전구체이다. 혈청 콜레스테롤의 감소, 동맥경화증의 예방과 치료에 효과적이며, 피부병과 지방간을 예방하고 성장을 촉진한다. 부족하면 피부염, 성장불량, 지방간 등의 증세를 보인다.

표 2-2 **필수지방산의 기능 및 급원**

필수지방산	기능	급원
리놀레산 [linoleic acid(C18:2개의 이중결합)]	항피부병 인자, 성장 인자	일반 식물성 기름(종실유)
α-리놀렌산 [linolenic acid(C18:3개의 이중결합)]	성장인자	아미인유, 콩기름
아라키돈산 [arachidonic acid(C20:4개의 이중결합)]	항피부병 인자	동물의 지방, 간유

4 지질의 기능

① 많은 에너지를 내며 저장된 지방은 체내 기관을 보호한다.

② 필수지방산인 리놀레산(linoleic acid), 리놀렌산(linolenic acid) 등을 공급하며 지용성 비타민 A, D, E, K의 흡수 및 운반에 관여한다.

③ 지방조직으로 이루어져 있는 미엘린은 신경세포를 싸고 있어 절연체로 작용하여 신경 자극을 전달한다.

④ 피부 바로 아래에 있는 지방층은 열손실을 최소화하여 체온을 조절하는 단열제로 기능한다.

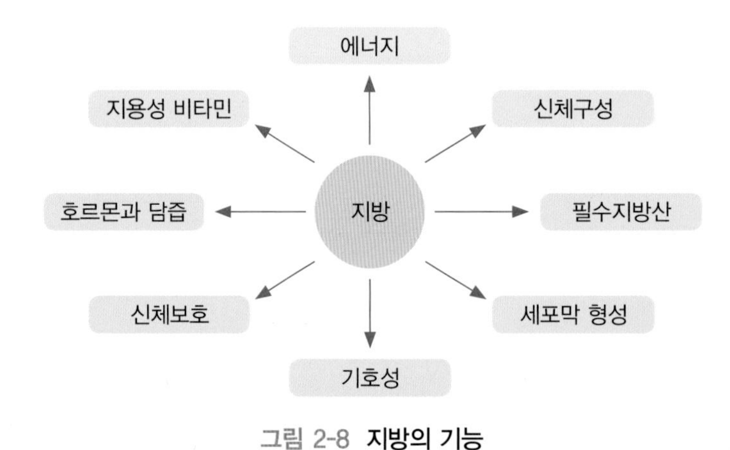

그림 2-8 **지방의 기능**

5 아이코사노이드(Eicosanoids)

탄소수가 20개인 지방산으로부터 합성되는 물질로 프로스타노이드(prostanoids), 류코트리엔(leukotrienes; LT)으로 분류되며, prostanoids에는 프로스타글란딘(prostaglandin; PG), 프로스타사이클린(prostacyclin; PGI), 트롬복산(thromboxane; TX)이 있다. 세포막 인지질의 ω-6, ω-3계 지방산으로부터 합성되며 필요할 때 합성된 장소와 가까운 곳에서 국소 호르몬처럼 작용한다.

02

6 지질의 소화와 흡수

1) 긴사슬지방산(long chain fatty acid)의 소화와 흡수

식품 중의 중성지방은 위에서 소량의 리파제(지방분해효소, lipase)와 혼합되지만 지질 소화의 대부분은 소장에서 담즙과 리파제에 의해 일어난다. 담즙은 간에서 합성되며 담낭에 농축 저장되었다가 지방 식품이 섭취되면 소장으로 분비된다. 담즙은 콜레스테롤, 레시틴 그리고 유화제로 작용하는 담즙산을 함유한다. 담즙산은 중성지방을 소화효소의 작용을 받기 쉽도록 작은 지방구로 나누어 표면적을 넓혀주는 유화작용을 한다. 췌장에서 분비되는 리파제는 중성지방을 모노글리세라이드(MG)와 2개의 지방산으로 분해한다. 지질 분해물인 MG와 2개의 지방산은 담즙산염, 인산, 콜레스테롤과 함께 소장의 연동작용을 받아 미

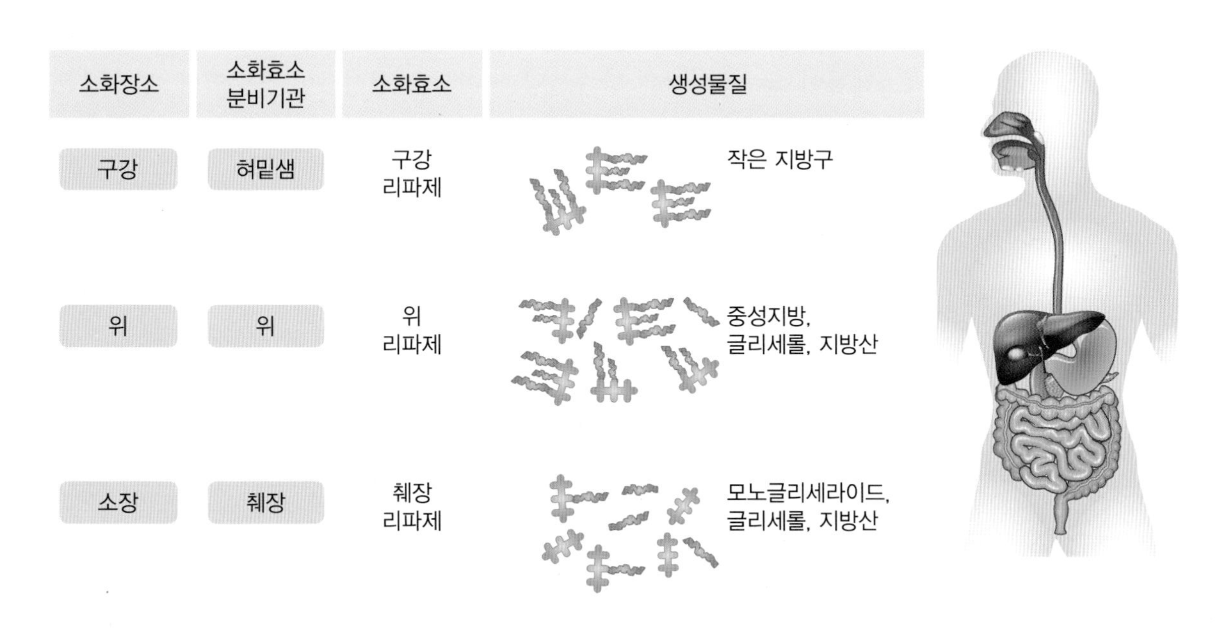

그림 2-9 중성지방의 소화

셀(micelle)을 형성하여 장벽세포까지 이동한다. 소장 점막세포에 다다르면 이 미셀에 있는 지방산과 MG는 소장세포로 쉽게 확산되어 들어가며, 담즙은 흡수되지 않고 소장관에 남아 있다가 회장에서 재흡수된다. 소장 점막세포 내에서 흡수된 지방산과 MG는 다시 에스테르 결합을 하여 중성지방(TG)을 형성한다. 중성지방은 콜레스테롤 에스터(cholesterol ester; CE), 인지질, 아포단백질과 결합하여 암죽미립(chylomicron)을 형성한다. 암죽미립의 중심부에는 중성지방, CE 등이 존재하고 바깥부분에는 인지질과 단백질이 있어 수용성 용매인 혈장과 접하게 된다. 암죽미립은 림프관을 거쳐 가슴관을 통과한 후 혈관계로 들어가 간이나 기타 조직으로 운반된다.

2) 중간사슬지방산(Medium chain fatty acid)의 흡수

중간사슬지방산은 긴사슬지방산보다 물과 섞이기 쉬우며 담즙 없이 지방산으로 분해되고, 세포로 들어온 지방산은 다시 중성지방으로 재합성되지 않고, 그대로 모세혈관을 거쳐 바로 문맥을 통해 직접 간으로 들어간다. 중간사슬지방산은 체내에서 저장지방으로 축적되지 않고, 거의 모두가 에너지원으로 이용된다. 그러므로 중간사슬지방산은 비만이나 지방간의 예방 및 치료에 많이 이용될 뿐만 아니라, 담즙의 분비가 나쁜 환자나 간 및 췌장 질환자 등의 병인식으로도 많이 이용된다.

3) 콜레스테롤의 소화와 흡수

Cholesterol ester(CE)는 췌장효소인 콜레스테롤 에스터라제(cholesterol esterase)에 의해 유리형 콜레스테롤이 되고, 이것은 담즙산염과 미셀을 형성하여 흡수되며, 흡수율은 20~40%이며 흡수 후에 CE로 재합성한 후 암죽미립을 형성한다.

4) 인지질의 소화와 흡수

레시틴, 세팔린 등의 인지질은 췌장 리파제(phospholipase)에 의해 가수분해되어 소장점막을 통과 후 인지질로 재합성되어 암죽미립을 형성한다.

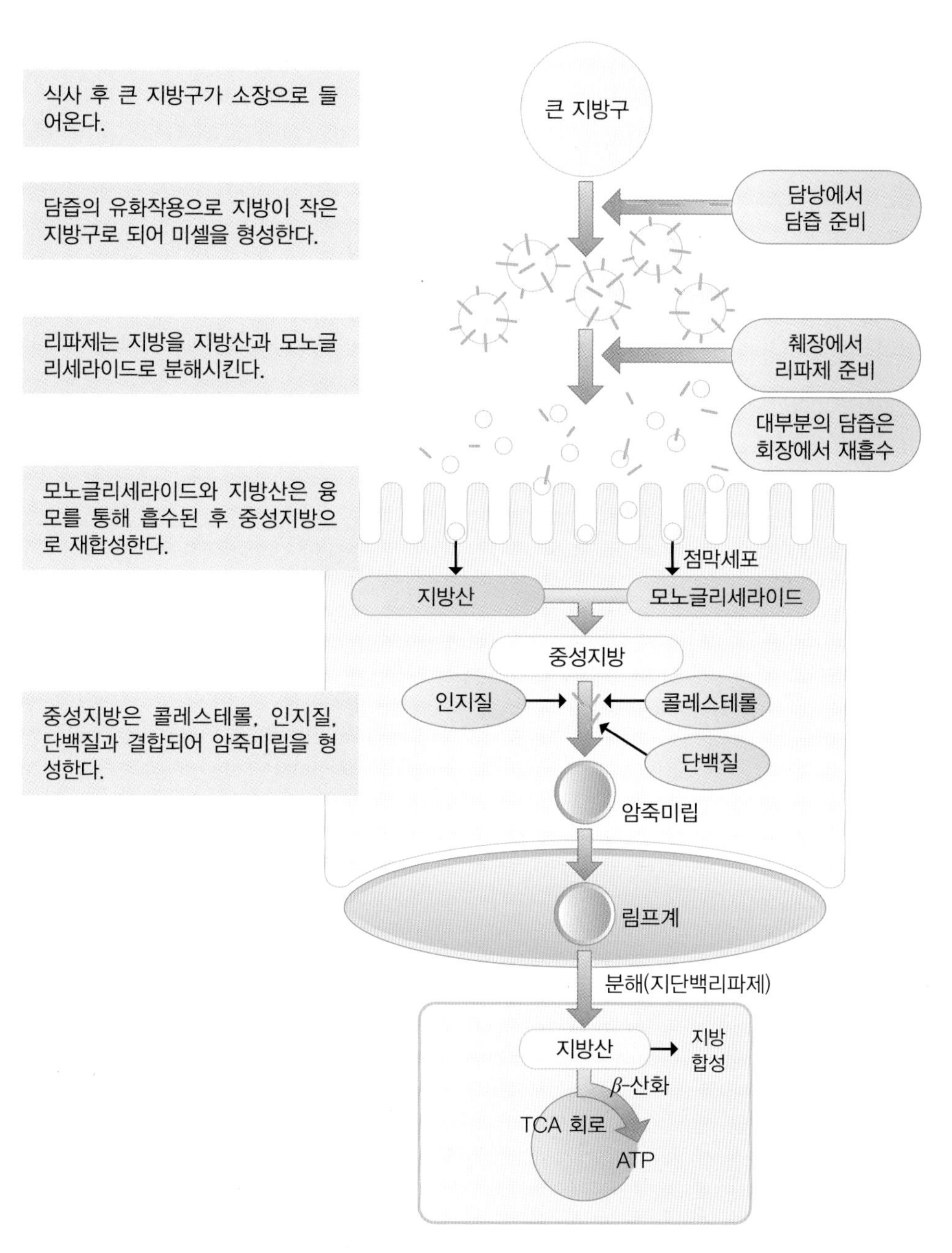

그림 2-10 긴사슬지방산의 소화와 흡수기전

02

7 지질의 운반

지질이 혈액 내에서 운반되려면 물에 잘 섞일 수 있는 운반체가 필요하다. 지단백질은 중성지방, 콜레스테롤 같은 비극성 물질은 안쪽에 있고 인지질, 단백질 같은 극성 물질은 바깥 부분을 둘러싸고 있어 혈액 내에서 자유롭게 이동한다. 지질을 운반하는 물질을 지단백질이라고 하며 밀도에 따라 암죽미립(chylomicron), 초저밀도 지단백질(very low density lipoprotein; VLDL), 저밀도 지단백질(low density lipoprotein; LDL), 고밀도 지단백질(high density lipoprotein; HDL)이 있다.

표 2-3 **혈청지단백질의 종류 및 생리기능**

특징	암죽미립	초저밀도 지단백질 (VLDL)	저밀도 지단백질 (LDL)	고밀도 지단백질 (HDL)
지름(nm) 밀도(g/mL)	100~1,000 < 0.95	30~90 0.95~1.006	20~25 1.019~1.063	7.5~20 1.063~1.210
주요 지질	음식으로 섭취한 중성지방(식사성)	간에서 합성된 중성지방(내인성)	음식으로 섭취하거나 합성된 콜레스테롤 에스테르(식사성+내인성)	각 조직세포에서 사용하고 남은 콜레스테롤 에스테르
주된 생성장소	소장	간	혈중에서 VLDL로부터 전환	간
역할	식사성 중성지방을 말초조직으로 운반	간에서 합성되거나 내인성 중성지방을 말초조직으로 운반	콜레스테롤을 간 및 말초조직으로 운반	사용하고 남은 과잉의 콜레스테롤을 말초조직으로부터 간으로 운반

8 지질의 대사

1) 중성지방의 대사

(1) 지방산 산화

공복 시 지방조직이나 간 등에 저장된 중성지방이 글리세롤과 지방산으로 분해된 후 지방산의 산화가 간과 지방조직에서 진행된다.

지방이 에너지로 이용되거나 다른 생체 내 필요한 물질을 합성하기 위해서는 지방조직에서 중성지방은 글리세롤과 지방산으로 분해된 후 지방산은 β-산화에 의해 분해되어 아세틸 CoA로 되어야 한다.

(2) 지방산 합성

지방산 합성은 세포질에서 이루어지며 지방산 합성에 이용되는 아세틸 코에이(acetyl-CoA)는 당질대사, 일부 아미노산의 탄소골격, 지방산의 산화에서 유래된다. 지질합성은 acetyl-CoA가 비오틴에 의해 malonyl-CoA를 형성하며, NADPH와 지방산 합성효소의 도움을 받아 연속적으로 축합되어 긴사슬포화지방산(plamitic acid)을 형성한다.

2) 콜레스테롤 대사

(1) 콜레스테롤의 합성

간에서 acetyl-CoA로부터 1.5~2.0g이 생성된다. 콜레스테롤의 합성경로는 acetyl-CoA에서 acetoacetyl-CoA, HMG-CoA, 메발론산(mevalonic acid), 스쿠알렌(squalene), 라노스테롤(lanosterol)을 거쳐 콜레스테롤이 된다.

(2) 콜레스테롤의 분해

콜레스테롤은 스테로이드 호르몬과 비타민 D 합성에 일부 사용되고, 나머지는 배설을 위해 HDL을 통해 간으로 돌아간다. 간에서 담즙을 형성하여 매일 장으로 배출된다. 배출된 담즙은 대부분 회장에서 재흡수되어 문맥을 통해 간으로 들어가고, 필요할 때 다시 담즙으로 재배출되는 장간순환(enterohepatic circulation)을 한다.

3) 지단백질의 대사

(1) 암죽미립(Chylomicron)

지방식사를 한 후에 생성되며 혈액에서 조직으로 중성지방을 전달하고 작아진 암죽미립(chylomicron)은 간으로 들어가 중성지방과 콜레스테롤로 분해된다.

(2) 초저밀도 지단백질(VLDL)

간에서 합성된 VLDL은 간 이외의 지방조직이나 근육에 중성지방을 제공하고 남는 것은 IDL(중간밀도 지단백질)을 거쳐 LDL로 전환된다.

(3) 저밀도 지단백질(LDL)

콜레스테롤 함량이 많은 LDL은 간이나 조직으로 들어가며 세포 내로 운반된 콜레스테롤 에스테르는 가수분해되어 콜레스테롤을 방출하고 세포에서 이용된다.

(4) 고밀도 지단백질(HDL)

혈중 효소 LCAT(lecithin cholesterol acyl transferase)의 작용으로 조직에서 유리형 콜레스테롤을 에스테르화하여 간으로 운반한다. 조직 내 콜레스테롤 제거와 LDL의 조직 내 유입을 억제한다.

4) 케톤체의 생성

당질의 섭취가 부족하거나, 기아나 단식 상태가 계속되거나, 당뇨병으로 당질대사가 원활히 일어나지 않아 저장지방이 산화될 때, 옥살로아세트산(oxaloacetic acid) 생성량이 부족하거나, 옥살로아세트산의 결핍으로 acetyl-CoA가 TCA 회로로 들어가지 못해 acetyl-CoA가 과잉 축적되면, acetyl-CoA 2분자가 축합하여 케톤체를 생성한다. 케톤체에는 아세토아세트산(acetoacetic acid), 아세톤(acetone), 베타 하이드록시뷰티르산(β-hydroxybutyric acid) 등이 있다. 케톤증(ketosis, 산독증)은 케톤체의 농도가 혈액 내 정상 이상인 상태이다.

그림 2-11 **케톤체 생성과정**

9 영양섭취기준

지질은 1일 섭취에너지의 적정비율은 15~30%이다. 불포화지방산과 포화지방산의 섭취비율은 P/S = 1~2:1, P/M/S = 1:1:1의 비율로 섭취한다. 여기에서, P는 Polyunsaturated fatty acid(PUFA)로 다가 불포화지방산을, M은 Monounsaturated fatty acid(MUFA)로 단일 불포화지방산을, 그리고 S는 Saturated fatty acid(SFA)로 포화지방산을 말한다. 고도불포화지방산인 ω-6/ω-3의 비율은 4~10:1로 섭취할 것을 권하고 있다.

지방은 에너지 영양소로 매우 중요하며 체내에서 합성되지 않는 필수지방산은 반드시 식품으로 섭취해야 한다.

이것만은 꼭 알아놓을까요?

- **고밀도 지단백질(high-density lipoprotein; HDL)**: 지방과 콜레스테롤을 조직에서 간으로 운반하는 지단백질이며, 단백질의 비율이 크다.
- **다가 불포화지방산(polyunsaturated fatty acid; PUFA)**: 탄소사슬에 두 개 이상의 이중결합이 있는 지방산
- **단일 불포화지방산(monounsaturated fatty acid)**: 탄소사슬에 한 개의 불포화 이중결합이 있는 지방산
- **리놀레산(linoleic acid)**: 첫 번째 이중결합이 오메가 끝부분에서부터 여섯 번째 탄소원자에 위치하고 있는 필수 다가 불포화지방산
- **유화제(emulsifier)**: 동시에 물과 지방에서 용해되어 잘 섞이게 하는 물질
- **아이코사펜타에노산(eicosapentaenoic acid; EPA)**: 생선 등에 많은 ω-3 지방산
- **인지질(phospholipids)**: 세포벽을 구성하거나 지방을 유화하는 지질 복합물
- **아세틸 CoA(acetyl coenzyme A; acetyl CoA)**: 신진대사에서 중요한 중간 부산물로서, 포도당, 지방산과 특정 아미노산이 분해되었을 때 생성된다.
- **암죽미립(유미미립, chylomicron)**: 식품에서 지질을 흡수한 후 첫 번째로 생성된 지단백질
- **중성지방(triglyceride, 트라이글리세라이드)**: 음식과 체지방에서 지질의 대부분을 차지하고 있다. 세 개의 지방산과 하나의 글리세롤 분자로 이루어져 있다.
- **지질합성(lipogenesis)**: 지질의 동화(합성)
- **저밀도 지단백질(low-density lipoprotein; LDL)**: 지방과 콜레스테롤을 신체 세포로 운반하는 지단백질이며, 콜레스테롤의 비율이 크다.
- **지방조직(adipose tissue)**: 체내 저장 지방조직으로, 중성지방으로 되어 있다.
- **초저밀도 지단백질(very low-density lipoprotein; VLDL)**: 간에서 합성되며 중성지방이 많다.
- **포화지방산(saturated fatty acid)**: 수소원자로 탄소사슬이 완전히 포화되어 있거나 채워진 지방산
- **필수지방산(essential fatty acids; EFAs)**: 체내에서 합성되지 않아 식사로 섭취해야 하는 다가 불포화지방산
- **cis-지방산(cis fatty acids)**: cis는 천연 기름의 이중결합의 수소가 같은 방향에 위치하는 지방산이다.
- **trans-지방산(trans fatty acids)**: 수소 첨가된 식물성 기름의 지방산의 이중결합의 수소가 다른 방향에 위치하는 지방산

복습하기

01 세포의 주성분이며 신경과 골수 등에 다량 함유되어 있는 성분은 무엇이며 이것이 다량 함유된 식품은?

① 답즙산 - 우유
② 레시틴 - 난황
③ 케톤체 - 흰 콩
④ 암죽미립 - 새우

02 콜레스테롤의 체내작용을 설명한 내용으로 맞지 않는 것은?

① 콜레스테롤은 지단백의 구성성분이다.
② 콜레스테롤은 에너지원으로 주로 이용된다.
③ 콜레스테롤은 성호르몬과 비타민 D의 기본 물질이다.
④ 콜레스테롤은 담즙산으로 분해되어 지질을 유화시켜서 소화를 돕는다.

03 콜레스테롤 함량이 가장 많은 지단백질로 이것이 높으면 동맥경화의 위험이 높은 지단백질은?

① LDL
② HDL
③ VLDL
④ 암죽미립

04 인체에 필요한 필수지방산이 결핍되어 나타나는 증상과 이 지방산이 다량 들어 있는 지방 급원은?

① 야맹증 - 면실유
② 성장지연 - 버터
③ 골연화증 - 올리브유
④ 피부염 - 옥수수기름

☞ 정답 및 해설은 385쪽에서 확인

05 필수지방산에 속하는 지방산과 이것이 더 많이 들어 있는 기름은?

① 리놀레산 – 쇠기름
② 팔미트산 – 콩기름
③ 리놀레산 – 옥수수기름
④ 아라키돈산 – 돼지기름

06 지방의 소화·흡수에 반드시 필요한 성분은?

① 담즙산
② 리놀렌산
③ 글루타민산
④ 아스파라긴산

07 간이 손상되면 지방의 소화가 잘 이루어지지 않는다. 간에서 합성되어 지방의 소화·흡수에 작용하는 것은?

① 젖산
② 담즙산
③ 팔미트산
④ 레놀렌산

08 지방이 체내에서 에너지를 발생하기 위한 산화작용은 주로 어디에서 일어나는가?

① 간과 뇌
② 근육과 간
③ 뇌와 근육
④ 간과 지방조직

☞ 정답 및 해설은 385쪽에서 확인

제3절 단백질(Protein)

1 단백질의 정의와 아미노산(Amino acid)

1) 정의

단백질은 생명유지에 필수적이며 생리기능을 조절하고, 당질이나 지질과는 달리 탄소, 수소, 산소 외에 질소를 함유하는 질소 화합물로 아미노산이 펩타이드 결합으로 이루어진 고분자화합물이다.

2) 아미노산

아미노산의 종류에는 중성, 산성, 염기성, 방향족, 함황, 필수아미노산이 있다. 중성 아미노산에는 alanine, valine, leucine, isoleucine, glycine, serine, threonine, asparagine, glutamine, proline, 산성 아미노산 glutamic acid, aspartic acid, 염기성 아미노산 lysine, arginine, histidine, 방향족 아미노산 phenylalanine, tyrosine, trytophane, 함황 아미노산 methionine, cysteine이 있다.

(1) 필수아미노산(Essential amino acid)

인체에서 합성할 수 없어 식품으로부터 섭취해야 하는 아미노산으로 성인은 리신, 루이신, 이소루이신, 메티오닌, 페닐알라닌, 트레오닌, 트립토판, 발린, 히스티딘 9가지이며, 유아는 아르기닌을 추가하여 10가지이다.

표 2-4 **아미노산의 생체 합성 여부에 따른 분류**

필수아미노산	비필수아미노산	조건적 필수아미노산
히스티딘(histidine) 이소루이신(isoleucine) 루이신(leucine) 리신(lysine) 메티오닌(methionine) 페니알라닌(phenylalanine) 트레오닌(threonine) 트립토판(trytophan) 발린(valine)	알라닌(alanine) 아스파트산(aspartic acid) 아스파라진(asparagine) 글루탐산(glutamic acid) 세린(serine)	아르기닌(arginine) 시스테인(cysteine) 글루타민(glutamine) 글리신(glycine) 프롤린(proline) 티로신(tyrosine)

(2) 비필수아미노산

비필수아미노산은 간에서 다른 아미노산으로부터 합성될 수 있다.

(3) 조건적 필수아미노산

예를 들어 페닐알라닌은 필수아미노산인데, 이를 가수분해하는 페닐알라닌 수산화효소가 선천적으로 결핍되면 티로신이 생성되지 않는다. 이때 티로신을 조건적 필수아미노산이라고 한다.

2 단백질의 구조

단백질의 기능은 단백질 구성과 밀접한 관계가 있다.

(1) 1차 구조

아미노산의 수, 종류, 순서에 의해 펩타이드 결합으로 이루어진 일직선의 구조이다.

(2) 2차 구조

1차 구조로 생긴 폴리펩타이드 사슬이 인접한 아미노산 사이의 수소결합에 의해 α-헬릭스 구조나 β 시트 구조를 이룬다.

(3) 3차 구조

폴리펩타이드 사슬이 서로 접히고 꼬임으로 생리적 작용을 완수할 수 있는 특수한 구조를 이룬다. 섬유상 단백질과 구상 단백질이 있다.

(4) 4차 구조

2개 이상의 폴리펩타이드가 모여 구조적 기능 단위를 이루는 것으로, 헤모글로빈을 예로 들 수 있다.

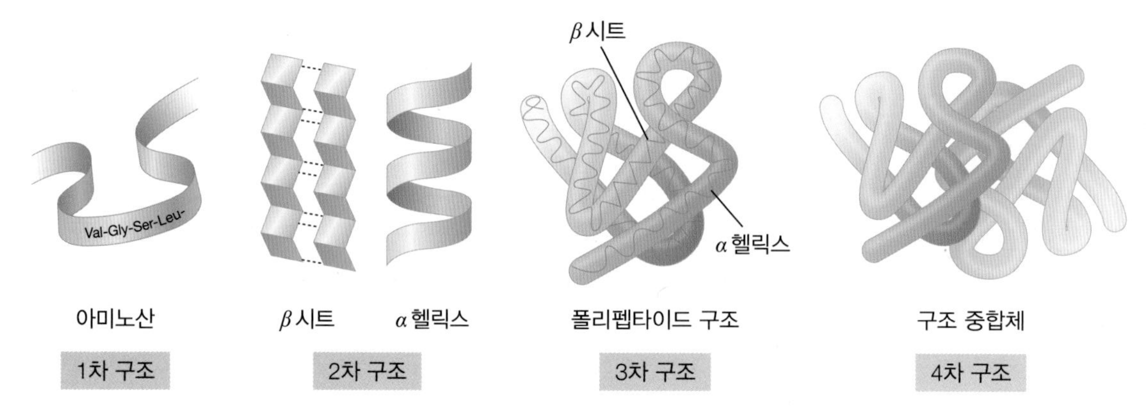

그림 2-12 **단백질의 구조**

3 단백질의 종류

1) 구성성분에 따른 분류

① 단순단백질: 가수분해하면 α-아미노산으로만 구성되어 있다.

② 복합단백질: 단순단백질에 비단백성 물질이 결합되어 있다.

③ 유도단백질: 천연 단백질이 물리적·화학적·효소 분해에 의해 성질이 변화된 것으로, 변화정도에 따라 1차 유도단백질, 2차 유도단백질로 분류한다.

④ 제1차 유도단백질(변성단백질): 열, 자외선 등의 물리적 작용이나 효소의 작용으로 천연 단백질의 성질이 약간 변하여 응고된 것이다. 응고단백질, 파라-카제인(para-casein), 젤라틴 등이 있다.

⑤ 제2차 유도단백질(분해단백질): 제1차 유도단백질이 다시 가수분해되어 아미노산이 되기까지의 중간 산물을 말한다. 프로테오스(proteose), 펩톤(peptone), 펩타이드(peptide) 등이 있다.

표 2-5 **복합단백질의 종류 및 성질**

명칭	비단백질 부분	특징	급원
인단백질 (phosphoprotein)	인산	핵단백질과 지단백질에는 인산이 비단백성분의 일부를 차지	casein(우유), vitellin(난황), vitellenin(난황) 등 동물성 식품에만 존재
핵단백질 (nucleoprotein)	핵산	히스톤 혹은 프로타민이 결합	배아와 효모 등 동식물 세포, 핵의 주성분
당단백질 (mucoprotein)	다당류	당질 부분에 아미노당 함유	mucin(침), mucoid(난백) 등 동식물 세포, 점성 분비물에 존재

명칭	비단백질 부분	특징	급원
금속단백질 (metalloprotein)	금속	철, 구리, 아연 및 마그네슘 함유	ferritin(비장), hemocyanin(연체동물의 혈액), insulin(췌장)
지단백질 (lipoprotein)	지질	중성지방, 인지질, 콜레스테롤이 핵단백질, 인단백질 단순단백질과 결합	lipovitellin(난황), lipovitellenin(난황)
색소단백질 (chromoprotein)	색소	heme, chlorophyll, carotenoid flavin	hemoglobin(혈액), myoglobin(근육), rhodopsin(시홍), astaxanthin(갑각류의 외피), flavoprotein(황색 색소)

2) 형태의 의한 분류

① 구상 단백질: 수용성으로서 근육의 미오신(myosin), 헤모글로빈, 대부분의 효소, 혈장 단백질 등에 존재하며 혈청 알부민(albumin), 락토알부민(lactoalbumin, 유즙), 미오겐(myogen, 근육) 등이 있다.

② 섬유상 단백질: 물에 용해되지 않으며, 세포조직의 유지나 구조를 이루는 단백질로 콜라겐(collagen, 연골), 케라틴(keratin, 머리카락·손톱), 미오신(myosin, 근육) 등이 있다.

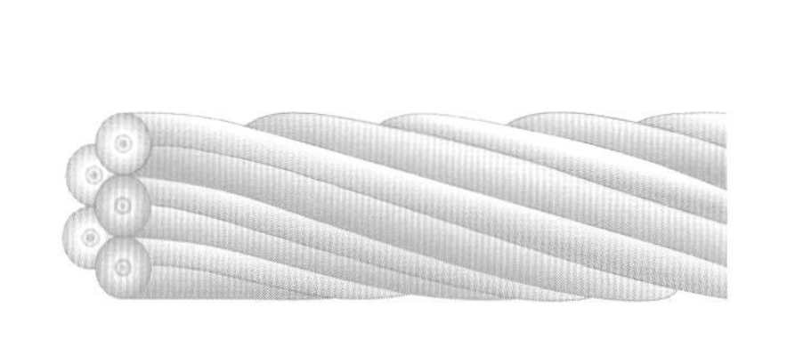

케라틴

헤모글로빈

그림 2-13 **섬유상 단백질과 구상 단백질**

3) 영양적인 분류

(1) 완전 단백질(Complete protein)

필수아미노산의 종류와 양을 충분히 함유하여 정상적인 성장을 돕고, 체중을 증가시키며 생리기능을 돕는 단백질이다. 생물가가 높은 양질의 단백질로 젤라틴을 제외한 모든 동물성 단백질을 말한다. 우유의 카제인(casein), 락토알부민(lactalbumin), 달걀의 오브알부민(ovalbumin), 대두의 글리시닌(glycinin) 등이 있다.

(2) 부분적 불완전 단백질(Partially incomplete protein)

필수아미노산의 종류는 충분하나 한 종류의 필수아미노산이 양적으로 부족한 식품의 아미노산을 제한아미노산[1)]이라 한다. 성장을 돕지는 못하나 생명을 유지시킬 수 있는 단백질이다. 밀의 글리아딘(gliadin), 보리의 호르데인(hordein) 등이 있다. 쌀의 제한아미노산은 리신과 트레오닌이며, 콩은 메티오닌이다.

(3) 불완전 단백질(Incomplete protein)

필수아미노산 중 한 가지가 완전히 결여되어 있어 동물의 성장이 지연되고, 체중이 감소되며, 생명에 지장을 초래한다. 생물가가 낮은 단백질로 젤라틴(gelatin), 옥수수의 제인(zein) 등이 있다.

4 단백질의 기능

1) 새로운 조직의 합성과 유지

단백질은 성장발육 체내 여러 장기나 근육, 피부나 머리카락을 구성하며, 뼈의 신장, 헤모글로빈(hemoglobin; 산소운반) 등을 합성하는 데 관여한다. 즉 우리 몸을 구성하고 있는 각 세포는 단백질로 만들어지고, 단백질은 아미노산으로 구성되어 있고, 체내 세포는 끊임없이 교체되므로 신체를 구성하고 유지하는 데 필요한 아미노산을 계속해서 공급해야 한다.

2) 혈장단백질 구성

혈장단백질인 알부민, 글로불린의 구성성분이고, 피브리노겐은 혈액응고에 관여한다.

3) 효소 및 호르몬의 형성

인체에서 일어나는 화학반응과 생리작용에서 촉매 역할을 하는 효소는 단백질로 구성되어 있다. 인슐린 등의 주요 호르몬도 단백질로 구성되어 있으며 체내에서 매개체로 작용한다.

4) 항체(Antibody) 형성

바이러스, 박테리아 등의 유해물질이 체내 침입하면 생체는 자기 방어를 위해 이 물질에

1) 제한아미노산: 식품 단백질의 필수아미노산 구성을 기준 단백질의 필수아미노산의 조성과 비교하여 가장 낮은 비율의 아미노산을 말한다.

선택적으로 결합하는 물질인 항체를 형성한다. 단백질은 질병에 대한 저항력을 제공하며 식이로 섭취하는 단백질이 충분하지 못하면 항체 형성이 어려워 면역기능이 떨어지게 된다.

5) 삼투압 조절(체액 및 전해질 평형)

단백질은 혈액 내에서 교질삼투압을 형성하여 조직의 삼투압과 수분 평형을 조절한다. 혈장단백질 농도가 감소하면 혈액의 교질삼투압이 감소되어 조직의 물이 혈관 내로 이동하지 못하고, 물이 조직에 축적되어 부종(edema)이 생긴다. 단백질을 보충하면 조직 내에 있던 수분이 다시 혈장 내로 이동하여 부종이 사라진다.

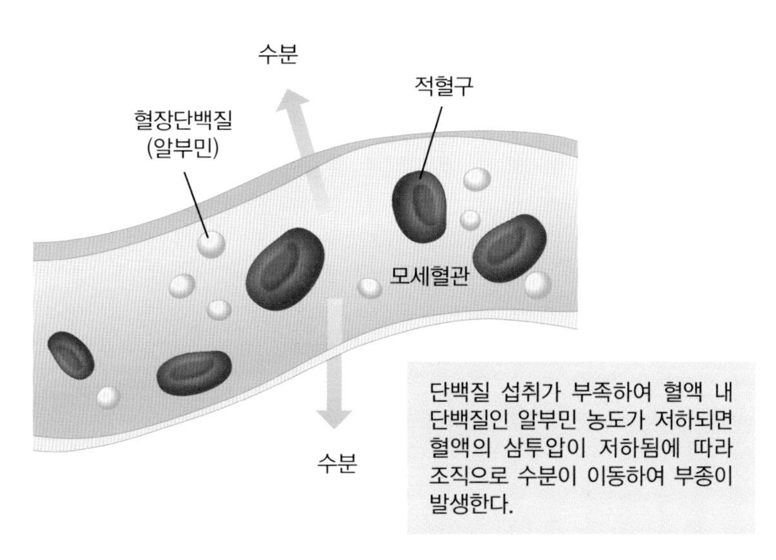

그림 2-14 **체액의 평형 유지**

6) 산-염기조절(pH 조절)

인체는 혈액단백질의 완충작용으로 혈액의 산-염기평형을 유지한다. 이를 단백질의 완충작용이라고 하며, 이는 아미노산이 산성 카르복실기와 염기성 아미노기를 포함하고 있어 산이나 염기로 작용하기 때문이다.

7) 포도당신생성 기능

당질 섭취가 부족할 경우 혈당을 일정하게 유지하기 위해, 간에서 아미노산으로부터 포도당을 생성하여 적혈구나 신경조직에 필요한 에너지를 공급한다.

8) 에너지원

단백질 1g당 4kcal의 에너지가 발생한다. 당질이나 지질 섭취량이 부족하면 단백질이 분해되어 에너지를 공급한다. 생체는 에너지 보급이 우선이므로 당질과 지질이 충분해야만 단백질이 본래의 중요한 역할(구성 영양소)을 할 수 있다.

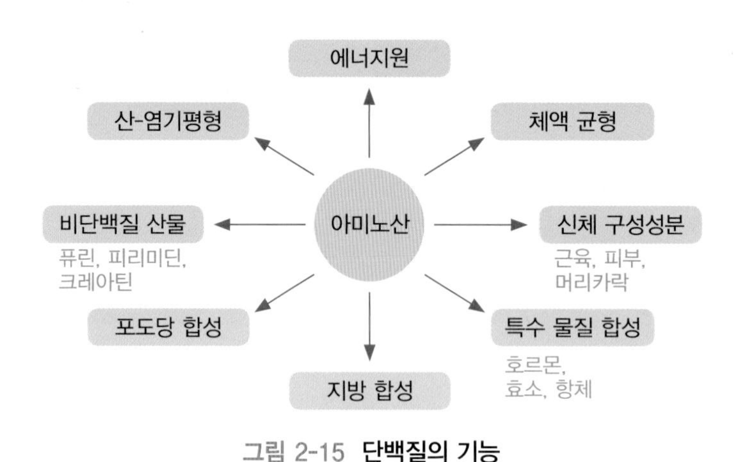

그림 2-15 **단백질의 기능**

5 단백질의 소화와 흡수

1) 단백질의 소화

단백질은 위산에 의해 불활성 형태의 효소인 펩시노겐(pepsinogen)이 활성형인 펩신(pepsin)으로 되어 단백질 일부가 작은 분자인 폴리펩타이드로 되는 것으로부터 시작된다. 폴리펩타이드가 십이지장에 도달하면 췌장에서 분비되는 트립신과 키모트립신에 의해 더 작은 폴리펩타이드와 다이펩타이드로 분해된다. 이어 카복시펩티다제(carboxypeptidase)와 소장에서 분비되는 아미노펩티다제(aminopeptidase)와 다이펩티다제(dipeptidase)에 의해 아미노산으로 분해된다.

2) 단백질과 아미노산의 흡수

대부분은 아미노산까지 분해되지만 간혹 완전히 분해되지 않은 저분자 펩타이드도 소장 점막세포에 흡수된다. 아미노산의 점막세포로의 흡수는 대부분 능동수송에 의해 매우 빠르게 진행된다. 흡수된 아미노산은 모세혈관을 통해 문맥을 거쳐 간으로 운반된다. 단백질의 평균 흡수율은 92%이다.

소화장소	소화효소 분비기관	불활성 형태효소	활성 촉진물질	활성효소	분해산물
구강					
위	위	펩시노겐	위산	펩신	펩톤
소장		트립시노겐	엔테로키나제	트립신	작은 펩타이드
	췌장	키모트립시노겐	트립신	키모트립신	작은 펩타이드, 다이펩타이드
		프로카복시 펩티다제	트립신	카복시 펩티다제	다이펩타이드 아미노산
	소장벽			아미노 펩티다제	다이펩타이드 아미노산
				다이 펩티다제	아미노산

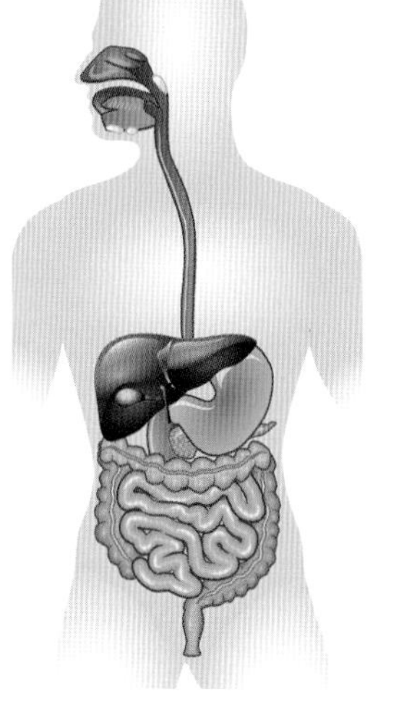

그림 2-16 **단백질의 소화**

02

6 단백질의 대사

1) 아미노산의 분해와 에너지 생성

아미노산의 탄소골격은 산화와 분해과정을 거친 후 TCA 회로로 들어가 산화과정을 거쳐 에너지를 발생한다. 이때 단백질은 에너지 발생을 위해 아미노기가 떨어지는 탈아미노 반응(deamination)이 일어난다. 탄소골격인 알파 케토산은 아세틸 CoA로 전환되거나 TCA 회로의 여러 단계로 들어가 산화되어 에너지를 낸다. 또한 간에서 포도당신생성(gluconeogenesis)을 거처 포도당을 생성하는데 이렇게 탄수화물 대사의 경로에 의해서 연소되는 아미노산은 당원성 아미노산(glucogenic amino acid)이라 하고, 지질대사의 경로에 의해 연소되는 아미노산은 케톤성 아미노산(ketogenic amino acid)이라 하며 탄수화물과 지질대사의 두 회로를 통해서 연소되는 아미노산은 당원성·케톤성 아미노산이라 한다.

표 2-6 **포도당 생성 및 케톤 생성경로의 아미노산**

분류	아미노산의 종류
케톤성 아미노산	루이신, 리신
당원성 · 케톤성 아미노산	이소루이신, 페닐알라닌, 티로신, 트립토판
당원성 아미노산	알라닌, 세린, 글리신, 시스테인, 아스파트산, 아스파라긴, 글루탐산, 글루타민, 아르기닌, 히스티딘, 메티오닌, 프롤린

2) 요소 합성

아미노산의 분해, 즉 탈아미노 반응 결과 떨어져 나온 질소는 암모니아(NH_3)를 형성하며 독성이 강한 암모니아는 혈액을 통해 간으로 운반된 후 이산화탄소와 결합하여 무해한 요소(urea)로 전환되어 배설된다. 이를 요소회로(urea cycle)라 한다.

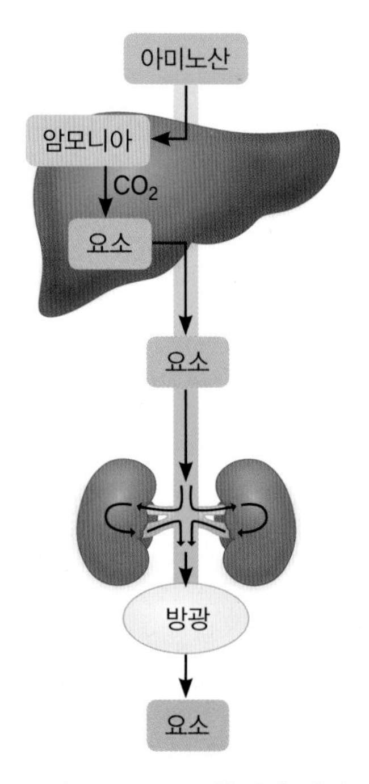

그림 2-17 **요소 합성과 배설**

3) 주요 조직 내의 아미노산 대사

장 점막세포로 흡수된 아미노산은 대부분 간문맥을 거쳐 간으로 운반되어 대사되고, 일부는 다시 혈액으로 나와 각 조직에 운반되어 단백질 합성 등을 위해 사용된다. 트립토판은 뇌로 가서 세로토닌 합성의 전구체로 사용되며 분지아미노산은 말초조직, 특히 근육과 지방조직에서 분해된다. 근육에서는 중성 아미노산인 알라닌과 글루타민이 나와 알라닌은 간으로 이동하여 포도당신생성 과정을 거쳐 혈당으로 재방출되어 근육으로 흡수되며 글루타민은 장으로 이동하여 알라닌이 된 후 다시 간으로 이동한다.

4) 아미노기 전이반응(Transamination)

아미노기 전이반응은 한 아미노산의 아미노기를 α-케토산에 옮겨 다른 아미노산으로, 아미노기를 준 아미노산은 α-케토산으로 되는 반응이다. 이때 피리독신(비타민 B_6)은 아미노기 전달효소의 조효소로 작용한다.

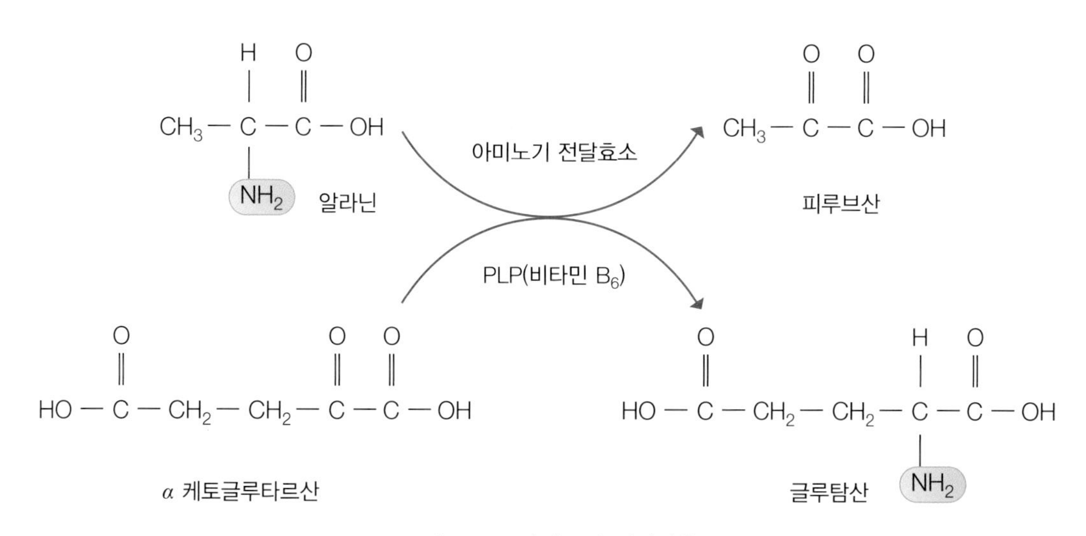

그림 2-18 **아미노기 전이반응**

7 단백질의 상호 보충효과(Supplementary effect of protein)

제한아미노산의 종류가 다른 두 개의 부분적불완전 혹은 불완전 단백질 식품을 함께 섭취하여 서로의 제한점을 보완하여 균형된 아미노산 조성을 가질 수 있게 하는 것이다. 예로 쌀에는 리신과 트레오닌이 부족하고 콩은 메티오닌이 부족하므로 콩밥은 부족한 단백질을 상호 보충할 수 있다.

8 단백질 영양섭취기준

한국인 영양섭취기준에서는 성인 남성 19~49세 65g, 성인 여성 19~29세 55g, 30~49세 50g을 권장하고 있다.

9 결핍증

1) 단백질-에너지 영양불량(Protein energy malnutrition; PEM)

단백질과 열량이 부족한 식사로 인한 영양결핍증으로 성장이 저해되고 질병에 걸리기 쉽다.

① 콰시오커(Kwashiorkor): 단백질 결핍성 영양불량으로 얼굴과 배에 부종이 발생한다. 단백질이 지속적으로 공급되지 않으면 간에서 생성된 지방이 다른 곳으로 이동하지 못하고 축적되어 지방간이 되어 간이 기능을 하지 못하게 된다. 근육이 약화되고 성장이 저해된다.

② 마라스무스(Marasmus): 총 칼로리를 충분히 섭취할 수 없어 발생하는 영양불량으로 피하지방을 에너지로 활용하기 때문에 피부와 뼈가 붙어있는 것처럼 보인다. 근육이 분해되어 에너지로 사용하기 때문에 근육의 양은 줄어들고 각종 기관에도 장애를 초래하여 성장이 멈추게 된다.

표 2-7 **단백질 결핍증**

특징	콰시오커	마라스무스
발생시기	12~48개월(이유 후 어린이나 5세 이하의 급성장기 어린이)	6~18개월(이유기와 유아기)
체중	저체중	극저체중
외모	달덩이얼굴(moon face)	근육쇠퇴, 체지방 감소
신경계	근육약화, 체지방 정상, 지방간, 간비대, 피부염, 머리털 변색, 부종 무감각, 냉담, 의욕상실	피부, 모발, 간 기능 정상 신경질적, 잘 놀람

2) 단백질 과잉 섭취의 문제점

단백질을 과잉 섭취하면 간에서의 탈아미노화 과정이 증가하여 케토산 생성을 증가시켜 케톤증을 유발할 수 있다. 또한 요소 증가로 신장의 부담이 커지면서 간과 신장 기능에 영향을 미칠 수 있다. 따라서 권장량보다 2배 이상은 섭취하지 않도록 한다. 동물성 단백질의 과잉 섭취는 혈액의 중성지방과 콜레스테롤을 증가시켜 심혈관계 질환이나 암을 유발할 수 있으며 칼슘의 배설을 증가시켜 골다공증 발생에도 영향을 미칠 수 있다.

요약

단백질은 체내 구성물질로 여러 가지 중요한 생리기능을 수행하고 있다. 탄수화물과 지방과 달리 질소를 가지고 있으며 산-염기평형, 면역기능을 수행하며 각종 호르몬과 효소의 구성성분이다. 체내에서 혈당이 저하되었을 때는 아미노산으로부터 당을 생성한다. 결핍되면 콰시오커, 마라스무스 등이 나타난다.

이것만은 꼭 알아놓을까요?

- **단백질(proteins)**: 아미노산으로 이루어진 유기화합물
- **단백질 열량 영양불량(protein energy malnutrition; PEM)**: 단백질, 에너지 또는 단백질과 에너지의 부족에 의해 야기되는 영양불량
- **마라스무스(marasmus)**: 특히 에너지 부족에 의한 영양실조
- **불완전 단백질(incomplete protein)**: 필수아미노산 중에서 한 개 이상의 아미노산이 매우 부족한 단백질
- **아미노산(amino acids)**: 탄소, 수소, 산소, 질소를 포함하는 유기 화합물
- **요소(urea)**: 탈아미노 반응에 의해 아미노산에서 떨어져 나온 아미노기는 암모니아를 생성한다. 암모니아는 알칼리성이어서 인체에 유해하므로 간에서 요소회로를 통해 무해한 요소로 전환된다.
- **완전 단백질(complete protein)**: 모든 필수아미노산이 양과 질적으로 충분히 함유된 단백질
- **콰시오커(kwashiorkor)**: 특히 단백질 결핍으로 인한 영양불량
- **탈아미노화(deamination)**: 아미노기가 있는 화합물에서 아미노기가 떨어져 나와 알파-케토산과 아미노기로 되는 과정
- **트립신(trypsin)**: 췌장의 일차 단백질분해효소
- **프로테아제(proteases)**: 단백질분해효소
- **펩시노겐(pepsinogen)**: 펩신의 비활성 형태
- **펩신(pepsin)**: 위의 단백질분해효소
- **필수아미노산(essential amino acids; EAAs)**: 인체 내에서 합성할 수 없어 식품으로 섭취해야 하는 아미노산

복습하기

01 체내에서 합성되지 않는 필수아미노산으로만 된 것은?

① 글리신, 티로신
② 글루타민, 리신
③ 트립토판, 리신
④ 알라닌, 시스틴

02 영양적으로 중요한 구상 단백질이면서 완전단백질에 속하는 단백질은?

① 펩톤, 우유 카제인
② 콜라겐, 옥수수 제인
③ 케라틴, 밀 글리아딘
④ 오브 알부민, 우유 카제인

03 단백질 중 이 단백질 식품만을 섭취시키면 성장지연과 체중감소가 일어나 결국 사망하게 되는 불완전 단백질에 속한 단백질은?

① 옥수수의 제인
② 콩의 글리시닌
③ 우유의 카제인
④ 밀의 글루테닌

04 단백질 식품은 소화가 되는데 소화기관이 분해되지 않는 이유를 바르게 설명한 것은?

① 단백질 분해는 간과 췌장 내에서만 분해된다.
② 단백질분해효소는 위로 배출될 때 활성된다.
③ 단백질은 소화효소의 작용을 받지 않고 그대로 흡수된다.
④ 점액다당류가 장벽을 둘러싸여 소화효소의 작용을 받지 못하도록 한다.

☞ 정답 및 해설은 385쪽에서 확인

05 위에서 분비되는 단백질 소화효소나 위산에 의해 위벽이 분해되지 않는데 중요한 역할을 하는 위 내벽 보호 물질은?

① 펩신
② 트립신
③ 가스트린
④ 점액다당류

06 〈보기〉의 ( ) 안의 말과 체내 현상이 알맞게 연결된 것은?

〈보기〉

고단백 위주의 식사는 단백질 성분이 에너지로 사용된다. 이때 질소 성분이 분해되고 탄소골격은 에너지 대사과정으로 들어가며 분해된 질소 성분은 간에서 ( )로 합성되어 소변으로 배설되며, 단백질이나 지방만을 에너지원으로 사용할 경우 생길 수 있는 체내 현상은?

① 요산 – 지방산
② 요소 – 케톤체 증가
③ 크레아틴 – 인슐린 증가
④ 암모니아 – 아미노산 증가

☞ 정답 및 해설은 385쪽에서 확인

제4절 지용성 비타민

1 지용성 비타민의 특성

탄소, 수소, 산소로 구성되어 있으며 유기용매에 녹으며, 지질과 함께 림프계를 통해 혈관으로 들어가 간으로 가며 여분의 양은 저장(간, 지방조직)되고 결핍증은 서서히 나타난다. 필요량을 매일 공급할 필요는 없으며 전구체가 존재한다. 소량으로 사람을 포함한 동물의 정상적인 성장과 생리기능 유지 등 정상적인 대사활동에 필수적이며 체내 합성이 어려워 식품으로부터 반드시 공급되어야 하는 유기화합물이다. 비타민 자체는 조직의 성분이나 에너지원은 아니지만 에너지 대사과정에 필수인자이며 조효소로 작용한다.

비타민 전구체(provitamin)는 생리적으로 활성이 있는 비타민과 화학적인 구조가 유사하지만 체내에 흡수되어야 비로소 활성화되는 물질이다. β-carotene은 비타민 A 전구체로 소장점막에서 레티놀(retinol)로 전환되며, 7-dehydrocholesterol은 자외선 조사에 의해 비타민 D_3로, ergosterol은 자외선에 의해 비타민 D_2로 전환된다.

항비타민(antivitamins, antagonist)은 비타민과 화학적 구조와 성질이 매우 유사하나 정상적인 신체의 생리작용을 저해한다. 예를 들어 천연 항비타민제인 디쿠마롤(dicumarol)은 비타민 K의 작용을 억제한다.

표 2-8 지용성 비타민과 수용성 비타민의 일반적인 특성 비교

구분	지용성 비타민	수용성 비타민
성질	기름과 유기용매에 녹음	물에 녹음
구성성분	C, H, O	C, H, O, N 외에 경우에 따라 황(S), 코발트(Co) 함유
필요량	결핍증세가 서서히 나타나므로 필요량을 매일 공급해 주지 않아도 됨	필요량을 매일 공급하지 않으면 결핍증세가 빨리 나타남
독성	보충제로 필요량 이상 섭취하면 간과 지방조직에 저장되어 체외로 쉽게 배설되지 않고 독성이 나타날 수 있음	필요량 이상 섭취해도 체내에 저장되지 않고 쉽게 소변으로 배설되므로 독성 수준에 도달하기 어려움

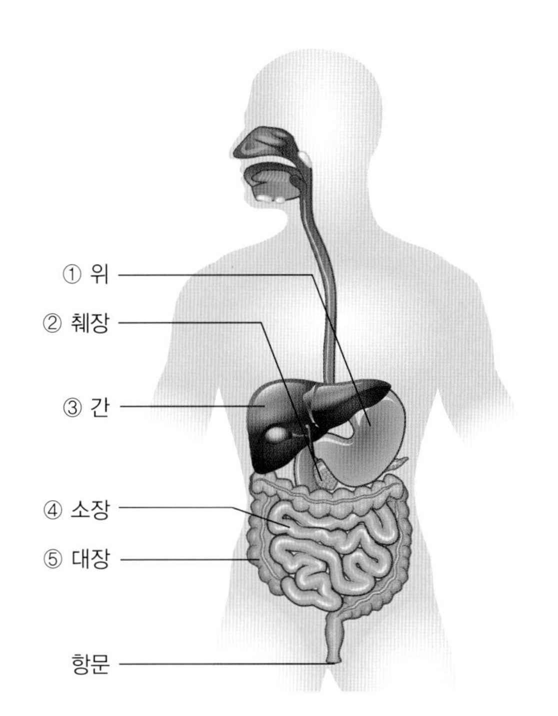

① 위장에서 소화되면서 식품에 함유된 비타민이 방출되기 시작한다.

② 췌장에서 소화효소가 분비되면, 특히 비타민 A를 포함한 비타민이 다량 배출된다.

③ 간에서 합성되어 담낭에 저장된 담즙은 지용성 비타민의 흡수에 도움을 준다.

④ 모든 비타민은 소장에서 흡수된다. 지용성 비타민은 식이지방과 함께 흡수된다.

⑤ 비타민 K와 비오틴은 소장의 말단 부분과 대장에서 박테리아에 의해 소량 합성되어 일부는 흡수된다.

그림 2-19 **비타민의 소화·흡수과정**

2 비타민 A

비타민 A는 활성형인 레티노이드(retinoid)와 불활성형인 카로티노이드(carotenoid)가 있으며 레티노이드에는 레틴올(retinol), 레티날(retinal) 및 레티노익산(retinoic acid)이 있으며 카로티노이드인 α-카로틴, β-카로틴, 크립토잔틴은 체내에서 비타민 A로 전환되어 활성을 갖게 되므로 비타민 A 전구체라고 하며 β-카로틴이 가장 활성이 높다.

1) 비타민 A의 생리기능

비타민 A는 피부와 점막을 정상으로 유지하며 시력과 뼈의 성장, 면역기능, 정상적인 생식기능과도 관련이 있다. 특히 시각에 관련된 로돕신 형성에 관여한다. 망막의 로돕신은 비타민 A인 레티날과 단백질인 옵신에 의해 합성된다. 비타민 A가 부족하면 로돕신이 형성될 수 없으므로 빛에 반응하지 못해 야맹증이 나타난다. 피부나 뼈 조직의 성장에 필요하고 상피조직을 보전해 감염을 예방하며 호르몬처럼 생식에 필요한 세포를 합성하는 데 관여한다. 동물성 식품에 함유된 비타민 A는 레티놀이라 하며 그대로 비타민 A로서 흡수된다. 식물성 식품에 함유된 카로틴은 체내에서 비타민 A로 전환되어 비타민 A의 효능을 나타낸다.

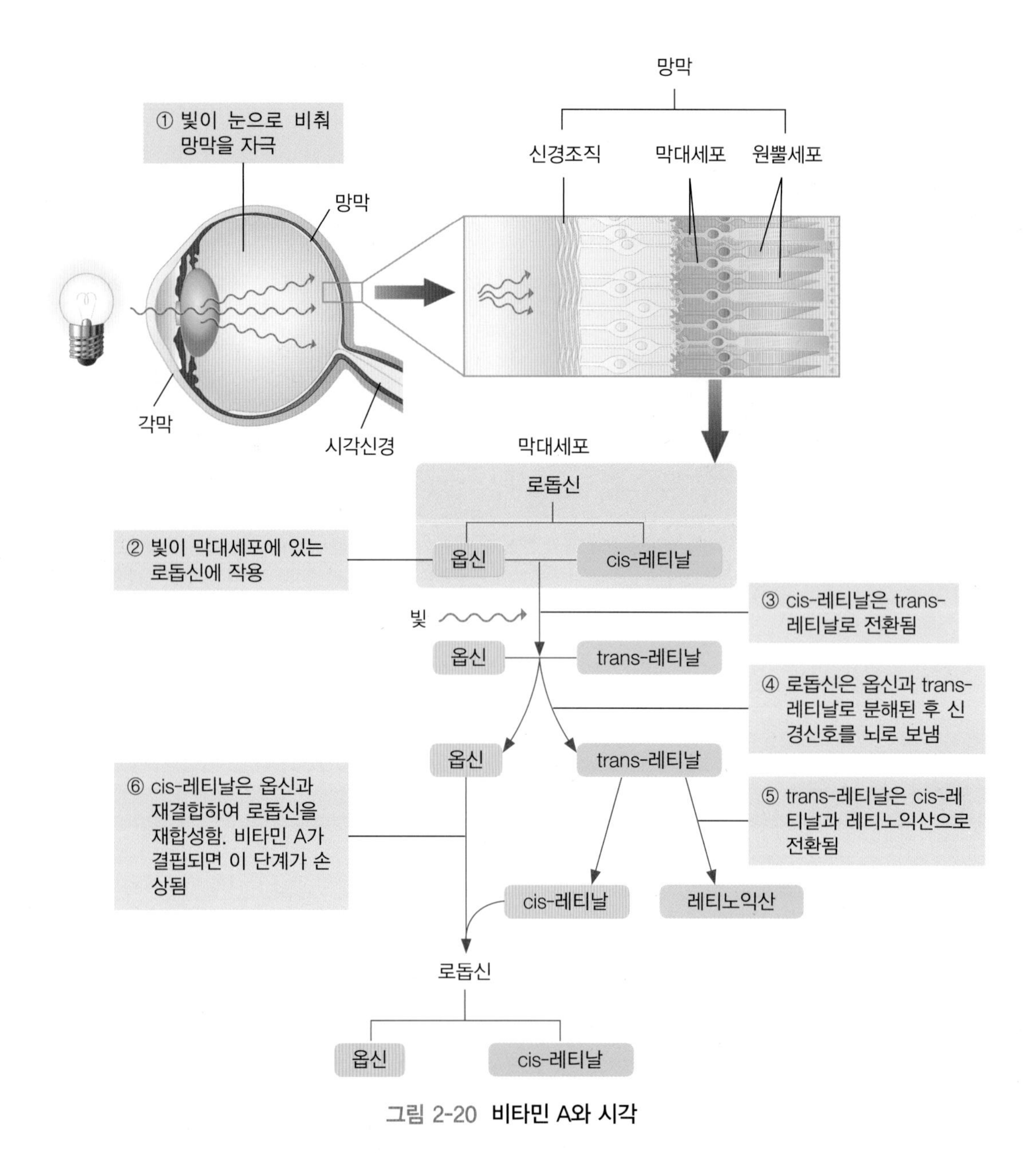

그림 2-20 **비타민 A와 시각**

2) 비타민 A의 대사

우리가 섭취한 식품에 함유되어 있는 비타민 A의 대부분은 지방산과 결합된 형태인 레티닐에스테르로 체내에 저장된다. 소장에서 담즙과 췌장효소에 의해 레티닐에스테르는 지방산과 레티놀(또는 카로틴)로 분리되어 미셀(입자) 형태로 되어 점막세포 내로 흡수된 후 지질과 결합하여 카일로마이크론을 구성한 후 림프로 들어간 후 가슴관을 통해 혈류로 들어온 후 간으로 운반되어 대사되고 저장된다. 정상적인 식사를 하는 건강한 사람의 비타민 A의 흡수율은 80% 이상이며, 카로티노이드의 흡수율은 비타민 A의 약 반 정도로 식사 내 카로티노이드 함량이 증가하면 그 흡수율은 상대적으로 감소한다. 간에서 혈류로 나갈 때 간에서 만든 레티놀 결합단백질과 결합하여 나가지만 카로티노이드는 VLDL(초저밀도 지단백질)에 의해 전체 조직으로 운반된다.

3) 비타민 A 영양섭취기준

하루 성인 남성 19~49세 800μgRAE, 성인 여성 19~49세 650μgRAE을 섭취하는 것을 권장하고 있다.

4) 결핍증

안구건조증(xerophthalmia), 야맹증(night blindness), 각막의 각질화(keratinization), 각막연화(keratomalacia) 등이 나타난다. 상피조직의 기능손상으로 모낭에 단단하고 흰 각질 덩어리가 증가하고(hyperkeratosis), 호흡기계 감염, 설사, 위장장애가 나타난다. 면역체계도 손상받으며 뼈 성장을 위한 비타민 A 의존 단백질이 결핍되어 성장도 억제된다.

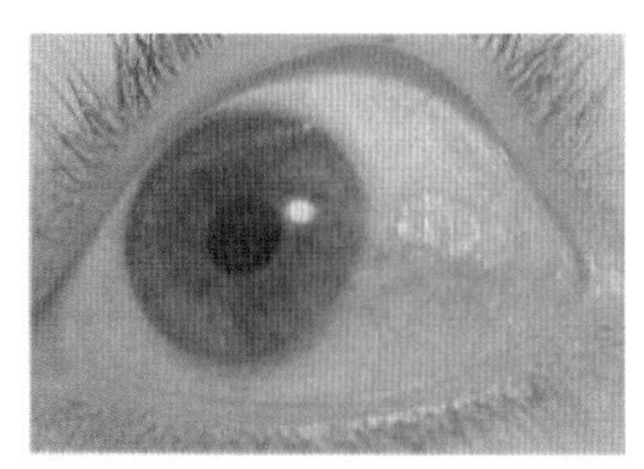

결막건조증

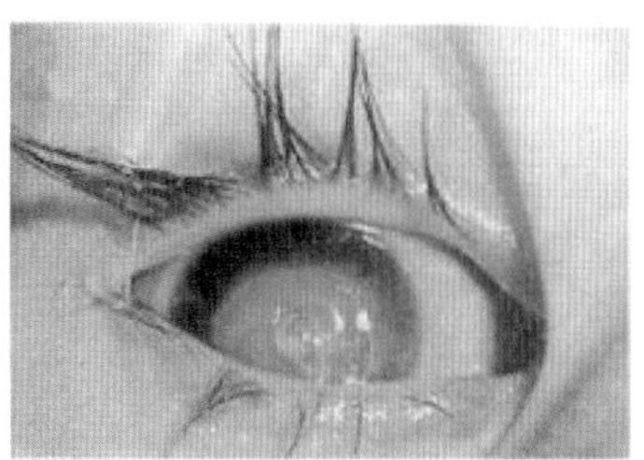

각막연화증

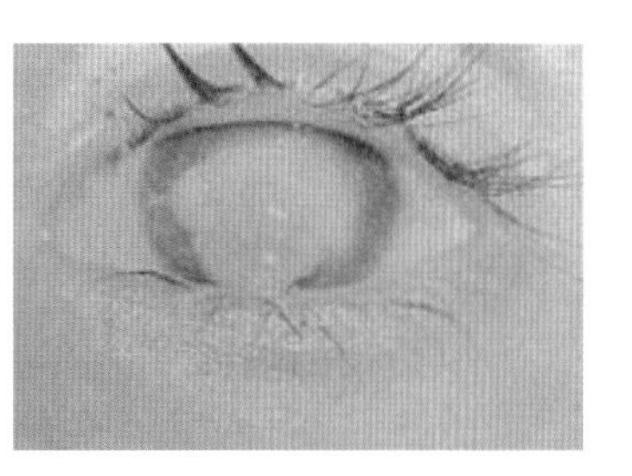

심한 각막연화증(실명단계)

그림 2-21 **비타민 A 결핍으로 인한 안질환**

5) 독성

비타민 A 독성은 보충제 섭취로 발생할 수 있으며 식품섭취에 의해서는 발생하지 않는다. 비타민 A의 전구체인 카로틴을 과잉 섭취하면 피부색이 일시적으로 주황색으로 될 수 있으나 독성이 발생하지는 않는다. 과잉 섭취로 인한 증상으로는 허약, 식욕부진, 구토, 두통, 비장과 간의 비대 등이 나타나고, 후기에는 뼈의 변형과 간 손상 등이 나타난다.

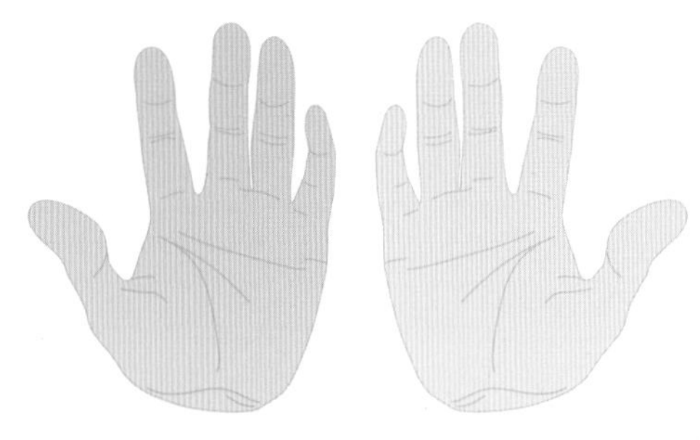

그림 2-22 **베타카로틴의 과잉 증세**

3 비타민 D

비타민 D는 햇빛에 노출된 피부를 통해 합성된다. 햇빛은 피부에 있는 비타민 D 전구체인 7-디하이드로콜레스테롤(7-dehydrocholesterol)이 콜레칼시페롤(cholecalciferol)로 전환되어 비타민 D로 활성화된다. 비타민 D는 체내에서 생산되기 때문에 호르몬이라 한다.

1) 생리기능

칼슘과 인의 흡수를 촉진시키며 뼈의 무기질화 및 혈액의 칼슘 농도를 조절한다. 성장발육과 면역에 중요하다.

2) 흡수 및 대사

식품을 통해 섭취된 비타민 D는 약 80% 정도가 흡수된다. 흡수되기 위해서는 담즙이 필요하며 소장의 공장과 회장에서 흡수된다. 소장점막으로 흡수된 비타민 D는 중성지방이나 콜레스테롤처럼 암죽미립(chylomicron)의 형태로 림프계를 거쳐 간으로 운반된다. 간에서 25-(OH)-비타민 D가 되어 순환계로 들어간다. 혈장에서 25-(OH)-비타민 D는 신장으로 이동된 후 혈액 칼슘 농도의 변화에 반응하여 1,25-$(OH)_2$-비타민 D로 활성화된다. 활성화된 비타민 D는 체내에서 이용된 후 담즙의 형태로 배설되고, 소량은 소변을 통해 배설된다.

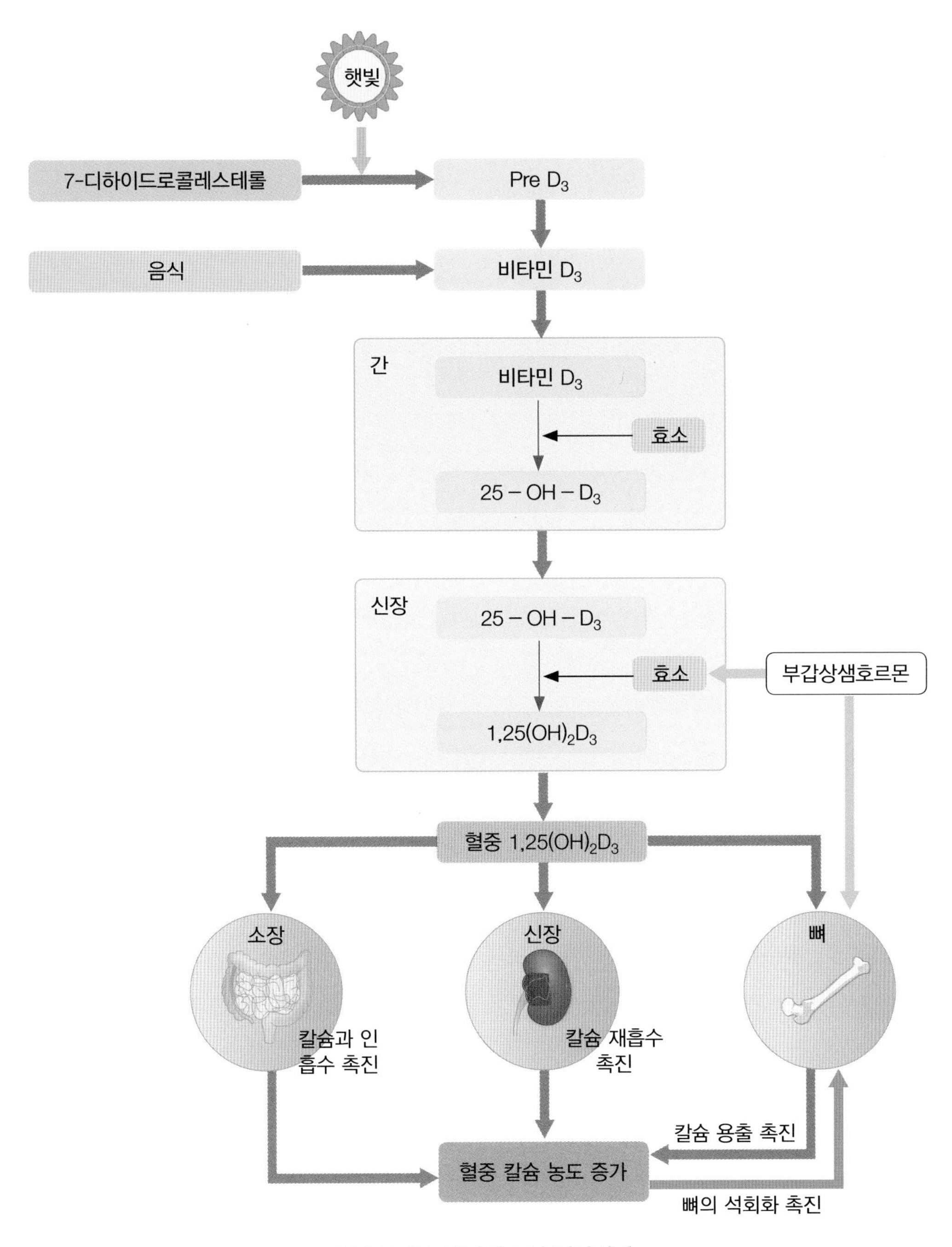

그림 2-23 **비타민 D의 대사기전**

3) 비타민 D의 칼슘 항상성 조절

비타민 D는 혈중 칼슘 농도를 조절하여 칼슘 항상성을 유지한다. 혈액의 칼슘 농도가 감소하면 부갑상샘호르몬이 분비되어 신장에서 활성형 비타민 D의 형성을 촉진한다. 활성형 비타민 D는 소장 점막세포에서 칼슘과 인의 흡수를 촉진시켜 칼슘 결합단백질을 비롯해 칼슘의 흡수에 필요한 단백질을 합성하고 세포막의 유동성을 증가시켜 칼슘과 인이 쉽게 세포막을 통과할 수 있게 한다. 파골세포에서 뼈의 칼슘이 혈액으로 용해되어 나오는 것을 촉진시킨다. 신장에서 칼슘의 배설을 감소시켜 혈장의 칼슘 농도를 증가시킨다.

4) 비타민 D의 권장섭취기준

성인은 10μg이며 65세 이후에는 외부 활동량이 줄어들기 때문에 남녀 모두 15μg을 권장하고 있다. 실외 활동량이 부족한 사람들은 비타민 D가 부족하기 쉬우므로 유의해야 한다.

5) 결핍증

비타민 D가 결핍되면 어린이는 구루병(rickets: 뼈와 치아의 무기질이 결핍되어 뼈의 석회화가 이루어지지 않아 골격의 변형—굽은 다리, 가슴 변형, 비정상적인 치아 형성), 어른은 골연화증(osteomalacia: 골절이 쉽게 발생)이 유발될 수 있다. 어두운 피부는 햇빛에 노출되어도 비타민 D가 합성되지 않으며 두꺼운 옷을 입는 경우도 합성되지 않는다. 그러므로 햇빛 노출에 제한이 있는 경우 비타민 D 강화식품을 섭취하는 것이 좋다. 만성적인 지방 흡수불량증이나 항경련요법 치료를 받고 있는 아동도 구루병에 걸릴 수 있으므로 주의한다. 노인은 비타민 D 생성능력이 감소되며 칼슘 흡수가 저하되며, 특히 여성 노인은 임신과 수유 등으로 뼈의 밀도가 약해져 엉덩이, 척추, 손목 등의 골절이 많이 발생한다. 골다공증(osteoporosis)도 칼슘과 비타민 D의 부족으로 뼈의 밀도가 감소하여 뼈가 부러지기 쉬운 상태가 되는 질병이다. 또한 비타민 D가 결핍되면 심혈관질환, 류마티스관절염, 암 등의 발생 위험을 높일 수 있다.

6) 독성

비타민 D를 100㎍ 정도를 매일 과잉으로 섭취하게 되면 고칼슘혈증과 고칼슘뇨증을 유발하여 신장과 심혈관계에 장애를 초래하게 된다.

4 비타민 E

1) 생리기능

비타민 E는 항산화제로 세포막에 있는 불포화지방산과 비타민 A가 산화에 의해 손상되는 것을 방지하며 다량의 산소에 노출되는 폐와 적혈구 세포막을 보호한다.

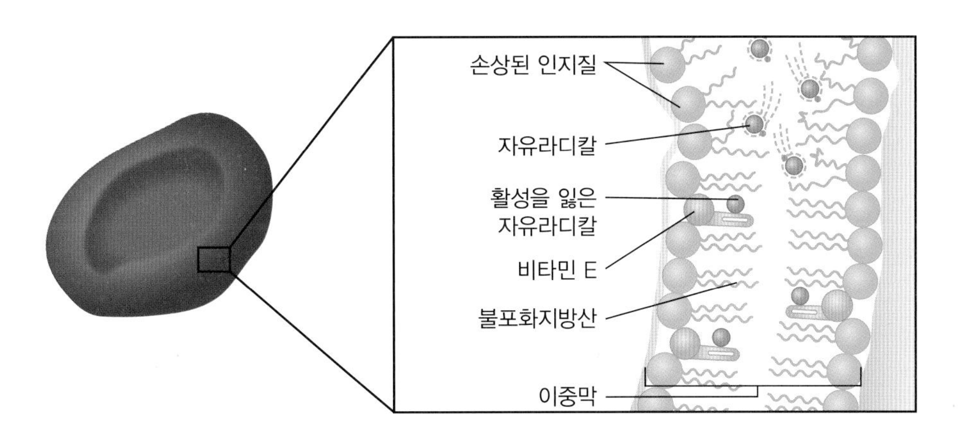

* 비타민 E는 자유라디칼에 의해 자신을 산화함으로써 세포막에 있는 불포화지방산이 산화되지 않게 보호함

그림 2-24 **비타민 E에 의한 세포막 보호**

2) 흡수와 대사

비타민 E는 소장점막에서 흡수되며, 담즙을 필요로 하고 암죽미립(chylomicron)에 실려 림프관을 경유하여 일반 순환계로 들어간다. 혈중에서는 지단백질에 의해 운반되며 주로 지방조직에 저장되고 소량이 간과 근육조직에 발견된다.

3) 결핍증

사람에게 비타민 E 결핍은 드물지만 이차적으로 조숙아나 지방 흡수장애가 있는 사람에게서 나타날 수 있다. 비타민 E 결핍증상으로는 적혈구 용혈(용혈빈혈)이 있다.

- 적혈구 용혈(erythrocyte hemolysis)

  혈중 비타민 E 농도가 어떤 수준 이하로 떨어지면 적혈구가 파열되어 나오는 증세로 주로 임신 마지막 수 주 동안에 모체로부터 영아에게 비타민 E 전달이 일어나기 전에 태어난 미숙아에게서 발견된다. 이는 적혈구 세포막에 있는 다불포화지방산(PUFA)의 산화로 인한 세포막의 손상이 원인인 것으로 알려져 있다.

4) 독성

비타민 E의 과다복용은 혈액응고 작용을 방해할 수 있다.

5) 영양섭취기준

한국인의 성인 남녀 19~49세 영양섭취기준에서는 하루 충분섭취량으로 12mg α-TE(tocopherol activity equivalent; α-TE)이다.

5 비타민 K

1) 구조와 성질

비타민 K는 퀴논(quninone)류에 속하는 황색의 결정체 화합물이다. 자연계에는 K_1(phylloquinone)과 K_2(menaquinone)가 있으며 K_1은 자연식물에서 합성되고, K_2는 미생물의 대사산물로서 장내 박테리아에 의해 합성되므로 동물에서 발견되며 K_1에 비해 75%의 활성을 가진다. K_3(menadione)는 자연에 존재하지 않고 합성된 형태이다.

2) 생리기능

비타민 K는 프로트롬빈을 비롯한 혈액응고요소 합성 시 보조인자로 작용한다. 비타민 K는 또한 뼈 단백질의 합성에도 관여한다.

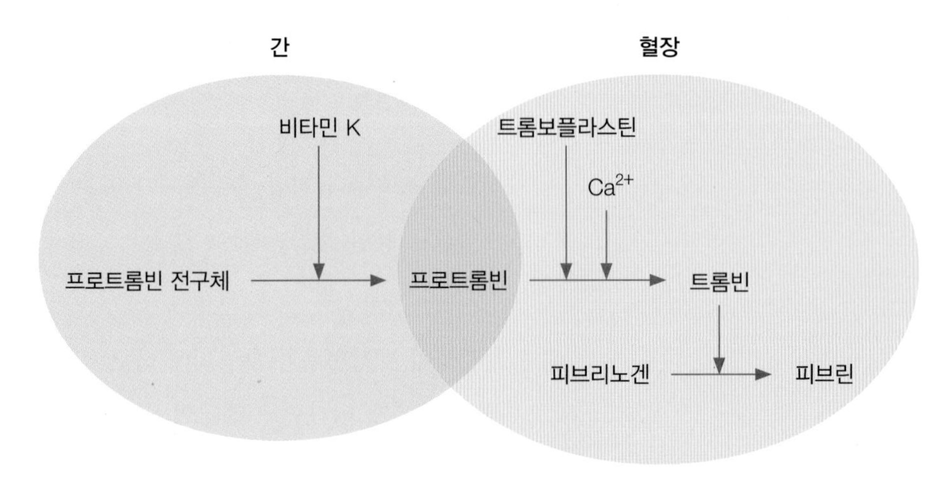

그림 2-25 비타민 K의 혈액응고 기전

3) 흡수와 대사

암죽미립(chylomicron)은 비타민 K를 간으로 운반하고 간에서 초저밀도 지단백질(VLDL)과 결합하여 순환계로 들어간다. 비타민 K는 간에 짧은 시간동안 저장되기는 하나 체내 저장량은 소량이다. 소량이 피부, 근육, 신장, 심장 등에 저장되며 대사산물은 담즙과 소변으로 배설된다. 장내 박테리아에 의해 합성된 K_2가 사람의 중요한 급원이다.

4) 결핍증

비타민 K는 정상적으로 장내 박테리아에 의해 생산되고 식품 중에 널리 분포하므로 결핍증은 흔하지 않다. 그러나 항생제 복용을 오랜 기간 동안 하면 결핍증세가 나타날 수 있다. 또한 미숙아나 신생아는 위장 기능이 미숙해 비타민 K를 바로 합성할 수 없어 결핍증이 나타날 수 있다.

5) 독성

비타민 K 독성은 식품으로 인해서는 나타나지 않는다. 그러나 와파린[쿠마딘(Coumadin)]과 같은 항응고제들을 복용하는 사람들은 비타민 K의 섭취로 인해 혈액응고 시간을 지연시킬 수 있으므로 주의한다. 항응고제를 복용하는 사람은 비타민 K가 풍부한 식품을 섭취해야 한다.

6) 영양섭취기준

비타민 K는 광범위하게 식품 중에 존재할 뿐 아니라 인간의 공장, 회장 부분에서 장내 박테리아에 의해 합성되어 1일 요구량의 약 50%가 공급되므로, 정상적인 상태에서는 부족한 경우가 거의 없다. 한국인의 하루 충분섭취량은 성인 남성 75μg, 성인 여성 65μg을 권하고 있다.

표 2-9 **지용성 비타민의 특징**

지용성 비타민	안정성	공급원	생리적 기능	결핍증	과잉증
비타민 A (retinol)	공기, 광선에 불안정	간, 버터, 난황, 당근	시각작용, 상피조직 보호, 생식기능, 성장과 관련	야맹증, 각막 건조, 연화증	피로, 권태, 두통
비타민 D (calciferol)	공기, 광선, 열에 안정	말린 생선, 버섯, 청어, 연어, 달걀, 우유	뼈를 튼튼하게, 칼슘과 인의 체내 이용 도움	구루병(유아, 어린이), 골연화증, 골다공증	혈액의 칼슘 농도 증가, 식욕감퇴
비타민 E (tocopherol)		콩, 밀, 배아, 식물성유	항산화제, 적혈구 보호, 이상지혈증 예방	적혈구 파괴, 신경 근육 기능장애	두통, 구역질, 피로, 현기증
비타민 K		곡류, 콩기름, 푸른 채소	혈액응고에 필요, 간 기능 개선, 프로트롬빈 생성 도움	혈액응고 안 됨, 노화 촉진	용혈빈혈, 황달

요약

지용성 비타민에는 A, D, E, K가 있다. 이들 비타민은 지방식품과 함께 섭취되고 흡수된다. 비타민 A는 시각과 점막기능에 관여하며 비타민 D는 칼슘의 흡수를 도와 골격 건강을 유지하며 비타민 E는 지용성 항산화제로 작용하여 세포막의 산화를 막아준다. 비타민 K는 혈액응고에 관여한다.

이것만은 꼭 알아놓을까요?

- **각막연화증**(keratomalacia) : 비타민 A 결핍으로 각막이 단단한 단백조직을 형성하여 점차 건조해지고 두꺼워지는 상태
- **구루병**(rickets) : 어린이들에게 뼈와 치아에 무기질과 비타민 D가 결핍되어 뼈의 석회화가 이루어지지 않아 나타나는 골격장애
- **골다공증**(osteoporosis) : 어른에게 칼슘과 비타민 D가 부족하면 골밀도가 저하되어 뼈가 부러지기 쉬운 상태가 되는 질병
- **골연화증**(osteomalacia) : 연령이 증가함에 따라 비타민 D 생성능력이 감소되고 칼슘흡수가 저하되어 나타나는 장애
- **야맹증**(night blindness) : 비타민 A 결핍으로 밝은 빛에서 어두운 빛으로 적응하는 눈의 능력이상

복습하기

01 카로티노이드 중 비타민 A 활성이 가장 높은 것은?

① 리코펜
② α-카로틴
③ β-카로틴
④ 크립토잔틴

02 식품으로 섭취한 영양소 중 림프를 거쳐 흡수되는 것은?

① 비타민 B_1
② 비타민 B_6
③ 비타민 C
④ 비타민 E

03 다음 중 지용성 비타민에 대한 설명으로 가장 적절한 것은?

① 과잉분은 소변으로 쉽게 배설된다.
② 림프로 먼저 들어간 후 혈액으로 흡수된다.
③ 과잉 섭취를 해도 독성 수준에 도달하기 매우 어렵다.
④ 유리형으로 존재하면서 혈액과 체액을 자유로이 순환한다.

04 다음 중 비타민 E에 대한 설명으로 적절하지 <u>않은</u> 것은?

① 섭취한 불포화지방산의 산화를 방지한다.
② 비타민 C에 의해 환원되어 재사용될 수 있다.
③ 지방산의 산화를 일으키는 라디칼을 제거한다.
④ 비타민 E의 결핍은 거대적혈모구빈혈의 원인이 된다.

☞ 정답 및 해설은 385쪽에서 확인

05 간에서 혈액응고 인자의 활성화에 관여하는 비타민은?

① 비타민 A
② 비타민 D
③ 비타민 E
④ 비타민 K

06 식물성인 에르고스테롤과 동물성인 콜레칼시페롤이 대표적인 영양소는?

① 비오틴
② 비타민 D
③ 비타민 K
④ 리보플라빈

☞ 정답 및 해설은 385쪽에서 확인

제5절 수용성 비타민

1 수용성 비타민의 특징

물에서 분해되고 용해되며 소장에서 흡수되어 혈액순환을 통해 온몸으로 전달되며 과잉 섭취 시에도 체내에 거의 저장되지 않아 결핍증이 빨리 나타나므로 매일 섭취해야 한다. 과잉으로 섭취한 수용성 비타민은 소변을 통해 체외로 배출되기 때문에 독성은 거의 나타나지 않는다. 그러나 장기간 보조식품을 통한 비타민의 과잉 섭취는 인체에 위해가 될 수도 있다. 전구체가 존재하지 않으나 니아신(niacin)은 예외이다. 트립토판(tryptophan)은 간에서 니아신(niacin)으로 전환된다. 아비딘(avidin)은 비오틴(biotin)의 작용을 억제하며 인공합성제제 데옥시피리독신(deoxypyridoxine)은 비타민 B_6의 작용을 억제한다.

2 비타민 C

비타민 C는 대부분의 포유동물의 체내에서 포도당으로부터 합성된다. 그러나 사람, 원숭이, 조류 등은 굴로노락톤 산화효소가 없어 비타민 C를 합성하지 못하므로 식품을 통해 공급받아야 한다.

1) 생리기능

비타민 C는 항산화제이며 생체 내에서 여러 가지 효소반응의 조효소로 작용한다. 뼈의 기질, 치아, 연골, 결합조직에서 콜라겐을 형성하여 구조를 만드는 시멘트 역할을 한다. 면역기능, 상처회복 등의 기능에도 관여한다. 항산화제는 자신이 산화되어 다른 물질의 산화를 막아 주는 것으로 비타민 C와 E는 세포 노화에 의해 방출되는 물질을 파괴하기 위해 스스로 산화되어 자유기에 의한 세포손상을 방지한다. 또한 식물성 식품에 있는 비헴 철의 흡수를 증진시키고 갑상샘호르몬과 부신호르몬 합성에도 관여하며 체내에서 트립토판(tryptophan)이 세로토닌으로 전환되는 과정과 담즙형성에도 관여한다.

2) 흡수 및 대사

비타민 C는 소장에서 능동수송에 의해 흡수되며 일부는 단순확산으로 흡수된다. 흡수된 비타민 C는 음이온 형태로 혈장으로 이동하는데 이는 식사 중의 비타민 C 함량에 영향을 받는다. 흡수된 비타민 C는 부신피질, 뇌하수체, 수정체, 간, 폐, 췌장, 이자, 신장 등의 조직으로 운반된다.

3) 결핍증

비타민 C가 결핍되면 괴혈병이 발생한다. 이는 콜라겐 형성이 안 되어 잇몸이 손상되고 치아를 잃게 되는 치은염, 골관절의 퇴행, 타박상, 멍, 출혈 등의 증상이 나타나고 혈관계도 손상되는 증상이 나타난다. 또한 인후염, 구강궤양, 상처회복 지연, 감염 등의 증상이 나타날 수 있고 심하면 사망할 수도 있다.

4) 독성

비타민 C의 과잉 섭취는 식품섭취로는 나타나지 않고 보충제를 통해 매일 1~15g 정도로 과도하게 섭취할 경우 설사, 구토, 신결석, 통풍을 유발할 수 있다.

5) 영양섭취기준

비타민 C의 한국인 영양섭취기준에서 정하는 영양섭취기준은 100mg/일이다.

3 티아민(Thiamine, 비타민 B_1)

1) 생리기능

티아민은 에너지 대사에서 조효소로 작용하며 신경근 운동을 돕는다.

2) 흡수 및 대사

섭취된 티아민은 공장에서 흡수되는데 낮은 농도에서는 능동적 수송에 의해 흡수되나 높은 농도에서는 일부 수동적 확산에 의해 흡수된다. 흡수된 티아민은 혈장과 적혈구를 통해 각 조직으로 운반된다. 티아민 및 티아민 대사물은 주로 소변을 통해 빠르게 배설된다.

3) 결핍증

티아민 결핍은 신경계, 근육계, 위장관 및 심혈관질환을 유발한다. 대표적인 결핍증인 각기병은 운동실조(ataxia), 통증, 식욕저하, 정신장애, 빈맥(빠른맥, tachycardia) 증상을 나타낸다. 습성 각기병(wet beriberi)은 심혈관계의 장애와 부종을 유발하며, 건성 각기병(dry beriberi)은 신경계를 손상시켜 반신마비와 사지쇠약을 유발한다. 각기병은 주로 도정한 쌀이 주식이 아시아에서 나타나지만 날생선을 많이 섭취하는 지역에서도 발생한다. 이는 날생선에는 티아민을 파괴하는 티아미나제가 있기 때문이다. 티아민이 결핍되면 기억력 저하, 정신혼동, 보행실조가 유발된다. 또한 만성 알코올 중독자는 알코올 분해를 위해 간에서 필요로 하는 티아민 요구량은 증가하는데 장에서 흡수되는 티아민이 적어 결핍증이 나타난다. 알코올 중독자는 뇌혈관장애가 함께 나타나는데 이를 베르니케-코르사코프증후군(Wernicke-Korsakoff syndrome)이라 한다. 투석 중인 신부전환자, 신경성 식욕장애, 위절제술에 의해서도 결핍증이 발생할 수 있다. 치료로는 포도당과 비타민 B 복합체를 포함한 비경구 수액을 투여한다.

4) 독성

티아민은 과잉으로 섭취해도 소변으로 배설되므로 독성은 거의 나타나지 않는다.

5) 영양섭취기준

비타민 B_1은 에너지 섭취량에 비례하여 영양섭취기준이 증가한다. 성인 19~49세 남성 1.2mg/일, 여성 1.1mg/일을 권장하고 있다.

4 리보플라빈(Riboflavin, 비타민 B_2)

리보플라빈은 빛과 광선에 예민하다.

1) 생리기능

리보플라빈은 두 가지 조효소 형태인 flavin mononuuleotide(FMN)와 flavin adenine dinucleotide(FAD)가 있으며 체내에서 에너지 생성의 조효소로 작용한다. 비타민 A와 엽산을 활성형으로 하는데 필요하며 트립토판이 니아신으로 전환되는 데 필요하다.

2) 흡수와 대사

식품 속의 리보플라빈은 단백질과 결합하여 존재한다. 위에서 위산에 의해 단백질과의 결합이 끊어지고 소장의 윗부분에서 리보플라빈으로 전환된 후 흡수가 이루어진다. 흡수기전은 낮은 농도에서는 능동수송, 높은 농도에서는 확산작용에 의해 흡수된다. 혈액 내 리보플라빈의 일부는 혈장알부민과 결합되어 운반되나 대부분은 면역글로불린과 결합되어 운반된다. 리보플라빈은 소량이 담즙과 땀을 통해 배설되고 대부분은 리보플라빈 형태로 소변을 통해 배설된다.

3) 결핍증

장기간 리보플라빈이 부족하게 되면 구순증(cheilosis: 입술이 부풀어 오르며 갈라짐), 설염(glossitis: 혀가 부풀어 오르고 보랏빛으로 변함), 지루성 피부염이 귀, 코, 입 등에 발생한다.

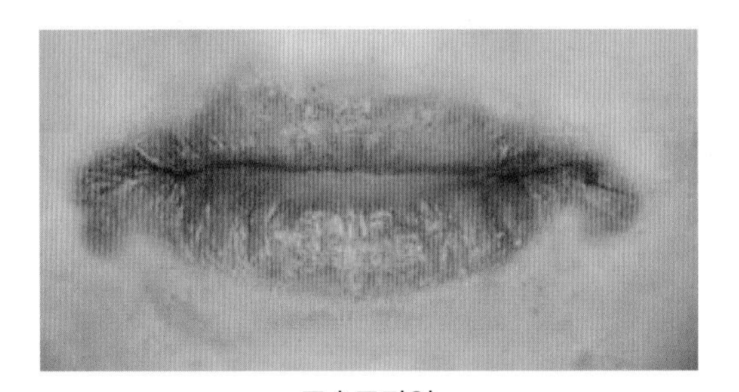

구순구각염

그림 2-26 **비타민 B_2 결핍증**

4) 영양섭취기준

한국 성인의 리보플라빈 영양섭취기준은 남성은 1.5mg/일, 여성은 1.2mg/일이다.

5 니아신(Niacin, 비타민 B_3)

니아신은 니코틴산(nicotinic acid)과 니아신아미드(niacinamide)의 2가지 형태로 존재한다.

1) 생리기능

니아신은 세포 내에서 에너지 대사의 효소로 작용하는데 특히 해당과정(glycolysis), TCA 회로 과정에 중요하다. 또한 지방산, 단백질, 비타민 C와 엽산, 콜레스테롤 대사와 포도당 항상성 유지에 관여한다. 니아신은 식품에서도 발견되지만 체내에서 필수아미노산인 트립토판(tryptophan)이 니아신으로 전환된다. 1mg의 니아신은 60mg의 트립토판으로부터 생성된다.

2) 흡수와 대사

니아신은 위에서 흡수되기도 하지만 대부분 소장 상부에서 흡수된다.

3) 영양섭취기준

성인 남성 16mg NE/일, 여성 14mg NE/일이다.

4) 결핍증

펠라그라(pellagra)는 니아신 결핍의 특징적인 질환으로 증상은 피부염(dermatitis: 햇빛에 노출되면 대칭적인 발진이 발생한다), 치매(dementia: 심각한 결핍 시 중추신경계에 영향을 미쳐 혼돈, 불안, 수면장애, 편집증 등이 발생한다), 설사(diarrhea: 위장관계의 손상으로 소화, 흡수 및 배설장애가 일어나며 이로 인해 설염, 구토, 설사 등이 유발된다) 등이 나타나며, 심하면 사망할 수 있다. 옥수수에 함유된 니아신은 흡수가 용이하지 않으며 단백질 식품에 있는 트립토판은 니아신으로 전환되지만 단백질 식품 섭취가 어려운 경우에 발생한다. 흰 밀가루 섭취도 니아신 결핍을 증가시킨다. 과도한 알코올 섭취자 등에서도 발생한다.

5) 독성

니아신의 상한섭취량은 35mg/일이다. 니아신과 니코틴산을 상한섭취량 이상으로 섭취하면 혈관계에 이상을 주어 전신에 붉은 발진이 생길 수 있다. 과잉 섭취 시에는 간을 손상시킬 수 있다.

6 피리독신(Pyridoxine, 비타민 B_6)

비타민 B_6는 피리독신(pyridoxine), 피리독살(pyridoxal), 피리독사민(pyridoxamine)으로 구성되어 있다.

1) 생리기능

비타민 B_6는 조효소로 pyridoxal phosphate(PLP) 형태로 단백질과 아미노산 대사에 관여한다. 비필수 아미노산의 합성, 혈색소 합성, 트립토판에서 니아신으로 전환, 신경계에서 신경전달물질(세로토닌, 도파민)의 형성과 신경계 기능을 유지하는 데 중요하다. 당원의 분해에도 관여한다.

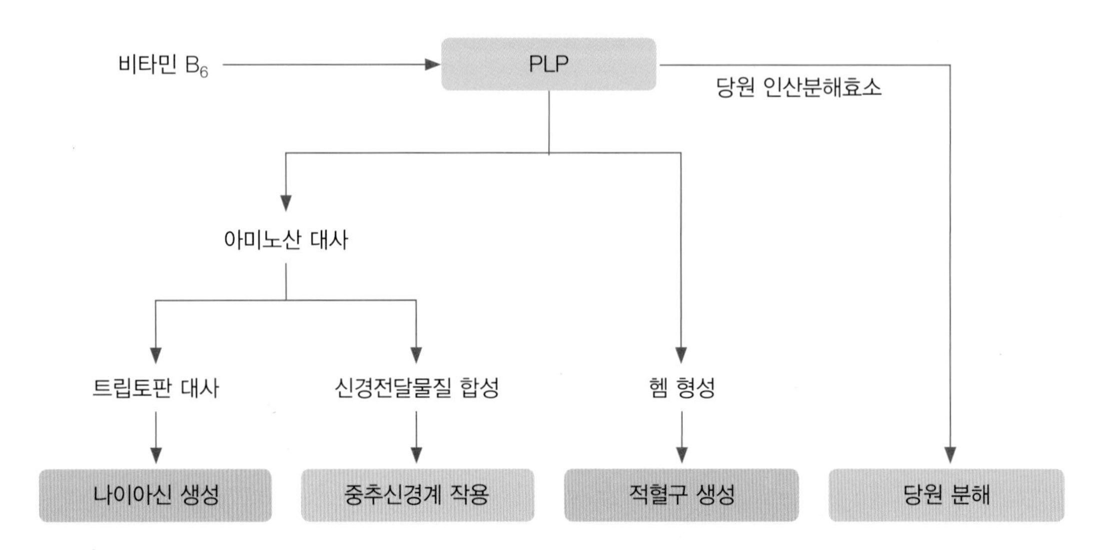

그림 2-27 PLP(피리독살 인산)가 조효소로서 참여하는 생체 내 반응

2) 흡수와 대사

공장에서 단순확산으로 흡수되며 간에서 피리독살 포스페이트(pyridoxal phosphate; PLP)로 전환된다. 비타민 B_6는 주로 간과 근육에 저장된다.

3) 결핍증

정상적으로 식사를 하면 생기지 않는다. 그러나 지속적으로 비타민 B_6가 결핍되면 피부염, 신경증, 무력감, 성장저하, 경련, 소혈구성 저색소성 빈혈증상이 나타난다. 또한 경구피임제, 결핵약(isoniazid, cycloserine) 등을 장기적으로 사용할 때 결핍증이 나타날 수 있다.

4) 독성

장기적으로 과잉 복용하면 운동실조와 감각장애를 유발할 수 있다. 비타민 B_6의 상한섭취량은 100mg/일이다.

5) 영양섭취기준

비타민 B_6의 영양섭취기준은 하루 성인 남성 19~49세 1.5mg, 성인 여성 1.4mg이다. 비타민 B_6 필요량은 단백질 섭취량에 근거를 두기 때문에 단백질 섭취량이 증가할수록 필요량도 증가한다.

7 엽산(Folic acid, Folate, Folacin, Pteroylglutamic acid, Antianemic factor)

엽산은 시금치에서 추출한 화합물로 라틴어의 folium은 잎(leaf)을 의미한다. 엽산은 글루타민산(glutamic acid), 파라아미노벤조산(ρ-aminobenzoic acid) 및 프테리딘(pteridine)으로 이루어져 있다.

1) 생리기능

엽산(테트라히드로엽산, Tetrahydrofolate; THF)은 조효소로 탄소의 운반체로 기능한다. 아미노산의 합성, DNA 및 RNA 합성에 필요하며 헤모글로빈 형성에 필요한 헴(heme)을 형성한다. 엽산의 활성형은 체내에서 비타민 B_{12}가 이용될 때 꼭 필요하다. 태아의 신경계 형성에도 관여하여 엽산이 부족하게 되면 이분척추증(spina bifida)의 원인이 될 수 있다. 이분척추증은 태아의 선천적 신경관 손상으로 임신초기에 척추가 불완전하게 닫히게 되면서 뇌와 척수가 불완전하게 발달하여 방광 문제를 일으키고 마비 등의 증상을 일으킨다. 임신초기에 엽산을 충분히 섭취하면 이러한 질환 발현을 감소시킬 수 있다. 또한 THF는 메티오닌 대사과정에서 생성되는 호모시스테인을 다시 메티오닌으로 전환시키는 데 필요한 메틸기 운반을 돕는다. 이 과정에는 비타민 B_{12}도 함께 관여한다.

2) 흡수와 대사

엽산의 흡수율은 70~80%로서 엽산 저장량의 약 절반 정도가 간에 저장되며 담즙과 소변으로 배설된다. 알코올은 엽산 흡수를 방해하며 배설을 증가시키고 장간순환도 방해한다. 대사과정에서 비타민 B_{12}와 함께 핵산 대사에 중요한 역할을 한다.

3) 결핍증

적혈구나 위장관 세포 등과 같이 빠르게 성장하고 분화하는 세포는 엽산결핍에 민감하여 엽산이 결핍되면 산소운반을 할 수 없는 거대적혈모구빈혈(거대적아구성 빈혈)이 발생해 설염, 설사, 우울, 불안. 정신적 불안정 등의 증상이 나타난다. 항경련제, 경구피임제, 아스피린, 항암제, 항염제, 제산제 및 NSAID(비스테로이드 항염증제)도 엽산의 흡수를 저해한다. 엽산이 결핍되면 혈청 엽산 농도가 감소되며 혈장 호모시스테인 농도는 증가한다.

4) 독성

엽산의 과잉 섭취에 의한 독성은 알려진 바가 없으나 엽산의 과량섭취는 비타민 B_{12} 결핍을 알아내기 어렵게 하므로 상한섭취량은 1,000㎍/일이다.

5) 영양섭취기준

성인 남녀의 경우 400μg DFE/일의 섭취를 권장한다. 여기에서 DFE는 Dietary folate equivalent로 식이엽산당량이다.

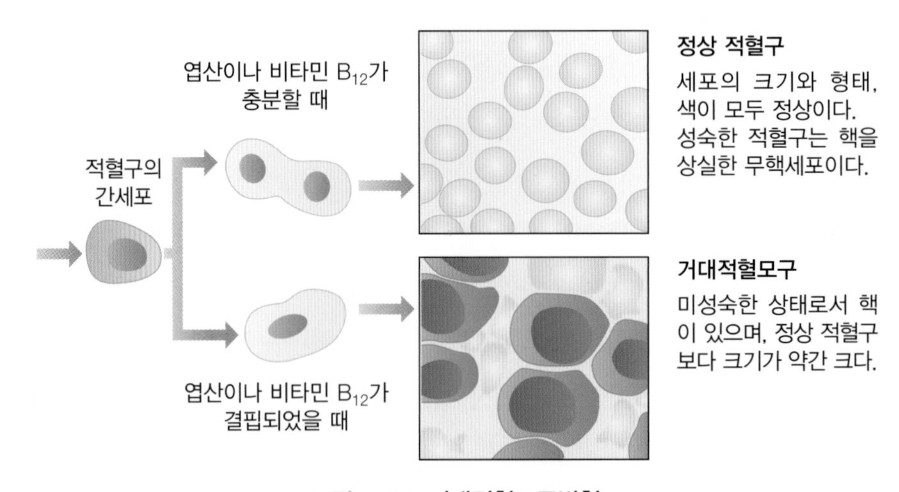

그림 2-28 **거대적혈모구빈혈**

8 판토텐산(Pantothenic acid, 비타민 B_5)

판토테산은 from all sides를 의미하는 pantothen에서 유래한 것으로 모든 살아있는 것에 존재하고 있다는 의미이다.

1) 생리기능

판토텐산은 해당작용(피루브산이 아세틸 CoA로의 전환), TCA 회로에 필요하며 헴, 콜레스테롤, 담즙, 인지질, 지방산, 스테로이드 호르몬 합성과정에 필요하다.

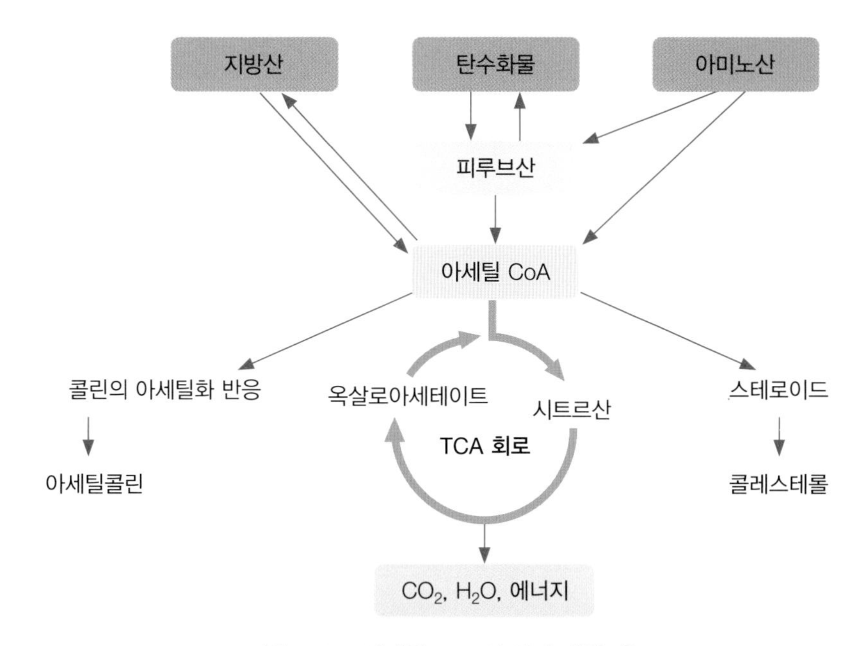

그림 2-29 **아세틸 CoA의 체내 대사기능**

2) 흡수와 대사

식품 중의 판토텐산은 대부분 CoA와 포스포판테테인(phosphopantetheine)의 형태로 들어있는데 고농도일 때 수동적 확산에 의해 공장에서 흡수되고 저농도일 때는 나트륨 의존성 복합비타민 능동수송체(sodium dependent active multivitamin carrier)에 의해 흡수된다.

3) 결핍증

판토텐산은 장내 세균에 의해 합성되므로 결핍증은 거의 없다.

4) 영양섭취기준

판토텐산은 한국인에 대한 자료가 없어 미국의 영양섭취기준을 적용하여 1일 충분섭취량으로 남녀 5mg을 권장하고 있다.

9 비오틴(Biotin, 비타민 B_7)

항피부염 인자이며 비타민 H라고도 한다. 항난백장해인자(anti-egg white injury factor)이다. 장내 박테리아에 의해 합성된다.

1) 생리기능

비오틴은 카르복실화효소(carboxylase)의 조효소로 작용하여 탄수화물, 지방, 단백질 대사에 관여한다. 피루브산을 카르복실화하여 옥살로아세트산으로 전환시키는 데 관여하며 옥살로아세트산은 체내에 포도당이 부족해지면 포도당신생성을 통해 포도당을 생성한다. 또한 아세틸 CoA로부터 지방산 합성의 준비단계인 말로닐 CoA의 생성에 관여한다.

2) 흡수 및 대사

비오틴의 흡수는 소장에서 이루어지며 생합성은 대장에서 한다. 십이지장과 공장에서 Na^+ 의존성 능동수송에 의해 흡수된다. 대부분 소변을 통해서 배설되며, 미량만이 담즙을 통해 배설된다.

3) 결핍증

비오틴의 결핍 증상은 잘 알려져 있지 않지만 우울증, 식욕부진, 탈모, 발진, 구내염 등의 증상이 나타난다. 생 난백을 과량으로 섭취하는 경우 생 난백에 포함되어 있는 아비딘(avidin)이 비오틴과 결합하여 결핍증을 유발할 수 있다. 항생제를 장기간 복용하게 되면 비오틴 생성 박테리아를 감소시켜 결핍증을 유발할 수 있다. 오랜 기간의 정맥영양공급은 비오틴 결핍을 유발할 수 있으므로 비오틴을 공급해야 한다.

4) 영양섭취기준

비오틴은 일부 장내 세균에 의해 합성되며 사람의 경우 결핍증이 드물어 1일 충분섭취량으로 30μg을 정하고 있다. 독성이 거의 없는 것으로 알려져 있다.

10 코발라민(Cobalamin, 비타민 B_{12})

비타민 B_{12}는 코발트(CO)가 함유된 화합물로 장내 세균에 의해 합성된다.

1) 생리기능

비타민 B_{12}는 호모시스테인으로부터 메티오닌을 합성하는 반응에 조효소로 작용하며 엽산 대사과정과 연관되어 있다. 엽산이 메틸기를 결합한 5-methyl-THF로부터 메틸기를 제거하여 비타민 B_{12}에 옮겨주어 메틸코발라민이 합성된다. 이때 메틸기는 다시 호모시스테인으로 옮겨져 메티오닌이 합성된다. 비타민 B_{12}는 정상 적혈구의 형성에 중요한데, 비타민 B_{12}가 부족하면 엽산 조효소가 작용하지 못해 DNA 합성에 필요한 핵산을 합성하는 반응이 방해받아 거대적혈모구빈혈을 일으키게 된다. 또한 비타민 B_{12}는 신경섬유의 절연체 역할을 하는 말이집(수초, myelin sheath)을 정상적으로 유지시켜 준다.

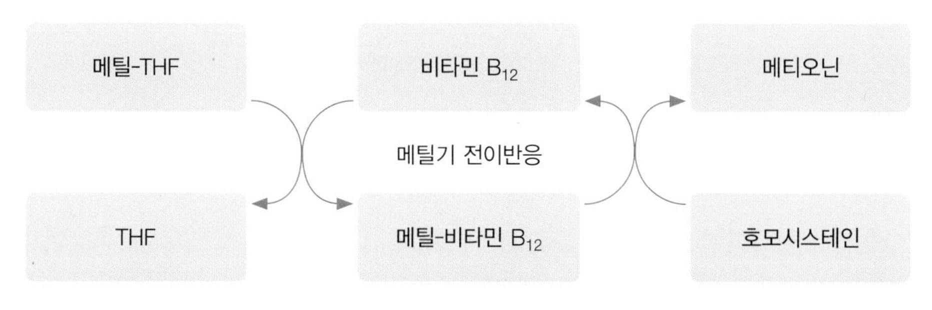

그림 2-30 **비타민 B_{12}의 작용**

2) 흡수와 대사

식품 중의 비타민 B_{12}는 단백질과 결합되어 있으며 섭취된 후 위에서 위산과 펩신에 의해 단백질로부터 분리된다. 유리된 비타민 B_{12}는 침샘에서 분비된 R-단백질과 결합하여 장내 박테리아에 의한 분해로부터 보호된다. 비타민 B_{12}가 장관으로부터 혈류로 흡수되기 위해서는 내인자(intrinsic factor; IF)가 필요하다. 내인자는 위벽세포에서 분비되는 당단백질로 비타민 B_{12}의 흡수를 돕는다. 소장 상부에서 비타민 B_{12}와 결합된 R-단백질은 췌장의 트립신에 의해 떨어져 나가고 내인자가 비타민 B_{12}에 부착된다. 비타민 B_{12}-IF 결합체는 소장의 하부 회장에서 흡수된다. 흡수 시 내인자는 회장 점막세포 표면의 수용체 단백질에 비타민이 결합하는 것을 도우며 칼슘이온에 의해 촉매된다. 혈류로 흡수된 비타민 B_{12}는 트란스코발라민(transcobalamin II)와 결합하여 간과 다른 조직으로 운반된다.

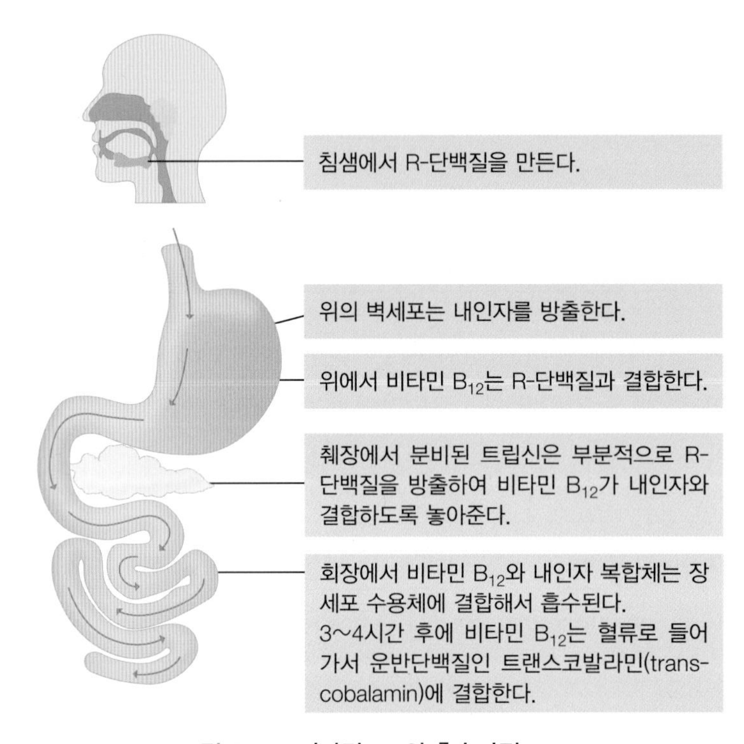

그림 2-31 **비타민 B_{12}의 흡수과정**

3) 결핍증

비타민 B_{12}가 결핍되면 악성빈혈(pernicious anemia: 비타민 B_{12} 흡수에 필요한 내인성 인자결핍)이나 거대적혈모구빈혈(거대적아구성 빈혈)을 일으키며 말이집 형성 결여로 인해 척수, 뇌 및 말초신경계의 장애를 유발한다. 노인이나 위절제술을 한 사람은 내인성 인자가 부족해 비타민 B_{12}가 결핍될 수 있다. 유제품도 전혀 섭취하지 않는 엄격한 채식주의자, 회장질환이 있거나 회장을 절제한 경우 악성빈혈이 나타날 수 있다.

4) 영양섭취기준

1일 영양섭취기준은 2.4μg이며 상한섭취량은 설정되어 있지 않다.

표 2-10 **수용성 비타민의 생리적 기능, 결핍증 및 과잉증**

수용성 비타민	안정성	공급원	생리적 기능	결핍증	과잉증
비타민 B_1 (thiamin)	열에 불안정(조리 시 손실 30%), 산성에 안정, 알칼리 불안정	곡류 배아, 돼지고기, 콩	탄수화물대사와 신경작용 도움	각기병	
비타민 B_2 (riboflavin)	열에 안정, 광선에 불안정	우유, 육류, 유제품	단백질대사 도움, 성장 촉진, 건강한 피부 유지	구순구각염, 설염	
비타민 B_3 (niacin)		생선, 알곡류, 두류	탄수화물, 단백질, 지질대사 도움, 혈압강하	펠라그라	혈관확장, 가려움
비타민 B_6 (pyridoxin)	열에 안정, 광선에 불안정	곡류, 종자, 생선, 신장	아미노산대사에서 보효소 작용, 구토증, 입덧 예방	빈혈, 구강염, 피부염	간질환, 말초신경 증세
비타민 B_{12} (cobalamin)		우유, 생선, 달걀, 육류	악성빈혈 예방, 철분과 엽산 기능 도움	악성빈혈, 체취, 신경과민, 창백, 구역질	
엽산 (folic acid)		푸른 채소, 내장, 땅콩	DNA 합성과 적혈구생성 도움, 심장혈관 건강유지	거대적혈모구빈혈, 입과 혀 염증, 성장지연	
판토텐산 (pantothenic acid)		곡류, 콩류, 닭고기	탄수화물, 단백질, 지질대사 도와 스트레스 해소작용, 면역력 증진	피로, 복부경련, 구역질, 위장 증세	
비타민 H (biotin)			항피부염인자	비늘성 피부염, 신경염, 탈모, 식욕감퇴	
비타민 C (ascorbic acid)	열, 광선에 불안정, 산성에서 안정	각종 과일과 채소	항산화제, 콜라겐, 호르몬 형성 도움	괴혈병, 식욕부진, 피로	

요약

비타민은 인체 기능의 보조 역할로 주로 작용하며 음식을 통해서 섭취되어야 한다. 수용성 비타민에는 비타민 C, 비타민 B 복합체–즉 티아민, 리보플라빈, 니코틴산, 엽산, 피리독신(B_6), 비타민 B_{12}, 판토텐산, 비오틴이다. 비타민 B군은 체내 대사과정에서 조효소 역할을 한다. 비타민 C는 조효소와 항산화제 기능을 한다. 수용성 비타민은 혈액으로 쉽게 흡수되며 과잉으로 인한 독성은 대부분 없지만 파리독신이나 비타민 C의 과잉독성은 나타날 수 있다.

이것만은 꼭 알아놓을까요?

- **각기병(beriberi)** : 근육약화, 통증, 식욕저하, 정신장애, 빈맥 등이 나타나는 중증 만성 티아민 결핍
- **건성각기(dry beriberi)** : 신경계 영향으로 마비와 사지근육쇠약을 유발하는 티아민 결핍
- **내인자(intrinsic factor)** : 비타민 B_{12} 흡수에 필요한 위점막에서 분비되는 물질
- **설염(glossitis)** : 혀의 염증
- **습성각기(wet beriberi)** : 심장근육과 심혈관계 약화로 심장기능이 영향을 받는 티아민 결핍증
- **악성빈혈(pernicious anemia)** : 비타민 B_{12} 흡수와 관련된 위의 내인자 결핍으로 인해 거대적혈모구빈혈과 신경장애가 나타나는 빈혈
- **펠라그라(pellagra)** : 설사, 피부염, 치매 등이 나타나는 니아신 결핍증
- **항산화제(antioxidant)** : 산화손상으로부터 다른 복합물을 보호하는 산화방지제

복습하기

01 결핍 시에 각기병을 유발시키는 영양소는?

① 티아민
② 니아신
③ 코발라민
④ 리보플라빈

02 100여 개 이상의 효소 관련 반응에서 작용하는 비타민 B_6의 조효소 형태는?

① 피리독살(pyridoxal; PL)
② 피리독신(pyridoxine; PN)
③ 피리독사민(pyridoxamine; PM)
④ 피리독살 포스페이트(pyridoxal phosphate; PLP)

03 결핍되면 거대적혈모구빈혈을 일으키는 영양소는?

① 철분
② 엽산
③ 아연
④ 콜린

04 다음 중 비타민 C에 대한 설명으로 옳지 않은 것은?

① 철분의 흡수를 방해한다.
② 콜라겐의 합성에 관여한다.
③ 괴혈병은 비타민 C의 결핍증이다.
④ 섭취량이 증가함에 따라 흡수율은 감소된다.

☞ 정답 및 해설은 385쪽에서 확인

05 결핍 시에 치매, 설사, 피부염의 증상을 갖는 펠라그라를 유발하는 영양소는?

① 콜린
② 티아민
③ 니아신
④ 판토텐산

06 임산부에게 결핍되면 태아의 신경관 손상을 일으키는 비타민은?

① 엽산
② 비타민 A
③ 비타민 C
④ 리보플라빈

07 구조 내에 코발트를 함유하여 코발라민(cobalamin)이라고도 부르는 영양소는?

① 콜린
② 비오틴
③ 비타민 B_6
④ 비타민 B_{12}

08 영양소와 각각의 조효소 형태가 바르게 짝지어진 것은?

① 니아신 - TPP
② 티아민 - FAD
③ 비타민 B_6 - PLP
④ 리보플라빈 - NAD

☞ 정답 및 해설은 385쪽에서 확인

제6절 다량 무기질(Major minerals)

1 무기질(Mineral)의 특징과 종류

무기질은 무기물질로 체내에서 뼈와 치아를 단단하게 하며, 근육을 수축·이완시키고, 신경과 근육기능에 영향을 미치며, 효소가 작용하기 위해 필요하고, 신체의 적정 산도를 유지하며, 대사과정의 보조인자이다. 또한 혈액응고와 조직 재생·성장을 위해서 필요하며 다양한 기능을 수행한다. 신체를 구성하는 무기질의 양에 따라 다량 무기질과 미량 무기질로 나눈다. 다량 무기질(major minerals)은 매일 식사에서 100mg 이상이 필요한 것으로 칼슘(Ca), 마그네슘(Mg), 인(P), 황(S), 나트륨(Na), 염소(Cl) 등이 있다. 미량 무기질(trace minerals)은 1일 필요량이 20mg이나 그 이하로 필요한 것으로 철(Fe), 구리(Cu), 망간(Mn), 요오드(I), 코발트(Co), 셀레늄(Se), 아연(Zn), 몰리브덴(Mo), 크롬(Cr) 등이 있다.

2 칼슘(Calcium, Ca)

1) 생리기능

(1) 골격 및 치아 구성

칼슘은 체내에 가장 많은 무기질로 그 중 99%는 뼈에 저장되어 있으며, 나머지 1%는 체액에 용해되어 있다. 혈액과 뼈는 끊임없이 상호작용을 한다.

(2) 혈액응고

칼슘은 혈액응고 과정의 여러 단계에서 필요하다. 혈관파열로 혈소판에서 트롬보플라스틴이 생성되며 트롬보플라스틴은 프로트롬빈을 트롬빈으로, 트롬빈은 피브리노겐을 피브린으로 전환시켜 혈액이 응고된다.

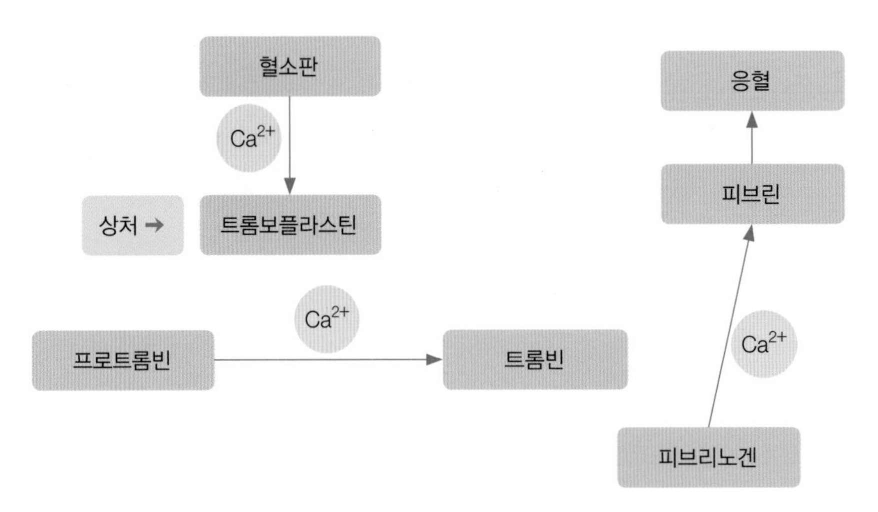

그림 2-32 **혈액의 응고과정**

(3) 신경전달물질의 방출

칼슘은 신경전달물질의 방출을 촉진하여 신경세포와 근육 사이에 신경 자극을 전달한다.

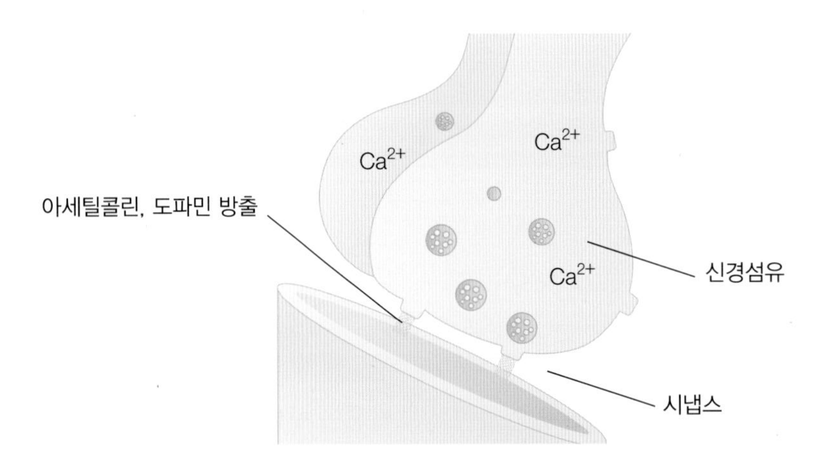

그림 2-33 **신경전달물질의 방출**

(4) 근육 수축 및 이완

근육단백질은 액틴과 미오신으로 구성되어 있는데 신경 자극에 의해 근육이 흥분하면 세포 안에 있던 칼슘이 방출되어 액틴과 미오신이 결합하여 근육이 수축한다. 방출된 칼슘이 세포로 되돌아가면 액틴과 미오신이 분리되면서 근육이 이완된다.

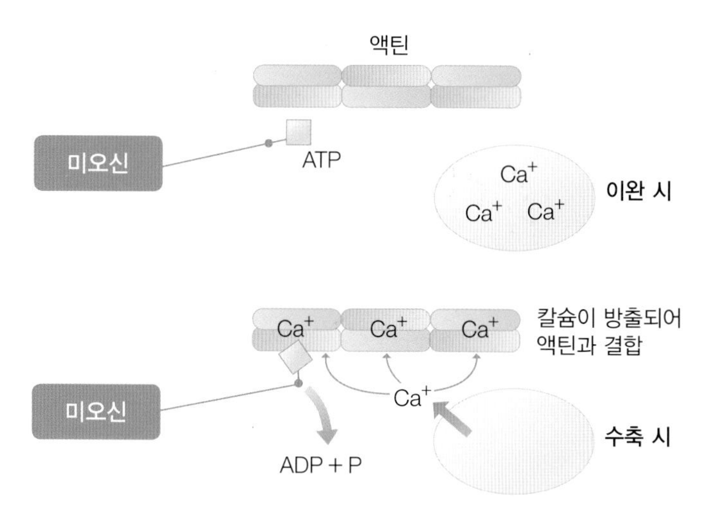

그림 2-34 **근육의 수축과 이완작용**

2) 체내의 대사조절

세포막의 투과성 조절, 신경자극 전달, 근육의 수축, 혈액응고 등에 관여한다. 칼슘은 나트륨을 소변으로 배설을 촉진시켜 혈압을 낮춘다. 또한 체액의 약 알칼리성 유지, 백혈구의 식균작용 촉진, 질병에 대한 저항력을 증가, 심근 수축작용 등이 있다. 뼈에 침착된 칼슘은 고정된 것이 아니고 항상 동적인 상태에 있으며 항상성을 유지한다.

(1) 칼슘 농도의 조절

식이 칼슘 섭취는 뼈의 칼슘 축적에 영향을 미친다. 그러나 혈중 칼슘 농도는 매일 식사로 섭취하는 칼슘에 의존하지 않으며 골격 내 칼슘은 순환계를 통해 신체에 분배되는 칼슘의 급원이다. 칼슘의 혈중 농도는 칼시토닌(갑상샘의 C세포에서 분비되어 혈중 칼슘 농도가 높아지면 혈중 칼슘과 인의 농도를 낮추는 작용을 한다), 부갑상샘호르몬과 칼시트리올(비타민 D 활성형)에 의해 9~10mg/100mL의 일정 수준을 유지한다. 혈중 칼슘농도가 낮아지면, 부갑상샘에 있는 부갑상샘호르몬(parathyroid hormone; PTH)이 분비되어 소장 상부에서 칼슘의 흡수를 증가시키고 신장에서 칼슘의 재흡수를 촉진하며, 뼈로부터 칼슘의 분비를 자극하여 혈중의 칼슘 농도를 높인다. 여성의 경우 폐경기가 되면 부갑상샘항진증(hyperparathyroidism)이 일어나 지속적인 혈청칼슘 수준 저하(hypocalcemia)로 인해 골다공증을 유발한다. 혈중 칼슘 농도가 너무 높아지면 근육이 단단해지고 뻣뻣해지는 경직현상이 나타나고 농도가 너무 낮아지면 근육과 신경흥분에 의해 일어나는 경련현상인 테타니(tetany) 증상이 나타난다.

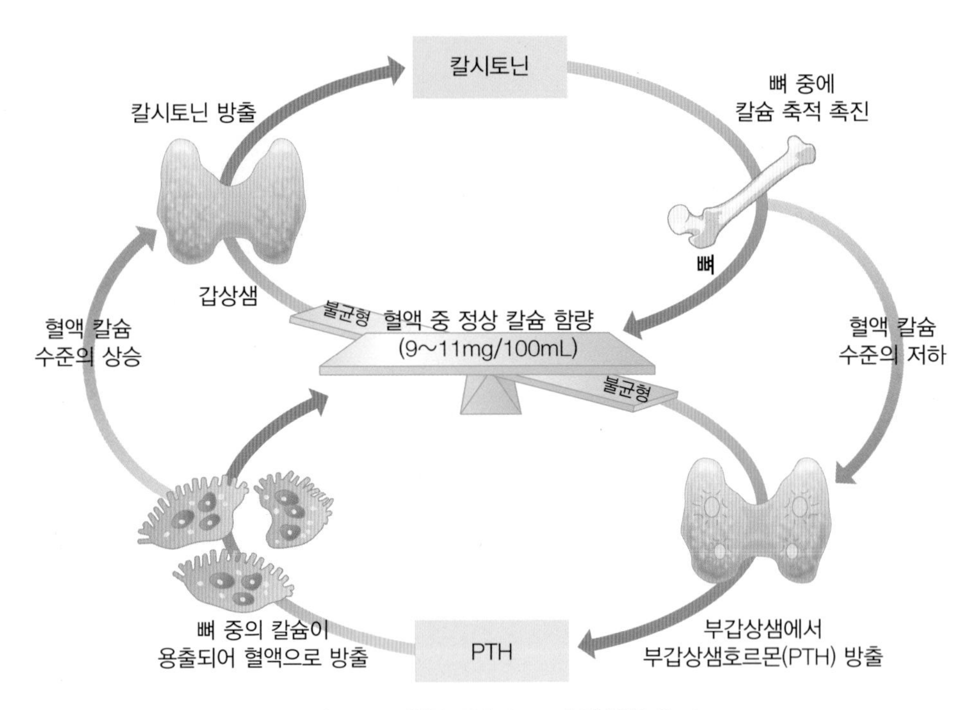

그림 2-35 **혈중 칼슘 농도의 항상성 유지**

3) 흡수와 대사

칼슘은 신체의 생리적 요구에 따라 흡수된다. 성인기에는 30~60% 내외이고, 성장기에는 식이로 섭취한 칼슘의 75%까지 흡수하며, 임신기·수유기에도 칼슘의 흡수율이 증가한다. 칼슘의 흡수를 촉진하는 인자로는 위 내의 산도가 산성(칼슘은 산성에서 잘 용해되므로 식사로 섭취했을 때 더 잘 흡수된다. 연령의 증가로 위산 분비량이 감소하면 칼슘 흡수가 낮아진다.)일 경우, 유당, 비타민 D(비타민 D는 장벽혈류를 통해 칼슘을 통과시키는 단백질 합성에 관여한다.)가 있다. 칼슘의 흡수를 억제하는 인자로는 수산염(oxalates), 피틴산염(phytates) 등이 있다. 이들은 식물성 식품에 함유되어 있으며 소화과정 동안 피틴산이나 옥살산과 결합된 칼슘은 분해되지 못하고 배설되어 칼슘의 흡수를 억제한다. 또한 지방도 칼슘과 불용성 알칼리염을 형성하여 소화가 잘 되지 않으며 칼슘의 흡수를 억제한다. 과도한 식이섬유소의 섭취나 하제 남용은 위장을 통해 칼슘의 이동을 빠르게 하여 흡수를 저해한다. 인의 과잉 섭취와 항경련제, 테트라사이클린, 코티손, 티록신, 알루미늄이 함유된 제산제 등도 칼슘의 흡수를 억제한다,

4) 결핍증

칼슘 결핍은 골격 건강에 영향을 주어 성장기 동안 칼슘의 섭취가 부족하면 골밀도가 감

소되고 성장이 저해되어 구루병이 발생할 수 있다. 성인에게 장기간 칼슘이 결핍되면 골연화증(osteopenia)과 골다공증(osteoporosis)이 발생하기 쉽다. 골다공증은 골밀도가 감소하여 뼈가 부서지기 쉽고 부러지기 쉬운 상태가 되는 것을 말한다. 골다공증이 발생하기 쉬운 경우는 가족력, 인종, 성(남성은 여성보다 근육이 많아 칼슘 보유량이 더 많고 골밀도가 높다. 폐경기 여성은 에스트로젠 농도가 저하되면서 뼈의 칼슘량이 감소되어 골다공증에 걸리기 쉽다), 연령(노인은 위산분비와 비타민 D가 낮아져 흡수되는 칼슘량이 감소한다.) 또한 알코올(뼈 형성을 감소시키고 식품의 섭취를 감소시켜 비타민 D같은 영양소 결핍을 유발한다), 흡연, 카페인(소변으로 칼슘 배설을 촉진한다.) 등 여러 가지 요인에 의해 영향을 받는다.

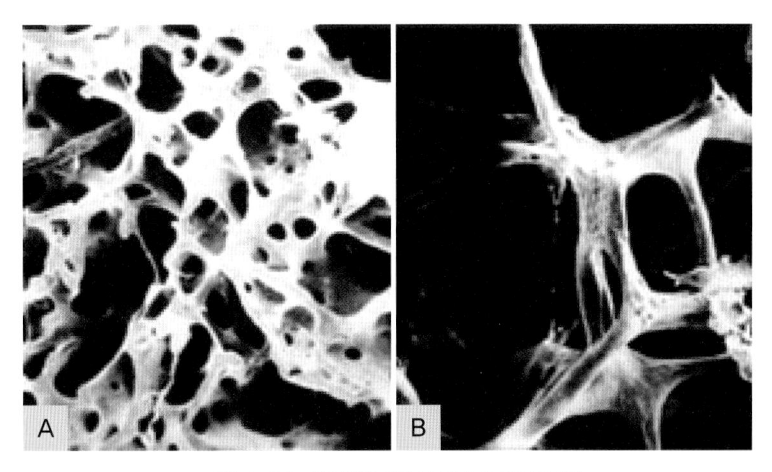

그림 2-36 건강한 뼈(A)와 골다공증(B)

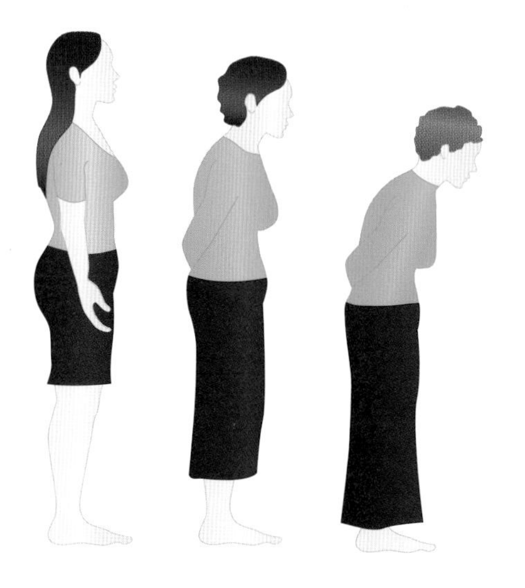

그림 2-37 연령에 따른 골격의 변화

5) 독성

칼슘을 보충제로 과도하게 섭취할 경우 변비나 신장결석을 유발할 수 있고, 철분과 아연 등 다른 무기질의 흡수를 저해한다. 결석형성, 근육수축을 일으킨다.

6) 영양섭취기준

성인 남성 19~49세는 800mg이며, 성인 여성은 700mg으로 정하고 있다. 상한섭취량은 2,500mg이다.

3 인(Phosphorus, P)

인의 85%가 뼈와 치아에 인산염(phosphate)으로 존재하며, 10%가 근육에, 나머지가 신경조직에 포함되어 있다. 인은 크레아틴(creatin) 인산염의 생성 등 고에너지 화합물을 형성하여 세포의 에너지 대사에 중요하다.

1) 생리기능

체내 인의 대부부분은 수산화인석의 형태로 뼈와 치아를 구성하고, 나머지는 세포막의 주요 구성요소인 인지질과 DNA, RNA의 구성성분이며 지단백질 운반체(lipoprotein transport agents)의 성분이다. 단백질 합성과 에너지 대사에 필요하며 산-염기평형을 조절하는 완충작용으로 정상 pH 유지 등의 기능을 한다.

2) 흡수 및 대사

식품으로 섭취한 인은 소장에서 유리된 무기 인산염의 형태로 주로 농도에 의존하는 수동적인 과정에 의해 쉽게 흡수된다. 영아는 모유의 인 중 80~90%를 흡수하며 우유에 함유된 인의 65~70%를 흡수한다. 성인은 일반적으로 60~70%의 흡수율을 보인다. 배설은 신장에서 이루어진다.

3) 결핍증

드물게 식욕감소, 빈혈, 근육약화, 골격성장 저해 등의 증상이 나타날 수 있다.

4) 독성

혈중 인 농도가 비정상적으로 증가하면 비골격계 조직의 석회화가 일어날 수 있다.

5) 영양섭취기준

우리나라 성인 남녀의 1일 권장섭취량은 700mg이며, 상한섭취량은 3,500mg이다.

4 나트륨(Sodium, Na)

세포외액에 가장 많이 존재하는 양이온으로 염소와 결합하여 체액에 존재하며 소장에서 확산에 의해 흡수된다. 혈중 나트륨은 신장에서 분비되는 레닌, 안지오텐신, 부신피질호르몬인 알도스테론에 의해 조절된다.

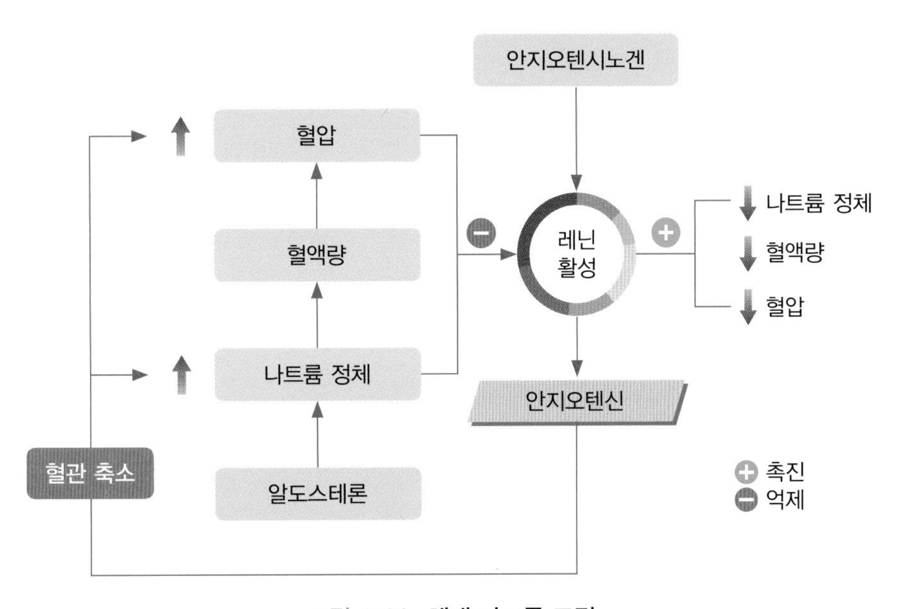

그림 2-38 **체내 나트륨 조절**

1) 생리기능

세포막 사이의 나트륨과 칼륨의 농도 차이에 의해 막전위가 형성되어 신경이 신호를 전달하거나 근육수축과 심장기능이 유지된다. 혈압과 혈액량은 나트륨에 의해 유지된다. 나트륨은 영양소 흡수에 매우 중요한 영양소로 포도당과 아미노산이 흡수될 때 나트륨이 이들 영양소와 함께 운반체에 결합한 후 나트륨 농도차에 의해 세포 안으로 들어간다.

2) 흡수와 대사

식품으로 섭취한 나트륨은 약 95%가 흡수되는데 위에서는 소량 흡수되고 대부분은 소장에서 흡수된다. 나트륨은 주로 신장에서 배설되며 레닌과 부신피질에서 분비되는 호르몬인 알도스테론은 신장의 세뇨관에서 나트륨의 재흡수를 증가시켜 혈액량과 혈압을 조절한다.

3) 결핍증

나트륨이 결핍되면 혈압이 떨어지거나 근육경련이 일어날 수 있고 식욕부진, 집중곤란, 두통, 기억력 감소, 식욕감퇴 등의 증상이 생긴다.

4) 독성

나트륨에 민감한 사람은 가공식품이나 고나트륨 식품 섭취 시 고혈압이나 부종이 유발될 수 있으므로 주의해야 한다.

5) 영양섭취기준

우리 몸에 필요한 나트륨의 양은 기후와 활동량에 따라 다르다. 사람에게 필요한 나트륨의 최소량은 하루 200~400mg으로, 소금 0.5g~1.0g에 들어있는 양이다. 우리나라에서는 하루 나트륨 충분섭취량을 1.5g으로 정하고 만성질환 위험감소 섭취량을 2.3g으로 정하고 있다.

5 염소(Chlorine, Cl)

1) 생리기능

염소는 세포외액의 음이온으로 위의 산의 구성성분으로 펩시노겐을 펩신으로 활성화시키며, 체액균형 조절을 도와주는 기능이 있다.

2) 흡수와 대사

염소는 나트륨, 칼륨과 함께 소장에서 흡수되며 대부분 소변으로 배설되고 소량은 땀으로 배설된다. 나트륨과 함께 알도스테론의 작용으로 신장에서 재흡수된다.

3) 결핍증

식욕부진, 구토, 위내 세균 억제력 감소 등이 나타날 수 있다.

4) 독성

탈수에 의해 일어날 수 있고 다른 전해질과 불균형을 일으킬 수 있다.

5) 영양섭취기준

성인은 권장량이 설정되어 있지 않고 충분섭취량이 2.3g으로 정해져 있다.

6 칼륨(Potassium, K)

1) 생리기능

칼륨은 세포내액의 양이온으로 신경전도, 근육수축, 심장기능 유지에 중요한 역할을 한다. 칼륨 농도가 너무 높거나 낮으면 심장마비를 일으킬 수 있다. 나트륨과 함께 체액과 삼투압을 정상적으로 유지하며 산·알칼리 평형에 기여한다. 나트륨과 대항작용을 하여 체내의 나트륨을 배설시켜 혈압을 낮추는 효과가 있다. 칼륨과 나트륨은 섭취 비율이 중요한데 칼륨과 나트륨을 1:1로 섭취하는 것이 바람직하다.

2) 흡수와 대사

칼륨은 소장벽을 통해 흡수된다. 칼륨은 소화액의 성분으로 소장으로 배출되는데 대부분 재흡수되고 소량이 대변으로 배설된다. 나트륨-칼륨 펌프에 의해 나트륨이 세포 내에서 세포 외로 이동되면 칼륨이온은 세포 내로 이동되어 세포외액과 세포내액 간의 평형을 유지한다.

3) 결핍증

지속적인 구토와 설사, 장기간의 칼륨 제한 식사, 알코올 중독증, 이뇨제 복용, 심각한 영양실조, 수술 등에 의해 근육약화, 혼돈, 변비 등이 나타나며 심하면 심부정맥, 혈압저하, 호흡기능 약화 등의 증세가 나타난다.

4) 독성

보충제에 의해 발생하며 신장기능이 정상이면 식사에서 섭취하는 칼륨 정도로는 독성이 나타나지 않으나 신장질환이 있는 사람이나 투석환자에게 칼륨 함량이 높은 식품은 독성을 나타내어 근육약화, 구토 등이 나타나고 심한 경우 심정지가 나타날 수도 있다.

5) 영양섭취기준

성인의 1일 충분섭취량은 3.5g으로 권장하고 있다.

7 마그네슘(Magnesium, Mg)

마그네슘은 대부분 골격에 존재하며 뼈 구조를 이루고 300종 이상의 효소의 보조인자로 작용한다.

1) 생리기능

칼슘 및 인과 복합체를 형성하여 골격과 치아를 구성한다. 에너지 대사에 관여하며 세포막을 통한 칼륨, 칼슘 등의 이온 전달에 관여하여 신경의 흥분과 근육, 심장의 정상적인 기능에 필요하다. 마그네슘이 세포 내외로 운반될 때는 운반체와 에너지가 필요하며, 호르몬의 영향을 받는다. 심근세포 내에서 세포 외로 칼륨이 운반되는 것을 조절한다.

2) 흡수 및 대사

소장에서 흡수되며 흡수율은 45% 이다. 칼슘과 마그네슘은 흡수될 때 서로 경쟁하며 곡류의 피틴산, 과량의 칼슘섭취는 마그네슘의 흡수를 저해한다. 배설은 대부분 담즙을 통해 일어나고 나머지는 소변과 땀으로 배설되며, 식품으로 섭취되어 흡수되지 않은 마그네슘은 대변을 통해 배설된다.

3) 결핍증

알코올 중독자, 위장관질환이 있는 경우, 신장질환, 장기간 이뇨제를 사용하는 사람, 노인들에게서 결핍증이 나타날 수 있다. 증상으로는 근육연축, 근육약화, 경련 등이 나타난다.

4) 독성

정상적인 식사를 통해 마그네슘을 섭취하는 경우에는 부작용이 없다고 알려져 있으나 과다한 양의 보충제를 복용하면 혈중 마그네슘 농도가 증가하여 설사, 체액량 감소 등이 일어난다.

5) 영양섭취기준

성인 남성 19~29세 360mg, 30~49세 370mg으로, 성인 여성의 권장섭취량은 280mg으로 정하고 있다.

8 황(Sulfur)

단백질의 구성성분으로 체내 모든 세포에 존재하고 메티오닌, 시스테인, 시스틴 같은 아미노산과 티아민, 비오틴은 황을 함유하고 있다.

1) 생리기능

체내의 산-염기평형을 조절한다.

2) 결핍증

황은 세포의 구성성분이므로 결핍증은 거의 없다.

3) 독성

독성은 알려져 있지 않다.

요약

무기질은 체조직을 구성하며 구조적으로 치아와 골격에 단단함과 강함을 제공한다. 골 무기질 구성성분은 신체에서 필요한 다른 것들을 위한 저장고로 쓰인다. 무기질은 근육을 수축·이완시키고 신경기능에 영향을 준다. 무기질은 효소를 보조하고 체액의 산-염기 균형을 유지하며 혈액응고와 상처치유를 위해 필요하다.
다량 무기질은 칼슘, 인, 마그네슘, 황, 그리고 나트륨, 칼륨, 염소와 같은 전해질 등이며 매일 100mg 이상의 양을 필요로 한다. 무기질의 일차급원은 식물성과 동물성 식품이다. 중요한 식물성 공급원은 대부분의 과일, 채소, 콩류, 통곡류 등이다. 동물성 공급원은 쇠고기, 가금류, 알류, 생선, 유제품 등이다. 무기질은 조리되었을 때 안정적이지만, 생물학적 이용 가능성은 급원에 따라 다르다. 식물성 식품에 함유되어 있는 무기질은 피티산, 옥살산과 결합하여 흡수를 방해하기 때문에 체내 이용률이 낮다. 일반적으로 동물성 식품에 함유된 무기질이 식물성보다 더 쉽게 흡수된다.

이것만은 꼭 알아놓을까요?

- **다량 무기질(major minerals)**: 매일 100mg 이상의 양이 요구되는 필수영양 무기질
- **부종(edema)**: 순환계에서의 흐름이 지연되어 간질 공간에 체액이 과다하게 축적된 것
- **세포내액(intracellular fluid)**: 세포 내에 포함되어 있는 체액으로 칼륨이 주요 양이온이다.
- **세포외액(extracellular fluid)**: 간질액, 혈장, 신체 기관과 물질의 수분 요소를 포함하여 세포 밖에 있는 모든 체액
- **알도스테론(aldosterone)**: 신장에서 나트륨 수치에 반응하여 부신피질에서 분비되는 호르몬으로 필요 시에 체액의 균형을 이루기 위해 신장에 영향
- **저나트륨혈증(hyponatremia)**: 혈액 속에 나트륨 양이 적은 것
- **칼시토닌(calcitonin)**: 갑상샘의 특수 C 세포에 의해서 분비되고, 혈중 칼슘수치가 높을 때 반응하여 작용하는 호르몬
- **항이뇨호르몬(antidiuretic hormone; ADH)**: 체액을 줄이고 수분의 배출을 감소시키기 위해 신장에 영향을 주는 것에 반응하여 뇌하수체에 의해 분비되는 호르몬이며, 바소프레신이라고 불린다.

복습하기

01 무기질의 체내 작용에 대해 적절하지 않은 것은?

① 신경흥분의 전달을 돕는다.
② 혈액의 산-염기평형을 조절한다.
③ 체내 수분 함량의 평형을 유지한다.
④ 뼈와 치아와 같은 경조직에만 존재한다.

02 다음 중 칼슘의 흡수에 대한 설명으로 적절하지 않은 것은?

① 식이섬유는 흡수를 방해하는 인자이다.
② 흡수율은 성장단계에 따라 차이가 난다.
③ 비타민 C는 흡수를 촉진시키는 인자이다.
④ 섭취한 칼슘의 대부분은 대장에서 흡수된다.

03 칼슘의 항상성 조절에 대한 설명으로 적절한 것은?

① 칼시토닌은 뼈로부터 칼슘이 방출되게 한다.
② 부갑상샘호르몬은 뼈로부터 칼슘을 방출되게 한다.
③ 부갑상샘호르몬은 섭취한 칼슘의 흡수를 저해한다.
④ 부갑상샘호르몬은 신장에서의 칼슘 재흡수를 막는다.

04 비타민 B_6의 활성화에 필요한 무기질은?

① 황
② 인
③ 셀렌
④ 구리

05 칼슘의 체내 작용에 대한 설명으로 옳지 않은 것은?

① 혈압을 높인다.
② 뼈를 견고하게 한다.
③ 혈액응고 과정에 필요하다.
④ 근육의 수축과 이완작용을 돕는다.

☞ 정답 및 해설은 385쪽에서 확인

06 인체에 가장 많은 무기질은?

① 철
② 칼슘
③ 칼륨
④ 나트륨

07 메티오닌, 시스틴, 시스테인과 같은 아미노산의 형태로 존재하는 무기질은?

① 황
② 크롬
③ 불소
④ 셀레늄

08 인에 대한 설명으로 옳지 않은 것은?

① ATP의 구성성분이다.
② DNA의 구성성분이다.
③ 뼈의 형성에 관여한다.
④ 비타민 B_{12}의 구성성분이다.

09 인산과 결합하여 피리독살 인산염이 되어야 활성형이 되는 영양소는 무엇인가?

① 비타민 B_1
② 비타민 B_2
③ 비타민 B_6
④ 비타민 B_{12}

☞ 정답 및 해설은 385쪽에서 확인

제7절 미량 무기질(Trace mineral)

미량 무기질은 효소가 기능할 때 보조인자로 작용한다. 철, 구리, 요오드(아이오딘), 셀레늄, 크롬, 망간, 몰리브덴, 아연 등이 있다.

1 철(Iron, Fe)

철은 헤모글로빈 및 효소를 포함한 많은 단백질의 구성성분이다.

1) 생리기능

철은 체내에 산소를 운반한다. 산소는 적혈구 헤모글로빈(hemoglobin, 산소 운반단백질)의 철이 운반한다. 미오글로빈(myoglobin)은 근육세포에 산소를 공급하며 산소를 사용하는 효소를 보존하는 기능을 한다. 철은 저장되고 재순환된다. 적혈구가 오래되거나 손상되었을 때 비장은 세포의 철 성분을 제거하는데, 일부는 비장에 저장하고 나머지는 간으로 보내져 트랜스페린의 형태로 골수로 이동하고 새로운 적혈구를 만들기 위해 재순환된다. 철의 일부는 소변이나 땀 안의 조직세포 발산과 출혈로 손실되며 손실된 철은 식품을 통해 보충해야 한다. 철은 페리틴(주요 저장형태)이나 헤모시데린의 형태로 간, 비장, 골수에 저장된다.

2) 흡수와 대사

식사로 섭취한 철은 소장 상부에서 흡수되며, 흡수율은 동물성 식품은 10~15%이나, 철 결핍 상태일 때는 20%까지 증가하며 임신기와 성장기에는 더 증가한다. 장내 점막세포에는 섭취한 철의 흡수를 돕는 2가지 단백질이 있다. 점막 트랜스페린(transferrin)은 철에 트랜스페린 안의 단백질 운반체로 철을 이동시킨다. 점막 페리틴(ferritin)은 철을 저장한다. 동물성 식품인 육류(meat), 생선(fish), 가금류(poultry)에 들어 있는 헴 철(heme iron)은 식물성 식품의 비헴 철(nonheme iron)보다 더 쉽게 흡수된다. 비헴 철은 운반되기 전에 Ferrous iron(Fe^{2+})으로 환원되어야 한다[Ferrous iron(Fe^{2+})>ferric iron(Fe^{3+})]. 철의 흡수를 촉진하는 또 다른 인자는 비타민 C, 위산 등이다. 철의 흡수를 방해하는 인자로는 피틴산, 수산 같

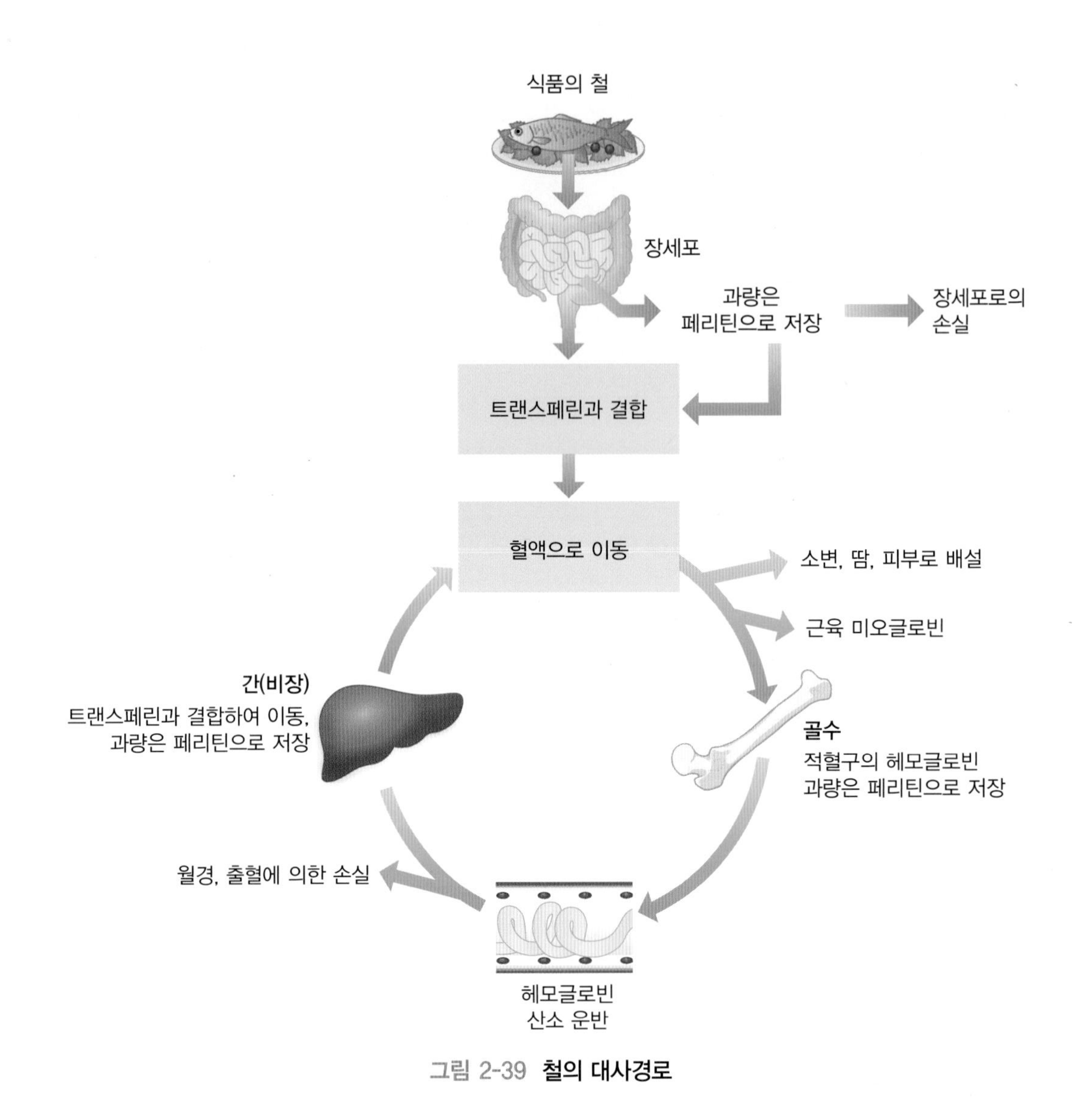

그림 2-39 **철의 대사경로**

은 결합제, 차와 커피 중의 탄닌, 위산의 감소, 섬유소, 이식증(pica: 비영양물질인 진흙 등을 섭취하는 것) 등이 있다.

3) 결핍증

철 결핍은 간에 있는 체내 철 저장량이 감소했을 때 발생한다. 식사나 체내 저장량을 통해 헤모글로빈 합성에 필요한 철을 공급하지 못하면 혈류 중의 적혈구 수가 감소하고 혈중 헤모글로빈, 헤마토크리트(전체 혈액의 적혈구가 차지하는 면적) 수치가 감소한다. 철 결핍으로 인한 빈혈은 소혈구(microcyte or small red blood cells)가 특징으로 산소가 충분하지 않아 피곤하고 인지기능이 손상되고 체온조절이 되지 않고 신체활동도 어려워진다. 운동성 빈혈(sports anemia)은 지구력을 요한 운동선수가 심한 운동을 하면 산소 보충을 위해 혈액용적이 팽창하여 혈중 헤모글로빈 농도를 낮추어 빈혈상태를 유발하나 이는 질병이 아닌 적응반응이다. 유아가 너무 많은 우유를 마시면 우유는 철분이 부족해 철결핍빈혈이 발생할 수 있다.

4) 독성

영양보충제나 철분제를 과잉으로 복용하면 구토, 변비, 설사, 검은 변 증상이 나타나며, 철이 체내 저장능력 이상으로 저장된 경우에는 혈철소증(헤모시데린침착증, hemosiderosis)이 발생하는데 이는 혈색소증(hemochromatosis: 유전적으로 정상보다 철 흡수율이 높거나 철분 강화 식품 등의 고철분 식품섭취에 의해 나타난다.)에 의해서이다. 심해지면 간과 심장의 손상 등이 발생한다.

※ 유전적 혈색소증(Hereditary hemochromatosis)

유전적으로 철 운반 단백질의 손상으로 인해 철의 흡수율이 과도하게 높아지는 것으로 철 함유식품의 섭취를 감소시켜야 한다. 검사방법으로는 트랜스페린 포화도를 측정하는 것이다.

5) 영양섭취기준

성인 남성은 1일 10mg, 성인 여성은 14mg이며, 임신부와 수유부는 24mg을 권장하고 있다. 철은 보충제를 통하여 과잉 섭취하면 위장장애를 유발하는 등 위해하므로 상한섭취량은 45mg으로 정하고 있다.

2 구리(Copper, Cu)

1) 생리기능

구리는 여러 효소의 구성성분으로 작용한다. 과산화물제거효소(superoxide dismutase; SOD)에 결합하여 세포의 산화적 손상을 방지하며, 세룰로플라스민의 구성성분으로 저장철이나 소장세포의 Fe^{2+}을 산화사켜 트랜스페린에 결합할 수 있게 하여 철이 조혈작용에 사용될 수 있게 한다. 또한 미토콘드리아 내 전자잔달계에서 시토크롬 C 산화효소의 조효소로 ATP 생성에도 관여한다.

2) 흡수와 대사

구리는 주로 소장에서 흡수되고 식사로 섭취한 구리의 약 50% 정도가 흡수된다. 섭취량이 많으면 단순확산으로 흡수되며 장내 농도가 낮을 때는 촉진확산으로 흡수율이 증가한다. 간에 세룰로플라스민의 형태로 저장되어 있어 필요할 때 혈액을 통해 조직으로 이동된다. 식이에 칼슘, 철분 황, 아연 등이 많으면 구리의 흡수율이 떨어진다. 사용되고 남은 구리는 간으로 되돌아와 담즙을 통해 대변으로 배설된다.

3) 결핍증

구리 결핍증은 드물지만 구리가 결핍되면 탈무기질화와 빈혈이 발생된다.

4) 독성

보충제에 의해 일어나며 구토, 설사 등의 증상이 나타난다. 유전질환인 윌슨병(Wilson's disease)은 간, 뇌, 눈의 각막에 과도한 구리가 축적되어 간경화, 만성간염, 간부전, 신경장애를 초래한다. 구리 그릇 사용에 의해서도 발생한다. 영양적 치료방법으로는 구리가 함유된 식품섭취를 제한하고 체내 과도한 구리를 배출하는 중금속 제거요법이 있다.

5) 영양섭취기준

성인의 구리 권장섭취량은 성인 남성 850μg, 여성 650μg으로 정하였고 상한섭취량은 10mg이다.

3 아연(Zinc, Zn)

1) 생리기능

아연은 각종 효소의 구성성분으로 성장, 미각, 후각, 상처치유, 면역기능에 관여하며 인슐린 기능의 보조작용을 통해 탄수화물 대사에 영향을 미친다. RNA 합성과 알코올 대사에 작용하는 효소의 보조인자이다. 항산화제로 작용하며 세포막을 안정화시키고 유전자 발현(zinc fingers)을 조절하는 단백질을 안정화시킨다.

2) 흡수와 대사

아연은 대부분 소장에서 농도가 낮을 때는 촉진확산으로, 농도가 높을 때는 단순확산으로 운반된다. 장세포 내에서 아연은 메탈로티오네인이라는 단백질과 결합하여 이동된다. 육류, 생선류, 가금류 등의 동물성 식품의 흡수율이 좋다. 전곡류에는 소화기 내에서 아연과 결합한 상태로 남아있는 피틴산이 포함되어 있어 소화에 의해 끊어지지 않으나 이스트와 같은 발효제에 의해 결합이 끊어지면 아연을 흡수할 수 있다. 철분, 구리, 칼슘 같은 양이온이 많이 함유된 식품의 섭취도 아연의 흡수를 감소시킨다.

3) 결핍증

성장지연, 식욕부진, 설사, 피부문제, 성적발달의 지연, 감염 증가(면역장애) 등이 나타난다.

4) 독성

보충제로 많은 양을 섭취하면 구토, 설사, 열, 위장의 통증, 체중감소 등의 증상이 나타난다. 계속 사용하면 철과 구리의 수준이 감소되고 HDL을 감소시켜 관상동맥질환(coronary artery disease; CAD)이 발생할 수 있다.

5) 영양섭취기준

성인 남성은 10mg, 성인 여성은 8mg을 권장하고 있다. 아연의 상한섭취량은 1일 35mg이다.

4 요오드(Iodine, I_2)

1) 생리기능

요오드는 갑상샘호르몬 티록신(thyroxine; T_4)과 삼요오드티로닌(triiodothyronine; T_3)의 필수 구성성분으로 성장발달과 조절, 기초대사, 체온 등에 영향을 미친다.

2) 흡수와 대사

식품으로 섭취된 요오드는 음이온(iodide; I-)으로 환원된 후 대부분 위와 소장 상부에서 흡수되어 갑상샘으로 이동한다. 요오드는 갑상샘에서 갑상샘글로불린(thyroglobulin; Tg)과 결합하여 T_4를 형성한 뒤 순환계로 분비되어 간에서 합성된 단백질(트랜스타이레틴 transthyretin), 알부민(albumin) 등과 함께 표적세포로 이동한다. 조직에서 T_4는 셀레늄 함유효소인 탈요오드 효소(deiodinase)에 의해 T_3로 전환된다. T_3로 전환되고 유리된 요오드는 재이용되거나 소변으로 배설된다.

3) 결핍증

요오드가 결핍되면 티록신 생산이 감소하여 나른하고, 체중증가 등의 증상이 나타나고, 갑상샘종(goiter)이 발생해 낮은 농도를 보상하기 위해 갑상샘이 확장되는 증상이 나타난다. 임신부의 요오드 섭취가 부족하면 태아가 출생 후 정신과 신체의 발달지연 등의 증상을 나타내는 크레틴병(cretinism)에 걸릴 수 있다.

4) 독성

보충제 등으로 인해 요오드를 과하게 섭취하면 갑상샘항진증이나 바세도우병이 생긴다.

5) 영양섭취기준

한국인은 요오드의 섭취가 부족되는 경우는 별로 없으며 영양섭취기준은 성인 남녀 모두 150μg이다.

5 셀레늄(Selenium, Se)

1) 생리기능

셀레늄은 항산화제로 작용하는 효소의 구성요소로 비타민 E와 셀레늄은 산화물질로 인한 세포와 지질막 손상을 예방한다. 갑상샘 기능, 비타민 C 대사, 면역기능, 암 예방에도 중요한 기능을 한다. 동물과 식물 조직에 셀레노메티오닌(selenomethionine)의 형태로 존재하고 글루타티온 과산화효소(glutathione peroxidase; GSHPx)의 구성성분으로 혈장에 존재한다. 글루타티온 과산화효소는 체내에서 생산된 과산화수소를 분해하여 과산화수소에 의한 세포손상을 억제하는 항산화기능을 한다.

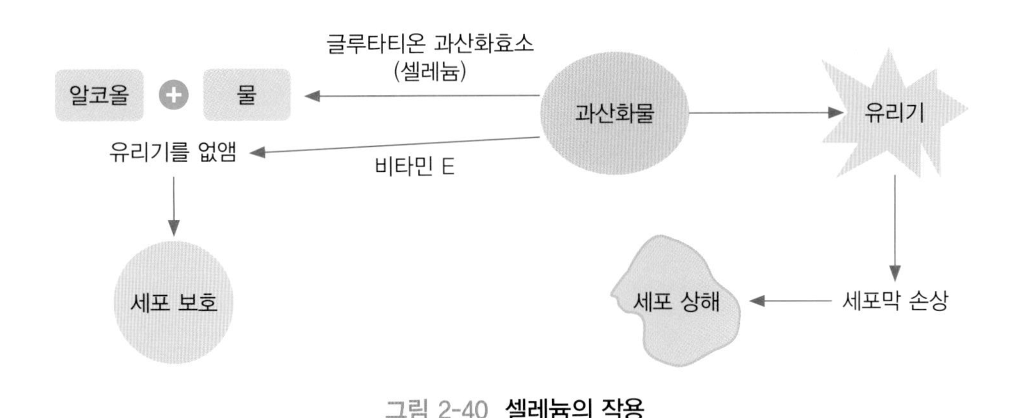

그림 2-40 **셀레늄의 작용**

2) 흡수와 대사

셀레늄은 대부분이 아미노산인 메티오닌과 결합되어 흡수되고 근육에 저장되며 소변과 호흡으로 배설된다. 영양보충제인 무기 셀레늄 형태로 공급하면 흡수율이 차이가 많이 난다.

3) 결핍증

셀레늄이 결핍되어 나타나는 케산병(Kashin disease)은 중국에서 어린이와 젊은 여성들에게 나타나는 질환으로, 울혈성 심장근육증 등의 증상이 나타난다.

4) 독성

셀레늄 독성으로 호흡 시 마늘 냄새, 설사, 구토, 메스꺼움, 이와 손톱이 부서지는 증상 등이 나타난다.

5) 영양섭취기준

한국인의 성인 권장섭취량은 남녀 모두 60μg이다. 식품과 보충제를 통해 섭취하는 총 섭취량이 400μg을 넘지 않도록 정하였다.

6 크롬(Chromium)

1) 생리기능

크롬은 포도당의 항상성 유지와 인슐린 작용을 조절하여 탄수화물 대사에 중요하다. 어린이의 성장과 발달에도 관여한다.

2) 흡수와 대사

크롬의 흡수는 비타민 C, 산성 환경 등에서 증가하며 제산제에 의해서는 감소한다. 과도한 양은 소변과 대변으로 배설된다.

3) 결핍증

크롬은 동물성 식품, 달걀, 콩류 등에 많으며 곡류에 함유된 크롬은 밀가루 정제 등 식품가공 과정에서 손실되기는 하여도 결핍증은 흔하지 않다. 그러나 병원에 입원해 있는 환자에게 크롬 결핍이 있는 경우 인슐린 민감도가 감소하여 혈당이 올라가고 체중이 감소하는 등의 증상이 나타난다.

4) 독성

식품으로부터의 독성은 없으며 산업환경오염에 의해 나타난다.

5) 영양섭취기준

19세 이상 성인 남자의 충분섭취량은 30㎍/일, 65세 이상 25㎍/일, 성인 여성 19세 이상 20㎍/일이다.

7 망간(Manganese, Mn)

1) 생리기능

뼈 형성, 포도당 생성과 에너지 대사에 필요한 효소들과 수퍼옥사이드 디스뮤타제(superoxide dismutase: 유리기로부터 세포를 보호한다.)의 보조요소이다.

2) 흡수와 대사

망간의 흡수율은 10% 이하이며 과도한 양은 담즙과 결합하여 대변으로 배설된다.

3) 결핍증

파인애플, 전곡류, 견과류, 콩류, 짙은 녹색 채소, 물 등에 많아 결핍증은 거의 나타나지 않는다. 그러나 심각하게 결핍되면 피부가 비늘 같고 골격형성과 성장발육이 억제된다.

4) 독성

망간 함량이 높은 물을 섭취하는 경우 나타날 수 있다.

5) 영양섭취기준

19세 이상 성인의 망간 충분섭취량은 남자 4.0 mg/일, 여자 3.5mg/일이며, 상한섭취량은 11mg/일이다.

8 몰리브덴(Molybdenum, Mo)

1) 생리기능

아미노산(황 함유 아미노산)과 핵산(DNA, RNA) 대사에 필요한 금속효소의 보조인자이며, 간에서 약물 해독작용에도 관여하는 아주 소량 필요한 미량 영양소이다.

2) 흡수 및 대사

소장에서 흡수되어 혈액을 통에 간으로 간다.

3) 결핍증

곡류, 콩, 견과류 등이 좋은 식품 급원이고 대부분의 식품에 함유되어 있어 의학적 상황을 제외하고서는 몰리브덴 결핍은 거의 없다.

4) 독성

사람에게는 과잉 섭취로 인한 독성은 없다고 한다.

5) 영양섭취기준

몰리브덴의 권장섭취량은 남자 19~64세 30㎍, 65세 이상 28㎍, 19~64세 여성 25㎍, 65세 이상 22㎍이며, 상한섭취량은 남자 19~49세 600㎍, 50세 이상 550㎍, 19~49세 여성 500㎍, 50세 이상 500㎍이다.

요약

미량 무기질은 철, 아연, 요오드, 불소, 셀레늄, 구리, 크롬, 망간, 몰리브덴 등으로 매일 100mg 이하의 양이 요구된다.
무기질의 1차 급원은 식물성과 동물성 식품이다. 중요한 식물성 공급원은 대부분의 과일, 채소, 콩류, 통곡류 등이다. 동물성 공급원은 쇠고기, 가금류, 알류, 생선, 유제품 등이다. 무기질은 조리됐을 때 안정적이지만, 생물학적 이용 가능성은 급원에 따라 다르다.
식물성 무기질은 결합제가 흡수를 방해하기 때문에 체내에서 이용하기 쉽지 않다. 일반적으로 동물성 식품에 함유된 무기질이 식물성보다 더 쉽게 흡수된다.

이것만은 꼭 알아놓을까요?

- **갑상샘종(goiter)** : 요오드 결핍에 의해 야기되는 낮은 요오드 농도를 보상하기 위해 갑상샘이 과도하게 작용하면서 나타나는 갑상샘의 확장
- **갑상샘항진증(thyrotoxicosis)** : 과량의 요오드 섭취로 인해 나타나는 증상
- **다량 무기질(major minerals)** : 매일 100mg 이상의 양이 요구되는 필수 영양무기질
- **미량 무기질(trace minerals)** : 매일 100mg 이하의 양이 요구되는 필수 영양무기질
- **미오글로빈(myoglobin)** : 근육의 산소운반 단백질
- **비헴 철(nonheme iron)** : 식물성 식품에 함유되어 있는 철
- **헤모글로빈(hemoglobin)** : 적혈구의 산소운반 단백질
- **헴 철(heme iron)** : 고기, 생선, 가금류 등 동물성 식품에 함유되어 있는 철

복습하기

01 체내에서 이용되는 철분의 급원이 아닌 것은?

① 체내에서 합성된 철분
② 저장되었던 철분이 방출된 것
③ 섭취한 식품으로부터 흡수된 철분
④ 파괴된 헤모글로빈으로부터 재흡수된 철분

02 철분의 흡수를 증진시키는 식품이 아닌 것은?

① 현미
② 쇠고기
③ 요구르트
④ 오렌지 주스

03 철분 결핍으로 인한 빈혈증 진단을 위한 지표가 아닌 것은?

① 헤마토크리트
② 헤모글로빈 함량
③ 혈액 T_4, T_3 함량
④ 트랜스페린 포화상태

04 근육세포 내에 존재하며 산소의 일시적 저장소 역할을 하는 철분 함유 복합물질은?

① 헤모글로빈
② 미오글로빈
③ 메탈로티오네인
④ 히드록시아파타이트

☞ 정답 및 해설은 385쪽에서 확인

05 철분의 흡수에 대한 설명으로 가장 적절한 것은?

① 철분의 흡수는 대부분 대장에서 일어난다.
② 성장기나 임신부의 경우 철분 흡수율이 높아진다.
③ 흡수율이 높아 대게 섭취한 철분의 약 90%가 흡수된다.
④ 육류, 어류, 조류(Meat, Fish, Poultry; MFP) 인자는 철분의 흡수를 방해한다.

06 요오드에 대한 설명으로 바르지 않은 것은?

① 해산물과 해조류에 풍부하다.
② 갑상샘호르몬의 구성성분이다.
③ 체내 대부분의 요오드는 뼈에 존재한다.
④ 요오드 결핍은 크레틴병을 일으킬 수 있다.

07 다음 중 혈액으로 들어온 철분을 필요한 곳으로 운반하는 역할을 하는 철분 운반단백질은?

① 시토크롬
② 트랜스페린
③ 헤모시데린
④ 미오글로빈

☞ 정답 및 해설은 385쪽에서 확인

제8절 수분

수분은 모든 생물체의 주요 구성성분이다. 생명유지에 필수적인 성분으로 성인 체중의 60%를 차지하며 세포내액과 세포외액으로 분류된다. 세포외액은 혈액과 세포사이질액으로 되어 있으며 세포내외액, 혈관내외액은 수분 통과가 쉬운 반투막으로 구분되어 있어 무기질 균형에 따라 수분이 자유롭게 통과할 수 있다. 수분통과는 나트륨, 칼륨, 염소 이온의 농도에 따라 조절된다. 체내에서 수분이 차지하는 비율은 성별, 연령, 체조직의 구성에 따라 다르며 연령이 증가할수록 수분의 함량은 감소한다. 근육조직은 지방조직에 비하여 수분함량이 많으므로 같은 체중이라도 근육이 많은 사람이 지방이 많은 사람보다 수분함량이 높다.

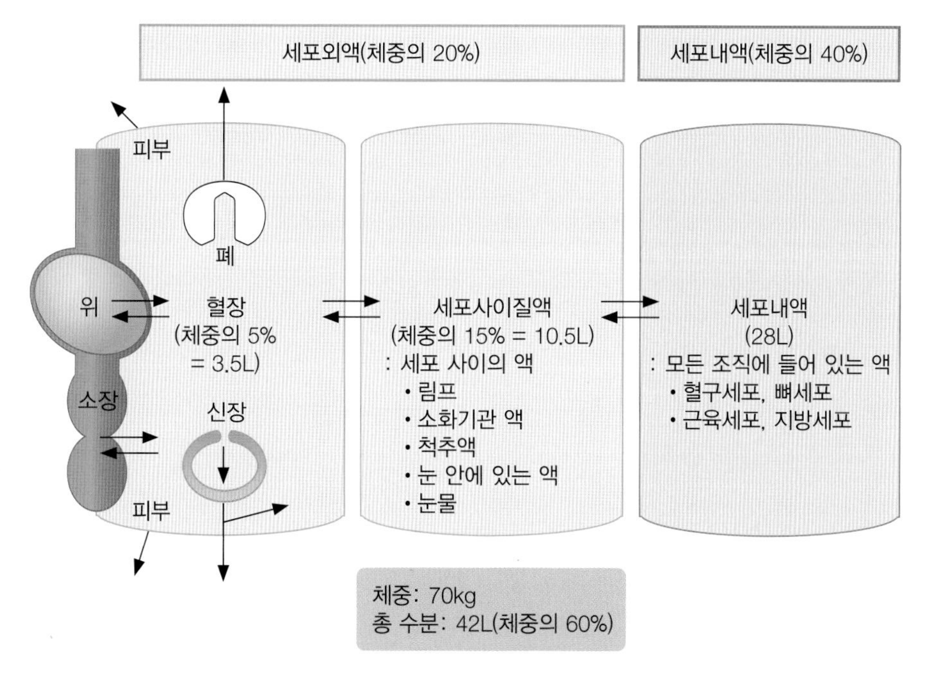

그림 2-41 **체내 수분의 구성**

1) 생리기능

수분은 체조직의 구성성분으로 체내 생화학반응의 기초가 되며, 영양소를 운반하고 영양소 대사과정에서 생긴 노폐물을 체외로 배출시킨다. 또한 세포의 형태와 강도를 결정하며, 체온을 조절하며, 열을 생산하고, 전신으로 공급·분배하여 체온을 유지시킨다. 폐와 피부에서 수분을 증발시켜 여분의 열기를 제거함으로써 신체를 식히는 작용을 한다(불감성 발한,

insensible perspiration). 뿐만 아니라 관절액이나 점막분비와 같은 윤활제로도 사용되며 양수, 척수, 눈과 같은 신체 조직의 완충 역할도 한다. 그리고 용매로 작용하여 전해질, 비타민, 포도당과 작은 분자의 이동을 가능하게 한다. 이외에도 수분은 생화학 반응을 위한 매개물이자 반응물질로서 다당류, 지방, 단백질과 같은 큰 분자는 수분이 대사과정에 관여하여 작은 분자로 나누어진다.

2) 흡수와 대사

물은 무기물이므로 소화되지 않으며 소장까지 빠르게 내려가 대부분 흡수된다. 대장에 정체되어 있다가 흡수되거나 배설물과 함께 배설된다. 수분은 대사과정의 일부로 산화반응의 부산물로 떨어져 나오거나 ATP에서 에너지를 생성하는 과정에 관여한다. 이렇게 유리된 수분은 노폐물로 배설되거나 체내 어느 곳에서나 사용될 수 있다. 근육이나 간에 있는 당원(glycogen)에는 분자 구조 안에 수분이 포함되어 있어 에너지로 사용할 때 사용될 수 있다.

3) 급원과 배설

수분의 급원으로는 음료수(액체), 고형식품, 대사수 등이 있으며 소변, 대변, 증발작용(피부, 호흡) 등을 통해 배설된다.

4) 수분 균형

수분 섭취량과 수분 배설량이 균형을 이룬 상태로 체내에서 수분이 부족하게 되면 신체 중심부 온도상승, 심혈관계 활동 곤란, 체온조절 능력손상, 신체 수행능력의 감소와 같은 증상이 나타나게 된다.

탈수증(dehydration)은 더운 날 수분을 보충해주지 않은 채 격심한 육체운동을 계속하거나 수분 섭취가 부족한 상태에서 발생한다. 체내 총 수분량의 2%를 손실하면 갈증을 느끼며, 4% 정도 손실하면 근육이 피로하며, 운동 중인 경우에는 지구력이 급격히 떨어진다. 체내 총 수분량의 12%를 손실하면 외부의 높은 온도에 대한 적응력 상실로 무기력에 빠지며, 총 수분함량의 20%를 손실하면 의식을 잃고 사망한다.

수분중독(water intoxication)은 단시간에 많은 물을 섭취할 때 발생하며 체내 무기물을 희석시켜 근육경련, 혈압감소 등의 증상을 나타낸다. 또한 탈수로 인해 다량의 전해질이 손실되거나 전해질 대체물을 추가하지 않고 수분만 공급할 때도 수분 중독이 될 수 있다. 부종(edema)은 혈액에 수분을 보유할 수 있도록 충분한 전해질 또는 단백질이 존재하지 않을 때 혈액 중의 세포와 세포 사이의 틈(세포사이질액, 조직액)으로 수분이 빠져나가 붓는 현상이다. 나트륨에 민감한 사람이 나트륨을 과량 섭취했을 때 체액량이 증가하고 혈압이 높아져 고혈압이 될 수 있다.

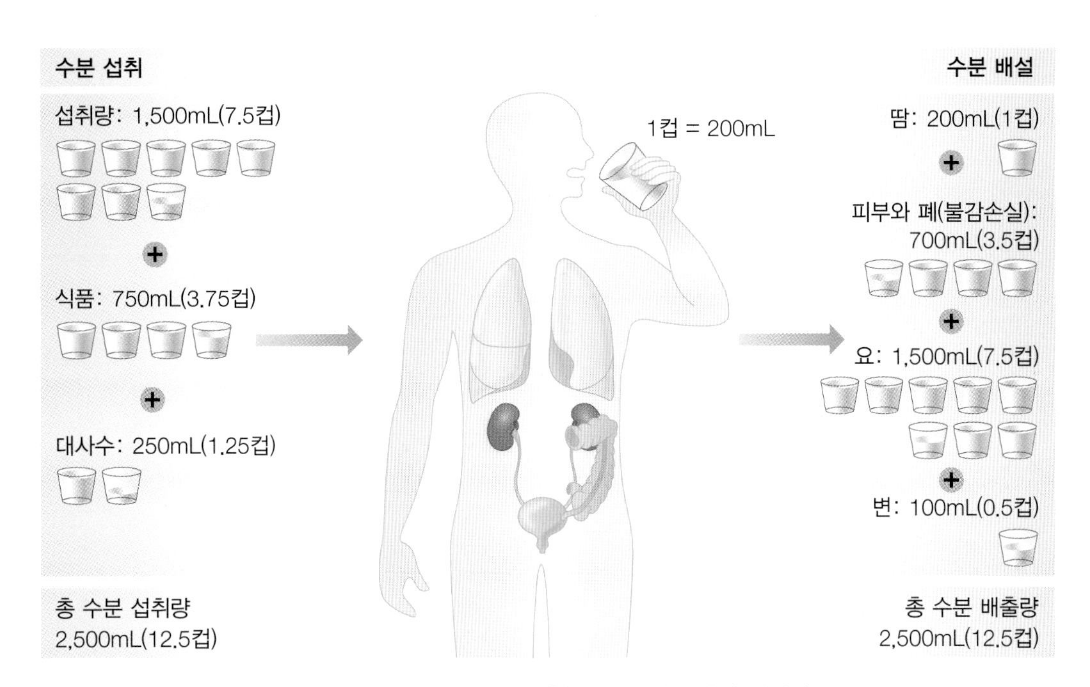

그림 2-42 **성인의 수분평형 – 수분 섭취량과 배설량**

5) 수분 필요량

보통 성인은 1kcal당 1mL의 물이 필요하다. 어릴수록 단위체중당 수분 필요량이 높다. 신생아는 1kcal당 1.5mL, 성인은 1mL가 필요하다. 섭취식품이 고지방식이면 수분 필요량이 감소(지방산화 시 수분 생성량이 많다)하며, 고단백질 식사면 수분 필요량이 증가(요소배설을 위해)한다. 고염식, 고당질식일 경우에는 희석을 위해 수분 필요량이 증가한다. 커피, 코코아(xanthine 유도체 함유), 알코올을 섭취하게 되면 이뇨작용으로 수분 배설량이 증가한다. 휴식, 수면 중에는 수분 손실이 적으나, 심한 운동, 노동 시 열 발산을 위해 많은 양의 수분이 필요하다. 수분의 충분섭취량은 하루에 남자 2,500mL, 여자 2,000mL이다. 여기에는 하루에 소비하는 과일, 채소와 같은 식품 내 수분도 포함되므로 건강한 성인에게 필요한 최소한의 수분은 4컵 정도이다. 수분의 일차적 공급은 우리가 마시는 음료이다. 커피, 차, 술은 이뇨제이다. 탄산음료는 설탕, 소금 등의 다양한 성분(용질)이 포함되어 있어 마시면 혈액에서 더욱 농축되고 이를 희석하기 위해 세포 안에 가득 찼던 수분이 혈액으로 나와 소변으로 배설된다.

6) 수분조절

수분조절 기전은 뇌, 신장, 뇌하수체, 아드레날린 분비기관이 연계하여 작용한다. 뇌의 시상하부(갈증중추)는 혈액 중에 녹아있는 물질의 농도가 너무 진할 경우 갈증을 느끼게 한다. 혈액이 너무 농축되어 있으면 항이뇨호르몬(뇌하수체 후엽)이 분비되어 신장에서 수분 손실을 막는다. 신장의 나트륨 농도가 높거나 혈압과 혈액량이 낮아지면 신장은 레닌을 분비하고 레닌은 혈액의 안지오텐신에 작용하여 혈관이 수축하고 혈압이 상승한다. 안지오텐신은 부신에 작용해 알도스테론을 분비시켜 신장에서 나트륨 배설을 감소시키고 신장이 체액을 보유하게 한다.

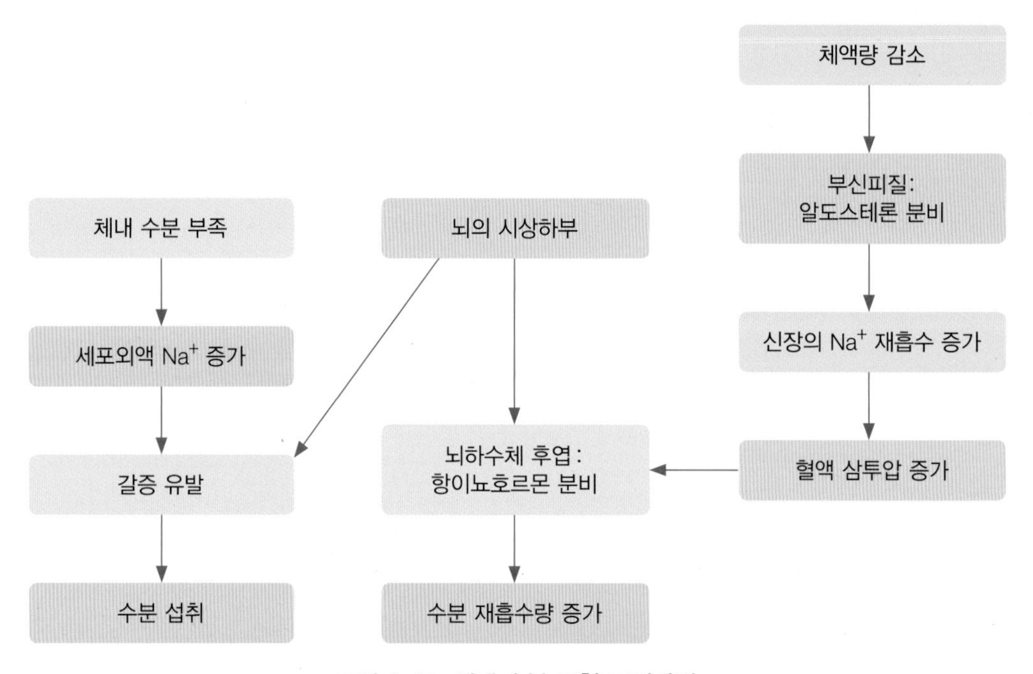

그림 2-43 **체내 수분 균형 조절과정**

요약

수분은 신체를 구성하는 성분 중 가장 많은 부분을 차지하고 있으며 체내에서 영양소와 노폐물을 운반하고 체온을 조절하고 외부 충격으로부터 신체를 보호하는 등 여러 가지 생리기능을 한다.
체내 수분은 세포내액과 세포외액으로 나뉘며 총 수분의 2/3 정도는 세포내액에 있다.

이것만은 꼭 알아놓을까요?

- **부종**(edema) : 순환계에서의 흐름이 지연되어 사이질 공간에 체액이 과다하게 축적된 것
- **세포내액**(intracellular fluid) : 칼륨과 인이 많은 수분으로 구성된 세포 내의 액체
- **세포외액**(extracellular fluid) : 간질액, 혈장, 신체 기관과 물질의 수분 요소를 포함하여 세포 밖에 있는 모든 체액
- **항이뇨호르몬**(antidiuretic hormone; ADH) : 체액을 줄이고 수분의 배출을 감소시키기 위해 신장에 영향을 주는 것에 반응하여 뇌하수체에 의해 분비되는 호르몬; 바소프레신이라고 부름

복습하기

01 체내 수분의 분포에 대한 설명으로 바른 것은?

① 신체 조직에 따른 수분 비율은 일정하다.
② 혈관내액과 세포사이질액은 세포외액에 속한다.
③ 근육조직은 지방조직보다 물을 적게 함유한다.
④ 림프, 척수, 안구액, 소화액은 세포내액에 속한다.

02 체내 수분평형에 대한 설명으로 바르지 않은 것은?

① 수분 섭취는 물, 음식을 섭취하여 얻는다.
② 체내에서 생성되는 대사수 역시 수분의 공급원이다.
③ 수분 필요량은 식사조성, 활동 정도 등에 따라 변한다.
④ 신장을 통한 소변은 체내 수분 배출의 유일한 수단이다.

03 체내 수분의 작용으로 바르지 않은 것은?

① 산-염기평형 상태를 유지한다.
② 관절 및 척수의 윤활제, 충격흡수제로 작용한다.
③ 세포사이질액은 조직세포와 혈액 사이의 통로작용을 한다.
④ 극성을 띠지 않는 중성으로 화학반응에는 참여하지 않는다.

☞ 정답 및 해설은 385쪽에서 확인

04 수분 불균형 상태에 대한 설명으로 가장 바른 것은?

① 체내 과도한 나트륨 보유는 삼투압을 저하시킨다.
② 정상 체중의 1~2%의 수분 손실 시 갈증을 느낀다.
③ 혈장단백질 농도의 과도한 증가는 부종을 초래한다.
④ 체중의 25% 이상의 수분이 손실되면 수분중독증이 일어난다.

05 부종이 일어나는 원인으로 바른 것은?

① 조직사이질액의 수분 고갈
② 체내 나트륨 고갈로 인한 삼투압 저하
③ 혈장단백질의 모세혈관벽 투과도 상승
④ 혈장단백질 저하로 인한 교질삼투압의 저하

☞ 정답 및 해설은 385쪽에서 확인

03

건강을 위한 영양상태 판정

건강상태에 대한 문진을 거치고 식사조사, 신체계측, 생화학검사, 임상검사 등을 통하여 질병을 예측할 수 있는 여러 요인들에 대한 분석을 할 수 있고 이에 대한 대비를 할 수 있다.

건강을 위한 영양관리는 의사, 간호사, 약사, 영양사가 협력하여 영양상태를 평가, 진단, 중재, 모니터한 후 효과를 판정하는 것이다.

제1절 영양상태 분류

1 최적의 영양(Optimal nutrition)

영양소들이 체조직에 충분히 공급되어 정상적인 대사과정을 수행하고 필요량이 증가할 때를 대비하여 약간은 저장되어 있는 상태이다.

2 영양부족(Malnutrition)

영양소 섭취가 필요량을 충족시키지 못하면 체내 저장량이 고갈되거나 결핍으로 인한 대사장애가 나타날 수 있는 상태이다. 대사장애 초기에는 영양보충을 통해 가역적으로 회복되지만, 장기간에 걸친 영양부족 상태는 영구적인 손상을 초래할 수 있다.

3 영양과잉(Overnutrition)

인간은 식품과 음식을 통한 영양소를 섭취하지 않으면 생존할 수 없으며 성장 발달할 수 없다. 그러나 이러한 영양소도 과잉으로 오랫동안 섭취하게 되면 우리 몸의 대사에 이상을 초래하게 하여 각종 질병의 원인이 된다. 예를 들어 에너지를 과잉으로 섭취하게 되면 비만을 유발하게 된다. 비만은 각종 대사질환—이상지혈증, 동맥경화, 심혈관계 질환—의 발생 위험을 증가시킨다.

4 영양 불균형(Imbalance)

에너지와 지방, 탄수화물 등은 오히려 과잉으로 섭취하는 데 비하여 비타민, 무기질 등 미량 영양소는 부족하게 섭취될 시 유발되는 영양 불균형은 건강상 위해가 될 수 있다. 그 예로 간편 편의음식 등은 조리과정에서 미량 영양소가 손실될 수 있다. 특히 에너지와 지방, 소금과 트랜스지방산의 함량은 매우 많지만 비타민, 무기질 등의 우리 몸의 생리기능을 원활하게 하는 영양소는 거의 없는 empty food를 섭취할 때 나타날 수 있다. 이러한 영양 불균형은 체내의 생화학 대사를 원활하게 하지 못해 결국에는 각종 대사질환을 유발할 수 있다.

표 3-1 **영양 불균형을 예측할 수 있는 지표**

- 나이, 신장, BMI, 체중 변화
- 생화학적 지표들의 변화
- 최근 식사 섭취량의 변화 및 식품 섭취를 어렵게 하는 증상이나 문제점들(저작이나 삼킴곤란, 오심, 구토)
- 식품 알레르기나 섭취 제한 식품
- 빈혈, 소모성 질환이나 욕창
- 당뇨병, 신장질환, 기타 만성질환
- 영양소 흡수를 저해하는 약물의 복용이나 우울증 등

제2절 영양판정

1 영양판정의 정의

영양상태 판정은 환자의 영양상태 및 영양필요량 측정을 위해 식사조사와 생화학검사, 신체계측, 임상조사 및 병력·사회력 조사를 통해 이루어진다.

2 영양판정의 목적

영양불량인 환자들에게 영양공급을 함으로써 또 다른 질병에 걸리지 않게 하고 회복률, 이환률, 사망률, 입원 시기와 기간 등에 영향을 준다.

① 환자의 영양상태를 정확히 알기 위해
② 임상적으로 관련이 있는 영양불량을 확인하기 위해
③ 영양상태를 유지하거나 회복시키며 적적한 영양치료를 결정하기 위해
④ 영양지원 과정 중에 영양상태의 변화를 모니터하기 위해

3 영양판정의 역할

환자의 영양요구량을 파악하고 영양불량의 위험도 판별할 수 있다.

4 영양판정의 단계

1) 영양상태 선별검사

영양불량 혹은 영양불량 위험이 있는 대상자를 빠른 시간 내에 간단하게 선별하는 조사이다.

- 영양불량 및 기타 영양적 문제들을 조기 선별: 환자 입원 후 24~72시간 이내에 영양상태를 검사한다.
- 환자에 대한 자료를 영양 위험요인들과 비교하여 선별한다.
- 방법: 입원환자 의무기록지와 검증된 영양상태 선별검사지를 이용한다.

영양실조가 있거나 영양실조 위험이 있다고 선별된 환자들은 포괄적인 영양상태 평가를 통하여 보다 정확한 영양상태 진단을 하는 것은 물론 영양치료 계획까지 세우는 것이 요구된다.

표 3-2 **영양상태 선별검사의 기준**

평가항목	기준	
	위험도	고위험도
식사형태	경관급식, 금식, 유동식을 5일 이상 실시	중심정맥영양(total parenteral nutrition; TPN)
생화학검사	알부민 3.3g/dL 이하 총 림프구 수(total lymphocyte count; TLC) 1,500mm^3 이하	알부민 2.8g/dL 이하 TLC 1,200mm^3 이하
체중	이상 체중의 75~80% 이하	이상 체중의 75% 이하

2) 영양문제 초기선별

영양문제가 있는 사람을 초기선별할 때는 체중, 혈압, 맥박, 체온 등으로 외관을 판단하고 혈액 또는 소변을 채취하여 영양소의 과부족이나 대사물의 농도, 효소활성, 면역기능 등을 분석하고 정상 기준치와 비교한다. 또한 각 병원에서 만든 문진표 등으로 식사 섭취 조사나 운동, 흡연, 음주 습관, 약물 복용 등에 대한 조사를 하여 질환이 발생할 수 있는 환자들을 조기 발견한다.

3) 영양상태 평가

영양평가는 신체계측과 생화학적 검사, 식사조사, 병력·사회력 조사, 임상적으로 나타나는 증상을 통해 평가하는 임상조사를 통해 할 수 있다.

(1) 신체계측

개인의 체조직 구성과 발육의 상태를 표준 발육상태와 비교하여 영양상태를 판정한다. 예민도가 낮은 방법으로 장기간의 영양불량 상태가 지속될 때 체성분 변화가 나타난다. 영양은 신체 성장과 신체조성(지방, 근육, 체수분량 등)에 영향을 미치는 중요인자이다. 신체계측값은 일반적으로 비만, 영양결핍증, 열량-단백질 결핍을 판정하는 데 유용하게 사용된다. 신장과 체중은 가장 일반적인 측정 요소이고, 아이들의 성장과 성인의 영양상태를 평가하는 데 도움을 준다. 이를 이용한 것으로는 체질량지수[body mass index; BMI: 체중(kg)/신장(m)^2], 이상체중(ideal body weight; IBW) 등이 있다. 이 외에도 체지방과 허리, 팔·다리의 둘레를 측정하기도 한다. 장기간에 걸친 영양상태를 반영한다.

① **피부두겹두께(skinfold thickness)**

캘리퍼로 피부 두 겹의 두께를 측정한 후 개발된 수식을 이용하여 피하지방량을 추정하고, 추정된 피하지방의 양을 이용하여 총 체지방량을 추정하는 방법이다. 측정장비와 방법이 간단하고 체지방 측정치와 상관관계가 높다. 일반적으로 삼두근, 견갑골 하부, 복부, 장골 상부, 허벅지, 가슴 등의 피부 두 겹의 두께를 측정한다.

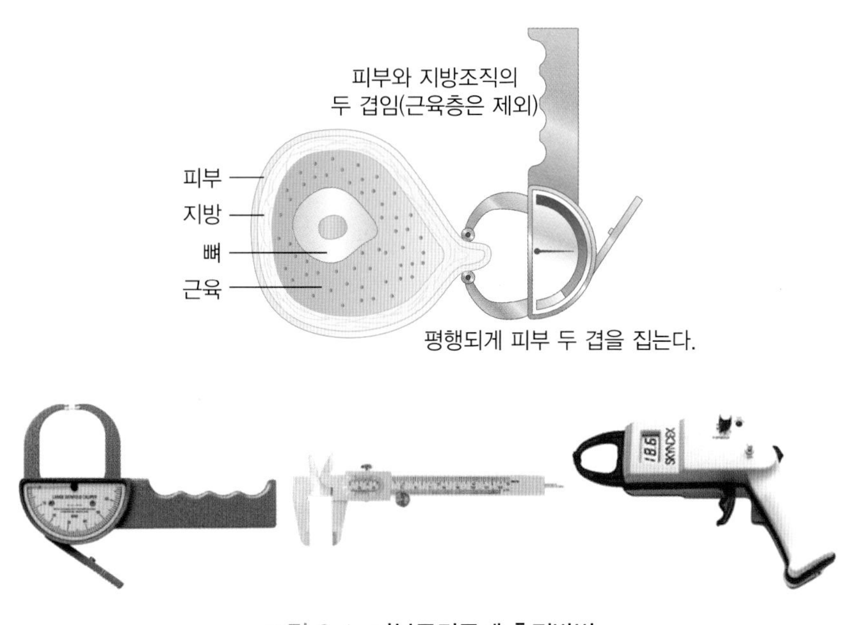

그림 3-1 피부두겹두께 측정방법

② 허리둘레(waist circumference)

복부비만을 파악할 수 있다.

표 3-3 **체중과 건강**

%IBM(ideal body weight)[1]	건강
> 120	비만
110~120	과체중
90~109	적절한 체중(위험 없음)
80~89	가벼운 영양실조
70~79	보통의 영양실조
< 70	심한 영양실조

주 1) $\%IBM(\text{ideal body weight}) = \frac{\text{현재 체중}}{\text{표준 체중}} \times 100$

(2) 식사조사

개인의 식습관에 대한 정보를 제공하는데, 특히 섭취 음식, 식사 패턴, 생활습관, 음식 선택 시 영향을 미치는 여러 가지 문제와 정보를 포함한다. 식품 섭취 자료는 개인의 기억과 정직성, 평가자의 기술과 교육에 의해 다양하게 나타날 수 있기 때문에 정확한 음식 섭취 자료를 얻는 것은 어려운 일이다. 식품 섭취 조사방법은 다양하며 각 방법마다 장단점을 갖고 있기 때문에 보다 정확한 자료수집을 위해서는 한 방법만 사용하는 것보다는 여러 방법을 병행하여 사용하는 것이 바람직하다.

① **24시간 회상법**

본인이 그 전날 또는 24시간 전부터 지금까지 먹은 음식, 음료수를 모두 이야기하도록 유도하는 방법이다. 응답자가 어느 정도의 양을 먹었는지에 대해 잘 이해할 수 있도록 음식모형, 계랑 컵, 계량 스푼을 사용할 수 있다. 회상법은 만족스러운 영양관리계획을 수립하고 질병을 일으킬 수 있는 음식을 찾는 데 필요한 자료를 얻을 수 있으며 빠른 시간에 많은 대상자를 조사할 수 있기에 예산이 적게 들고 비교적 쉽게 평가가 가능하다. 하지만 이 방법은 계절적 다양성을 고려하지 않기 때문에 식사의 적절성을 결정하기에는 부족하다. 또한 설문과정이 개인의 기억에 의존하기 때문에 음식 섭취가 종종 적게 나타나기도 한다. 음료, 양념 등이 측정되지 못할 가능성이 있다. 일 회분 섭취량을 회상하는데 오류를 범하기 쉬우며 식품 섭취를 과소·과대평가할 수 있다.

② 식품 섭취빈도 조사법

특정 기간 동안 평균적으로 소비되는 음식과 음료의 종류와 양을 조사하는 것이다. 일반적으로 조사하고자 하는 목적에 따른 특정 식품목록을 만들고 제시된 식품의 섭취빈도를 하루, 일주일, 한 달 단위로 빈도수를 표시하도록 □ 표시가 있다. 체크된 식품목록의 수가 많을 수록 추산된 영양소의 섭취량이 높고, 체크된 식품목록의 수가 적으면 영양섭취량이 낮게 평가된다. 이 방법의 단점은 최근 음식 섭취의 변화를 측정할 수 없다는 것이다.

③ 식사기록법

특정 기간 동안 먹은 식품과 음료의 양을 그때그때 기록하는 방법으로 기억에만 의존하지 않는 장점이 있다. 자세한 음식 기록은 먹은 음식과 음료의 양과 종류, 먹은 시간, 준비 방법을 포함하므로 식품 섭취뿐만 아니라 개인의 식행동에 대한 정보를 제공한다. 그러나 식사기록법은 완성하는 데에 많은 시간이 소요되고, 정확한 기록을 하기 위해서는 강한 동기유발이 필요하다. 또한 기록과정 자체가 음식 섭취에 영향을 미칠 수 있으며 음식을 다양하게 섭취하는 것을 단 며칠 또는 일주일 동안에 영양 가치를 정확하게 측정하기는 매우 어렵다.

④ 직접 관찰법

음식 섭취를 직접 관찰하고 분석하는 방법으로 개인의 음식 선호, 식성의 변화, 처방된 식사요법에 대한 문제점을 밝힐 수 있다. 식사 전에 음식의 양을 측정하고 식사 후에 남아있는 음식 양을 계산해서 기록함으로써 음식 섭취량을 측정하고 실제로 소비한 음식과 음료의 칼로리 양을 측정하는 것이다. 이 방법은 개인의 섭취량을 가장 정확하게 평가할 수 있는 장점이 있지만, 정확한 측정과 기록이 필요하고 비용이 많이 소요된다.

(3) 생화학검사

객관적이고 정확한 자료를 제공한다. 생화학검사는 단백질 – 에너지원, 비타민, 무기질 상태, 체액, 전해질 균형과 신체기관 기능에 대한 영양평가 정보를 제공한다.

혈액검사 수치의 해석은 다수의 여러 요인들이 분석결과에 영향을 미칠 수 있다. 예를 들면 혈청의 단백질 수치는 체액의 불균형, 임신, 약물복용, 운동에 의해 영향을 받을 수 있다.

표 3-4 생화학 대사이상 검사

	기준치	진단
혈액		
적혈구 수	남성 : 4.3~5.7million/μL 여성 : 3.8~5.1million/μL	빈혈
헤모글로빈	남성 : 13.5~17.5g/dL 여성 : 12.0~16.0g/dL	빈혈
헤마토크릿	남성 : 39~49% 여성 : 35~45%	총 혈액량의 적혈구 백분율 빈혈
평균 혈구 용적	80~100fL(femtoliters) 1fL=10^{-12}mL	작은적혈구빈혈, 거대적혈모구빈혈, 저혈색소성 빈혈 구분
평균 혈구 Hb 농도	31~37%g/dL	한 개의 적혈구 안 Hb 농도 : 철결핍빈혈을 판별하는 데 도움
백혈구 수	4,500~11,000cells/μL	백혈구 수 : 일반적인 면역력 평가
혈청단백질		
총 단백질	6.4~8.3g/dL	단백질 수치는 질병에 특이하지 않거나 또는 매우 예민 체단백질, 질병, 감염, 수화, 신진대사, 임신, 약물투여에서의 변화를 반영
알부민	3.4~4.8g/dL	질병 또는 단백질-에너지 결핍증(protein energy malnutrion; PEM) 반영 질병의 개선 또는 악화에 느리게 반응
트랜스페린	200~400mg/dL > 60yr : 180~380mg/dL	질병, PEM 또는 철 결핍을 빠르게 반영 알부민보다 변화에 좀 더 예민
프리알부민	10~40mg/dL	질병 또는 PEM 반영 알부민, 트랜스페린보다 건강상태의 변화에 더욱 빠르게 반응
혈청효소		
C-반응성 단백질	68~8,200ng/mL	염증 또는 질병 지표
크레아틴키나제(CK)	남성 : 38~174U/L 여성 : 26~140U/L	혈액에서 높은 수치는 심장발작, 뇌조직 손상, 골격근 손상의 지표가 됨
락테이트디하이드로게나제(LDH)	208~378U/L	LDH는 많은 조직에서 발견 심장발작, 폐 손상, 간질환 후에 높아짐
알칼라인 포스포타제	25~100U/L	많은 조직에서 발견 간기능 평가를 위해 측정
아스파테이트 아미노트랜스페라제(AST)	10~30U/L	간 손상평가를 위해 측정 간질환에서 상승 근손상 후에 증가
알라닌 아미노트랜스페라제(ALT)	남성 : 10~40U/L 여성 : 7~35U/L	간 손상평가를 위해 측정 간질환에서 상승 근손상 후에 증가

	기준치	진단
	전해질검사	
나트륨	136~146mEq/L	수화상태, 신경근, 신장, 부신기능검사에 도움
칼륨	3.5~5.1mEq/L	산-염기균형, 신장기능검사 칼륨 불균형을 감지
염소	98~106mEq/L	수화, 산-염기 전해질 불균형을 평가하는 데 도움
	기타	
포도당	74~106mg/dL > 60 yr : 80~115mg/dL	포도당불내성, 당뇨, 저혈당의 위험을 감소 지당뇨 치료에 도움
당화혈색소	5.0~7.5% of HbA1c	1~3개월의 혈당 조절능력 모니터에 사용
요소질소	6~20mg/dL	초기 신장기능을 검사 간부전, 탈수에 의해 변화
요산	남성 : 3.5~7.2mg/dL 여성 : 2.6~6.0mg/dL	통풍, 신장기능 변화 감지에 사용 나이, 식사, 인종에 의해 영향을 받음
크레아티닌	남성 : 0.7~1.3mg/dL 여성 : 0.6~1.1mg/dL	신장기능 검사

4) 임상검사

임상검사란 영양상태의 변화에 따라 나타나는 신체적 증상을 조사하는 것이다. 이 방법은 임상적인 증세의 관찰에 의해 영양상태를 판정하는 것이므로 의료전문인의 임상판단을 요구한다. 대부분 신체적인 징후는 한 가지 영양소의 결핍에 의해 나타나는 것이 아니라 여러 영양소가 복합적으로 작용할 수 있으며 영양과 관계없는 요인들에 의해서도 나타날 수도 있으므로 주의를 요한다.

표 3-5 임상징후를 이용한 영양판정의 예

임상징후	위험도		
	고	중	저
단백질-열량 영양불량 ① 부종 ② 심한 체중 부족 ③ 약간의 체중 부족 ④ 머리카락이 빠짐			
0~5세(남, 여)	징후 ① 또는 ②	징후 ③ 또는 ③ + ④	징후 ④ 또는 징후 없음
비타민 C 결핍 ① 괴혈병 ② 잇몸 출혈 ③ 자반증, 점상출혈 그리고(또는) 팔과 등의 모낭각화증			
0~5세(남, 여)	징후 ① 또는 ② + ③	징후 ② 또는 ③	징후 없음
6세 이상(남, 여)	징후 ② + ③	징후 ② 또는 ③	징후 없음
구루병(비타민 D 결핍) ① 구루병성 염주 ② 두개골 연화증 ③ 휜 다리 ④ 걷기 지연(18개월 이상)			
0~1세(남, 여)	징후 ① + ②를 포함하는 조합	징후 ① + ④를 포함하는 조합	그 외의 조합
2~5세(남, 여)	징후 ① + ③	징후 ① + ④	그 외의 조합

출처: Gibson RS(1990). Principles of nutritional assessment.

5 영양상태 진단(Nutrition diagnosis)

영양상태 판정을 통해 환자 개개인이 처한 영양문제를 파악한다. 환자의 체중변화 등과 다른 징후들을 잘 관찰하여 또 다른 질병에의 노출이 없는지 잘 관찰해야 한다. 영양판정을 통해 정확하게 진단이 이루어져야 치료의 효율성을 높일 수 있다.

6 영양중재(Nutrition intervention)

영양문제를 파악하면 환자 개개인에 맞게 개인의 식습관, 생활방식을 고려해 영양중재를 한다. 식단의 변화가 필요하면 바꾸어주며 영양교육 등을 통해 영양상태를 개선시키고 질병을 조기에 치유할 수 있도록 한다. 예를 들어 당뇨병을 앓고 있으며 과체중인 사람은 혈중 포도당 농도를 낮추어주고 체중을 감소시켜주는 식사처방을 해야 한다. 탄수화물 섭취를 조절하고, 규칙적으로 운동을 하게 하는 영양교육을 통해 영양관리를 한다.

7 영양상태 모니터링과 영양평가(Nutrition monitoring and evaluation)

영양관리의 효과는 정기적인 평가를 통해 이루어지게 된다. 환자의 상태에 따라 영양적 요구량의 변화가 필요하므로 환자의 상태를 잘 관찰하고 약물 투여 등이 특정 영양소의 섭취나 흡수에 변화를 초래해 환자의 질병에 어떠한 영향을 미치는지를 잘 관찰해야 한다. 잘 적응하지 못하면 새로운 영양관리, 약물요법 등이 계획되어 시행되어야 하며 추가로 환자에 대한 영양교육이 이루어져야 한다.

8 환자의 영양소 필요량 산정

정상인의 요구량, 질환의 종류, 체내 영양소 보유능력, 영양손실량, 약물과 영양소의 상호작용 등을 통해 이루어진다.

열량 필요량은 ① 해리스-베네딕트 공식, ② 비만도와 활동도를 고려한 계산방법 등에 따라 이루어지고, 단백질 필요량은 ① 단위체중당 단백질 필요량, ② 질소평형에 의한 방법 등에 따라 이루어진다.

9 주관적 종합평가(Subjective global assessment; SGA)

과거 건강상태에 대한 조사와 검사를 기초로 하여 영양상태를 평가하는 방법으로 환자력의 다섯 가지 요소와 신체검사의 네 가지 요소, 즉 환자의 주관적 정보를 가지고 환자의 영양상태 등급을 결정한다.

(1) 환자력 다섯 가지 요소

① 최근의 체중감소

② 평상시 식사의 변화

③ 중요한 위장증세

④ 환자의 신체기능력

⑤ 대사 변화

(2) 신체검사의 네 가지 요소

① 피하지방의 손실

② 근육소모

③ 부종

④ 복수상태

- 객관적 정보 : 환자의 질환 자체에 의해 변화되기 쉬운 환자들의 영양상태 평가

  예 암, 신장질환, 간질환

요약

- 영양관리 과정은 '영양상태 평가, 영양상태 진단, 영양관리, 영양상태의 관찰 및 평가'의 4단계로 이루어진다.
  - 영양평가에는 신체계측, 식사조사, 생화학검사, 임상검사가 있다.
  - 신체계측은 성장패턴, 과잉영양, 영양부족, 신체구성을 평가하는 데 유용하다.
  - 식사조사에는 24시간 회상법, 식품 섭취빈도 조사법, 식사기록법, 직접 관찰법 등이 있다.
- 질병의 종류 및 치료방법들은 식품 섭취 및 영양소 섭취량에 영향을 줄 수 있으며 이는 영양불량 상태를 초래할 수 있다. 또한 환자의 적절하지 못한 영양상태는 임상치료의 효과를 감소시킬 수 있다.

이것만은 꼭 알아놓을까요?

- **단백질 대사 관련 생화학검사** : 총 단백, 알부민, 글로불린, 트랜스페린
- **지방 대사 관련 생화학검사** : 총 콜레스테롤, LDL, HDL, 중성지방, 인지질
- **핵산 대사 관련 생화학검사** : 요산
- **무기질 대사 관련 생화학검사** : 나트륨, 인, 칼륨, 클로라이드
- **비타민 대사 관련 생화학검사** : 호모시스테인
- **간기능 대사 관련 생화학검사** : GOT, GPT, γ-GTP
- **신장기능 관련 생화학검사** : 크레아티닌
- **빈혈 관련 생화학검사** : 적혈구 수, 헤모글로빈, 헤마토크리트
- **백혈구 관련 생화학검사** : 호중구, 호산구, 호염기구

복습하기

01 체질량지수(BMI)는 환자의 영양판정을 위한 정보로 이용된다. 체질량지수의 산출법과 비만에 속하는 지수는?

① 체중(kg)/신장(m)^2 - 10
② 체중(kg)/신장(m)^2 - 16
③ 체중(kg)/신장(m)^2 - 20
④ 체중(kg)/신장(m)^2 - 30

02 환자의 영양상태 선별검사에서 고위험도로 판정되는 지표인 알부민 농도와 체중의 기준은?

① 알부민 - 2.8g/dL, 이상 체중의 75% 이하
② 알부민 - 2.8g/dL, 이상 체중의 90% 이상
③ 알부민 - 3.5g/dL, 이상 체중의 120% 이상
④ 알부민 - 4.0g/dL, 이상 체중의 90% 이상

03 입원환자의 영양상태를 기본적으로 평가하기 위한 검사항목으로 적절하지 <u>않은</u> 것은?

① 혈청 요산
② 헤모글로빈
③ 혈청 알부민
④ 혈청 콜레스테롤

☞ 정답 및 해설은 385쪽에서 확인

04

건강증진과 질환 예방 및 치료를 위한 식사요법

❶ 식사요법의 목적과 의의에 대한 지식을 습득할 수 있다.

❷ 병원식과 영양지원에 대한 지식을 습득할 수 있다.

❸ 만성 대사질환을 알아보고 각 질환(위장질환, 간질환, 심혈관계 질환, 비만, 당뇨병, 신장질환, 암, 근골격계 질환, 혈액질환, 신경계 질환, 호흡기 질환과 알레르기, 내분비 및 선천적 대사장애, 수술과 화상)별 원인, 증상, 식사요법에 대한 지식을 습득할 수 있다.

제1절 식사요법의 개요

1 식사요법과 영양관리

환자의 건강회복을 위한 식사요법과 영양관리는 환자의 영양상태를 평가한 후 그에 따른 식사계획은 변형·보충·정맥·관동맥 투여 등이 모두 고려되어야 한다. 병원에서 환자에 대한 적정 영양관리의 목적은 질병치료를 위한 중심적 혹은 보조적 역할, 질병의 재발방지, 환자의 영양상태 증진, 신체 쇠약과 저영양을 방지하는 것이므로 식사가 안락함이나 스트레스를 주고 있는지 파악해야 한다. 영양관리나 식사요법을 실시할 때 환자의 식욕부진, 소화기 팽만, 식후 불편함 때문에 식품에 대한 흥미가 감소되어 치료 효과가 저하될 수 있으므로 유의한다.

2 식사요법의 목적

정상적 영양상태를 유지하고 영양결핍증을 교정하며 적정 체중을 유지하고 영양소를 이용한 체내 능력을 증진시키는 것이다.

3 식사요법의 기본원칙

환자의 질병상태에 따라서 영양소 필요량을 변화시킨다.

- 개별 환자의 적응: 질환에 따라 개개인에게 맞는 균형식을 제공한다.
- 에너지와 특정 영양소의 조절: 질병과 상태에 따라 조정한다.
- 식품의 선택과 조리: 소화·흡수되기 쉬운 식품으로 선택한다.
- 환자의 식품기호에 맞게 식단을 다양하게 한다.
- 식사는 안전하고 위생적으로 조리하며 자극 없게 제공한다.

1) 질환에 따라 개개인에게 맞는 균형식을 제공

① 치료식은 정상식에 기초하여 개인의 필요량을 감안해서 결정하며, 각 식품군에 속한

식품을 다양하게 선택하고 양과 질적인 면에서 영양소의 배합이 고르게 이루어진 것이다.

② 환자의 영양필요량은 연령·질병·환경조건에 따라 다르지만 균형식은 한국인의 영양소섭취기준과 식품구성안 및 식사지침을 고려해야 한다.

2) 에너지와 특정 영양소의 조절

질병의 종류에 따라 환자의 특수치료식 종류도 다양하므로 질병의 종류와 증세에 따라 특정 영양소를 제한, 금지 또는 그와 반대로 보충이 필요하다는 것을 인지하고 제공한다. 특정 영양소의 조절은 담당의사의 질병진단과 요청에 따라서 치료영양식을 계획한다.

3) 식품의 선택과 조리

병약자는 소화기능이 예민한 상태이므로 소화가 잘 되는 식품을 선택하고 조리도 소화하기 쉬운 방법을 선택한다. 음식을 잘못 섭취하면 병이 악화되거나 회복이 지연될 수 있다. 또한 환자는 예민하므로 식품기호를 가능한 한 존중한다. 환자의 기호에 맞지 않는 식사는 식욕을 감소시켜 식품 섭취가 감소할 수 있음을 유념한다.

4) 식단의 다양성과 기호 존중

환자가 관심과 매력을 느끼게 할 수 있는 다양한 식단을 제공하며 같은 재료를 같은 조리방법으로 제공하는 것은 환자의 식욕을 감소시키고 식사 기피를 나타낼 수 있으므로 음식의 색 및 재료의 배합, 모양을 배려해서 식욕을 돋우도록 한다. 음식을 담는 식기와 식탁 및 식사환경도 중요하다.

5) 식사는 안전하고 위생적으로 조리하며 자극 없게 제공

식사의 온도가 너무 뜨겁거나 찬 음식은 소화기를 자극하므로 주의하며 영양가가 높은 식품일지라도 균이나 이물질이 들어가지 않도록 위생과 안전에 유의한다.

요약

식사요법의 목적은 정상적 영양상태 유지, 영양결핍증 교정, 적정 체중 유지, 영양소를 이용한 체내 능력의 증진이다.

복습하기

01 식사요법의 목적으로 알맞지 않은 것은?

① 체중 고정
② 정상적 영양상태 유지
③ 신체 또는 기관의 휴식
④ 영양소를 이용한 체내 능력의 증진

02 병원 입원환자의 식사계획 시 반드시 충족해야 할 사항에 속하지 않는 것은?

① 식단을 다양하게 작성한다.
② 음식이 위생적이고 안전해야 한다.
③ 환자의 영양 권장량의 100% 이상 준다.
④ 소화가 잘 되는 식품과 조리법을 선택한다.

03 식사요법의 기본 조건에 대한 설명으로 적절하지 않은 것은?

① 자극성이 강한 식품을 피한다.
② 소화가 잘 되는 조리법을 이용한다.
③ 완전한 영양으로 균형잡힌 식단을 제공한다.
④ 질병에 따른 특정 영양소의 가감 또는 조절은 하지 않는다.

☞ 정답 및 해설은 385쪽에서 확인

제2절 병원식과 영양지원

의료기관에서의 식사는 병원식과 영양지원이 있다. 병원식은 입원한 환자에게 제공하는 식사로 일반식과 치료식, 검사식이 있다. 치료식은 질환에 따른 식사로 환자의 개인별 상태에 따라 영양소의 양과 질, 식품 선택 등이 달라져야 효과가 있다. 영양지원에는 경장영양과 정맥영양이 있다.

1 일반식

특정 영양소의 제한이나 변경이 필요하지 않은 환자에게 제공하는 일반식사에는 상식, 연식, 유동식이 있다.

1) 상식(Regular diet)

밥을 주식으로 하며, 식사의 내용이나 형태·양에 특별한 제한과 변경이 없는 식사이다. 환자에게 영양적으로 적합한 식사를 제공하기 위해 한국인 영양소 섭취기준, 식품교환표, 식사구성안을 기초로 영양필요량이 충족되도록 한다. 소화가 잘 되고 위생적으로 안전한 식품으로 구성하며 자극이 강한 조미료와 향신료는 제한한다.

2) 연식(Soft diet)

죽을 주식으로 하며, 질감이 부드럽고 쉽게 소화되며, 자극이 강한 조미료를 사용하지 않으며, 식이섬유를 제한하는 식사이다. 유동식으로부터 상식으로 이행되는 중간식으로 수분이 많아 한 끼에 필요한 에너지와 영양소를 충분히 공급하기 어려우므로 하루에 5~6회 공급하며 장기간 섭취하면 영양소가 부족할 가능성이 높다.

(1) 연식의 종류

① 보통연식

수술 후 위장장애 등이 있을 때 처방하며, 섬유소가 적은 식품으로 구성한다.

② 기질적 연식(기계적 연식)

씹기 곤란하거나 신경, 식도, 구강 및 인후장애가 있는 경우, 수술로 인해 삼키기가 어려운 환자에게 주로 처방한다. 씹거나 삼키기 쉬운 촉촉한 상태의 음식을 제공한다.

표 4-1 **연식에서 줄 수 있는 음식과 줄 수 없는 음식**

종류	줄 수 있는 음식	줄 수 없는 음식
곡류	죽, 깨죽, 잣죽, 호박죽, 감자죽 등	고구마, 잡곡, 섬유소 많은 곡류, 기름을 사용한 곡류
밀가루 음식	토스트, 카스텔라 등	라면, 짜장면, 스파게티 (유지가 많이 들어간 음식)
육어류	살코기, 기름이 적은 흰살생선	결합조직이 많은 질긴 부위
난류	달걀찜, 반숙달걀 등	달걀 후라이
두류	두부, 연두부, 두유	유부, 콩조림
채소류	당근, 시금치, 버섯, 숙주, 애호박 등 부드럽게 익힌 채소	섬유소 많은 채소, 건조 채소
과일류	잘 익은 바나나, 사과소스, 과일 통조림	건조 과일, 덜 익은 과일, 생과일, 수박, 참외, 감
과자류		도넛, 파이, 케이크, 기름기 많은 과자류
향신료		고춧가루, 겨자, 카레가루, 고추냉이(와사비)

3) 유동식(Liquid diet)

수술 또는 금식 후 일시적으로 소화기능이 약해졌을 때 처방되는 식이로, 대부분의 영양소가 부족하므로 단기간만 제공한다.

(1) 맑은 유동식(Clear liquid diet)

수술 후나 정맥영양 후 처음 공급하는 식사로 갈증을 해소하고 탈수를 방지하며 위장관의 자극을 최소화하기 위한 목적이 있다. 수분 공급이 주 목적이므로 소량의 물이나 연한 보리차를 공급한다.

표 4-2 **맑은 유동식의 내용**

종류	줄 수 있는 음식
물	끓여서 식힌 물
차류	보리차, 옥수수차 등의 차류와 연한 홍차·녹차 등
국	맑은 국(기름기 제거)
주스	맑은 과일 주스(토마토 주스, 넥타 제외)

(2) 일반 유동식

미음을 주식으로 하며 상온에서 액체 또는 반액체 상태의 식품으로 구성된다. 고형식을 씹거나 삼키고 소화하기 어려울 때나 급성 감염질환, 위장질환, 얼굴과 목 부위의 수술, 심근경색증, 수술 후 맑은 유동식에서 연식으로 이행하는 단계에 적용한다. 일반 유동식은 에너지 밀도가 낮아 식사 횟수를 늘려 공급한다.

(3) 농축 유동식

구강이나 식도에 염증, 궤양, 구조적 및 운동기능상의 문제가 생겼을 때, 치아가 없을 때, 턱뼈에 장애가 생겼을 때, 내과적인 이유 등으로 장기간 유동식 섭취하는 환자에게 공급하는 것으로 반고형식 식품들을 이용한다.

표 4-3 **농축 유동식의 내용**

종류	줄 수 있는 음식
곡류	미음, 덩어리 없는 호박죽, 크림수프 등
감자류	으깬 감자
육류	기름기 없는 육수, 젤라틴, 수프, 닭고기의 부드러운 부위를 삶아서 갈은 것
난류	푸딩, 부드러운 달걀찜, 부드러운 커스터드
두류	두유음료, 된장국 국물
우유류	플레인 요구르트, 밀크쉐이크
채소류	삶아서 으깬 채소(시금치, 애호박, 단호박, 당근)
과일류	과일 주스, 과즙
당류	설탕, 꿀, 물엿, 시럽
음료	꿀차, 인삼차, 코코아, 보리차 등

2 검사식

1) 레닌검사식

고혈압 환자의 레닌 활성을 평가하기 위한 식사로 나트륨 섭취를 제한하여 레닌이 생성되도록 자극하기 위한 식사이다. 레닌은 신장에서 생성되는 것으로 혈압을 정상으로 유지시키는 데 필요하다. 하루 나트륨(소듐, sodium)을 300mg, 칼륨(포타슘, potassium)은 약 3,500mg으로 제한한 식사를 검사 전 3일간 제공한 후 4일째 혈액을 채취하여 검사한다.

2) 200mg 칼슘검사식

칼슘 섭취량을 증가시켜 고칼슘뇨증을 진단하기 위한 검사식이다. 하루 1,000mg의 칼슘을 섭취해야 하는데 칼슘결석이 있는 사람은 요중 칼슘 분비가 급격히 상승한다. 그런데 식사만으로 정확하게 공급하기 어려우므로 식사 중 칼슘 공급을 200mg으로 제한하고 나머지 800mg을 calcium gluconate로 보충한다. 칼슘이 다량 함유된 식품을 제한하며, 검사 전 3일간 적용한다. 뼈째 먹는 생선, 연어, 정어리, 치즈, 조개류, 달걀 노른자, 마른 콩류, 브로콜리, 케일, 무청, 냉이, 깻잎, 근대, 고구마, 말린 과일, 우유, 모든 유제품, 초콜릿, 코코아, 견과류로 된 식품, 흑설탕 등을 제한한다.

3) 5-HIAA 검사식

위장관에 악성종양이 있는지 여부를 소변 내의 5-HIAA(5-hydroxyindoleacetic acid serotonin) 함량을 측정하여 암 종양을 진단하기 위한 검사식이다. 세로토닌이 다량 함유된 식품 및 검사를 방해하는 약제 등을 소변 채취하기 24~48시간 전에 제한하며 식사는 일반식에 준하여 한다. 바나나, 파인애플, 키우, 건포도, 파인애플 주스, 아보카드, 토마토, 가지, 땅콩, 알코올성 음료, 바닐라 향료 사용 식품(아이스크림, 요구르트, 과자 등) 등을 제한한다. Glycerol guaiacolate를 함유한 감기약, 아세트 아미노펜(타이레놀) 등의 약물도 제한한다.

4) 분변 잠혈검사식

위장관 내의 질병으로 잠재성 출혈이 있는지 알아내기 위해 사용하는 식사이다. 헤모글로빈이나 미오글로빈이 함유된 간, 육류, 가금류, 조개류 등을 제한한다. 적용기간은 3~4일이며 위장 증상이 있는 환자가 많으므로 소화되기 쉽고 싱겁게 조리하며 자극성이 있는 식품과 강한 양념조리는 피한다. 곡류, 빵, 감자류, 유지류, 설탕류, 일반 채소 또는 과일류 및 우유, 난류, 두류 등의 단백질 식품은 섭취할 수 있다.

표 4-4 **병원식**

종류	식사내용	적용
	일반식	
상식(regular diet)	• 특정 영양소 제한 없이 환자의 영양상태를 유지하기 위해 공급하는 식사 • 소화가 잘 되는 음식으로 제공	특별한 식사조절이나 제한이 필요하지 않은 환자에게 제공
연식(soft diet)	• 음식의 질감을 변형한 것으로 식품을 으깨거나, 다지고 갈거나, 체에 걸러 부드럽게 한 음식 • 섬유소나 결체조직이 적은 식품 선택 • 튀김 등의 조리법 금지 • 흰살생선, 다진 쇠고기, 죽류, 수란, 달걀찜, 반숙, 익힌 채소	삼키기 어렵거나, 구강이나 인두의 장애, 구강이 극도로 예민해 씹을 수 없는 경우
유동식(liquid diet)	• 액상이거나 반 액상 상태의 식품으로 구성 • 미음식, 고기국물, 커스터드, 푸딩, 우유, 요구르트, 채소즙	씹거나 삼키기가 어렵고 연식을 섭취할 수 없는 경우
맑은 유동식 (clear liquid diet)	• 실온에서 맑은 액상이고 결장에서 최소한의 잔유물이 남을 수 있는 저잔사 식품 • 당질과 물로 구성 • 위장관의 자극과 잔사를 최소화하기 위해 맑은 음료로 구성 • 영양소의 부족이 예상되므로 영양보충 없이 3일 이상 제공하지 않음	• 장관 수술이나 대장내시경 준비 시 • 급성 위경련(위수술 후) • 정맥영양 후 이행기 • 단기간만 이용 • 당질과 물로 구성(보리차, 과일 주스, 육즙 등)
	치료식	
저섬유 식사 (Fiber-restrict diet)	섬유소를 10g/day 이하로 제한	장이 예민한 상태, 수술 전 변의 양을 줄이고자 할 때의 식사로 장기간 공급하지 않아야 함
저나트륨 식사 (sodium-restricted diet)	증상과 질병의 정도에 따라 나트륨 제한	체내 수분 잔류를 방지거나 수분 배출을 유도할 때: 고혈압, 울혈심부전, 신장질환, 간질환
저잔사 식사	식이섬유소 함량이 많은 것뿐만 아니라 대변의 양을 늘리는 모든 식품 제한, 우유, 고기의 결체조직 부위는 식이섬유소 함량은 낮게 하지만 대변의 양을 증가시키므로 제한	장 수술 전후, 크론병, 궤양성 대장염, 장폐쇄

출처: American Dietetic Association(2005). Nutrition Care Manual(Chicago: American Dietetic Association; American Dietetic Association(2000). Manual of Clinical Dietetics(Chicago: American Dietetic Association).

04

3 영양지원

구강으로 영양소 섭취가 어려운 경우 위장관으로 영양을 지원하는 경장영양이나 정맥으로 영양공급을 지원하는 정맥영양이 있다.

1) 경장영양(Enteral nutrition)

경장영양은 관을 통하여 위나 장으로 영양액을 직접 공급하는 것으로 위장관이 기능을 하면 바람직하다. 경장영양은 영양소를 장 내로 공급함으로써 위장관 방어벽의 정상적인 유지를 도울 수 있고 정맥영양 방법에 비해 영양소 대사효율이 높고, 전해질 및 수분 조절이 쉽고 감염의 위험을 줄일 수 있어 면역학적으로 유리하며 합병증 발생률도 낮고 비용도 저렴하다.

(1) 경장영양액의 종류

당질, 단백질, 지방의 조성에 따라 분류된다.

① 표준 영양액(standard formulas)

소화와 흡수에 어려움이 없는 환자들에게 사용되며 단백질 급원으로는 우유나 대두에서 분리된 천연 단백질이나 정제된 단백질의 혼합물이, 당질 급원으로는 전분, 포도당 중합체(예 말토덱스트린)와 당이 함유되어 있다. 혼합액화 영양액(blenderized formulas)은 일반 식품을 혼합, 분쇄하여 액화시킨 영양액으로 갈아서 체에 밭친 고기와 채소, 과일, 전분 및 필요에 따라 비타민과 무기질이 첨가된다.

② 가수분해 영양액(hydrolyzed formulas)

단백질과 당질의 완전 또는 부분 가수분해물로 구성된 영양액으로 소화·흡수기능에 문제가 있는 환자에게 제공된다. 지방은 소화·흡수가 쉬운 중간사슬중성지방을 사용한다. 일반적으로 젖당은 함유되어 있지 않으며 대장의 잔사량을 최소화시킨다.

③ 특수질환용 영양액(disease-specific formulas)

특정 질환을 앓고 있는 환자들의 특수한 영양필요량을 충족시키기 위한 영양액이다.

- 간질환 : 간성혼수 환자를 위해 영양액 내 분지형(곁가지) 아미노산을 높이고 방향족 아미노산과 메티오닌을 낮춤으로써 혈청 내 방향족 아미노산에 대한 분지형 아미노산의 비율을 높인 것이다.
- 신장질환 : 전해질량을 낮추고 필수아미노산과 칼로리를 높인 영양액이다.

- 당뇨병 : 혈당의 증가를 낮추기 위해 대부분의 상업용액보다 섬유소 함량을 증가시킨 영양액이다.
- 호흡기 질환 : 이산화탄소의 생성을 최소화하기 위해 총 에너지 공급량 중에 탄수화물의 비율은 낮추고 지방의 비율을 높인 영양액이다.

④ 영양보충 급원용 영양액(modular formulas)

한 가지 혹은 두 가지 영양소만으로 구성된 것으로 영양성분이나 에너지 밀도를 조정하기 위하여 다른 영양액의 보충용으로 사용된다.

(2) 영양소와 에너지 밀도

단백질 함량은 총 에너지의 8~29%로 다양한데 심각한 대사성 스트레스를 가진 환자는 고단백이 필요하나 신부전 환자는 단백질을 제한해야 한다. 경장영양액의 에너지는 대부분 당질과 지방에서 공급된다. 일반적으로 표준 영양액은 총 에너지의 40~50%는 당질로, 30~45%는 지방으로 공급한다. 섬유소는 장 기능의 정상화, 설사와 변비의 치료, 혈당의 조절과 유지에 도움을 주므로 중요하다. 그러나 섬유소를 포함한 영양액은 급성 장질환, 췌장염 또는 장 관련 질환에 사용해서는 안 된다. 경장영양액의 에너지 밀도는 0.5~2.0kcal/mL 범위이고, 표준 영양액의 에너지 밀도는 1.0~1.2kcal/mL이므로 평균 수분 요구량을 가진 환자에게 적합하다.

(3) 삼투 농도

혈청의 삼투질 농도인 300mOsm/kg과 비슷한 삼투질 농도를 가진 영양액은 등장성 영양액, 혈청보다 높은 삼투질 농도를 가진 영양액은 고장성 영양액이라 한다. 경장영양액의 삼투질 농도는 300~700mOsm/kg이고, 가수분해 영양액과 영양소 농축 영양액은 표준 영양액보다 삼투압이 높다. 경장영양액과 함께 약물이 투여될 때는 삼투질 농도가 상당히 증가하여 많은 환자들에게 설사를 유발할 수도 있다.

(4) 경장영양 대상자

- 인두나 식도장애로 인한 심각한 삼킴곤란
- 장기간의 식욕부진자, 특히 영양불량자
- 위장관의 폐쇄나 누공 또는 상부 위장관 장애자
- 장절제술을 받은 후 경장영양을 시작하는 환자
- 의식장애, 치매 또는 신경장애로 인하여 환자의 의식이 명확하지 않은 환자
- 혼수상태의 환자

• 화상, 외상, 패혈증 등으로 영양요구량이 현저히 증가한 환자
• 호흡기 의존자

(5) 투여 경로

경관급식 예상 기간이 4주 이하이면 일반적으로 코를 통해 튜브를 위나 장으로 연결하는 비위관이나 비장관 경로를 선택한다. 유아의 경우 관을 입을 통하여 위로 연결하는 구위관(orogastric)이 비위관보다 선호된다. 이는 구위관이 급식하는 동안에 더 정상적인 호흡을 가능하게 하기 때문이다. 4주 이상의 장기간 동안 경관급식을 실시해야 하는 경우, 위장관이 막혔거나 다른 의학적 이유 때문에 비장관 경로를 사용할 수 없다면 위나 장으로 직접 관을 연결하는 위창냄술(위조루술, gastrostomy), 공장창냄술(공장조루술, jejunostomy)을 사용한다. 비위관이나 위창냄술은 투여속도의 조절이 쉽기 때문에 비장관이나 공장창냄술에 비하여 합병증이 적고 환자가 더 쉽게 적응할 수 있다. 그러나 흡인(영양액이나 위장 분비물이 폐로 들어가는 합병증) 위험성이 높은 단점이 있다.

표 4-5 **경관급식 경로의 비교**

투여경로	장점	단점
코를 통한 경로	• 수술이나 절개가 필요 없음	• 환자의 위치에 따라 관이 빠지기 쉬움 • 장기간 사용 시 코, 목, 식도에 염증을 일으키기 쉬움
비위관 (nasogastric)	• 관의 삽입과 위치 확인이 쉬움 • 영양액은 펌프 없이 주로 간헐적으로 주입됨	• 흡인의 위험이 가장 높음
비십이지장관 (nasoduodenal)/ 비공장관 (nasojejunal)	• 흡인의 위험이 낮음 • 심각한 스트레스 후에 위급식보다 장급식이 먼저 허용 • 폐색, 누공 또는 다른 임상증상으로 위급식이 금지될 때 실시	• 관의 삽입과 위치 확인이 어려움 • 주입 펌프가 필요 • 영양 목표에 도달하는 데 시간이 더 소요
장창냄술	• 하부식도조임근이 닫혀진 채로 유지되므로 흡인의 위험이 낮음 • 장기간 사용 시 코를 통한 관삽입법보다 편안하다. 투여경로를 가릴 수 있음	• 수술이 필요 • 삽입 과정 시 합병증과 감염의 위험이 높음 • 삽입 주위에 피부 염증이 생길 수 있음
위창냄술	• 펌프 없이 간헐적 주입법을 사용할 수 있음 • 공장창냄술보다 삽입하기 쉬움	• 고위험군 환자의 경우 흡인의 위험이 있음
공장창냄술	• 흡인의 위험이 가장 낮음 • 심각한 스트레스 후에 가장 먼저 실시할 수 있음 • 폐쇄, 누공 또는 다른 임상증상으로 위급식이 금지될 때 실시할 수 있음	• 삽입이 가장 어려움 • 주입 펌프가 필요 • 영양 목표에 도달하는 데 시간이 더 소요

(6) 관(feeding tube)

관은 환자의 연령, 체격, 투여경로와 영양액의 점성에 따라 적합한 길이가 결정되면 영양액이 막히지 않고 잘 흐를 수 있는 가장 가는 관을 선택한다.

(7) 경관급식의 관리

영양액의 주입방식에는 개방형 영양액 주입과 밀폐형 영양액 주입이 있다.

① 개방형 영양액 주입체계(open feeding system)

영양액을 원래의 포장 용기에서 주입 용기로 옮겨야 하는 경우로 캔이나 병에 포장된 영양액, 희석이 필요한 농축영양액, 재조정이 요구되는 분말영양액 등이 있다. 개방형 영양액 주입체계를 사용할 때 영양액은 8~12시간 이상 걸어 놓을 수 없다. 남아있는 영양액은 모두 버리고 주입용기와 관을 깨끗이 씻고 주입 용기에 새로 개봉된 혼합영양액을 담는다. 주입용기와 관(feeding tube 그 자체는 제외)은 매 24시간마다 새 것으로 교체한다.

② 밀폐형 영양액 주입체계(closed feeding system)

밀폐형 영양액 주입체계는 영양액이 관에 직접 연결할 수 있는 용기에 포장되어 있어 오염 가능성이 낮아 간호시간이 절약되고 24~48시간 이상 걸어 놓을 수 있다. 단점은 코를 통과한 관이 기도로 잘못 삽입되었거나 영양액 또는 위장관 분비물이 폐로 흡입되었다면 심각한 합병증이 발생할 수 있다는 점이다. 흡인의 위험을 감소시키기 위하여 영양액 주입 시와 주입 후 30분 정도는 환자의 상체를 약 30~45° 정도 세운 자세를 유지하도록 한다.

③ 주입방법

간헐적 주입(intermittent feeding)은 위로 주입하며 중력이나 주입 펌프를 이용하여 20~40분에 걸쳐 200~400mL의 영양액을 주입한다. 비교적 많은 양의 영양액이 일시에 주입되므로 일부 환자들은 적응하기 어려울 수 있으며 지속적 주입보다 흡인의 위험이 더 높으나 일상적인 식사 패턴과 유사하다는 점과 식사 사이에 환자의 이동이 자유롭다는 장점이 있다.

볼루스 주입(bolus feeding)은 많은 양의 영양액을 위로 빠르게 주입(250~500mL/15min)하는 방법으로 주사기를 사용하여 매 3~4시간마다 주입한다. 볼루스 주입은 일부 환자에게 복부 불편, 오심, 경련을 일으킬 수 있다. 흡인 위험성도 다른 주입법들보다 더 높아 주입은 증상이 가벼운 환자에게만 사용된다.

지속적 주입(continuous feeding)은 8~24시간에 걸쳐서 일정한 속도로 천천히 주입하는 방법으로 비교적 소량씩 천천히 주입되어 오심을 감소시킬 수 있어서 증상이 심한 환자에게 권장되며 비장관, 장조루 환자에게 사용된다. 주입 펌프는 속도가 정확하고 일정해야 한다. 하지만 지속적 주입은 환자의 이동에 제약을 줄 수 있고 비용이 비싸다.

경관영양액 공급

하루 2,000kcal를 필요로 하는 환자가 1.0kcal/mL인 표준 영양액을 사용한다고 하면 하루 필요한 영양액 양은 2,000mL가 된다.
환자가 간헐적 주입법으로 하루 6회 영양액을 공급받는다면 1회에 약 330mL의 영양액을 주입해야 한다(2,000mL ÷ 6 = 330mL).

(8) 수분 필요량

성인은 매일 약 2,000mL의 수분이 필요하다. 신장, 간 또는 심장질환이 있는 사람들은 수분을 제한하며 발열, 다뇨, 설사, 과잉의 발한, 심각한 구토, 혈액 손실 및 노출된 상처 등이 있는 경우 더 많은 수분을 필요로 한다. 표준 영양액은 약 85%의 수분을 함유하며 영양액에서 공급되는 수분 외에 수분 필요량은 관을 세척하는 물로 맞출 수 있다.

(9) 일상식으로의 전환

경구급식으로 하루 영양 필요량의 약 2/3를 공급하게 되면 경관급식을 중단한다.

(10) 약물 투여

약물은 경관급식 영양액과 상호작용을 할 수 있으므로 지속적 주입을 할 경우 영양액의 성분이 약물의 흡수를 방해하지 않도록 약물 투여 전후 각각 15분 동안 영양액의 주입을 중단한다. 경련을 조절하는 약물인 페니토인(phenytoin)은 투여 전후에 각각 1~2시간 동안 급식을 중단한다.

표 4-6 경관급식 합병증의 원인과 예방

합병증	발생 가능 원인	예방 및 대책
영양액의 흡인	• 하부식도조임근의 기능저하 • 위배출의 지연	• 급식 시와 급식 후 45분 동안 머리를 높게 유지 • 위 잔여물을 점검
관의 막힘	관에 비하여 영양액이 너무 걸쭉한 경우	• 적당한 크기의 관을 선택 • 영양액 주입 전후에 물을 흘려보냄 • 걸쭉한 영양액은 주입 펌프를 사용하여 주입 • 관이 막히지 않도록 돕는 약물을 물과 함께 흘려보내거나 췌장효소나 중탄산염을 함유한 용액을 흘려보냄
	급식관을 통한 약물의 투여	• 가능하면 구강이나 액체 약물, 주사를 이용 • 점성이 높은 액체 약물은 주입 전에 물로 희석 • 알약은 고운 가루로 분쇄하여 물과 혼합 • 약물 투여 전후에 관에 물을 흘려보냄 • 약물은 한 가지씩 투여 • 약물을 급식용기에 혼합하지 않음
변비	섬유소 섭취 부족	• 수분을 보충 • 고섬유소 영양액을 사용
	운동 부족	걷기와 다른 적당한 활동을 권장
탈수와 전해질 불균형	부적당한 수분 섭취	수분 보충
	당질불내증	• 지속적 주입법을 사용 • 혈당을 점검 • 다른 종류의 당질이나 당질 함량이 낮은 영양액을 선택 • 지방함량이 높은 영양액을 공급
설사, 복통, 가스생성	세균 오염	• 24시간마다 새 영양액을 사용하며 개봉된 영양액이나 혼합된 영양액은 냉장보관 • 새 영양액을 담기 전에 급식 용기와 관을 세척 • 24시간마다 주입용기 및 주입관을 교환
	젖당불내증	유당이 함유되지 않은 영양액을 사용
	고삼투성 영양액	적은 양을 사용하고 점차적으로 사용 양을 증가시킴
	빠른 주입 속도	주입속도를 늦추거나 지속적 주입법을 사용
	영양불량/혈청 알부민 농도 감소	묽은 영양액을 소량씩 공급하고 점차적으로 농도와 양을 증가시킴
고혈당증	당뇨, 대사항진, 약물치료	• 혈당을 점검 • 주입속도를 늦춤 • 적당량의 수분을 공급 • 다른 종류의 당질이나 당질 함량이 낮은 영양액을 선택 • 지방함량이 높은 영양액을 공급
오심, 구토	폐쇄	경관급식을 중단
	위배출의 지연	• 위잔여물을 점검 • 주입속도를 늦춤 • 지속적 주입법을 사용하거나 경관급식을 중단

2) 정맥영양(Parenteral nutrition)

정맥영양은 위장관의 기능이 불가능하여 영양불량이거나 영양불량이 될 가능성이 높은 환자에게 영양소를 소화관을 사용하지 않고 정맥으로 공급하는 영양지원 방법이다. 정맥영양은 단장 증후군(소장의 일부가 제거된 경우), 심각한 췌장염, 흡수불량 질환, 장폐쇄나 장누공, 심각한 화상이나 외상, 중증 질환이나 소모성 질환, 골수이식, 영양불량자와 흡인위험이 높은 환자 등에게 사용한다.

(1) 정맥영양의 종류

① 말초정맥영양(peripheral parenteral nutrition; PPN)

말초정맥은 고농도의 용액에 의해 손상받기 쉬운데, 고장성 용액은 정맥염을 일으킬 수 있고, 주입부위에 팽창, 압통을 유발한다. 정맥영양액의 삼투질 농도는 보통 600~900mOsm/L이므로 말초정맥영양으로 에너지와 단백질을 공급하는 데에는 한계가 있다. 말초정맥영양은 약 7~10일 이하의 단기 영양지원이 필요한 환자와 수분을 제한하지 않거나 영양요구량이 높지 않은 환자에게 사용된다. 정맥이 약해서 정맥영양 과정을 견딜 수 없는 경우엔 사용할 수 없으며 염증을 방지하기 위하여 혈관의 위치를 자주 변경하여야 한다.

② 중심정맥영양(total parenteral nutrition; TPN)

중심정맥은 혈류량이 많아서 빠르게 정맥영양액을 희석시킬 수 있는 심장 근처에 위치하므로 영양요구량이 높은 환자나 수분제한이 필요한 환자들에게 고농도의 영양액을 투여할 수 있다. 장기간 정맥영양을 받아야 하는 환자들에게도 중심정맥영양이 선호된다.

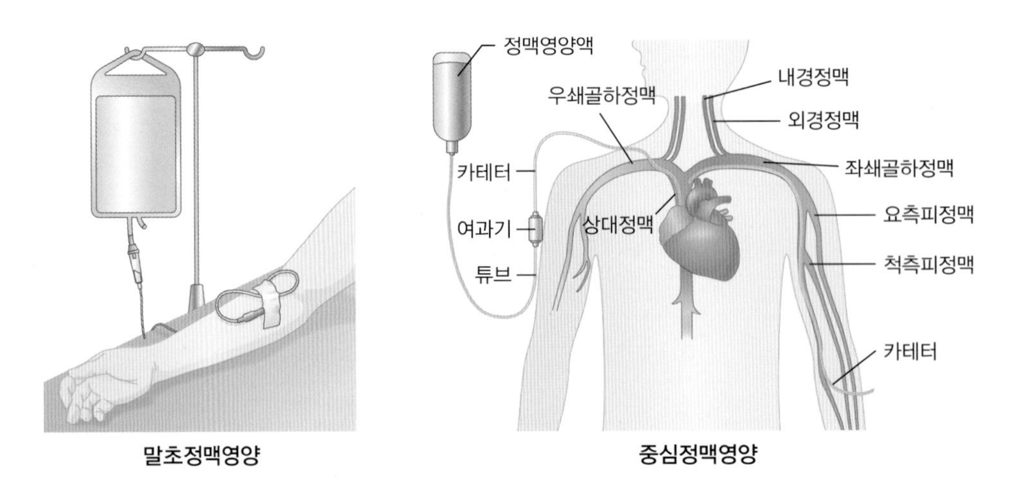

그림 4-1 말초정맥영양과 중심정맥영양

(2) 정맥영양액

① 아미노산

달걀 알부민의 아미노산 조성과 비슷하며 농도는 3.5~15%까지 다양하며 더 고농도의 용액은 중심정맥영양에만 이용되며 4kcal/g를 제공한다.

② 당질

정맥영양의 주요 에너지 급원인 포도당은 덱스트로즈 모노하이드레이트(dextrose monohydrate) 형태로 공급되며 3.4kcal/g를 제공한다. 정맥영양액에서 'D'로 표시되는 덱스트로즈 농도는 물이나 생리식염수(nomal salin) 속에 들어있는 덱스트로즈의 농도이다. 예를 들어 D5나 D5W는 5% 덱스트로즈 수용액을, D5/NS는 생리식염수 속에 덱스트로즈가 5% 녹아있는 용액을 뜻한다.

③ 지방유화액

지방유화액은 필수지방산을 공급하며 중요한 에너지 공급원이다. 유화액은 대두유와 홍화유의 중성지방, 유화제인 인지질과 등장액을 만들기 위한 글리세롤로 구성된다. 지방유화액은 10%, 20%, 30% 용액이 있으며 각각 1.1kcal/mL, 2.0kcal/mL, 3.0kcal/mL의 에너지를 공급한다. 지방유화액은 매일 공급되며 총 에너지의 20~30%를 공급한다.

에너지원으로 지방의 사용은 덱스트로즈의 사용량을 감소시킴으로써 포도당불내성 환자의 고혈당 위험을 낮춘다. 하지만 이상지혈증 환자는 지방유화액의 사용을 제한해야 한다. 또한 과잉의 리놀레산(linoleic acid)을 함유한 지방유화액은 면역반응을 억제할 수도 있다.

④ 수분과 전해질

하루 수분 필요량은 대략 젊은 성인의 경우에는 30~40mL/kg BW, 노인의 경우에는 30mL/kg BW로 평균 1,500~2,500mL 정도이다.

정맥영양액에 포함된 전해질은 나트륨, 칼륨, 염소, 칼슘, 마그네슘과 인이다.

⑤ 비타민과 미량 무기질

모든 수용성 비타민과 비타민 A, D, E가 포함되어 있다. 비타민 K는 포함되어 있지 않으므로 보충되어야 하며, 미량 무기질인 아연, 구리, 크롬, 셀레늄과 망간이 정맥영양액에 포함되어 있다. 철은 정맥영양액에 함유된 다른 성분의 안정성을 변화시킬 수 있으므로 정맥영양액에 첨가하지 않고 근육주사로 제공된다.

⑥ 삼투질 농도

아미노산, 덱스트로즈와 전해질의 농도가 증가하면 영양액의 삼투질 농도도 증가한다. 지방은 삼투질 농도에 거의 영향을 미치지 않으므로 지방유화액은 말초정맥 영양액의 에너지 공급을 증가시키기 위하여 사용된다.

⑦ 정맥영양액의 종류

덱스트로즈, 아미노산, 지방 등 모든 영양소가 한 용기 내에 혼합된 정맥영양액은 total nutrient admixture(TNA), 3-in-1 또는 all-in-one 용액이라 하며 한 개의 주입펌프만 필요하므로 간단하다. 2-in-1 용액은 지방이 제외되어 있고 지방유화액은 카테터의 두 번째 주입구를 통하여 따로 주입되어야 한다.

정맥영양액의 영양소 함유량 및 열량 계산법

5% 아미노산과 30% 덱스트로즈를 함유한 정맥영양액 1,250mL를 공급받는 환자에게 매일 20%의 지방유화액 250mL를 보충하였다. 단백질과 당질의 공급량과 하루 총 에너지 섭취량은 얼마인가?

아미노산 5g 아미노산/100mL × 1,250mL = 62.5g 아미노산
62.5g 아미노산 × 4kcal/g = 250kcal

당질 30g 덱스트로즈/100mL × 1,250mL = 375g 덱스트로즈
375g 덱스트로즈 × 3.4kcal/g = 1,275kcal

지방 20% 지방유화액은 2.0kcal/mL의 열량을 공급하므로,
250mL × 2.0kcal/mL = 500kcal

하루 총 에너지 섭취량: 250kcal + 1,275kcal + 500kcal = 2,025kcal

⑧ 정맥영양 관리

정맥영양 지원은 복잡하고 다양한 기술이 필요해 병원들은 정맥영양과 경관영양에 특화된 내과의사, 간호사, 영양사, 약사로 구성된 영양지원팀이 있다.

가. 정맥카테터의 삽입과 관리

중심정맥으로의 직접적인 카테터 삽입은 내과의사가 한다. 카테터로 공기가 새면 혈류를 방해하며 혈전이나 카테터 끝부분의 상처로 인해 막힐 수 있고 감염의 주된 원인이 된다. 주입속도의 변화는 카테터가 막혔음을, 카테터가 삽입된 주위의 발적이나 부어오름, 알 수 없는 열은 감염을 의미한다.

나. 정맥영양액의 주입

일반적으로 처음에는 느린 속도로 주입하기 시작하여 점차적으로 2~3일 간격으로 속도를 증가시킨다. 정맥영양액은 24시간 이상 연속적으로 주입될 수 있고(지속적

정맥영양, continuous parenteral nutrition), 10~16시간 동안만 주입될 수 있다(주기적 정맥영양, cyclic parenteral nutrition). 지속적 주입은 짧은 시간 동안 충분한 영양을 공급받을 수 없는 영양불량 환자나 중환자에게 실시한다. 주기적 주입은 환자가 낮 동안 일상적인 활동을 할 수 있도록 보통 밤에 영양액을 주입한다.

다. 정맥영양의 중단

정맥영양을 중지하고 경장영양을 시작하기 전에 위장관 기능이 회복되어야 한다. 섬유소를 제거한 과일 주스, 소프트 음료, 맑은 육즙 등의 맑은 유동식이 제공되며 점차 위장관 증상을 유발하지 않는 음료와 고체 음식을 공급한다. 위장관 증상(오심, 구토, 팽만, 설사 등)이 발생하면 장이 적응할 때까지 경구급식의 양이나 횟수를 제한한다. 경장영양으로 영양소 필요량의 2/3~3/4을 공급하게 되면 정맥영양은 중단하도록 한다.

⑨ 합병증

가. 고혈당증

고혈당증은 포도당불내성이 있거나 심각한 대사성 스트레스를 겪는 환자에게 자주 발생한다. 영양액과 함께 인슐린을 공급하거나 영양액 속의 덱스트로즈 양을 감소시킴으로써 방지할 수 있다.

나. 저혈당증

저혈당증은 정맥영양이 방해되거나 중단될 때 발생한다.

다. 이상지혈증

이상지혈증은 과량의 당질 공급이나 심각한 감염같은 지방 분해를 억제하는 요인들에 의해서도 발생할 수 있다. 혈중 중성지방 농도가 350~400mg/dL을 넘으면 지방 주입은 감소 또는 중단되어야 한다.

라. 간과 담낭질환

장기간의 정맥영양은 비가역적인 간질환을 일으키고 간부전이 될 수 있다. 정맥영양이 4주 이상 지속되면 농축된 담즙이 담낭에 축적되고 담석이 형성될 수 있다. 이런 경우에는 콜레시스토키닌을 주입받거나 담낭 제거수술을 받는다.

마. 골격질환

장기간의 정맥영양은 골밀도 감소와 연관이 있다.

바. 재급식증후군(refeeding syndrome)

심각한 영양결핍 환자가 한꺼번에 많은 음식을 섭취할 때 전해질과 수분의 불균형 및 고혈당증이 나타나는 증상을 말한다. 재급식 시 공급된 당질과 분비된 인슐린이 세포 내로 이동할 때 당질 에너지 대사에 관여하는 인, 마그네슘, 칼륨 등도 함께 세포 내로 이동하면서 혈액 내에 이들 무기질의 농도가 급격히 저하되어 저인산혈증, 저칼륨혈증, 저마그네슘혈증 등을 일으킬 수 있다. 심장, 신경근육, 소화기 및 호흡기 등에 장애를 초래하게 되고 부정맥, 혼수, 심장마비, 호흡부전, 감각이상, 장폐쇄, 복통 등의 증상이 나타난다.

요약

병원식에는 일반식, 치료식, 검사식이 있으며 일반식에는 상식, 연식, 유동식이 있다. 영양지원에는 경장영양과 정맥영양이 있으며 각각 적용해야 할 대상이 다르므로 환자의 상태를 잘 파악하여 수행하는 것이 필요하다. 정맥영양에는 중심정맥영양과 말초정맥영양의 두 가지 방법이 있다.

04

복습하기

01 다음 〈보기〉에서 기질적 연식의 식단작성에 허용되는 음식으로만 구성된 것은?

〈보기〉

가. 순두부찜　　나. 토스트
다. 스크램블드 에그　　라. 비스킷

① 가, 다
② 나, 라
③ 가, 나, 다
④ 가, 나, 다, 라

02 수술 후의 환자에게 맑은 유동식으로 줄 수 있는 음식은?

① 옥수수차
② 채소 주스
③ 묽은 된장국
④ 요구르트 음료

03 입으로 음식을 섭취하지 못할 때 경관급식을 이용한다. 경관급식을 적용하기에 적합하지 <u>않은</u> 대상은?

① 화상, 패혈증
② 대수술 후 환자
③ 삼킴곤란증 환자
④ 위장관출혈, 설사 환자

04 경관급식 용액의 영양 구성성분의 특징을 설명한 것으로 적절한 것은?

① 당질원은 포도당과 텍스트린이 사용된다.
② 단백질 급원은 주로 알부민으로 되어 있다.
③ 지방산으로는 포화지방산으로 구성되어 있다.
④ 비타민은 필요량만큼 함유되어 있지 않아서 별도로 보충하여야 한다.

☞ 정답 및 해설은 385쪽에서 확인

제3절 구강 및 위 · 장질환

1 구강, 식도와 위질환

우리가 섭취하는 음식물을 가수분해하여 흡수시키는 기관인 소화기계에 질환이 오면 음식물을 제대로 소화·흡수가 되지 못해 영양불량 상태가 되어 또 다른 질병이 발생해 건강을 유지하기가 힘들다. 소화기계는 소화관인 구강, 인후, 식도, 위, 소장, 대장, 항문과 부속소화샘인 침샘, 췌장, 간, 담낭이 있으며 소화, 소화액의 분비, 소화관의 운동, 영양소의 흡수 기능을 한다.

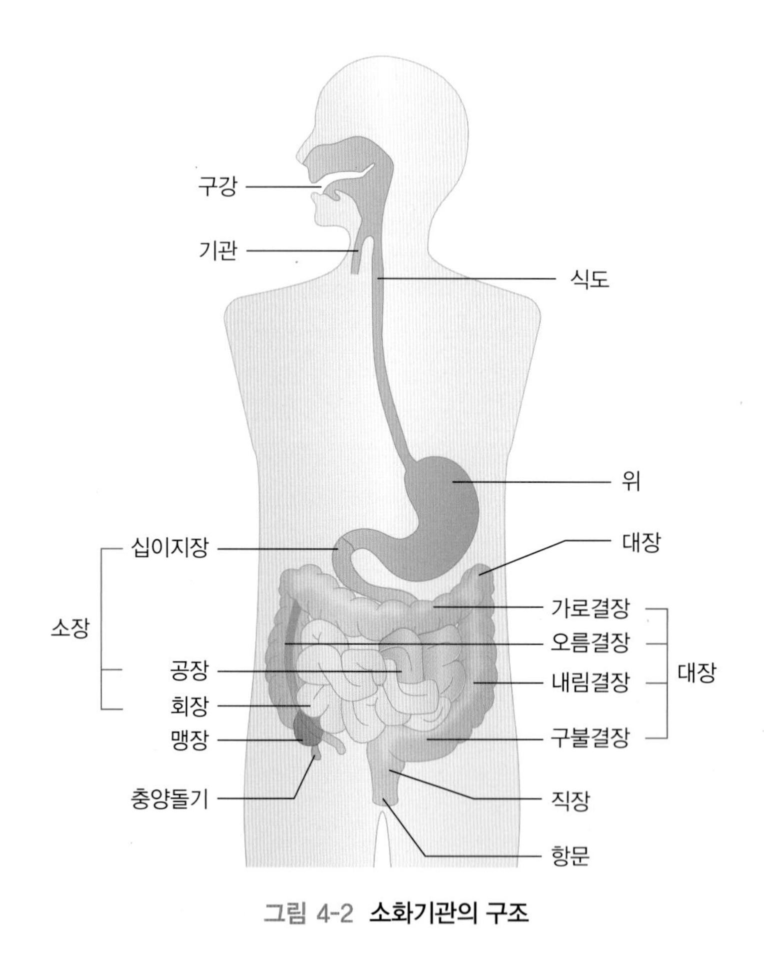

그림 4-2 **소화기관의 구조**

1) 구강·인두·식도의 구조와 작용

구강 내부에는 혀와 32개의 치아가 있고, 맛봉오리는 유두 속에 있으며 맛 성분을 감지한다. 침샘에는 귀밑샘, 턱밑샘, 혀밑샘이 있으며, 인두는 음식물의 이동 통로인 동시에 기도이며 음식물이 인두점막에 접하면 삼킴운동이 반사적으로 일어난다. 식도는 인두에 연결되고, 기관과 심장 뒤쪽을 내려가 가로막을 관통하여 위에 연결된다. 치아의 저작(씹기)운동, 인두의 삼킴운동, 식도의 연동작용, 침의 화학적 소화작용에 의해서 음식물이 혼합이 일어난다. 특히 침(타액) 중 전분 분해효소인 프티알린의 작용에 의해 전분은 맥아당으로 가수분해된다.

2) 위의 구조와 위액의 작용

분문이 식도, 아래쪽의 유문은 십이지장에 연결되어 있다. 위는 음식물을 일시적으로 체류시키며 위액과 잘 혼합하여 유미죽으로 만들어 십이지장에 소량씩 이동시킨다. 위액의 1일 분비량은 1.5~2.5L이며 위벽에서 분비되는 위산, 내인자, 으뜸세포에서 분비되는 펩신(단백질 소화효소), 점액세포에서 분비되는 점액이 위벽을 덮어 위가 자가소화되는 것을 방지한다. 펩신은 pH 1.5~3.2의 범위에서 단백질을 프로테오스와 펩톤으로 가수분해한다. 위에서는 물, 알코올, 아스피린 등이 소량 흡수된다. 위벽에서 분비되는 가스트린은 위산의 분비를 촉진시키며 히스타민, 아세틸콜린에 의해 촉진된다. 위액분비 억제는 세크레틴, 콜레시스토키닌 등에 의해 억제된다.

3) 구강건조증(Xerostomia)

(1) 원인

항히스타민제, 항고혈압제, 항우울제 같은 약물치료에 의해 침(타액)이 감소해 발생할 수 있으며, 쇼그렌증후군(Sjogren's syndrome)이나 두경부암 치료 후에 부작용으로 나타나기도 한다.

(2) 증상

구강이 감염되기 쉬우며 구취가 나고 충치, 플라그, 잇몸질환이 나타나며 삼키는 것, 씹는 것이 힘들어 미각도 떨어지고 식품의 섭취가 줄어들게 되어 영양불량 상태가 된다.

(3) 식사요법

물을 자주 마시며 침분비를 자극하는 음식을 섭취한다. 마른 음식은 섭취하지 않으며 카페인, 알코올, 흡연도 제한한다.

4) 삼킴곤란(연하곤란, Dysphagia)

구강, 식도를 통해 삼키기 어렵거나 불편함을 겪는 질환으로 흡인을 예방하기 위한 영양이 필요하다.

(1) 원인

식도의 외과적 수술, 종양, 폐쇄 혹은 식도암, 분문암, 식도염, 식도 이완불능증(achalasia), 뇌졸중 등으로 연하중추에 손상이 생기거나 머리손상, 뇌종양, 신경계 질환 등에 의해 발생한다.

식도 이완불능증(Achalasia)

위의 입구인 들문이 이완되지 않아 식도에 음식물이 정체하여 식도가 확장되어 있는 상태로 삼킴곤란, 구토, 가슴의 팽만감, 체중감소, 영양불량, 음식 입자의 흡입에 의한 폐의 합병증과 감염 등이 나타난다. 적절한 양의 단백질과 당질을 섭취하고, 감소된 하부식도조임근 압력을 증가시키고, 위액분비를 돕기 위해 지방을 증가시키며 액체나 고형음식을 공급하고 뜨겁거나 찬 음식을 피하며 식사는 소량씩 자주 하고 천천히 식사한다. 감귤류 같은 신맛이 나는 주스나 강한 조미료는 피한다.

(2) 증상

입안의 음식이나 침을 흘리며 음식을 토하게 된다. 불충분한 식사 섭취로 체중감소, 비타민, 무기질 결핍, 단백질, 에너지 부족 등도 나타난다.

(3) 식사요법

비타민, 무기질, 특히 티아민, 리보플라빈, 비타민 B_{12}, 비타민 C, 철 등의 점막치료에 중요한 영양소를 충분히 섭취하도록 한다. 실온의 부드러운 음식을 소량씩 자주 공급하며 음식 모양은 둥글고 작은 크기로 하여 식도에 부담을 줄인다. 자극성 식품은 제한하고 부드럽게 조리하며 생선은 결합조직이 적은 흰살 생선 등을 이용한다. 식도를 편하게 하는 식품(죽, 국수, 달걀, 두부, 우유, 요구르트, 바나나, 푸딩 등)을 이용하고 식도 통과가 어렵고 식도를 상하게 하는 떡, 프랑스 빵, 소시지, 오징어, 냉동생선, 어묵, 도라지, 참외, 수박, 배, 사과, 연근 등은 피한다. 식사 후 30분가량은 앉아 있도록 하여 기도의 흡인 위험 등을 감소시킨다(좌위는 삼킴곤란이 있는 대상자에게 가장 안전한 자세로 음식이 중력에 의해 식도를 따라 통과하여 질식이나 흡인을 예방하는 자세). 이물질(음식, 액체)의 흡인은 폐렴 등의 상부호흡기 감염이 될 수 있다. 젓가락 사용은 금하고 숟가락을 사용한다.

5) 위식도역류증(Gastroesophageal reflux disease; GERD)

위의 산성물질의 역류로 삼킴곤란이 발생하는 것을 말한다.

(1) 원인

조임근이 약하거나 부적절하게 이완되는 경우, 술, 담배, 고지방식, 초콜릿 등의 섭취, 식도 열공 헤르니아, 비만, 복압의 증가에 의해 발생한다.

> **식도 열공 헤르니아**
>
> 위장의 일부가 가로막의 식도 열공을 통해 흉강 내로 나온 상태이다.

(2) 증상

가슴앓이(heartburn: 음식이 위에 도달하면 위산 역류로 인해 나타나는 식도의 작열감), 통증 등이 나타난다.

(3) 식사요법

과식은 위산분비를 자극하고 위배출을 지연시켜 역류를 증가시킬 수 있으므로 소식하며 식사는 취침 전 2~3시간 이내에 하고, 자기 전에 군것질을 하지 않으며 식사 후 드러눕지 않는다. 위산분비를 증가시키는 초콜릿, 지방, 차 등을 줄이고 담배와 알코올을 금한다. 특히 고지방식이를 섭취하여 음식물이 위에서 비워지는 시간이 지연되면 조임근 이완이 증가하여 역류질환을 유발한다. 몸을 숙이지 말고, 꽉 조이는 옷은 위압을 증가시켜 역류 위험을 높일 수 있으므로 주의한다. 산성 식품(감귤류와 주스, 토마토 제품, 식초에 절인 음식), 후추, 매운 음식, 탄산음료, 카페인, 매우 뜨겁거나 찬 음식처럼 식도를 자극하는 식음료를 피한다.

6) 식도정맥류

(1) 원인

식도 자체의 질병보다는 간경화로 문맥의 압력이 증가하여 식도벽에 분포하는 정맥이 확장되는 것이다.

(2) 증상

조금이라도 식도 점막상피가 손상되면 이 정맥류는 파괴되어 토혈하게 된다.

(3) 식사요법

간경화를 치료하고 소화가 잘 되며 식도를 잘 통과하는 음식을 섭취한다. 위액이 식도로 역류하는 것을 막기 위해서는 식후에 바로 눕지 않으며 30분가량은 앉아 휴식을 취한다. 만약 의식장애가 있으면 혈중 암모니아 상승을 막기 위해 단백질을 제한하고 변비가 생기지 않도록 한다.

7) 위염

위염은 위점막에 염증이 생긴 것이다.

(1) 급성위염

① 원인

부적절한 음식 섭취, 폭음, 폭식, 자극적 식품, 알레르기 식품 섭취, 식중독 등으로 인해 발생한다.

② 증상

위점막이 충혈되고 부종이 생기며 식욕부진, 메스꺼움, 구토, 트림, 복부팽만감 등이 나타난다.

③ 식사요법

발병 초기에 메스꺼움과 구토로 인해 음식을 섭취하기 힘들므로 1~2일 정도 절식하면서 비경구적으로 수분과 전해질을 공급한다. 경과가 좋으면 잔사가 없는 맑은 유동식에서 일반 유동식, 연식으로 이행한다.

(2) 만성위염

장기간에 걸쳐 나타나는 것으로 식사, 스트레스, 위산분비 이상, 노화와 헬리코박터 파이로리균의 장기간 감염에 의해 발생한다.

① 무산성 위염(저산성 위염, 위축성 위염)

가. 원인

노화에 의해 위샘이 위축되고 위산분비가 저하되어 생긴다.

나. 증상

위산분비가 저하되어 펩시노겐이 활성화되지 못해 단백질 식품이 소화되지 못하고 섬유소도 연화되지 못하며 유미즙 형성도 잘 안 되며 살균도 되지 않아 장내 부패 및 발효작용이 활발해져 설사 등이 나타난다. 또한 위산분비가 줄어들면 산화형 철(Fe^{3+})이 환원형 철(Fe^{2+})로 전환되지 못해 철 흡수율이 저하되어 빈혈이 유발되며 내인자가 분비되지 못해 비타민 B_{12} 흡수가 되지 않아 악성빈혈에 걸릴 수도 있다.

다. 식사요법

단백질이 풍부하고 부드럽고 소화되기 쉬운 식사를 규칙적으로 천천히 먹는 습관이 필요하다. 자극적인 음식과 음료를 피한다. 알코올, 커피, 차, 콜라, 매운 음식과 지방 함량이 많은 음식은 피한다. 위액분비를 촉진하는 식품을 섭취하며 철과 비타민 C 및 비타민 B_{12}를 보충하는 것이 필요하다.

② 과산성 위염

가. 원인

점막조직의 염증에 의해 위산이 과다하게 분비되어 발생하는 것으로 젊은 층에서 많이 나타난다.

나. 증상

공복 시 통증이 있다.

다. 식사요법

치료기간이 길기 때문에 편식을 하게 되고 영양결핍에 걸리기 쉽다. 섬유소 식품을 제한한다. 육즙의 농도가 농후한 것, 자극성이 강한 조미료·커피·술·산미가 강한 음식, 사이다·콜라 등의 기포성 음료는 피한다. 식생활의 리듬을 잘 지키며 식사는 천천히 그리고 충분히 씹어 먹도록 한다.

8) 소화성 궤양(Peptic ulcer)

위궤양(gastric ulcer)과 십이지장궤양(duodenal ulcer)을 말하며 위장점막에 발생하는 궤양이다.

(1) 원인

건강할 때에는 위산이나 각종 물리·화학적 자극 등의 공격인자는 점막의 혈류, 점액, 프로스타글란딘 등의 방어인자에 의해 저항작용을 받아 균형을 유지하나 헬리코박터 파이로리균의 감염, 아스피린 등 비스테로이성 항염증제 복용, 정신적 스트레스, 음주, 흡연, 커피 등에 의해 위점막의 저항력이 약화되면 궤양이 발생한다.

헬리코박터 파이로리(*Helicobactor pylori*)균

헬리코박터 파이로리균은 위의 출구인 날문 가까이에 사는 나선형 세균으로 사람의 위점막 속에서 생활하는 것으로 소장으로부터 대장으로 내려와 분변 속으로 들어오게 되어 인변을 통한 경구감염이 된다. 일상생활에서 음식과 함께 많은 세균이 입을 거쳐 위 속으로 들어와도 대부분의 균은 강한 염산에 의해 사멸되나 헬리코박터 파이로리는 우레아제가 있어 요소를 암모니아와 이산화탄소로 분해한다. 이 암모니아는 염산을 중화시켜 헬리코박터 파이로리가 위산 속에서 살 수 있게 위의 내벽을 덮고 있는 점액 속으로 들어가 생활하며 장기화되면 위점막이 손상받아 위축성 위염으로 악화된다.

(2) 증세

소화불량, 상복부의 통증 등이 공통으로 나타나며 위궤양은 식후 1~3시간 후에 통증이 나타나고 식욕부진, 체중감소, 속쓰림 증세가 있다. 십이지장궤양은 공복 시 심한 통증이 있다.

(3) 식사요법

식사는 하루 3회 규칙적으로 하며 과식하지 않고 위산분비를 억제하기 위해 조금씩 한다. 자극적인 음식과 조미료 염분은 과잉 섭취하지 않는다. 카페인이 함유된 커피, 차, 콜라와 알코올은 위산분비를 촉진하므로 제한한다.

9) 위처짐

(1) 원인

위처짐(위하수)은 위의 위치가 배꼽 부위 아래까지 길게 내려와 위의 기능이 저하된 상태이다.

(2) 증세

위의 긴장과 위의 운동이 약해져 소화능력이 떨어지고 위의 내용물을 장으로 내보내는 힘도 약해져 약간이라도 음식 섭취량이 많아지면 위가 거북해진다. 위하수는 혈액순환이 좋지 못해 얼굴이 창백하고 손발이 차가우며 허약하고 식욕이 없으며 잠을 깊이 못 자고 변비가 심한 환자가 많다.

(3) 식사요법

소화가 잘 되며 위 안에 장시간 머물지 않는 음식으로 소량씩 식사한다. 수분이 많은 죽 종류를 피하고 진밥이나 토스트를 잘 씹어 먹도록 한다. 수분이 많은 주스 또는 우유는 식사 시에 마시는 것보다 간식으로 한다. 지방은 튀긴 음식에서 섭취하지 말고 양념 기름, 버터,

크림 등으로 섭취한다. 단백질은 위의 근육을 튼튼하게 하므로 필수적으로 섭취해야 한다. 향신료를 과용하지 않고 단 음식을 많이 섭취하게 되면 식욕이 감퇴되므로 음식의 맛은 담백하게 한다. 섬유소가 많은 채소는 피한다.

2 장질환

소장질환에는 장내 가스(고창), 크론병, 지방변증, 젖당불내증, 글루텐과민 장질환 및 열대성 스프루 등이 있고 대장질환에는 변비, 대장염, 게실염, 치질 등이 있으며 설사는 소장, 대장질환 모두에서 발생하는 증세이다.

1) 소장

(1) 소장의 구조

날문에서 맹장까지 약 7m의 관상 장기로 십이지장, 공장, 회장의 세 부분으로 구성되어 있다.

(2) 소장의 운동과 소화작용

소장으로 들어온 유미즙은 담즙, 췌장액과 섞여 소화와 흡수가 일어나고 분절운동과 연동운동을 통해 십이지장, 공장, 회장을 거쳐 대장으로 들어간다. 트립신과 키모트립신은 단백질을, 리파제는 지방을, 알파아밀라제는 탄수화물을 분해하여 각각 아미노산, 지방산, 단당류가 된다. 아미노산과 탄수화물은 소장의 모든 부위에서 흡수되나 지방은 공장에서, 철은 십이지장에서, 비타민 B_{12}는 회장에서 흡수된다.

2) 대장

(1) 대장의 구조

대장의 길이는 약 1.6~2.0m, 지름은 소장에 비해 두 배 정도 굵으며 맹장, 결장, 직장의 세 부분으로 구성되어 있다.

(2) 대장의 운동과 소화작용

대장에서는 소화과정은 일어나지 않고 흡수되지 않은 물과 소화되지 않은 식이섬유 등이 대장의 박테리아에 의해 발효되어 물, 가스, 짧은사슬지방산을 생성한다.

3) 장내 가스(고창)

인체는 장관하부에서 가스를 생산하고 배출한다. 대부분의 가스는 냄새가 나지 않기 때문에 위장관에서 의식하지 못한 사이에 배출된다. 위장관 내 가스는 공기를 삼킴으로써 또는 대장 내 박테리아에 의해 소화되지 않는 탄수화물의 발효에 의해 생성된다.

(1) 원인

우리는 먹거나 마실 때 소량의 공기를 삼키게 되는데 너무 빨리 마시거나 먹을 때 담배를 피우고 껌을 씹고 탄산음료를 마실 때에는 공기를 더 많이 삼키게 된다. 소화되지 않는 탄수화물 함유 식품에는 대두나 검은 콩 같은 콩류와 브로콜리와 양배추 같은 채소가 있고 그 외에 우유 속의 젖당(lactose)이 있다. 젖당분해효소가 부족한 환자는 젖당이 발효되면서 가스, 복부팽만, 설사를 유발한다. 일부 과일과 청량음료 및 기타 감미료로 사용되는 과당도 장내 가스를 유발할 수 있다. 알코올도 문제가 될 수 있다.

(2) 증상

가스가 많이 발생한다.

(3) 식사요법

천천히 먹고 음식을 꼭꼭 씹어 먹는다. 탄산음료 및 빨대로 마시는 것을 피한다. 수분 섭취를 증가시키고 적당한 양의 섬유소 섭취는 변비 예방을 위해 필요하다. 알코올을 제한한다.

4) 지방변증

지방의 소화·흡수가 저하되어 장내 흡수되지 않은 지방으로 인한 지방변을 보게 된다.

(1) 원인

췌장질환으로 췌장 스테압신(steapsin)이 부족해지거나 지방의 흡수부위인 회장점막이 손상되었거나 담석증, 담관종양 등으로 담관이 폐쇄되거나 회장에 염증이 있거나 절제하였을 때 발생한다.

(2) 증상

체중이 감소하고 설사, 지방변이 흔하다. 지용성 비타민이 흡수되지 않고, 특히 비타민 D가 흡수되지 못해 칼슘 흡수가 어려워져 골다공증과 골연화증이 나타난다. 철 결핍으로 작은적혈구빈혈(소적혈구성 빈혈), 엽산과 비타민 B_{12} 결핍 시에는 거대적혈모구빈혈(거대적아구성 빈혈)이 나타나고 비타민 K 결핍으로 출혈도 발생한다.

(3) 식사요법

고에너지, 고단백, 고비타민 액체급식이 필요하다. 지방은 소화·흡수가 잘 되는 중간사슬지방산을 공급한다. 그러나 중간사슬지방산에는 필수지방산이 없으므로 식사로 필수지방산을 공급한다.

5) 이완성 변비

섭취한 음식물이 위장관을 통과하는 데는 18~48시간으로 변비는 배변 횟수가 주 3회 미만이거나 배변이 힘든 경우를 말한다.

(1) 원인

부적절한 음식의 섭취, 불규칙적인 식사습관, 운동부족 등에 의해 발생하며 임신부, 노인, 수술 후 환자에게서 나타난다.

(2) 증상

복부가 팽만하고 대변이 나오지 않으며 장 내용물이 결장에 장시간 정체하여 수분의 과잉흡수로 변은 더욱 굳어져 배변이 곤란해진다.

(3) 식사요법

지방 식품을 섭취하면 지방산이 장 점막을 자극하여 장의 운동을 촉진시켜 변통이 원활해진다. 섬유소도 변비를 예방하며 젖당은 체내에서 세균에 의해 젖산을 만들어 장운동을 촉진시키다. 과일류의 유기산은 당분이 많은데 이것은 장 내에서 발효되어 산을 생성하여 배변운동을 촉진시킨다. 수분을 충분히 섭취한다.

6) 경련성 변비(Spastic constipation)

(1) 원인

장의 불규칙적인 수축으로 장이 예민해져 발생한다. 많은 양의 커피, 홍차, 알코올 섭취, 흡연, 정신적인 긴장 등에 의해 발생한다.

(2) 증상

식사 후 하복부에 통증을 느끼며 장의 팽창으로 불쾌감을 느끼기도 한다. 일종의 과민성 대장증후군을 나타낸다.

(3) 식사요법

과민성 대장의 연동운동을 감소시켜야 하므로 식이섬유소의 섭취를 제한하고 저잔사 식사를 한다. 장을 자극하는 알코올, 향신료, 탄산음료 등은 피한다. 찬 음식보다는 따뜻한 음식이 좋다. 기름을 이용한 조리법보다는 찜이나 구이를 이용한다. 우유, 생선, 달걀 등 영양가 있는 음식이 좋다.

섬유소와 장질환

식이섬유를 증가시켜야 하는 질환에는 변비, 당뇨병, 게실염 예방, 심장질환, 비만 등이 있으며 식이섬유를 감소시켜야 하는 질환에는 염증성 대장질환, 수술 후 등이다.

불용성 섬유소(insoluble fibers)는 변의 무게를 늘려주고 대장에서의 배설을 촉진시킨다. 수용성·점성의(soluble, viscous) 식이섬유는 음식물의 소화기 통과시간을 천천히 하여 포만감을 증가시키고 소장에서 당의 흡수를 늦춰주는 역할을 한다. 또한 담즙과 결합하고 담즙의 재흡수를 감소시킴으로써 혈액 내 콜레스테롤 수치를 낮추는 역할을 한다.

그러나 고섬유소 식사(하루에 식이섬유를 25~30g 이상 함유하는 식사)는 때로 장 내에서 소화되지 못한 섬유소가 대장에서 세균에 의해 발효되어 장내 가스생성(헛배부름, flatulence)을 일으키기도 한다.

가스발생 식품에는 사과, 배, 브로콜리, 양배추, 콜리플라워, 옥수수, 감자, 콩, 부추, 무, 양파, 맥주, 탄산음료, 과일 주스, 유제품(젖당불내증의 경우) 등이 있다.

7) 설사(Diarrhea)

위장관의 내용물이 너무 빨리 이동함으로써 결장에서 수분이 재흡수되지 않아 생기는 물 같은 장 배설물로 묽은 변을 자주 보는 것이 특징이다.

(1) 원인

다양한 질병들의 합병증 중 하나일 수도 있고 감염, 약물 혹은 식이에 의해 발생하기도 한다.

(2) 종류

① 삼투성 설사

영양소의 흡수불량의 결과로 일어나는 현상이다. 흡수되지 못한 솔비톨 혹은 과당이 장내의 수분을 끌어들이고 변의 수분함량을 높이는 경우에 발생한다.

② 분비성 설사

장에서 수분을 분비하도록 자극해 발생하는 것으로 세균성 식중독에 의해 일어나지만 심각한 염증성 장질환 환자에게서도 발생한다.

③ 급·만성 설사

대개 감염이나 약물 부작용에 의해 갑자기 시작되어 수 주일 동안 수분이 많은 변을 보게 되는 것으로 장운동의 변화, 염증성 장질환, 흡수불량, 방사선 치료 등에 의해 발생할 수 있다.

(3) 증상

식욕부진, 복통, 복부팽만감 등이 나타나며 체액이 손실되면서 나트륨, 칼륨, 중탄산염도 함께 손실되어 탈수, 저나트륨증, 저칼륨혈증이 나타난다.

(4) 식사요법

탈수의 위험이 있으므로 수분을 장관이나 비경구로 공급하며 장관영양요법은 저지방, 저섬유, 저유당식으로 공급한다. 카페인 함량이 많은 음식(커피, 초콜릿 등)은 피하고 가스를 생성하는 음식(양배추, 양파, 탄산음료, 브로콜리 등)도 피한다.

표 4-7 설사에 영향을 미치는 음식물

설사에 안 좋은 음식	설사를 개선하는 음식
• 푸룬 주스 • 카페인 함유 음료, 커피, 과당 함유 음료 • 튀긴 음식 • 포도 • 꿀 • 우유 및 유제품 • 무설탕 캔디류	• 사과 같은 것 • 바나나 • 치즈 • 감자 • 요구르트

출처: American Dietetic Association(2000). Manual of Clinical Dietetics(Chicago: American Dietetic Association), p. 423; M.H. Beers and R.Berkow, eds.(1999). The Merck Manual of Diagnosis and Therapy(Whitehouse Station, NJ: Merck Research Laboratories), pp.275~278.

8) 염증성 장질환(Inflammatory bowel diseases; IBD)

소화기를 침범하는 만성 염증상태이고 크론병(Crohn's disease)과 만성 궤양성대장염 (chronic ulcerative colitis)이 있다.

(1) 크론병

소장이나 대장 모두에서 나타나는 만성적인 궤양성 염증 질환으로, 특히 회장과 대장에서 흔히 잘 발생되는 궤양성 염증성 질환으로 장 내의 점막층뿐 아니라 점막을 통과하여 장벽을 침투해 궤양, 균열, 누공(조직 사이의 비정상적인 통로) 등이 나타난다.

① 원인

유전과 환경요인에 발생하는 것으로 알려져 있다. 약 60~70%의 환자들은 외과적 설제술이 필요하며 대장암의 발생률도 높다.

② 증상

외과절제술로 인해 짧아진 소장, 줄어든 음식섭취, 영양 흡수불량이 영양불량 상태를 초래한다. 회장이 침범된 경우에는 담즙산이 고갈되어 지질, 지용성 비타민, 지방산과 결합할 수 있는 무기질인 칼슘, 마그네슘, 아연의 흡수불량을 초래한다. 회장은 비타민 B_{12}가 흡수되는 곳으로 보충제를 섭취하지 않으면 결핍될 수 있다. 출혈, 영양소 흡수불량 등으로 인해 빈혈이 나타난다.

③ 식사요법

수분과 전해질을 유지하고 영양소 결핍을 방지하기 위해 고에너지, 고단백질, 저지방, 저잔사식을 공급한다. 철, 칼슘, 아연, 마그네슘, 셀레늄 등의 무기질과 비타민 공급이 필요하다.

(2) 궤양성대장염

대장의 점막층에 염증성 궤양을 일으키는 만성질환으로 직장과 결장에 한정되어 발생한다.

① 원인

스트레스나 세균 감염, 알레르기, 자가면역 등에 의해 발생한다.

② 증상

체중감소, 발열로 쇠약해진다. 증세가 심해지면 출혈로 인한 빈혈, 탈수, 전해질 불균형이 나타날 수 있다. 단백질 에너지 영양불량, 소아의 경우 성장장애가 올 수 있다. 대장암 유병률이 높다.

③ 식사요법

증상과 합병증에 따라 달라지나 탈수와 전해질 불균형을 교정하고 출혈과 단백질 손실을 막기 위해 고에너지, 고단백 식이를 제공한다. 저섬유소 식이는 변의 양을 줄여 장 자극을 줄이는 도움이 될 수 있다.

표 4-8 크론병과 궤양성대장염의 비교

	크론병(Crohn's disease)	궤양성대장염(Ulcerative colitis)
염증부위	약 40%가 회장과 대장, 30%는 소장만, 20%는 결장	직장과 결장에 한정됨(직장에서 시작하여 결장으로)
염증의 형태	침범된 병변 사이의 정상 보존된 부분이 관찰됨	직장에서 시작된 염증은 연속적으로 관찰됨
손상 정도	장 깊숙이 침투하여 장관조직을 울퉁불퉁하게 함	점막층과 점막하층
누공	동반	동반되지 않음
암 유병률	증가됨	크게 증가됨

표 4-9 크론병과 궤양성대장염의 영양관리

증상 혹은 합병증	식사요법
• 성장장애 • 체중감소	• 고열량 식사 • 장관 보충 • 관급식
• 식욕감소 • 식사 시 통증	• 소량씩 자주 섭취 • 장관 보충 • 5~7일 이상 시 관급식 보충
• 흡수불량	• 고열량 식사 • 영양 보충
• 지방변(지방 흡수불량)	• 지방 제한 • Medium chain triglycerides • 영양 보충
• 설사	• 수액 및 전해질 보충 • 영양 보충
• 젖당불내성	• 유당 함유 음식 제한
• 영양부족	• 고농도 영양 식사 • 영양 보충
• 장관 회복	• 고단백 식사 • 글루타민 보충
• 협창 • 누공	• 저섬유소 식사
• 중증 장폐쇄 • 고출력 누공	• 정맥영양

9) 글루텐 과민 장질환(Gluten sensitive enteropathy, Nontropical sprue, Celic sprue)

만성 자가면역질환으로 밀의 글루텐에 의해 소장점막이 손상되는 질환이다.

(1) 원인

밀의 글리아딘(gliadin), 귀리의 세카린(secalin), 호밀의 호루데인(hordein) 내의 글리아딘 분획은 글루텐으로 알려진 프롤라민(prolamin, 저장단백질)이 유전적 소인을 갖는 사람의 장점막을 손상시켜 흡수불량이 되어 나타나는 질환이다.

(2) 증상

영양소 흡수불량이 유발되어 설사, 복부팽만, 지방소화불량, 체중감소가 발생한다. 초기 단계에는 지방 흡수장애(지방변, steatorrhea)가 다른 영양소 흡수장애보다 심하다. 심각한 경우 지방, 단백질, 탄수화물(젖당), 비타민 D, 비타민 K, 철, 칼슘, 엽산, 비타민 B_{12}, 마그네슘, 아연 등 많은 영양소들이 소화·흡수가 저해된다. 이러한 영양소 결핍으로 인해 철결핍빈혈, 골격계 문제, 혈액응고가 잘 되지 않고 엽산, 비타민 B_{12} 결핍으로 악성빈혈이 유발될 수 있다.

(3) 식사요법

글루텐이 들어있는 밀, 보리, 호밀, 귀리와 이들의 가공품의 섭취를 제한하고 쌀, 감자, 옥수수 등을 섭취한다.

10) 게실질환

게실증(diverticulosis)은 장관벽에 게실이라는 자갈 돌 형태의 외낭들이 있는 것이고, 게실염(diverticulitis)은 딱딱해진 변이 점막을 닳게 하여 염증을 일으키고 미세천공을 만들어 감염이 일어난 것이다.

(1) 원인

게실은 오랜 기간 동안 식이섬유소가 적은 식사습관과 배변 시 긴장을 주어 결장 내 압력이 증가하여 발생한다. 게실증의 유병률은 나이에 따라 증가하고 대부분의 경우 게실증을 갖고 있어도 변의 정체 또는 장내 세균에 의해 감염되어 염증이 생기기 전까지는 증상이 잘 나타나지 않는다.

(2) 증상

복통, 열, 변비와 설사가 반복적으로 나타난다. 복부팽만, 아랫배의 통증, 대장경련, 구토 등이 나타나며 심해지면 천공이 되고 장폐쇄가 될 수도 있다.

(3) 식사요법

통증을 완화시키고 변비를 완화시키기 위해 섬유소가 함유된 식사를 하는 것이 좋다. 중증인 경우 장의 휴식을 위해 경구식이는 제한하며 정맥을 통한 수분공급을 하고 상태가 호전되면 고섬유소 식사를 제공한다.

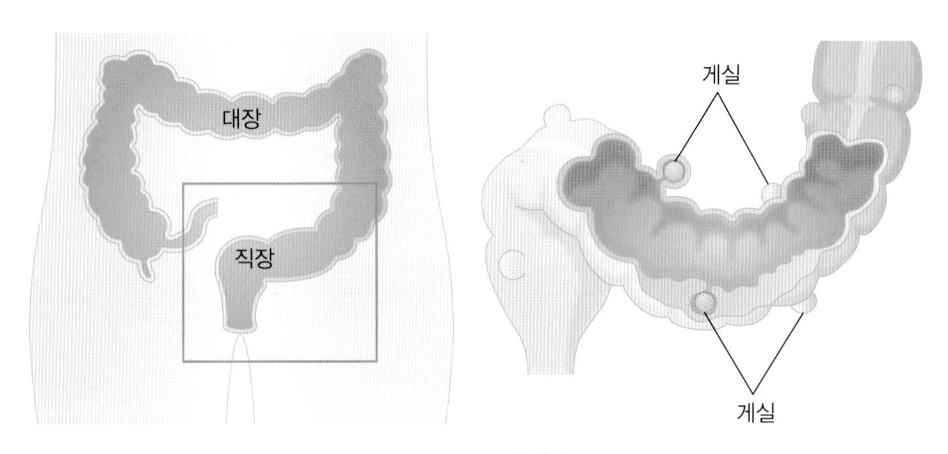

그림 4-3 **게실염**

11) 과민성 대장증후군(Irritable bowl syndrome; IBS)

장 운동이 비정상적으로 항진된 상태이다.

(1) 원인

원인이 정확하게 밝혀져 있지는 않으나 심리적 원인과 식사, 스트레스에 의해서 장 운동이 과민하기 때문에 발생한다.

(2) 증상

헛배부름, 복부팽만, 복부 불편감, 장내 가스 발생 등의 증상이 나타난다. 음식 섭취 후 장 움직임이 과하면 설사를 일으킬 수 있고 장 움직임이 감소하면 변비가 유발된다. 이러한 증상들은 정신적으로 스트레스를 받으면 더 심해진다.

(3) 식사요법

식사를 조절하고 스트레스를 관리하는 것이 필요하다. 섬유소가 함유된 식사를 공급해 변비를 완화시키고 장내 가스로 인한 불편함을 최소화하기 위해서는 섬유소 양은 점진적으로 증가시켜야 한다. 젖당불내성이 있는 경우 유제품은 피하는 것이 좋다. 발효성 올리고당류 식이는 삼투압을 증가시키므로 제한하고 설탕, 과당, 자당 함유식품과 폴리올(당알코올, 솔비톨, 만니톨 등)도 제한하는 것이 좋다. 소량의 식사를 자주하는 것을 권고한다.

12) 단장증후군(Short bowl syndrome)

질병이나 소장의 손상으로 소장의 많은 부분을 절제했을 때 남은 소장이 짧아 영양소 필요량을 충족시킬 만큼의 소화와 흡수가 일어나지 않는 흡수불량 증후군이다.

(1) 원인

크론병, 장염, 암 등으로 장을 절제한 경우 발생한다.

(2) 증상

체액과 전해질의 불균형과 다양한 영양소 흡수불량으로 영양결핍이 초래되며 지방변증, 탈수, 체중감소와 어린이는 성장장애가 나타난다. 회장의 제거는 비타민 B_{12}와 담즙산 재흡수에 영향을 주며, 담즙산이 결핍되면 지방 흡수불량과 설사를 악화시킨다.

(3) 식사요법

절제술 바로 직후 체액과 전해질을 정맥으로 공급하며 수분보충이 중요하다. 장의 적응을 증진시키기 위해 경구적 영양공급을 빨리한다. 음식은 소량을 자주 공급하는 것이 남은 장을 능률적으로 이용할 수 있다. 복합 탄수화물, 과일, 채소를 섭취하고 단순당은 제한한다. MCT(medium chain triglyceride)는 췌장의 리파제나 담즙을 필요로 하지 않고 바로 문맥으로 흡수되므로 바람직하다. 탈수위험이 높으므로 수분을 조금씩 자주 마시도록 한다.

요약

- 위궤양: 위장점막이 염증에 의해 손상된 상태로 헬리코박터 파이로리균 등에 의해 감염되어 발생한다. 위산분비를 증가시키고 위 점막조직을 자극하는 음식은 피하고 단백질, 지방, 식이섬유소를 적당히 섭취한다.
- 십이지장궤양: 십이지장에 염증이 생긴 것으로 위염, 스트레스, 흡연, 헬리코박터 파이로리균 등에 의해 발생한다. 위산분비를 자극하는 식품은 피하고 식사 횟수는 자주한다.
- 변비: 이완성 변비와 경련성 변비가 있다. 이완성 변비는 고섬유소 식사와 수분 섭취를 많이 하며, 경련성 변비는 저섬유소·저잔사식을 하고, 자극성 식품은 제한한다.
- 글루텐 과민 장질환: 글루텐을 구성하고 있는 글리아딘을 소화시키지 못해 나타나는 질환으로 글루텐이 함유되어 있는 식품을 식사에서 제한다.
- 염증성 장질환: 크론병과 궤양성대장염이 있으며 크론병은 입에서 항문까지 소화관 전체에 발생할 수 있는 질환으로 복통, 빈혈, 설사 등의 증상을 나타낸다. 저식이섬유, 저지방식, 고에너지, 수분보충, 철 칼슘, 마그네슘, 아연, 엽산, 비타민 D, 비타민 B_{12}를 보충한다.
- 궤양성대장염: 항문에 인접한 직장에서 안쪽으로 진행되는 만성 염증성 장질환으로 고단백질, 고에너지, 수분과 전해질을 공급하고, 저섬유소 식사를 한다.

04

복습하기

01 다음 <보기> 중 소화성 궤양의 원인으로 옳은 것은?

<보기>

가. 스트레스 나. 항생제 남용
다. 헬리코박터 파이로리 감염 라. 알코올의 과음

① 가, 다 ② 나, 라
③ 가, 나, 다 ④ 가, 나, 다 라

02 소화성 궤양에 대한 영양관리 방법으로 옳지 않은 것은?

① 부드러운 단백질 식품을 적절히 사용한다.
② 섬유질이 적은 채소와 정제된 곡류를 이용한다.
③ 튀김이나 구이보다는 찜을 조리법으로 사용한다.
④ 우유는 위산중화 효과가 있으므로 자주 사용한다.

03 급성위염의 원인과 식사요법으로 적절한 것은?

① 스트레스 - 일반식으로 고단백, 고열량식사를 준다.
② 식중독 - 토하거나 설사 시에는 우유를 데워서 공급한다.
③ 무산성 위염 - 커피, 홍차, 초간장 등을 주어 위산분비를 촉진한다.
④ 독한 술의 과음 - 심하게 토하거나 설사 시 절식하고 수분을 계속 공급한다.

04 무산성 만성위염의 특징은?

① 위산분비 증가 ② 철분흡수 증가
③ 위 내인자 결핍 ④ 음식물의 살균작용 증가

05 위산분비가 적은 조리법은?

① 찜 ② 볶음
③ 구이 ④ 튀김

☞ 정답 및 해설은 385쪽에서 확인

제4절 간 · 담낭 · 췌장질환

간은 영양소의 대사, 저장 분배 등에 중요한 역할을 하므로 간기능에 손상이 오면 영양소 대사이상이 초래되어 영양상태에 심각한 문제를 가져오게 된다.

1 간질환

1) 간의 구조

인체 내에서 가장 큰 장기로 상복부의 우측 가로막 아래에 있으며, 우엽(전체의 3/4을 차지)과 좌엽으로 되어 있고, 대사가 활발한 조직으로 많은 기능을 하고 있다. 문맥을 통해서 위나 장에서 흡수된 영양분을 함유한 정맥혈이 유입되며, 간동맥으로는 산소가 풍부한 동맥혈이 유입된다. 이들은 간세포가 일렬로 배열되어 있는 시누소이드(가는 모세혈관이 방사상 모양을 이룸)로 유입되어 물질교환이 일어나고 각종 대사물과 이산화탄소 등은 간정맥을 통해 간에서 나온다.

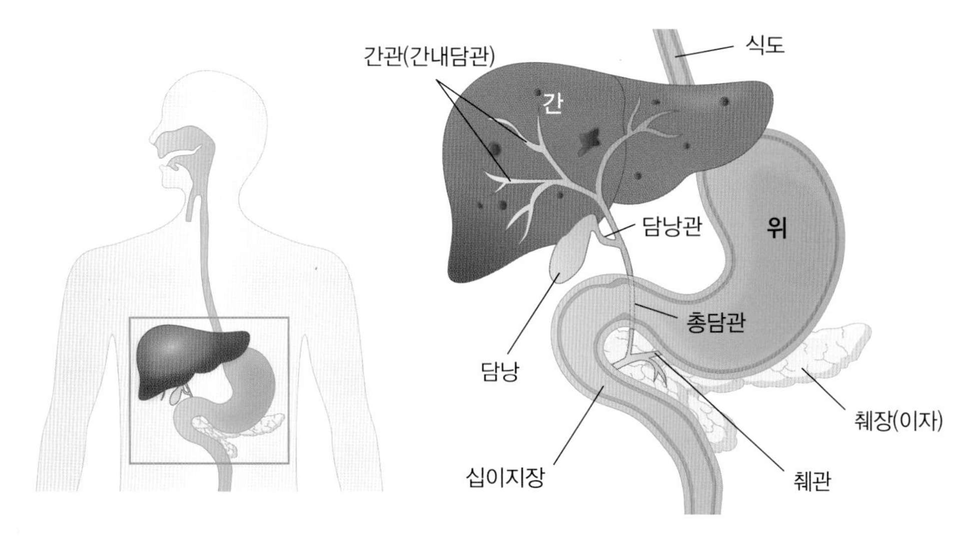

그림 4-4 간과 담도계 구조

2) 간의 기능

간은 탄수화물, 지질, 단백질, 비타민의 대사를 담당한다.

(1) 탄수화물 대사

문맥을 거쳐 간에 들어온 포도당, 과당, 젖당 중 과당과 젖당은 간에서 포도당으로 전환되며 포도당 일부는 에너지원으로 사용되고 당원(glycogen)으로 합성되어 저장된다. 공복에는 당원을 분해해서 혈액으로 내보내며 아미노산, 글리세롤, 젖산으로부터 포도당신생성 작용을 통해 포도당을 생성한다.

(2) 단백질 대사

혈장 단백질인 알부민과 트랜스페린, 세룰로플라스민, 레티놀 결합단백질, 지단백질 등 운반단백질과 피브리노겐(섬유소원), 프로트롬빈 등 혈액응고 인자 및 여러 종류의 효소 단백질을 합성한다. 알부민은 교질삼투압에 관여하므로 간질환이 있으면 알부민 수준이 저하되어 부종이 나타난다. 아미노산 대사에서 생성된 암모니아는 간에서 요소로 합성되어 과량의 질소를 안전하게 소변으로 배설된다. 비필수아미노산 합성, 함황아미노산 대사 등이 이루어진다. 또한 간 기능이 저하되어 포도당이 에너지원으로 효율적으로 이용되지 못하면 근육이 분해되어 아미노산이 혈액으로 방출된다. 이때 혈중 분지아미노산은 근육 에너지로 이용되어 감소하고 상대적으로 증가된 방향족 아미노산은 혈관 뇌장벽을 통과해 간성혼수의 원인이 된다.

(3) 지질 대사

지방산은 간세포 미토콘드리아에서 베타 산화를 거쳐 많은 아세틸 CoA를 생성하며 이들은 TCA 회로에서 산화되어 에너지를 생성하거나 글리세롤과 결합하여 중성지방 또는 인지질을 합성한다. 아세틸 CoA로부터 콜레스테롤을 합성하며, 지단백질 합성, 담즙을 합성하여 지방의 소화를 도와준다. 항지방간 인자(콜린, 메티오닌, 레시틴 등)에 의해 일정량의 지방을 유지한다.

(4) 비타민과 무기질 대사

모든 지용성 비타민, 아연, 철, 구리, 마그네슘, 비타민 $B_{12} \cdot B_1 \cdot B_2 \cdot C$ 등이 간에 저장된다. 또한 비타민 D는 비타민 D_3(25-hydroxy cholecalciferol)로, 카로틴은 비타민 A로, 비타민 K는 프로트롬빈으로, 엽산은 5-methyl tetrahydrofolic acid(엽산 활성형), 철 및 구리의 대부분을 각각 페리틴 또는 세룰로플라스민의 형태로 저장한다.

(5) 담즙 생성

간세포는 지방의 유화를 돕는 담즙을 생성하며 콜레스테롤로부터 담즙산을 생성한다. 헤모글로빈 대사로 생성된 빌리루빈은 알부민과 결합해 간으로 이동해 담즙을 통해 대사된다.

빌리루빈이 간으로 유입되지 못하면 황달증상이 나타난다.

(6) 해독작용

체내에서 생성된 유해물질과 알코올과 외부에서 들어온 유독물질(약제 포함)을 독성이 적은 물질로 바꾸거나 배설하기 쉬운 수용성 물질로 만든다.

3) 간 기능 검사

① 혈중 간 효소 활성 : 혈청 AST(asparate aminotransferase)와 ALT(alanine amino transferase)는 간세포 손상 시 이들의 효소활성이 증가된다.

② 혈청 단백질 : 혈청 알부민은 간에서 합성되는 주요 단백질로 간 기능이 저하될 때 혈청 알부민 농도가 감소한다.

③ 간에서 빌리루빈이 과다하게 생산되거나 간에 빌리루빈의 대사능력이 저하되면, 총 혈청 빌리루빈 또는 간접 빌리루빈이 증가된다.

4) 지방간(Fatty liver, Hepatic steatosis)

간에 중성지방이 축적되어 생기는 질환이다. 지방간에는 알코올에 의한 알코올성 지방간과 비알코올성 지방간질환(nonalcoholic fatty liver disease; NAFLD)이 있다. 비알코올성 지방간은 비알코올성 지방간염(nonalcoholic steatohep[atitis; NAH), 섬유화(fibrosis) 그리고 간경화에 이르는 다양한 질환을 포함한다. 간의 중성지방은 초저밀도 지단백질(very low density lipoprotein; VLDL)의 형태로 존재하며 혈액을 통하여 다른 곳으로 이동된다. 과량의 지방이 간에 축적되는 원인은 정확히 알려져 있지는 않지만 간에서 합성되거나 혈액을 통해 유입된 지방과 VLDL을 거쳐 혈액으로 방출되는 지방과의 불균형에서 비롯된다.

(1) 원인

알코올, 약물이나 중금속 등에 노출된 사람에게서 나타난다. 또한 비만, 당뇨, 콰시오커나 마라스무스와 같은 영양불량 시에도 나타나며, 위장간 우회수술을 받거나 장기간 정맥영양을 받은 사람에게서도 발생한다.

(2) 증상

간비대(hepatomegaly), 간의 염증, 피로감 등이 나타난다. 지방간이 약물이나 대사성 질환에 기인할 경우 간 손상이나 간부전으로 빠르게 진행된다. 간 효소인 ALT(alanine aminotransferase), AST(aspartate aminotrnsferase)가 혈액으로 방출되어 혈액 내 수준이 상승하며, 중성지방, 콜레스테롤, 포도당 등도 증가할 수 있다.

(3) 식사요법

지방간의 원인에 따라 치료를 해야 한다. 지방간이 알코올의 남용과 약물 때문이라면 알코올과 약물을 중단해야 한다. 혈중 지질이 상승한 환자는 혈중 지질을 낮추면 개선된다. 비만이나 당뇨인 사람은 체중을 줄이거나 혈당을 조절해야 한다. 탄수화물의 과잉 섭취는 중성지방 합성을 증가시키므로 총 에너지의 60%가 넘지 않도록 하며 단순당 섭취를 제한한다. 포화지방산과 콜레스테롤 섭취를 제한하고 항지방간 인자인 콜린, 메티오닌, 레시틴이 함유된 양질의 단백질 식품을 섭취한다. 알코올에 의한 지방간은 알코올을 중단한다.

5) 간염(Hepatitis)

간 조직의 손상에 의해 염증이 생긴 것이다. 가장 흔한 경우는 A, B, C형 바이러스 감염에 의한 손상으로 바이러스에 감염된 사람과의 혈액 접촉이나 오염된 음식 또는 물을 섭취함으로써 감염된다. 그 외에 과량의 알코올 섭취, 약물, 독성 물질에 의해 발생하기도 한다.

(1) 원인

A형 간염은 오염된 물, 식품, 분변 등에 의해 구강으로 감염되는 전염성 간염으로 수 개월 내에 치료가 가능하며, 만성질환으로 진전되지 않고 간 조직에 연구적인 손상을 남기지 않는다. B형 간염 바이러스(HBV)는 오염된 혈액, 주사기 등에 의해 전파되며, 예방을 위하여 B형 간염백신을 권장한다. C형 간염 바이러스(HCV)도 주로 혈액에 의해 감염되나 C형 간염을 예방할 수 있는 백신이 없다. B형 간염이나 C형 간염은 만성화되면 간경화나 간암으로 진전될 수 있다.

(2) 증상

초기에는 피곤, 구토, 식욕부진, 복부통증 등이 나타나며 간 비대, 눈, 소변, 피부가 노랗게 되는 황달이 나타난다. 발열, 두통, 근육약화, 발진 등도 보이고 혈청 내 ALT와 AST 수준이 상승된다.

(3) 식사요법

간 조직의 재생과 체조직의 분해를 막고 근육량 손실을 최소화하기 위해 고에너지, 고단백식식이를 권장한다. 대부분의 사람들에게는 1.0~1.2g/kg의 단백질을 권장한다. 육류는 지방과 결체조직이 적은 부위를 섭취한다. 유화지방이나 식물성 기름 위주로 섭취한다. 충분한 비타민과 무기질을 섭취하며 알코올을 제한한다.

6) 간경화증(Hepatic cirrhosis)

간경화증은 간 질환의 말기 증상으로 장기간의 간질환 시 간 조직이 파괴되고 간세포는 섬유성 결합조직과 지방침윤으로 대체되어 간의 크기도 줄어들고 울퉁불퉁한 비정형적인 형태를 띠게 되며 간기능이 손상된다.

(1) 원인

알코올 남용과 만성간염, 약물 독성, 담관폐쇄로 인한 만성간염에 의해 나타난다.

(2) 증상 및 합병증

피로감, 쇠약, 식욕부진, 체중감소, 메스꺼움, 구토, 황달(jaundice: 혈색소가 분해되는 과정에서 생성되는 황색은 빌리루빈이 간에서 해독작용을 통해 담즙으로 배설되는데 간에 질환이 있으면 빌리루빈이 배출되지 못하고 축적되어 눈 흰자위, 피부 등이 노랗게 착색되는 증상) 등이 나타나며 악화되면 위식도정맥류, 문맥압 증가, 부종, 복수, 간성뇌증이 나타난다. 간에서 단백질 합성이 감소하므로 혈액의 알부민 수치가 감소하고 혈액응고 시간은 증가한다. 또한 간 손상으로 암모니아를 요소로 변화시키지 못해 혈액의 암모니아 수치가 증가한다.

문맥고혈압(Portal hypertension)

정상적으로는 간으로 많은 양의 혈액이 유입된다. 문맥과 간동맥은 매 초 약 1.5L의 혈액을 간의 미세혈관으로 공급한다. 간경화가 되면 간 문맥에 의해 공급되는 혈액의 흐름을 방해하여 간 문맥에서의 혈액정체와 혈압증가, 즉 문맥고혈압을 일으킨다.

식도정맥류(Gastroesphageal varices)

간 문맥을 통한 혈액의 흐름이 방해를 받으면 혈액은 간 주변의 작은 혈관들로 우회하여 흐르게 되고, 이 혈관들은 혈액의 흐름을 원활히 하기 위하여 팽창된다. 특히 위장관이나 복부의 혈관에서 이러한 현상이 많이 나타나며 압력이 증가할수록 우회된 혈관은 팽창하며 파열되기 쉽다.

복수

복강 내에 체액이 축적되는 증상으로 문맥고혈압의 증가, 알부민 합성의 감소, 신장 기능의 변화 등에 의해 나타난다. 문맥압의 증가는 혈관을 팽창시키는 산화질소(nitric oxide; NO)를 방출하여 혈압을 낮추고 신장에서 나트륨과 수분을 보유하게 하여 복수가 심해지고 조기 만복감이 나타나 영양불량이 될 수 있다.

간성뇌병증(hepatic encephalopathy)

간에 의해 대사되지 않은 장 내용물에 의한 뇌 내 독성이다. 독성물질인 암모니아가 체내에서 배설되지 못하고 뇌 조직에 축적되어 신경계에 이상을 일으켜 인격장애, 정신장애, 동작기능 장애와 같은 증상들이 나타난다. 치료되지 않으면 간성혼수가 유발된다.

간성혼수(hepatic encephalopathy)

간성뇌병증이 심해지면 무감각, 경련, 의식불명 등의 혼수 증상이 나타난다.

표 4-10 **간질환의 진단을 위한 생화학적 기준**

생화학적 진단	정상 범위(혈청)	간질환 시 수준
Alanine aminotransferase(ALT)	남성: 10~40U/L 여성: 7~35U/L	상승
Albumin	3.4~4.8g/dL	감소
Alkaline phosphatase	25~100U/L	정상 혹은 상승
Ammonia	15~45ugN/dL	상승
Aspartate aminotransferase(AST)	10~30U/L	상승
Bilirubin	0.3~1.2mg/dL	상승
Blood urea nitrogen(BUN)	6~20mg/dL	정상 혹은 감소
Prothrombin time	10~13초	지연

(3) 식사요법

체조직의 분해와 영양불량을 막기 위해 에너지 필요량은 휴식대사량[건체중(dry weight) 이용]에 스트레스 지수를 곱하여 정한다. 간경화 환자의 스트레스 지수는 1.2이며 필요에 따라 조정된다. 탄수화물을 충분히 섭취하면 단백질을 절약하고 간 기능을 회복하며 간의 당원 저장과 합성을 보충할 수 있으므로 300~400g 정도로 공급한다. 탄수화물은 대부분의 에너지 필요량을 제공하나 많은 간경화증 환자가 인슐린 저항성과 고혈당일 수 있으므로 복합당질의 형태로 제공한다. 단백질은 에너지-단백질 영양불량(PEM)이 나타날 수 있으므로 질소균형 유지를 위해 1일 건체중 kg당 0.8~1.2g을 공급하고 방향족 아미노산은 제한하고 분지아미노산 함량이 높은 식품으로 공급한다. 체단백질 분해를 막기 위해 충분한 에너지를 섭취한다. 지방은 에너지와 필수지방산을 공급하나 지방 흡수 불량인 경우 지방섭취를 제한해야 하므로 중간사슬지방산으로 에너지를 제공할 수 있다. 그러나 중간사슬지방산은 필수지방산을 제공하지 않으므로 추가적으로 공급해야 한다. 지방변이 심하면 지용성 비타민, 칼슘, 마그네슘, 아연 등의 보충제도 필요하다. 비타민과 무기질을 충분히 공급한다. 비타민

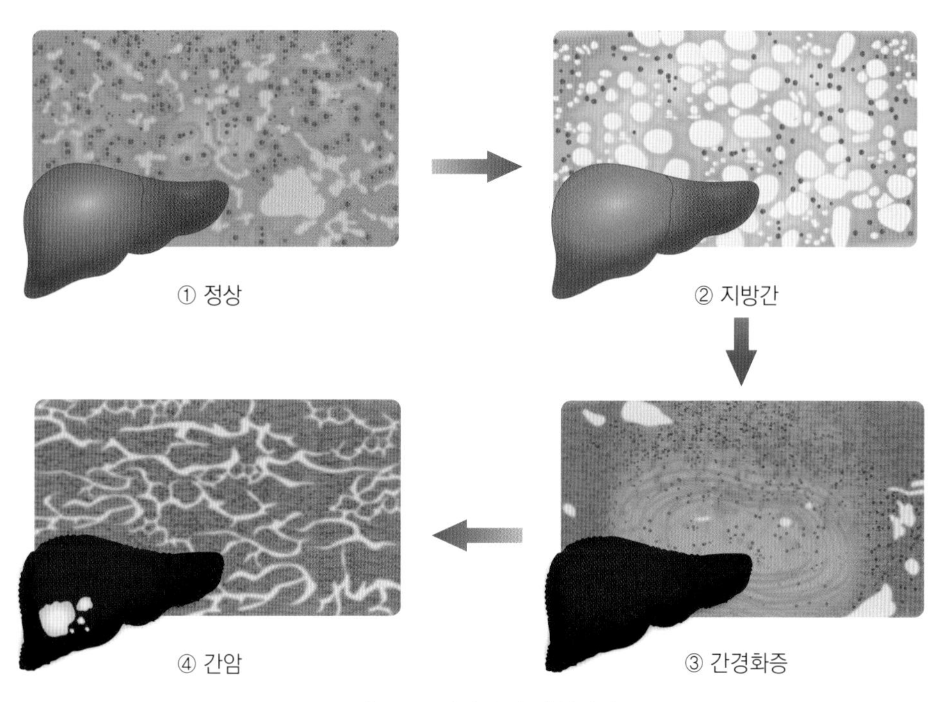

그림 4-5 **지방간의 진행경과**

K는 프로트롬빈의 활성화에 관여하므로 혈액응고 시간이 지연된 경우 보충한다. 비타민 D의 활성화가 잘 이루어지지 않아 골연화증이 발생할 수 있으므로 주의한다. 복수가 있는 경우 나트륨은 중등도로 제한하고 수분을 제한한다. 식도정맥류가 있을 때에는 거칠고 딱딱한 음식은 피하고 부드러운 식사를 한다.

분지아미노산(Branched chain amino acid; BCAA)과 방향족 아미노산(aromatic amino acid; AAA)

분지아미노산인 루이신, 이소루이신, 발린은 근육에서 주로 대사되어 포도당과 케톤체를 형성할 수 있어 에너지원으로 이용된다. 또한 지방조직에서 지방합성에 이용되며 비필수아미노산을 합성하고 골격근에서 TCA 회로의 중간대사물의 합성에 사용된다. 골격근에서 암모니아 대사를 촉진하므로 암모니아에 의한 뇌병변을 막아준다. 방향족 아미노산인 티로신, 페닐알라닌, 트립토판은 간에서 대사되고 혈중으로 방출되지 않으므로 혈중 농도는 낮다. 간손상이 심해지면 방향족 아미노산은 간에서 대사되지 못해 혈중 농도가 높아지며 당신생과 케톤체 생성이 줄어들면 근육, 심장, 뇌에서는 에너지요구량의 약 30%를 분지아미노산에서 보충하므로 혈중 분지아미노산 농도는 낮아지고 근육단백질 분해증가로 방향족 아미노산 농도는 더 높아지게 된다. 방향족 아미노산은 혈액과 뇌장벽을 통과할 때 분지아미노산과 경쟁하여 분지아미노산의 유입을 억제한다. 뇌로 방향족 아미노산이 유입되면 암모니아와 결합하여 뇌신경 장애물질을 형성해 간성뇌증을 초래한다. 그러므로 분지아미노산 함량은 많고 방향족아미노산 함량이 적은 우유, 식물성 단백질 식품(콩, 두부 등) 위주로 공급한다.

- **분지아미노산/방향족 아미노산 비율이 높은 식품**
  콩, 밤, 연근, 수수, 옥수수, 우유, 굴, 연어, 쌀, 식빵, 고구마, 감자, 토란, 된장, 호박, 당근, 시금치, 순무, 양배추, 오이 등

7) 알코올과 간질환

알코올은 1g당 7kcal의 에너지를 내나 다른 영양소는 함유되어 있지 않고 소화액의 분비를 자극하여 식욕을 증진시키기도 한다.

(1) 알코올의 대사

알코올은 위(20%)와 소장(80%)에서 바로 흡수되어 혈액을 통해 간, 두뇌 및 다른 조직으로 보내진다. 흡수된 알코올의 2~10%만이 소변, 땀 혹은 폐를 통해 체외로 배설되고, 90~98%는 대부분 간에서 산화반응을 거쳐 대사된다. 간에서 알코올의 산화는 알코올 탈수소효소(alcohol dehydrogenase; ADH)에 의해 아세트알데하이드가 된 후 아세테이트로 된 후 아세틸 코엔자임으로 전환되어 에너지를 발생하고 나머지는 지방산 합성경로를 거쳐 중성지방으로 되어 축적된다. 흡수된 알코올의 일부와 아세테이트의 일부는 혈액을 통하여 말초조직으로 운반되어 대사과정을 거치기도 한다. 아주 소량의 알코올은 폐로 보내져 호흡할 때 배출되기도 한다. 간은 알코올 분해효소가 처리할 수 있는 이상의 알코올을 섭취하였을 때 다른 효소체계(microsomal ethanol oxidizing system; MEOS)를 이용하여 알코올을 대사시킨다. MEOS는 약물과 이물질을 대사시킬 때 주로 사용되는데 많은 양의 알코올을 섭취하면 간은 알코올을 이물질로 생각하여 MEOS를 이용하여 대사시킨다. MEOS가 활성화되

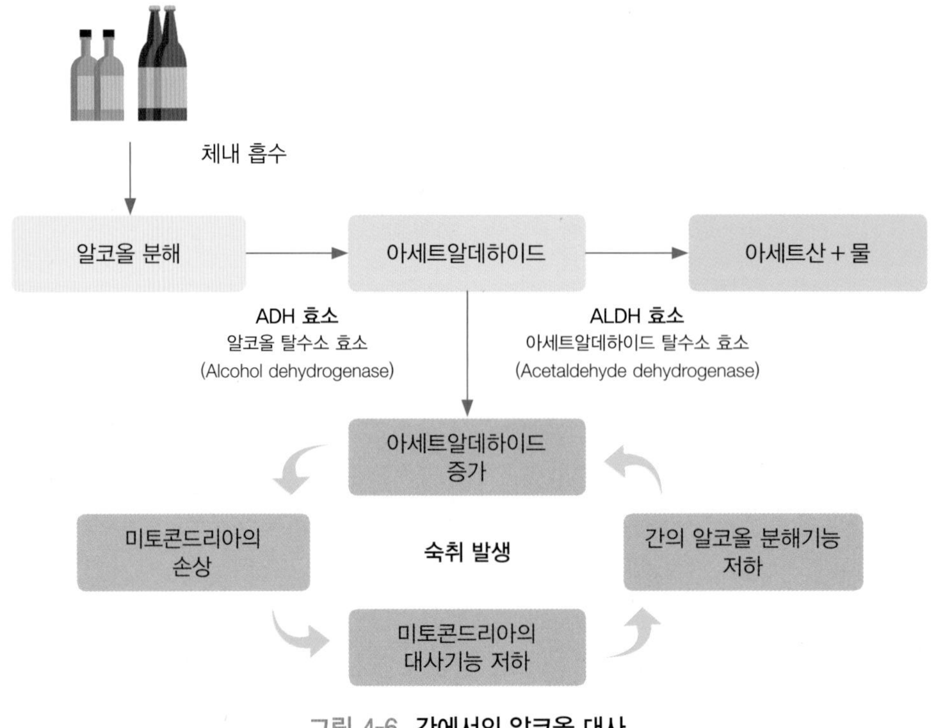

그림 4-6 간에서의 알코올 대사

면 알코올의 내성이 증가되어 알코올 대사율도 증가하므로 술은 마실수록 주량이 늘어난다. 알코올 대사는 식사에 의해 영향을 받으므로 술을 마실 때 양질의 단백질 섭취, 적당한 당질 섭취, 소량의 지질 섭취는 알코올의 산화력을 강하게 한다. 특히 알코올 대사의 80% 이상이 간에서 일어나기 때문에 알코올을 과량으로 섭취하게 되면 간이 손상되어 급성 간염, 지방간, 간경화, 간암, 위장질환 등을 유발한다.

(2) 증상

알코올을 상습적으로 다량으로 마시게 되면 필요한 에너지를 음식물로부터 얻기보다는 알코올로부터 얻게 되어 탄수화물, 지방, 단백질로부터의 에너지 섭취가 감소하고 비타민, 무기질 등은 부족해져 영양결핍증을 유발하게 된다. 장기간의 지나친 과음과 음주는 아세트알데하이드가 세포벽에 손상을 주고 세포괴사를 일으킨다. 알코올 산화로 생성된 아세틸 CoA는 TCA 회로로 들어가지 못하고 지방산 합성을 증가시켜 간 내에 중성지방이 축적되어 지방간이 되고 알코올성 간염, 간경화증으로 되며 간암으로 될 위험이 높다. 또한 뇌세포의 감소를 촉진하고 뇌의 크기를 감소시켜 회복불능의 뇌 손상을 초래하며 지능저하, 기억력 상실, 집중력 부족, 알코올성 치매를 나타낸다. 알코올은 탄수화물로 완전히 대사되기 위해서는 티아민(thiamine)이 필요한데 전체적인 영양소 섭취가 부족하게 되면 티아민이 결핍되어 Wernicke-Korsakoff(실어증, 알코올 중독) 증세가 나타난다.

표 4-11 **혈중 알코올 농도와 신체의 상태**

혈중 알코올 농도	음주량	심신상태		해독시간
		신체변화	정신변화	
0.03%	2잔	근육이완	기분이 고조된 상태	2시간
0.06%	3잔	자극반응 지연, 민첩한 근육 운동 곤란	억제감 탈피 (푸근함을 느낌)	4시간
0.08%	5잔	식별능력 저하, 운동조절능력 상실	다행감, 자신감 커짐	6시간
0.10%	7잔	신체균형을 잡기 어렵게 됨	정신적인 활동능력과 판단력 저하	8시간
0.20%	10잔	운동조절능력 상실(움직이기 위해서는 도움이 필요)	정신적 활동의 혼란	9시간
0.30%	14잔	거의 인사불성 상태에서 심신을 겨우 가눔	기억상실	10~12시간
0.40%	20잔	의식이 없음, 깊은 혼수상태		-
0.50%	21잔	호흡부전으로 사망		-

(3) 식사요법

알코올 섭취를 금하면서 지방간을 막고 간세포 재생을 위해 단백질은 체중 1kg당 1~1.5g의 단백질을 섭취한다. 정상 체중 유지를 위해 하루 30~35kcal/kg 에너지를 복합당질로 공급하며 단백질은 충분히 제공한다. 지방은 유화지방 위주로 섭취한다. 티아민, 니아신 등을 충분히 공급하며 복수가 있는 경우 나트륨을 제한한다. 항이뇨호르몬(antidiuretic hormone; ADH) 분비의 억제로 이뇨현상이 나타나 나트륨(Na), 염소(Cl) 및 수분의 흡수량이 감소하고 마그네슘, 아연, 칼륨이 손실되므로 알코올을 공급한다.

8) 간이식

말기 간질환의 적절한 치료법이다.

(1) 원인

급성 또는 만성 간질환은 점진적으로 간부전으로 진행되어 간이식이 유일한 치료법이다. 특히 간이식은 만성 C형 간염과 알코올성 간질환일 경우에 주로 하게 된다.

(2) 증상

수분 이동으로 인해 체중변화나 근육감소가 일어나며 비타민 B_6, B_{12}, C, 티아민, 니아신, 엽산, 지용성 비타민들, 칼슘, 마그네슘, 인, 칼륨과 아연 등의 영양소 결핍상태가 나타난다.

(3) 식사요법

이식 전의 식사요법은 단백질의 이화작용을 감소시키고 영양부족을 교정하기 위해 충분한 에너지와 단백질을 공급한다. 구강이나 관을 통해 영양섭취를 할 수 없으면 총 비경구영양(Total Parenteral Nutrition; TPN)이 필요할 수 있다.

이식 후에는 거부반응과 감염 때문에 주의 깊게 관리를 해야 한다. 면역억제제들은 이식 거부를 일으키는 면역반응을 감소시키나 감염 위험을 증가시키기도 한다. 감염은 간 이식 후 사망의 중요한 원인이 되므로 항생제 등의 사용이 필요하다. 면역억제제의 부작용으로는 오심, 구토, 설사, 복부통증 등을 유발하고 식욕과 입맛을 변화시킨다. 그러므로 고에너지, 고단백, 비타민과 무기질을 공급해 합병증(과도한 체중증가, 고혈압, 이상지혈증, 당뇨)을 예방해야 한다.

2 담낭질환

담낭은 간의 우엽 아래에 위치하며 간관, 담관, 총담관과 함께 담관 체계를 구성한다. 담낭관은 췌장관과 함께 십이지장에 연결되어 있다.

1) 담낭의 기능

담낭은 간에서 만들어진 담즙을 농축·저장한다. 담즙은 담즙염과 콜레스테롤, 담즙색소(빌리루빈), 단백질, 레시틴으로 구성된 황색의 액체이며 담낭에서 농축된다. 지방 음식을 섭취하면 담즙이 담낭관과 총담관을 거쳐 십이지장으로 배출된다. 담즙의 분비에는 소장점막에서 내분비되는 소화관호르몬인 콜레시스토키닌(cholecystokinin: 화학구조상 pancreozymin과 동일한 호르몬이며 CCK/PZ이라고도 한다)이 관여한다.

담즙은 지방의 유화 및 지방분해효소의 작용을 촉진시킴으로써 지방의 소화·흡수를 돕고 지용성 비타민, 특히 비타민 K의 흡수, 소장운동의 촉진, 소장 상부에서의 비정상인 세균번식 억제, 담즙색소와 같은 노폐물 배설, 콜레스테롤 용해작용 등을 한다. 담즙산은 간에서 콜레스테롤로부터 직접 합성되며, 담즙산염으로 존재한다. 담즙을 통해 십이지장으로 배출된 담즙산의 대부분은 소장에서 재흡수되어 간으로 되돌아간다(장간순환, enterohepatic circulation). 육식, 특히 콜레스테롤이 많은 식사는 담즙의 분비를 증가시키고 당질식사는 분비를 감소시킨다.

2) 담낭질환의 종류 및 원인

담낭염은 세균 감염, 비만, 임신, 변비, 부적절한 식사, 소화기관 장애 등에 의해 발생한다. 담석증(cholelithisasis)은 담즙 성분의 과농도나 결정화에 의해 발병된다. 비만(fat), 임신(ferility), 여성(female), 40대 이상(forty)에서 발생하기 쉽다.

(1) 콜레스테롤 담석

담즙에 콜레스테롤이 너무 많을 때 이들이 농축되어 결정이 생기며 담낭의 수축력이 약화되었을 때도 담낭에 담즙이 계속 남아 담석이 생기기 쉽다. 고에너지, 고지방, 고콜레스테롤 식사가 원인이다.

(2) 색소성 담석

담즙색소(빌리루빈의 칼슘염)가 농축되어 생성된다.

04

3) 증상

오른쪽 상복부에 통증을 나타내며 가슴이나 등쪽으로 퍼지기도 하며 발열, 황달, 상복부의 불쾌감, 팽만감 등을 유발한다. 식후에 나타나며, 특히 기름진 음식을 먹은 경우에 증세가 심하다.

4) 식사요법

급성기에는 통증이 심하므로 1~2일간은 금식하고 정맥으로 수분과 영양을 공급하다 증상이 완화되면 탄수화물 위주의 유동식으로 공급한다. 지질은 절대적으로 제한한다. 증상이 호전되면 저지방(25g 이하의 지방식사), 저섬유소 식사를 공급하며 가스생성 식품은 피하도록 한다. 지방이 많은 육류, 생선, 튀김, 케이크, 버터 및 식용유가 들어간 음식, 알코올 음료, 커피, 탄산음료도 제한한다. 양념을 많이 한 음식, 짜고 매운 자극적인 음식은 피한다. 담낭을 절제하면 담즙은 간에서 소장으로 직접 분비되어 구토, 복부팽만감, 복통을 유발하므로 지방이 많은 음식과 자극성이 강한 음식은 주의한다.

3 췌장질환

소화효소와 중탄산염의 분비 감소와 지방과 단백질의 흡수불량을 일으키는 염증성 질환이다. 급성 췌장염은 췌장에 혈액을 공급하는 혈관의 투과성을 높이고 수분과 혈장 단백질이 췌장세포 사이의 공간으로 누출되어 국소적 부종과 손상을 유발한다. 췌장효소들은 위장관 공간으로 분비되고 그곳에서 활성화되나 췌장이 손상되면 효소들은 췌장 내에서 활성화되고 자가소화와 심한 통증을 유발한다. 아밀라제와 리파제(지방분해효소, lipase)가 장 내로 분비될 수 없을 때 혈관 내로 들어가게 되며 효소농도가 높아진다.

1) 췌장의 구조

췌장은 위의 후방에 좌우로 걸쳐 있는 길이 약 15cm, 넓이 약 3~5cm, 두께 약 2cm, 중량 60g 정도의 기관으로 다수의 소엽으로 구성되어 있으며 췌관은 총담관과 합류하여 십이지장으로 효소 및 분비물이 들어간다.

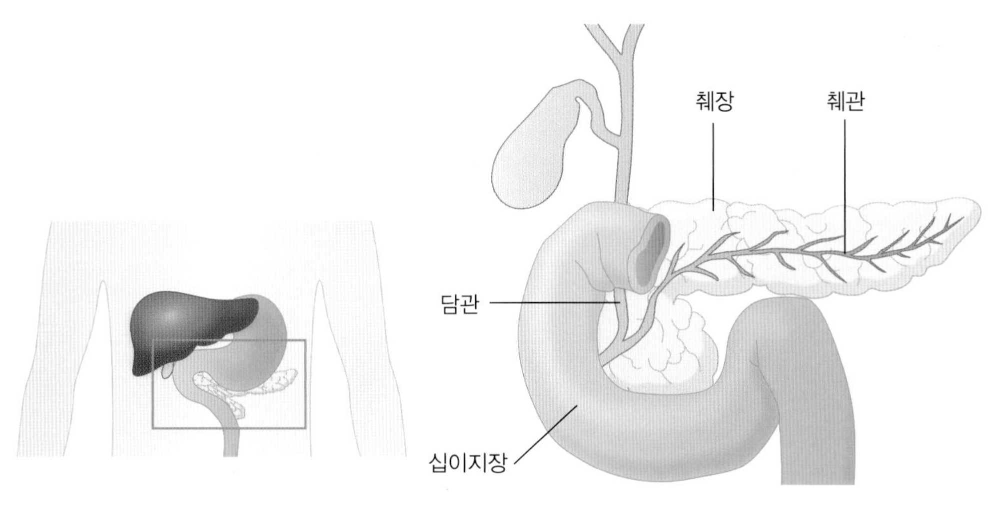

그림 4-7 **췌장의 구조**

2) 췌장의 기능

당질, 단백질, 지방의 소화효소인 아밀라제, 리파제, 프로테아제 등을 분비하며 혈당을 조절하는 인슐린과 글루카곤을 분비한다. 소화효소는 비활성화된 전구체 상태로 췌장에 저장되어 있어 췌장의 자가소화를 막아주며 십이지장으로 분비되어 활성화된다. 췌장에 염증이 생기면 이들 효소는 췌장에서 활성화되어 염증을 악화시키고 혈액으로 방출되어 혈중 수준이 상승하므로 췌장염의 진단으로 이용된다.

3) 원인

급성 췌장염은 과도한 알코올의 섭취와 담낭질환으로 인해 유발된다. 만성 췌장염은 만성 알코올 섭취로 인해서이다. 베타세포가 손상되어 인슐린 생성이 감소하면 만성 췌장염으로 인해 당뇨가 나타난다.

담석증, 고지혈증, 약물복용, 복부 종양 등에 의해서도 발생한다.

4) 증상

췌장조직의 자가소화나 세포의 괴사로 상복부 통증이 지속적으로 심해지며 메스꺼움, 발열, 설사, 구토, 복수, 지방변이 나타나며 쇼크가 올 수 있다.

5) 식사요법

(1) 급성 췌장염

- 통증이 많을 때는 2~3일간 금식하고 정맥으로 수분과 전해질을 공급한다.
- 통증이 완화되면 지방이 없는 탄수화물 위주의 유동식을 준다.
- 식사는 소량으로 자주 공급한다.
- 췌장조직의 재생을 위해 충분한 단백질을 섭취한다. 우유, 생선, 두부 등에서 닭고기 다진 고기 등으로 주며 달걀도 처음에는 흰자위를 사용한다.
- 채소나 과일은 처음에는 잘 삶은 것을 걸러 사용한다.
- 알코올, 커피, 향신료 사용을 하지 않는다.

(2) 만성 췌장염

구토, 메스꺼움, 설사가 만성화되어 체중감소와 영양불량이 된다. 췌장기능이 감소되어 지방과 단백질 소화가 힘들며 중탄산염의 분비도 감소되어 장의 pH가 감소하므로 효소의 활성화를 위한 적절한 pH 조절을 위해 제산제를 복용한다. 인슐린 분비기능이 감소하여 내당능장애가 나타나는 경우가 많으므로 당뇨병과 같은 식사요법을 실시한다.

당질 위주의 식사를 하다 통증이 사라지면 단백질과 지방의 양을 늘린다(단백질 50~60g, 지방 20~30g). 안정되면 췌장세포의 기능을 회복시키기 위해 고단백식(100g)을 한다. 저지방식사(30~40g)를 하고 지방흡수를 높이기 위해 중간사슬지방산을 사용한다. 알코올 섭취를 제한하며 지용성 비타민 흡수가 되지 않으므로 이를 보충한다.

비타민 B_{12}는 췌장의 단백질 가수분해 효소 결핍으로 결합된 운반단백질에서 분리되지 못해 흡수가 저하되고 부족해지기 쉬우므로 주의한다.

요약

- 지방간은 과량의 알코올 섭취, 약물 독성, 당뇨, 비만 등에 의해 발생한다. 간염은 바이러스 간염에 의해 주로 발생하지만 알코올과 약물에 의해서도 발생한다.
- 간염의 치료는 안정, 약물치료, 영양상태 개선을 위한 식사관리가 중요하다.
- 간경변은 간의 섬유화로 인해 피로, 위장관의 장애, 식욕부진과 체중감소 등이 나타나며 합병증은 문맥 고혈압, 위식도 정맥류, 복수와 간성혼수가 있다. 식사요법은 지방, 나트륨 또는 수분의 제한이 적용된다.
- 담석증: 40대, 여성, 임신, 비만인 경우 발생한다. 저지방 식사를 한다.
- 콜레스테롤 담석과 담즙색소인 빌리루빈에 의한 결석이 있다.

복습하기

01 간 기능에 대한 설명으로 옳지 않는 것은?

① 혈청 알부민을 합성한다.
② 담즙을 합성하여 분비한다.
③ 인슐린과 글루카곤을 분비한다.
④ 암모니아를 요소회로를 통해 요소로 전환시킨다.

02 급성 간염환자의 증상이 아닌 것은?

① 황달
② 식욕부진
③ 체중증가
④ 피로와 권태

03 급성 간염환자의 식사요법의 기본은?

① 고열량, 저단백질, 저지방, 고비타민, 저염식
② 고열량, 저단백질, 중등지방, 고비타민, 저염식
③ 고열량, 중단백질, 중등지방, 고비타민, 저염식
④ 고열량, 고단백질, 중등지방, 고비타민, 저염식

04 간염환자의 회복식으로 특히 다량 제공해야 할 영양소는?

① 지방
② 나트륨
③ 단백질
④ 탄수화물

05 담낭 절제수술을 한 환자에게 적합한 음식은?

① 잣죽
② 흰 죽
③ 스테이크
④ 달걀 프라이

06 담석증 환자의 식사요법으로 옳지 않은 것은?

① 담낭 수축을 유발하는 지방의 섭취는 제한한다.
② 담즙 생성에 도움을 주는 단백질을 다량 공급한다.
③ 맵고 짠 자극적인 식품이나 가스 발생 식품은 피한다.
④ 동물성 식품의 섭취를 제한하고 물을 많이 섭취시킨다.

☞ 정답 및 해설은 385쪽에서 확인

제5절 비만과 저체중

1 비만

비만은 체중이 많이 나가는 것이 아니라 체지방이 과잉으로 축적된 상태이다. 대사질환이나 내분비 기능 이상에서 오는 비만이 아닌, 대부분의 비만은 소비한 에너지량보다 식품 에너지를 더 많이 섭취할 때 체지방이 과잉 축적된다. 체지방은 에너지 저장원으로 외부에 대한 방어 및 단열제의 역할을 하나 과잉으로 축적되면 대사장애를 유발한다.

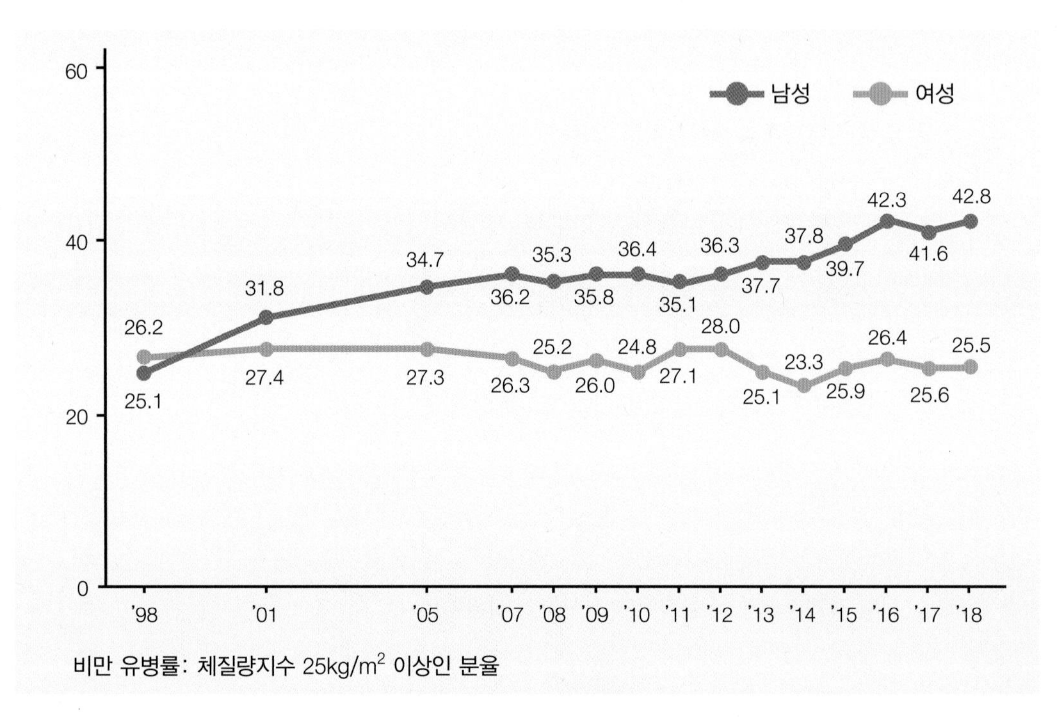

그림 4-8 **비만유병률(%)**

출처: 국민건강영양조사 Fact Sheet, 건강행태 및 만성질환의 20년간(1998~2018) 질병관리본부, 2019.

1) 원인

비만은 유전적 요인, 잘못된 식생활과 운동부족 등에 의한 환경적 요인, 약물, 내분비질환 등에 의해 발생한다. 정상 체중을 유지하고 있는 부모들의 자녀가 비만이 될 확률은 10% 이하이나, 부모 한쪽이 비만이 경우에는 자녀의 약 50%가 비만이 될 수 있으며, 양부모 모두 비만일 경우에 자녀가 비만일 가능성은 약 80%이다. 환경적인 요인에 의한 비만은 섭취하는 에너지에 비해 소비하는 에너지가 적은 상태로 불규칙한 식습관, 고에너지 음식 선호, 운동량 부족 등으로 인해 발생한다.

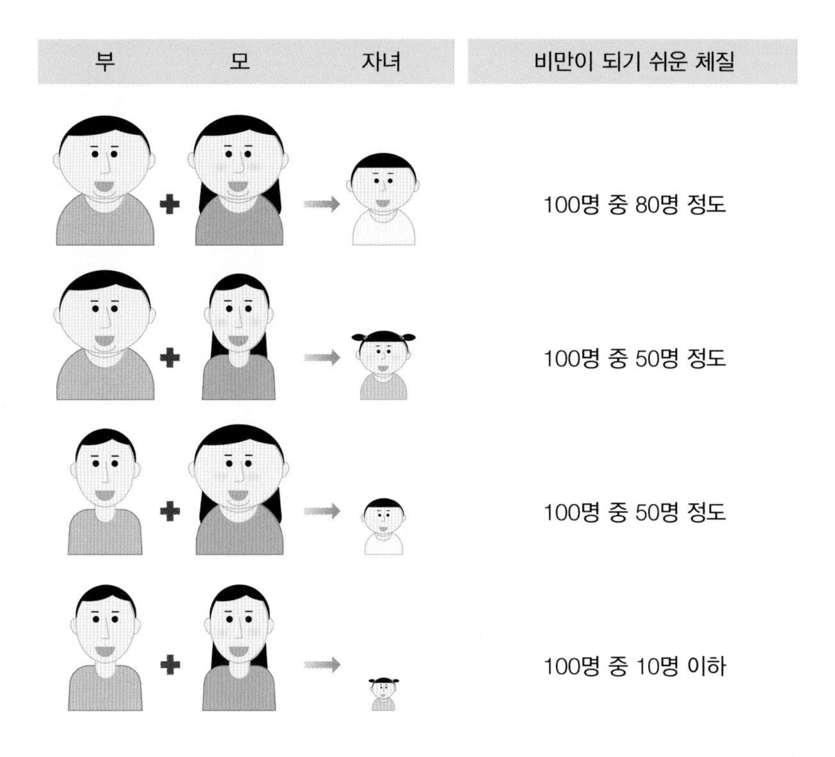

그림 4-9 **비만과 유전적 요인**

2) 판정

비만은 체격지수, 체지방 비율, 체지방 분포에 따라 그 정도를 판정할 수 있다.

(1) 체격지수

① 체질량지수(body mass index; BMI)

신장과 체중을 이용하여 지방의 양을 추정한다.

$$BMI = \frac{체중(kg)}{키(m)^2}$$

18.5 미만은 저체중　　18.5~22.9는 정상
23~24.9는 과체중　　25 이상은 비만

표 4-12 한국인의 체질량지수와 허리둘레에 따른 동반 질환의 위험도

분류[1]	체질량지수 (kg/m^2)	허리둘레에 따른 동반 질환의 위험도	
		< 90cm(남성), < 85cm(여성)	≥ 90cm(남성), ≥ 85cm(여성)
저체중	< 18.5	낮음	보통
정상	18.5~22.9	보통	약간 높음
비만 전단계	23.0~24.9	약간 높음	높음
1단계 비만	25.0~29.9	높음	매우 높음
2단계 비만	30.0~34.9	매우 높음	가장 높음
3단계 비만	≥ 35.0	가장 높음	가장 높음

주 1) 비만 전단계는 과체중 또는 위험체중으로, 3단계 비만은 고도비만으로 부를 수 있다.
출처: 대한비만학회, 비만 진료지침, 2018.

② 이상체중비

$$\text{이상체중비(\%)} = \frac{\text{실제 체중}}{\text{표준 체중}} \times 100$$

비만도 90% 미만은 체중 미달
90~110% 미만은 정상 체중
110~120% 미만은 과체중, 비만 경향
120% 이상은 비만

- 표준체중 계산법(%)

브로카 변법

신장이 150cm 미만인 경우: 신장(cm) − 100
신장이 150~160cm 미만인 경우: {신장(cm) − 150} × 0.5 + 50
신장이 160cm 이상인 경우: (신장 − 100) × 0.9

체질량지수 이용법(대한당뇨병학회)

남성: 표준 체중(kg) = 키(m) × 키(m) × 22
여성: 표준 체중(kg) = 키(m) × 키(m) × 21

③ 카우프 지수[Kaup index: 영유아(5세 미만 어린이)의 비만판정에 많이 이용되는 지수]

$$\text{카우프 지수} = \left(\frac{\text{체중(g)}}{\text{신장(cm)}^2}\right) \times 100$$

13 이하: 영양실조
13~15: 여윔
15~18: 정상
18~20: 과체중
20 이상: 소아비만

④ 뢰러 지수(Rohrer index : 학령기 어린이의 비만 판정에 많이 이용되는 지수)

$$\text{뢰러 지수} = \frac{\text{체중}}{(\text{신장})^3} \times 10^7$$

신장이 110~129cm일 때 뢰러 지수가 180 이상인 경우 비만
신장이 130~149cm일 때 뢰러 지수가 170 이상인 경우 비만
신장이 150cm 이상일 때 뢰러 지수가 160 이상인 경우 비만

(2) 체지방비율 평가

① 생체전기저항측정법(Bioelectrical impedance analysis; BIA)

지방조직은 제지방조직에 비해 전기가 잘 통하지 않아 전기저항이 많이 발생하는 원리를 이용하여 생체전기저항 측정기에 약한 전류를 흘린 다음 되돌아오는 저항을 측정한다. 지방조직이 많을수록 전기저항이 많이 발생하는데 남성은 체지방률이 25% 이상인 경우 비만으로 정의하고 여성은 30% 이상인 경우 비만으로 정의한다.

② 피부주름두께(Skinfold thickness) 측정법

피하지방의 두께를 피부에 일정한 압력이 가해지는 피부 주름 측정용 캘리퍼를 사용하여 피부의 두께를 측정하는 것으로 이를 통해 전체 체지방을 평가한다. 두갈래근(이두박근), 세갈래근(삼두박근), 어깨뼈(견갑골) 하부, 엉덩뼈능선(장골능) 상부 4부위의 피부 두께를 측정하고 이를 더한 수치를 회귀 식으로 만든 표에 적용하여 연령에 따른 체지방률을 산출하는데 95 이상이면 비만으로 간주한다. 이 방법은 비용이 저렴하고 측정이 쉽다는 장점이 있으나 잘 훈련된 측정자가 아닐 경우 측정 오차가 상당히 클 수 있다. 또한 대상자에 따라 지방의 분포가 다르기 때문에 그 정확도가 떨어질 수 있으며, 비만과 관련된 만성질환들과 밀접한 관련이 있는 내장 지방을 반영하지 못한다는 한계점이 있다.

(3) 체지방 분포 평가

복부비만 평가는 허리둘레를 측정하는 방법과 복부 체지방 컴퓨터단층촬영을 하는 방법이 있다.

① 허리-엉덩이 둘레 비율(waist-hip ratio; WHR)

허리둘레는 가장 들어간 부분을 측정하고 엉덩이 둘레는 가장 튀어나온 부분을 측정한다. 남성은 0.95 이상, 여성은 0.85 이상을 복부비만으로 정의한다.

② 허리둘레

허리둘레는 남성은 90cm 이상, 여성은 85cm 이상인 경우 복부비만으로 정의한다.

③ 단층촬영법

단층촬영법은 CT(computor tomography)를 이용하여 지방의 분포를 파악한다. 피하지방형 비만은 주로 복벽에 피하지방이 분포되어 있고 내장지방형 비만은 주로 내장 주변에 지방이 분포되어 있는 것으로, 내장지방형 비만이 여러 가지 합병증을 유발한다.

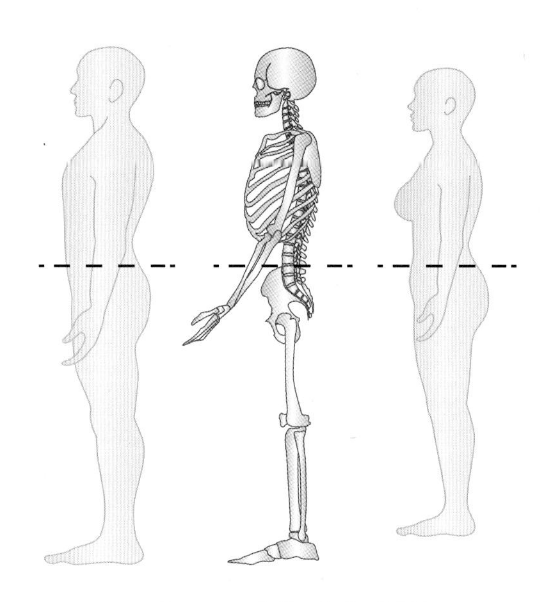

그림 4-10 **허리둘레 측정부위**

3) 분류

비만의 형태는 지방의 위치에 따라 상체비만과 하체비만으로 나눌 수 있으며 허리와 엉덩이 둘레의 비율로 판정한다. 남성은 1.0, 여성은 0.9를 기준으로, 이 비율이 높아지면 체지방의 정도(비만도)와 무관하게 여러 질환에 대한 위험률이 증가된다.

(1) 상체비만 : 남성형, 사과형 비만

복부에 지방이 많은 체형으로 남성에게 주로 나타난다. 복부에 있는 지방은 내장지방형 비만으로 이어지는데 내장 지방세포에서는 여러 가지 아디포카인(adipokine)이 분비되어 인슐린 저항성을 증가시켜 혈당이 상승하고 혈중 중성지방 상승, HDL 콜레스테롤 저하 등의 이상지혈증을 유발한다. 또한 고혈압, 심혈관계 질환, 당뇨병 등의 대사질환 발생률이 높아진다.

(2) 하체비만 : 여성형, 서양배형 비만

둔부와 대퇴부에 지방이 많은 체형으로, 여성에게 주로 나타난다. 여성도 상체비만이면 당뇨병, 동맥경화, 고혈압 등의 합병증이 발생한다.

그림 4-11 **체지방의 위치에 따른 비만의 분류(대한비만학회 제시 기준)**

(3) 지방세포 증식성 비만(Hyperplastic obisity)

지방세포 수가 증가하는 비만으로 영유아기와 학령(전)기에 주로 발생한다. 비만의 정도로 볼 때 에너지 과다와 에너지 소비의 불균형이 원인으로 소아비만에 많다. 소아비만이 성인비만으로 이행될 경우 지방세포의 수는 정상 체중인 사람의 3~4배가 된다. 지방세포의 수를 감소시키기는 어려우므로 치료가 쉽지 않다.

(4) 지방세포 비대성 비만(Hypertrophic obesity)

지방세포의 수는 정상에 가까우나 지방세포 크기가 커지는 비만이다. 성인기나 중년기 이후에 체중이 증가하거나 임신을 하였을 때 많이 발생한다. 지방세포 비대성 비만은 체중이 줄면 지방세포의 크기도 줄어들므로 비만세포 증식성 비만보다 치료가 쉽다.

(5) 지방세포 수와 크기가 모두 증가하는 비만(Hypertrophic andhyperplastic obesity)

지방세포의 수가 증가하면서 크기도 커지는 비만으로 고도비만에서 주로 나타난다.

백색 지방조직과 갈색 지방조직

지방조직은 백색 지방조직과 갈색 지방조직으로 구성되어 있는데 갈색 지방세포는 백색 지방세포보다 크기가 작지만 미토콘드리아 수가 많아 추울 때 열을 발생하여 에너지를 소비하며 주로 목, 등, 겨드랑이 내장 주변에 있다. 백색 지방조직은 에너지를 저장하므로 기능이 다르다.

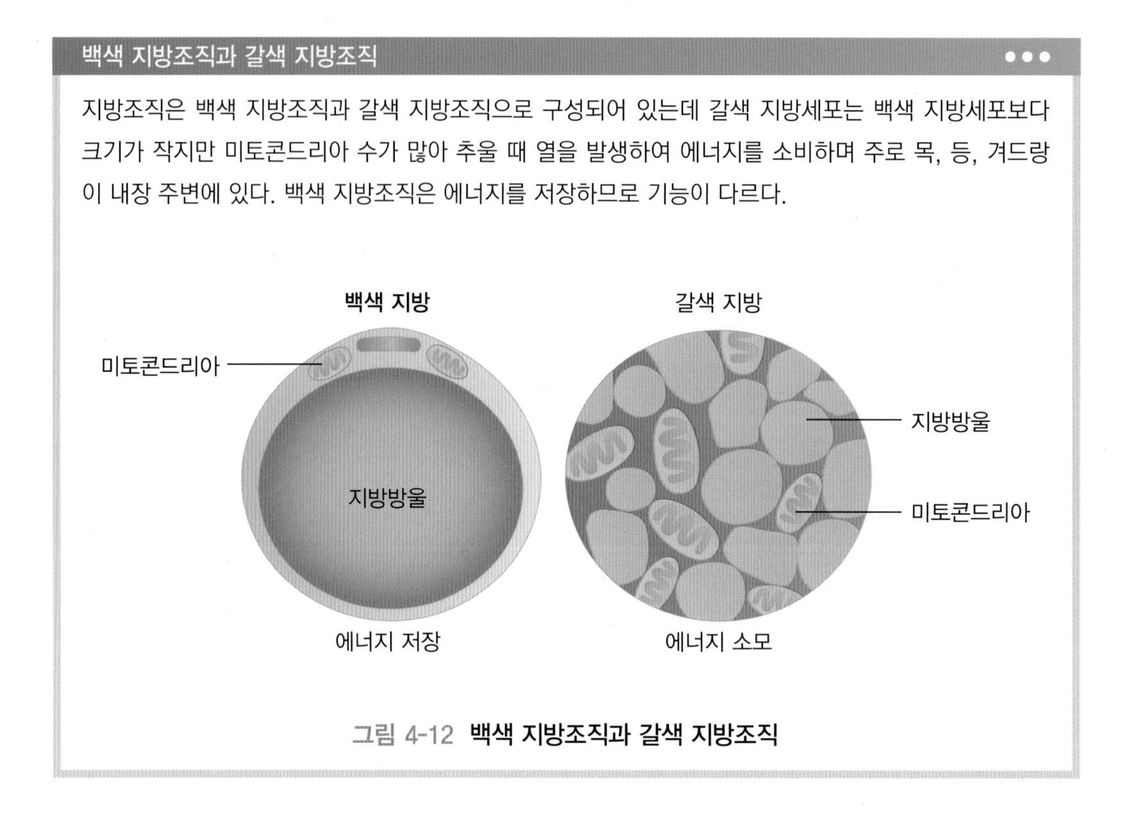

그림 4-12 **백색 지방조직과 갈색 지방조직**

4) 비만으로 인한 질환

(1) 고혈압

비만은 고혈압 발생의 위험을 증가시키지만 적정 체중을 유지하면 혈압이 감소하여 고혈압 발생 위험이 감소한다.

(2) 이상지혈증

비만한 사람들은 혈중 중성지방과 LDL이 높으며, HDL-콜레스테롤이 낮다.

(3) 2형 당뇨병

비만한 사람들은 인슐린 저항성 등으로 인해 2형 당뇨병 발현이 많다.

(4) 대사증후군

2형 당뇨병이나 고지혈증, 고혈압과 다른 심혈관계 질환이 동시에 같이 나타나는 현상을 대사증후군이라고 하는데 비만한 사람들에게서 대사증후군 발현이 많다.

표 4-13 **한국인의 대사증후군 진단기준**

구분	기준	비고
복부비만	허리둘레 남성 90cm, 여성 85cm 이상	이 중 3가지 이상에 해당되면 대사증후군으로 진단함
이상지혈증	150mg/dL 이상	
저HDL-콜레스테롤혈증	남성 40mg/dL, 여성 50mg/dL 미만	
공복혈당 상승	100mg/dL 이상이거나 약물치료 중	
혈압 상승	130/85mmHg 이상이거나 약물치료 중	

출처: Grundy et al.(2005), Circulation 112 : 2735-52; 이상엽 외(2006), 대한비만학회지 15(1) : 1-9.

(5) 뇌졸중

2형 당뇨병, 고혈압, 고지혈증과 같은 동반 질환이 있는 경우에는 체질량지수가 25~29.9 범위에 있더라도 뇌졸중 유병률이 증가하는 것으로 보고되고 있다.

(6) 여성 생식기계 이상

비만은 다낭성 난소증후군, 불임, 월경이상 등을 유발한다. 특히 복부 비만은 안드로겐의 과잉 분비를 유도하여 월경이상과 불임의 중요한 원인이 된다. 임신부의 비만은 출산할 때 많은 문제를 유발하고 태아에게도 악영향을 끼친다.

(7) 호흡기능 이상

비만은 수면무호흡증을 유발하는데, 특히 복부 비만과 두꺼운 목이 폐쇄성 수면무호흡증과 연관되어 있다.

(8) 근골격계 이상

비만은 척추와 관절에 부담을 주어 요통과 골관절염, 고요산혈증을 유발하여 통풍 발생의 위험을 증가시킨다.

(9) 암

비만한 남성은 대장암, 결장암 등의 발현이 많으며, 비만한 여성은 유방암, 자궁암 발생이 정상 체중의 여성보다 매우 높다.

(10) 간·담도계 질환

비만한 사람은 담낭질환이 많은데 이는 담즙 내 콜레스테롤 농도가 증가하여 담석이 생기기 때문이다. 비만인 사람에게는 간질환, 특히 지방간이 흔하다.

(11) 정신적·사회적 문제

비만한 여성과 어린이는 자아존중감이 낮고 우울증에 빠지는 등 감정적·사회적 문제를 더 많이 겪게 될 수 있다.

5) 치료

비만은 예방이 중요하며 비만을 진단받은 경우 꾸준한 영양관리, 운동관리 등이 일생동안 지속되어야 하며 행동수정 등을 통한 심리적 변화도 필요하다.

(1) 식사요법

식사는 매일 알맞게 3회로 배분하여 조절하고 식사 시간을 일정하게 하며 천천히 식사한다. 이때 당질 55~60%, 단백질 20~25%, 지방 15~20%의 비율로 식사를 하는 것이 바람직하다.

① 탄수화물

탄수화물을 지나치게 제한하면 지방이 불완전 산화하여 케톤체를 생성하고 케토시스(ketosis)의 원인이 된다. 뇌신경계는 포도당을 에너지원으로 사용하므로 하루에 최소 100g 정도의 탄수화물은 꼭 섭취해야 한다.

② 지방

지방의 섭취를 줄이다 보면 필수지방산의 섭취가 부족하게 되어 성장장애나 피부염의 원인이 될 수 있다. 특히 지용성 비타민은 지방과 함께 섭취되므로 하루 총 에너지의 15~25% 정도를 지방으로 섭취하는 것이 바람직하며, 지방식품을 섭취하면 위 내의 체류시간이 길어져 포만감 유지와 공복감 지연을 위해서 좋다. 동맥경화 등의 예방을 위해 불포화지방산과 포화지방산(polyunsaturated fatty acid/saturated fatty acid; P/S) 비를 1~1.5 정도로 하여 섭취하는 것이 좋다.

③ 단백질

에너지 섭취를 줄이면 체단백질이 분해되어 에너지로 사용되므로 근육조직이 약화되고 장기의 내장 단백질이 소모되어 손상되기 쉬우므로 체중 1kg당 1~1.5g을 섭취한다. 단백질과 지질이 함께 들어있는 육류 등의 섭취를 줄이고 두부, 두유, 콩류, 흰살생선, 난백, 닭가슴살 등 지방이 적은 단백질 식품을 섭취하는 것이 좋다.

④ 비타민과 무기질

비타민과 무기질은 체내 대사를 원활하게 해 주므로 충분히 섭취해야 한다. 특히 비타민 B 복합체와 비타민 C 등의 섭취를 충분히 하고 무기질 중에서 칼슘, 철분 등의 섭취가 부족하지 않도록 한다.

⑤ 물

물은 체내 대사를 촉진하며 포만감을 주고 노폐물을 체외로 배출시키므로 하루에 7~8컵 이상 섭취하는 것이 좋다.

⑥ 알코올과 흡연

알코올은 간에서 주로 대사되어 1g당 7kcal의 고에너지를 내고 알코올이 분해되는 동안에는 체지방의 연소가 억제되므로 가능한 섭취하지 않는 것이 좋다. 흡연은 알코올과 함께 하는 경우가 많아 간접적으로 비만을 악화시키는 경우가 많으므로 주의한다.

⑦ 조리방법의 변화

에너지를 고려하여 튀김보다 국물요리나 찜 요리를 하고 백미보다는 잡곡밥을 섭취하는 것이 좋다.

⑧ 비만관리를 위한 식품선택

- 자극적인 음식은 식욕을 촉진하여 에너지 과잉을 유도하므로 맵고 짠 음식보다는 담백한 음식을 섭취하도록 한다.
- 위 안에 머무르는 시간이 긴 식품을 선택하고 포만감이 높은 음식을 섭취한다.

⑨ 식이섬유의 섭취

- 수분을 흡수해서 팽창하여 소화관의 운동을 활발히 한다.
- 장 안에서 유해성분을 흡착해서 배출시키며, 변의 용적을 증가시켜서 변비를 억제한다.
- 흡수성과 점도가 강하므로 당의 흡수를 지연시켜서 혈당상승을 억제한다.
- 에너지가 없으면서 팽창해 포만감을 준다.
- 담즙산과 콜레스테롤을 흡착해서 배출시키며, 혈중 콜레스테롤을 낮추어 주므로 동맥경화와 담석증을 예방한다.
- 장 안에서 생성된 발암물질을 흡수하며, 유해 세균을 분해·배설하므로 유해물질의 생성·억제효과가 있다.
- 식이섬유소는 고구마, 곤약, 콩, 과일, 김, 땅콩, 보리빵, 감자, 당근, 버섯류, 채소류 등에 함유되어 있다.

⑩ 외식할 때 주의점

외식은 대체적으로 ① 지방을 많이 사용하고, ② 채소류를 부족하게 사용한 경우 영양적으로 불균형한 경우가 많으며, ③ 조미료를 많이 사용하는 경향이 있다.

04

이러한 외식의 단점을 보완하기 위해 외식을 할 때는 설탕 및 기름을 많이 사용한 음식은 소량 섭취하고 외식으로 부족해지기 쉬운 무기질, 비타민은 우유나 달걀 및 과일로 보충하는 것이 좋다.

⑪ ω-6계와 ω-3계 지방산 균형

인체에서 ω-6계와 ω-3계 지방산은 서로 상호 전환되지 못하며 대사과정에서 서로 경쟁한다. 그러므로 이들 지방산 비의 균형이 중요하다. 우리나라는 4:1에서 10:1의 비율을 권장하고 있다. ω-6계 지방산이 많은 식품으로는 들기름, 카놀라유, 두유, 호두 등이 있다. 연어, 고등어, 정어리 같은 어류에는 ω-3계 지방산인 EPA와 DHA를 많이 함유하고 있다.

(2) 운동관리

운동을 함으로써 체지방이 감소하지만, 운동 초기에는 근육량의 증가와 비지방 성분의 밀도가 높아지므로 체중은 변화하지 않으나 지속적으로 운동을 하면 근육량 증가의 수용력 한계로 지방량을 감소시켜 이를 극복하므로 체중이 감소된다. 따라서 장기간에 걸친 규칙적인 운동이 필요하다. 격렬한 운동은 산소 소모량이 크므로 체내에서 당질을 연소하여 에너지를 소모하지만, 산소 소모량이 크지 않은 중등도 이하의 운동에서는 체지방을 에너지원으로 이용한다. 당질은 지방에 비해 분자 내에 산소를 많이 함유하므로 산소 소모량이 큰 운동의 에너지원으로 이용된다. 지방은 산소 소모량이 적은 운동에서 유효한 에너지원이 된다. 따라서 체지방을 줄이기 위해서는 달리는 것보다는 꾸준히 걷는 것이 좋다. 또한 운동은 혈장 인슐린과 중성지방을 감소시키며 인슐린에 대한 조직의 민감도를 높이고 인슐린 저항을 개선하여 비만에서 오는 합병증을 예방한다. 혈장 지질에 있어서도 HDL-cholesterol을 증가시키고 VLDL, LDL을 감소시킴으로써 비만의 합병증인 심혈관질환을 예방한다.

표 4-14 **유산소운동과 근력운동의 특징**

구분	유산소운동	근력운동
정의	• 중간 정도의 강도에서 큰 근육을 사용하여 몸 전체를 움직이는 운동 • 근육에 산소를 충분히 공급하여 체내 지방 대사를 촉진시킴으로써 지방 산화에 기여함	• 근육에 일정한 무게를 줌으로써 근육의 힘인 근력을 강화시키는 운동 • 체지방량 감소와 함께 근육량 증가로 인해 기초대사량의 증가에 기여함
종류	걷기, 달리기, 하이킹, 인라인 스케이트 타기, 자전거 타기, 수영, 줄넘기 등	역기, 덤벨, 운동, 팔굽혀펴기, 윗몸일으키기, 요가, 필라테스 등
주의사항	• 지나친 맥박상승 시에 고혈압 주의 • 협심증 환자가 지나친 강도로 진행 시 건강 악화 우려	• 순간적인 혈압상승 때문에 고혈압이나 심장병이 있는 사람은 피해야 함 • 사춘기 이전의 어린이는 성장판의 손상 우려

적정 운동강도 계산법(Karvonen formula)

운동 시 목표 심박수 = 운동강도 × (최대 심박수 − 안정 시 심박수) + 안정 시 심박수

- 최대 심박수 = 220 − 연령
- 안정 시 심박수 = 안정된 상태에서 측정된 심박수

예 연령 35세, 안정 시 심박수가 65인 사람
최소 운동강도의 심박수 = 0.6 × (185 − 65) + 65 = 137회
최대 운동강도의 심박수 = 0.8 × (185 − 65) + 65 = 161회

위 대상자는 목표 심박수가 분당 137~161회 정도의 심박수가 유지되도록 관리하며 운동하는 것이 안전하고 효율적이다.

(3) 행동수정

대상자의 행동과 식습관을 변화시키는 것으로 식사일지에 식사와 관련된 모든 것을 기록한다. 즉 식사일지에 식사형태와 양, 식사시간, 식사 장소, 식사 중 식사태도, 식사와 관련된 행동, 식사 시의 감정상태, 식사 시에 배고픔 정도 등을 기록하여 분석함으로써 행동을 변화시킨다.

(4) 약물 및 수술요법

약제를 복용하면 입안의 건조, 불면증, 불안, 흥분, 변비 등의 여러 부작용이 나타나기도 한다. 그러므로 약물을 단독으로 하는 것은 바람직하지 않다.

수술은 병적으로 비만하여 심장질환으로 조기에 사망할 위험이 있는 경우에 실시한다. 조절형 위밴드술, 위소매절제술, 우회로 수술 등이 있다. 수술 후에는 적은 양의 에너지와 영양소가 흡수되어 체중감소를 가져온다. 그러나 저칼륨혈증, 저칼슘혈증, 비타민 결핍, 관절염, 신결석 등의 합병증을 수반하기 쉽다.

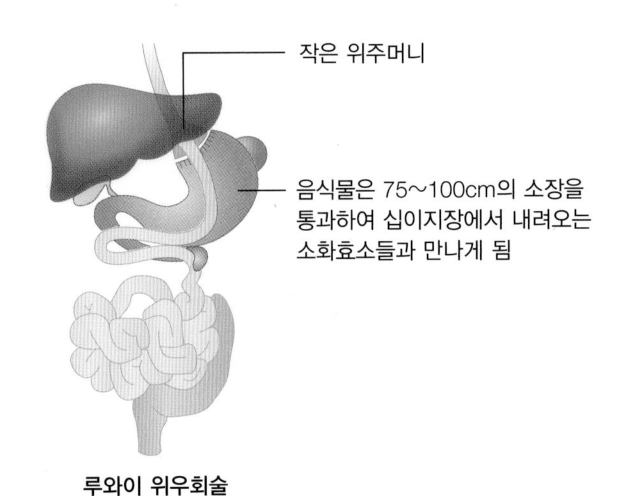

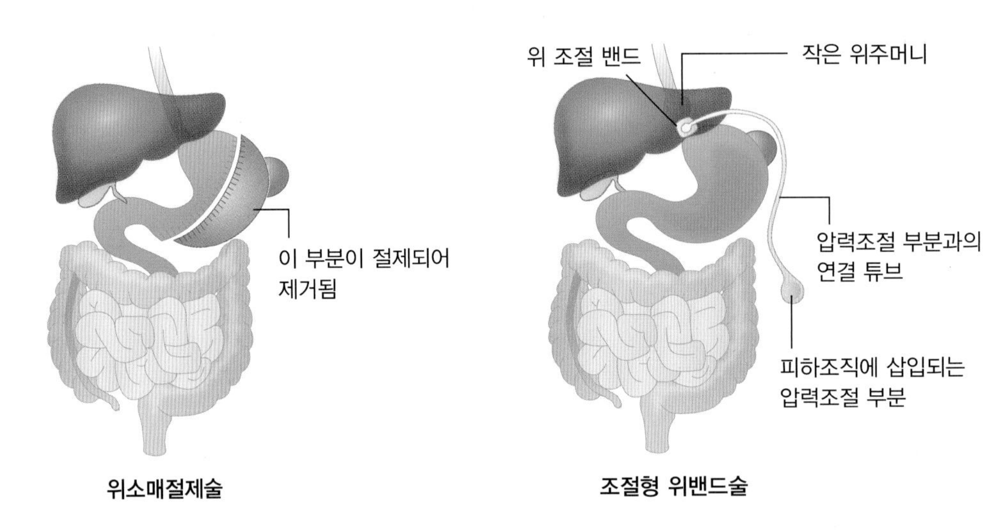

그림 4-13 **비만 대사 수술방법**

표 4-15 **비만치료제로 장기간 사용이 승인된 약물**

구분	올리스타트 (orlistat)	날트렉손 + 부프로피온 (naltrexone + bupropion)
작용	지방흡수 억제	식욕 억제
작용기전	췌장 리파제는 비가역적으로 억제하여 중성지방이 지방산으로 분해되어 장관 내로 흡수되는 것을 차단함	• 부프로피온: 노르에피네프린과 도파민 재흡수를 차단하여 뇌에서 세로토닌과 도파민을 증가시키고, POMC 뉴런을 자극하여 식욕을 억제함 • 날트렉손: POMC 뉴런을 활성화시켜, 부프로피온의 식욕억제 작용을 강화시킴
부작용	지방변, 복부팽만 및 방귀, 배변증가, 배변실금 등	변비, 두통, 구토, 어지러움, 불면, 설사, 불안, 안면홍조, 피로, 떨림, 상복부 통증, 바이러스성 위장염, 이명, 요로감염, 고혈압, 복통, 다한증, 자극과민성, 혈압상승, 미각 이상, 두근거림(심계항진)

* POMC: proopiomelanocortin

출처: 대한비만학회(2018). 비만 진료지침 2018.

(5) 생활습관

① 정상 체중을 유지한다.
② 매일 유산소운동을 30분~1시간 정도씩 꾸준히 한다.
③ 탄수화물과 지방 위주의 식품보다 채소, 과실, 콩 제품, 우유, 생선, 잡곡 등의 식품 위주로 식사한다.
④ 짜게 먹지 않도록 한다.

2 저체중

저체중은 체중이 표준 체중보다 10% 이상 적게 나가는 것을 말한다.

1) 원인

저체중은 정상 체중보다 지방세포 수가 적거나 지방을 저장하는 백색 지방세포보다 지방을 열로 방출시키는 갈색 지방세포가 많고 적은 양의 음식으로 포만감을 느낀다. 암이나 감염, 고열, 대사성 질환 등의 소모성 질환을 앓고 있거나 심리적으로 음식 섭취를 거부하거나 뇌의 식욕중추에 장애가 있어 식욕이 없거나 영양소 흡수장애가 있거나 갑상샘항진증을 앓고 있거나 심한 활동을 하는 데 반해 에너지 섭취가 적거나 경제적으로 어려운 경우, 음식섭취에 관심이 없는 경우 등에 의해 저체중이 유발된다.

2) 식사요법

① 에너지 : 하루에 500~1,000kcal를 추가하여 고에너지 식사를 공급한다. 에너지 섭취를 증가시키기 위해서는 간식을 섭취하거나 음식 조리 시 기름을 이용하거나 쿠키, 버터 바른 빵 등 에너지 밀도가 높은 식품을 섭취한다.
② 단백질 : 고단백식을 섭취한다.
③ 탄수화물 : 소화되기 쉬운 형태의 탄수화물이 많이 든 음식을 공급한다.
④ 지방 : 에너지 섭취를 증가시키므로 적정량 공급한다.
⑤ 비타민, 무기질 : 비타민과 무기질을 충분히 공급한다.

3 식사장애(Eating disorder)

체중과 체형에 대한 왜곡된 생각과 식행동에 대한 심리적 두려움으로 음식을 정상적으로 섭취하지 않는 질병으로 신경성 식욕부진증과 신경성 탐식증(폭식증), 마구먹기 장애 등이 있다.

1) 신경성 식욕부진증(Anorexia nervosa)

음식물 섭취를 심하게 제한하여 극도의 체중감소를 유발하는 것으로 생명을 위협할 수도 있다.

(1) 원인

본인의 신체를 왜곡되게 인식하고, 살이 찌는 것에 대한 강한 두려움을 가져 음식섭취를 극도로 제한하여 체중이 정상이하로 매우 낮아도 자신이 체중이 많이 나간다는 왜곡된 생각을 갖고 있다. 주로 사춘기를 갓 지난 소녀들에게서 나타난다.

(2) 증상

영양소 결핍, 근육쇠약, 피로, 포도당신생성 증가에 의한 당원 고갈, 근육분해, 체중감소 등이 나타나고 심해지면 무월경, 맥박수 감소, 갑상샘 기능저하, 위배출 지연, 골다공증, 변비, 빈혈 등으로 전신이 쇠약해진다.

(3) 식사요법

체중감소를 방지하고, 목표 체중에 도달하기 위해 열량을 점차 증가시키면서 규칙적이고 균형잡힌 식사습관을 갖게 도와주고 스스로도 노력해야 한다. 초기에는 환자의 위장관 부담을 최소화하는 식품을 선택하며 1일 최소 1,200kcal 이상의 열량 섭취가 권장된다. 탄수화물 50%, 단백질 25%, 지방 25% 정도의 영양소를 공급한다.

2) 신경성 탐식증(Bulimia nervosa)

살찌는 것에 대한 두려움으로 빈번한 폭식 후 제거 행동(자발적 구토, 배변제, 이뇨제 등을 사용한 강제 배설, 과도한 운동, 단식 등)을 반복하는 식사장애이다.

(1) 원인

체중과 외모에 대한 관심과 걱정으로 체중증가를 두려워하고 매체 등에서 날씬함을 강조하는 사회적 기대에 부응하고자 하는 마음이 지나친 경우에 발생하는 경우가 많다. 거식증과 달리 체중은 정상 범위에 있는 경우가 많다.

(2) 증상

과식·폭식과 구토, 설사약, 관장약, 이뇨제 등을 복용하여 배설하는 행동 등의 반복으로 인체의 생리적·생화학적 균형이 교란되어 여러 가지 부작용이 나타난다. 반복적인 구토로 식도와 위가 손상을 받게 되며 위산이 올라와 입, 식도, 후두의 점막을 부식시키며 치아의 에나멜층을 파괴한다. 탈수증이 나타나고 저칼륨증, 저마그네슘증, 저칼슘증 등의 전해질 이상이 초래되어 부정맥을 유발할 수도 있다.

(3) 식사요법

폭식-강제배설의 순환을 끊기 위해 정상 식사를 회복하는 것이 중요하며 음식, 체중, 체형에 대한 잘못된 생각이나 신념을 교정하는 인지행동치료나 정신적 치료가 도움이 될 수 있다.

3) 마구먹기 장애(Binge eating disorder)

폭식을 반복적으로 하지만, 이에 따르는 강제 배설행위는 거의 없는 것이 신경성 탐식증과 다르다. 음식을 매우 빠르게 배가 불러 몸이 불편해질 때까지 먹고 배가 고프지 않아도 많은 양의 음식을 섭취한다. 다이어트에 실패한 경험이 많은 비만인 사람에서 일부 나타나기도 한다.

(1) 원인

여러 가지 다양한 요소에 의해 유발되는데 왜곡된 신체 불만족, 마른 것에 대한 강한 욕구로 인해 나타난다. 자아존중감이 낮은 사람, 우울 등과 같은 부정적인 감정으로 인해 발생할 수도 있다.

(2) 증상

일단 폭식을 하게 되면 통제할 수 없어 마구 먹게 되나 폭식 후에는 후회, 자책감, 우울감 등을 느끼나 자가 유도 구토나 이뇨제, 하제 등을 사용하지 않는다. 탄수화물과 에너지가 많은 음식을 섭취하며 타인 앞에서는 적게 먹는 경향이 있으며 비만이거나 과체중 상태이다.

(3) 식사요법

그릇된 식행동을 정상화하고, 음식조절을 통해 체중을 정상화시켜야 한다. 심리치료, 인지행동치료, 심리·정신적인 치료도 함께 하는 것이 권고된다.

표 4-16 식사장애의 종류

신경성 식욕부진증	신경성 탐식증	마구먹기 장애
• 표준체중 유지를 거부하고 현재 체중이 원래 체중의 15% 이상 감소된 상태(1단계)이거나, 혹은 25% 이상 감소(2단계)된 경우 • 저체중임에도 불구하고 체중 및 체지방 증가에 극도의 두려움을 가지는 경우 • 체중이나 체형에 대해 잘못된 인식을 가지고 있으며, 현재 자신의 저체중 상태에 대한 심각성을 부정하는 경우 • 폐경 전 여성에서 연속해서 3회 이상 무월경이 나타나는 경우	• 폭식(binge eating)이 반복적으로 나타는 경우 • 체중증가를 방지하기 위해 구토, 완화제나 이뇨제의 남용, 관장, 단식, 과다한 운동 등이 부적절한 보상행위를 반복하는 경우 • 3개월에 1주, 1주에 2회 이상 마구먹기와 부적절한 보상행동을 모두 보이는 경우 • 체형이나 체중 때문에 자기 자신을 부정적으로 평가하는 경우 **[폭식의 유형]** • 제거형 : 구토, 완화제, 이뇨제 및 관장약을 남용하는 행위를 반복함 • 비제거형 : 절식, 과다한 운동 등과 같은 보상행위는 하지만, 구토, 완화제, 이뇨제 및 관장약을 남용하는 행위는 하지 않음	• 폭식이 반복적으로 나타나는 경우 • 폭식 시 다음 중 3가지 이상이 동반됨 - 정상인보다 빨리 먹음 - 불편할 정도의 만복감을 느낄 때까지 먹음 - 배고프지 않아도 많은 양의 음식을 먹음 - 많이 먹는다는 것이 부끄러워 혼자 먹음 - 폭식을 한 후 자신에 대한 혐오감을 느낌 - 폭식으로 인해 상당한 고민을 함 • 최근 6개월 동안 일주일에 최소 2일 이상 폭식을 함 • 폭식 후 그릇된 보상행위(하제 사용, 단식, 과다한 운동 등)를 하지 않음

출처: 대한영양사협회, 임상영양관리지침서(제3판), 2008

요약

비만은 체지방이 과잉으로 축적된 것으로 유전 환경, 특히 식사의 영향을 많이 받는다.
비만의 진단은 체질량지수, 허리둘레 등으로 판단한다.
비만의 식사요법은 열량 섭취는 줄이고, 단백질·비타민·무기질은 충분히 공급한다. 당질은 복합당질 위주로 공급한다.

복습하기

01 비만의 정의로 가장 옳은 것은?

① 체지방이 과잉으로 축적된 경우
② 키에 비해 체중이 많이 나가는 경우
③ 제지방량(LBM)이 지나치게 큰 경우
④ 브로카(Broca) 지수가 100 이상인 경우

02 비만한 성인 여성이 건강하게 체중을 감소시키기 위해서 1일 얼마 정도의 열량을 매일 감소시키는 것이 좋은가?

① 500kcal
② 1,500kcal
③ 2,000kcal
④ 1,800kcal

03 비만도 측정에 가장 많이 사용되는 체질량지수의 계산식과 BMI가 30인 경우의 판정은?

① $\frac{\text{체중(kg)}}{\text{신장(m)}^2}$, 비만

② $\frac{\text{체중(g)}}{\text{신장(cm)}^2}$, 정상

③ $\frac{\text{체중(g)}}{\text{신장(cm)}}$, 저체중

④ $\frac{\text{체중(kg)}}{\text{신장(m)}}$, 과체중

☞ 정답 및 해설은 385쪽에서 확인

04 비만을 치료할 때의 식사관리 방법 중 바람직하지 않은 것은?

① 지방을 줄이고 섬유질의 섭취를 늘인다.
② 열량은 줄이되 단백질은 충분히 섭취한다.
③ 케톤 식사로 식욕을 감소시켜 체중을 줄인다.
④ 동일한 열량의 식사를 할 때 주식은 줄이고 간식을 자주 한다.

05 비만의 원인에 대한 설명으로 옳지 않은 것은?

① 갑상샘호르몬 분비가 증가할 때 비만이 생긴다.
② 정서불안으로 과식을 하는 경우 비만이 되기 쉽다.
③ 시상하부의 포만 중추에 이상이 생기면 비만이 생긴다.
④ 일생생활의 활동량과 운동부족이 비만을 초래하기 쉽다.

06 비만환자가 저열량식을 실시할 때 적절하지 않은 것은?

① 나물과 미역 등을 싱겁게 조리하여 많이 섭취한다.
② 잡곡밥, 채소밥 등 섬유질이 많은 음식을 섭취한다.
③ 콩나물국, 미역국 등 국물이 많은 조리로 만복감을 준다.
④ 돼지 삼겹살 등을 충분히 섭취하여 지방과 단백질을 공급한다.

07 저체중자는 적정 체중으로 증가시키는 것이 건강상 중요하다. 체중 증가를 위한 방안으로 적절치 않은 것은?

① 사탕, 초콜릿 등을 자주 먹는다.
② 밤참으로 빵, 국수 등을 먹는다.
③ 간식으로 땅콩, 바나나, 치즈 등을 먹는다.
④ 칼로리 증가를 위해 포도주, 알코올 음료 등을 매일 마신다.

☞ 정답 및 해설은 385쪽에서 확인

제6절 당뇨병

당뇨병은 인슐린 대사가 정상적으로 이루어지지 않아 혈당 농도가 상승되는 대사장애이다. 췌장의 베타세포에서 분비되는 인슐린의 분비가 상대적으로 또는 완전히 부족하거나 세포의 인슐린 수용체 결함으로 인해 발생하여 탄수화물, 단백질, 지방의 대사장애를 일으킨다. 또한 일상적인 활동에도 영향을 끼치며 신경계통, 특히 대혈관 혹은 미세혈관에 손상을 주어 다른 기능장애를 일으킨다.

1 대사

1) 당질 대사

식사로 섭취한 탄수화물은 단당류로 가수분해되어 흡수된다. 포도당은 췌장 베타세포에서 생성된 인슐린이 혈액으로부터 세포 내로 운반하여 세포 내에서 해당과정, TCA 회로, 전자전달계를 거쳐 ATP를 생성하며 여분은 간이나 근육에서 당원(glycogen)으로 전환되어 혈당 농도를 낮춘다. 식후 3~4시간이 지나 혈당이 떨어지면 글루카곤에 의해 간의 당원이 분해되어 포도당을 생성하고 당질부신피질호르몬(glucocorticoid)은 아미노산, 젖산 등을 포도당으로 전환시키는 포도당신생성을 통해 혈당을 유지한다. 인슐린이 생성되지 않거나 기능이 저하되면 당원 생성이 감소되며 말초조직에 있는 포도당의 이용률이 저하되어 포도당이 이용되지 못해 고혈당이 되고 단백질과 지방은 분해되어 포도당신생성에 이용된다. 혈당이 신장의 문턱값을 넘게 되면 당뇨가 되며, 소변으로 포도당이 나가게 되면 물과 나트륨 배설을 증가시켜 갈증을 느끼게 된다.

2) 지질 대사

인슐린은 지방산 합성, 중성지방의 합성과 분해, 케톤체의 생성과 이용에 중요하며 간에서 젖산과 아미노산이 아세틸 CoA로 전환되는 것을 촉진하며 아세틸 CoA로부터 지방산의 합성을 촉진한다. 당뇨병인 경우 인슐린이 결핍되거나 부족하여 포도당의 이용은 감소하고 당원(glycogen) 합성은 저하된다. 따라서 간의 당원 저장이 감소하게 되어 에너지가 부족하게 되므로 지방이 분해된다. 지방산은 간으로 가서 과잉의 케톤체를 생성하여 혈액으로 내

보내 케톤혈증이 된다. 혈액으로 들어온 지방산은 이상지혈증(dyslipidemia)을 유발하고 간에서 콜레스테롤 합성이 증가하여 동맥경화증 발생위험을 증가시킨다.

3) 단백질 대사

인슐린은 근육과 지방조직으로 아미노산의 유입을 증가시키고, 특히 근육 내로 분지아미노산의 이동을 증가시켜 단백질 합성을 촉진한다. 당뇨병이 있는 경우 인슐린이 부족하여 근육으로 분지아미노산이 유입되지 못하고 간으로 유입되어 포도당신생성에 이용되어 혈당이 증가한다. 그 결과 분해된 분지아미노산인 발린, 루이신, 이소루이신은 간에서 혈액으로 방출되며 아미노산 분해로 요소 합성이 촉진되어 소변으로 질소 배설이 증가한다. 당뇨병을 제대로 치료하지 않으면 근육량과 체중이 감소하고 알부민 같은 혈장단백질도 저하되어 면역기능도 떨어진다.

4) 전해질 대사

혈당이 높아지면 혈액의 삼투압이 증가하여 수분이 조직에서 혈액으로 이동한다. 혈중 포도당과 케톤체가 소변으로 배설될 때 다량의 수분이 함께 배설되어 소변량이 증가하고 탈수 증상이 나타난다. 체단백질이 분해되어 칼륨이 유출되며 나트륨 등의 전해질과 함께 소변으로 배설된다.

2 당뇨병

1) 당뇨병의 원인

유전적인 요인과 환경적인 요인이 복합적으로 작용해 발생한다. 비만 또는 과체중, 45세 이상, 가족력 또는 민족적 배경(히스패닉, 흑인, 아시아계 미국인 등), 임신 중 4kg 이상의 아기를 출산했던 여성, 좌식습관 등이다. 잦은 임신, 감염, 스트레스, 약물 남용 같은 환경인자가 작용하면 당뇨병 발생률이 높아진다.

대한당뇨병학회에 따르면 30세 이상 성인 약 7명 중 1명(13.8%)이 당뇨병을 가지고 있으며 65세 이상 성인에서는 약 10명 중 3명(27.6)이다. 최근 7년 동안 당뇨병의 유병률은 지속적으로 높은 수준을 보이고 있다.

당뇨병 전단계와 인슐린 저항

당뇨병 전단계는 혈당 수치가 정상보다는 높지만 당뇨병 진단기준보다는 낮을 때를 의미한다. 인슐린 저항상태에서는 근육, 지방, 간세포가 인슐린에 반응하지 못해 혈관으로부터 포도당을 쉽게 흡수하지 못해 포도당을 세포에 들여보내기 위해서는 체내에 더 많은 인슐린이 필요하게 된다. 체지방 과다는 인슐린 저항과 당뇨병 전단계의 위험요인이다.

비타민 D와 당뇨병

췌장 베타세포의 정상적인 인슐린 분비를 유지하는 비타민 D가 결핍되면 당뇨병 발생과 관련이 있다. 비타민 D는 인슐린 저항을 일으키는 염증을 줄이고 베타세포가 파괴되지 않도록 보호한다.

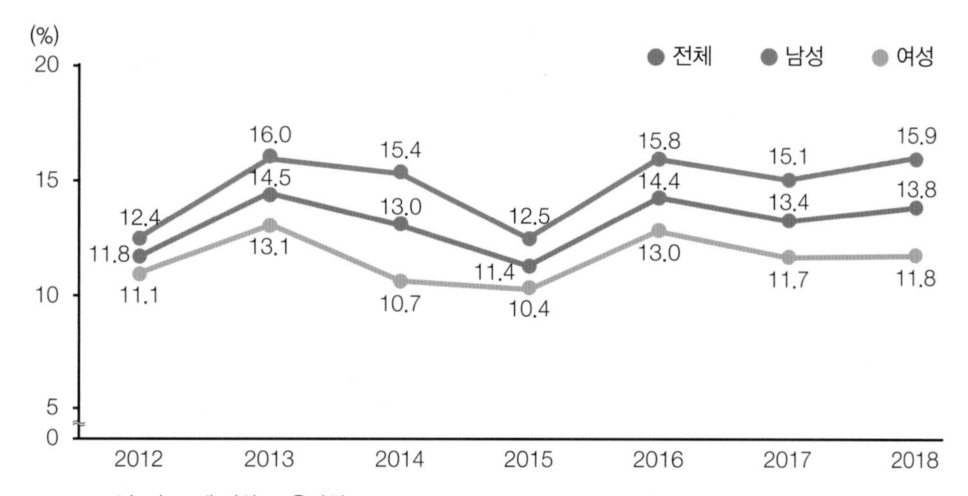

• 2012~2018년, 만 30세 이상, 조율값임
• 당뇨병 유병률 공복 혈당이 126mg/dL 이상이거나 의사진단을 받았거나 혈당강하제 복용 또는 인슐린 주사를 사용하거나, 당화혈색소 6.5% 이상인 분율

그림 4-14 **당뇨병 유병률 변화(2012~2018년)**

출처: Diabetes Fact Sheet in Korea, 2020 대한당뇨병학회 2012~2018년

2) 당뇨병의 증상

혈당 농도가 약 200mg/dL가 넘으면 신장문턱(renal threshold)을 초과하여 소변으로 포도당이 배설된다(glycosuria, 당뇨). 소변으로 당이 빠져나오면 수분이 혈액으로 이동되어 소변의 배설이 증가된다. 이와 같이 잦은 배뇨(polyuria, 다뇨), 탈수 그리고 갈증의 증가(polydipsia)는 당뇨병의 전형적인 증상들이다. 또한 인슐린의 부족으로 세포 내는 영양적인 고갈이 일어나 식욕이 증가하여(polyphagia, 대식증) 많이 섭취하지만 세포가 제대로 당을 이용하지 못해 체중은 오히려 감소하게 된다. 고혈당과 고삼투압 농도로 인해 혈액 내 점

성이 올라가고 혈류는 줄어들게 되며, 눈 조직도 손상을 받게 되어 시력을 잃을 수도 있다. 또한 당 대사와 에너지 대사가 원활하게 되지 않아 피로감, 탈수증 등의 증상도 나타나게 된다.

3) 당뇨병의 진단

(1) 공복 혈당검사와 당부하검사

공복 혈당이 126mg/dL 이상, 무작위로 측정한 혈당이 200mg/dL 이상, 경구 당부하검사 2시간 후 혈장 혈당이 200mg/dL 이상인 경우에 당뇨병으로 진행된다.

경구 당부하검사

포도당 50~75g을 경구 투여한 후 2~5시간 동안 30분 혹은 1시간 간격으로 혈액을 채취하여 혈당을 측정한다.

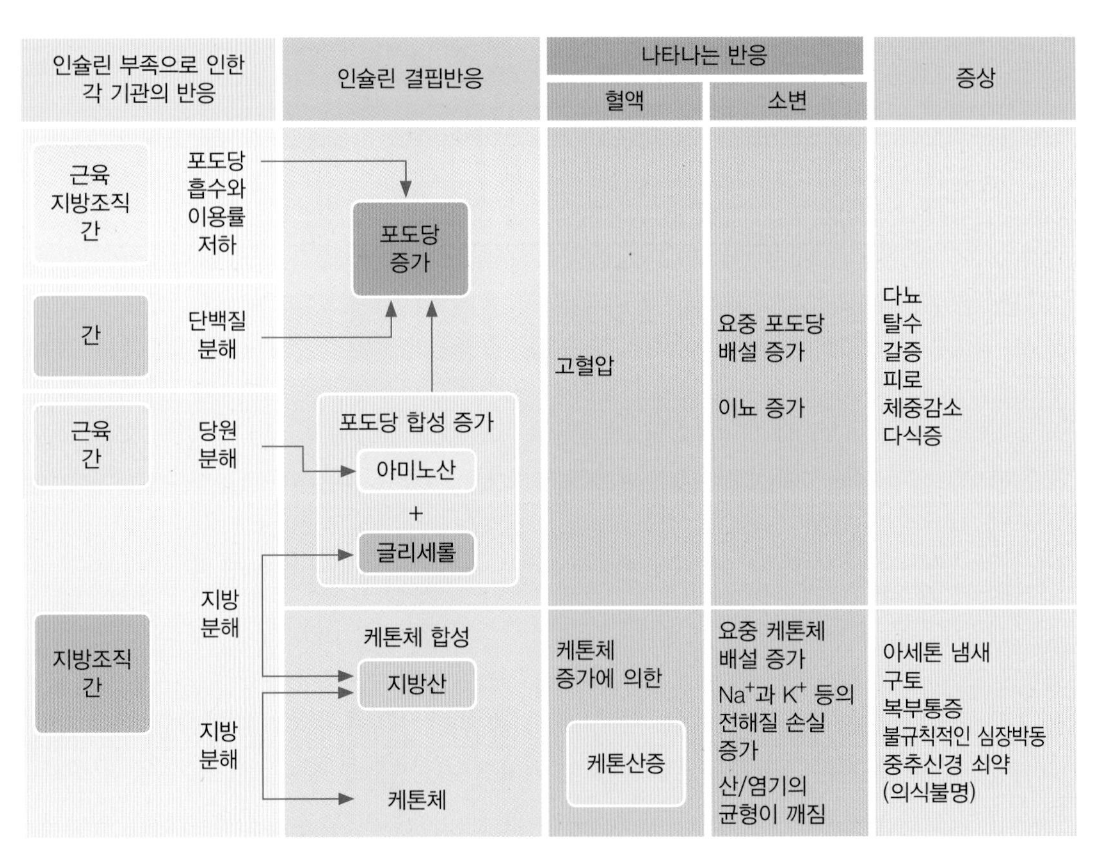

그림 4-15 **당뇨병으로 인한 체내 기관에서의 대사변화와 임상 증상**

출처: 한정순 외(2010). 간호와 영양.

(2) 당화혈색소 측정(Glycosylated Hb; HbAlc)

당화혈색소는 적혈구의 헤모글로빈이 포도당과 결합하여 생긴 분자로 혈당이 높아지면 헤모글로빈에 포도당이 비효소적으로 결합하여 당화헤모글로빈이 증가한다. 정상인 경우 4.0~6.0%이나, 당뇨병은 6.5% 이상이다. 당화혈색소는 혈당처럼 쉽게 변화되지 않아 장기간에 걸친 혈당 변화를 알 수 있다. 혈당이 정상적으로 된 후에도 5~6주 정도 지나야 당화혈색소 농도는 정상으로 된다.

4) 당뇨병의 분류

1형 당뇨병과 2형 당뇨병의 특징은 표 4-17에 있다. 임신은 비정상의 당내성과 임신성 당뇨를 유발하게 된다. 임신성 당뇨는 출산을 하게 되면 사라지긴 하지만 2형 당뇨병 발생의 위험이 있다.

표 4-17 **1형 당뇨병과 2형 당뇨병의 특징**

	1형 당뇨병 소아청소년 당뇨병 인슐린 의존형 당뇨병 (Insulin Dependent Diabetes Mellitus; IDDM)	2형 당뇨병 성인형 당뇨병 인슐린 비의존형 당뇨병 (Noninsulin-dependent diabetes mellitus; NIDDM)
발병 빈도 및 시기	전체 당뇨병의 5~10%, 30세 이하	전체 당뇨병의 95% 이상, 45세 이상
발병 원인	자가면역질환, 바이러스 감염 유전, 췌장 베타세포의 파괴로 인한 인슐린의 절대적 부족	비만, 노화, 유전, 인슐린 저항성, 인슐린의 상대적 부족
인슐린 분비	인슐린 분비가 매우 적거나 전혀 안 됨	인슐린 분비가 정상일 수도 있고 오히려 증가되어 있거나 혹은 감소될 수도 있음
증상	다뇨, 다식, 다갈, 체중감소	피로
인슐린 치료	반드시 해야 한다.	필요한 경우에 한다.
케톤증	케토시스 흔하다.	케토시스 흔하지 않다.

출처: 한정순 외(2010). 간호와 영양.

(1) 1형 당뇨병(Type 1 diabetes mellitus; T1DM)

인슐린을 생산하고 분비하는 췌장 베타세포가 자가면역 파괴에 의해 인슐린을 생성하지 못해 절대적인 인슐린 결핍이 발생하므로 반드시 외부에서 인슐린을 공급받아야 한다. 1형 당뇨병은 일반적으로 아동기와 청소년기에 갑자기 발병하고 전형적인 증상은 다식

(polyphagia: 인슐린이 없으면 포도당이 세포 내로 들어갈 수 없으므로 포도당은 혈류에 축적되고 세포에는 에너지가 없어 환자는 음식을 다량으로 섭취하게 된다), 잦은 소변(다뇨, polyuria: 포도당이 세포 내로 들어가지 못하고 혈류에 축적되어 혈액은 고장액 상태가 되어 소변을 많이 생산함으로써 과도한 포도당을 제거하려고 한다), 체중감소와 갈증(다음·다갈, polytipsia: 소변배출량의 증가로 인해 신체는 잃어버린 수분을 대체하기 위해 갈증을 느끼고 물을 마시게 된다.)의 증가이며 케톤증(산독증)이 발생한다. 케톤증은 케톤체가 과도하게 생산되는 것으로 중탄산은 혈액의 산증을 중화한다. 수소이온과 중탄산이온은 결합하여 H_2CO_3를 만들고 물과 이산화탄소가 되며 이산화탄소는 호흡으로 배출된다. 철저한 식사요법과 인슐린 주사가 필요하다.

(2) 2형 당뇨병(Type 2 diabetes mellitus; T2DM)

2형 당뇨병은 인슐린 저항에 의해 발생하는데, 췌장은 이를 보충하기 위해 많은 양의 인슐린을 분비하므로 혈장인슐린 농도는 비정상적으로 높아진다(고인슐린혈증). 세포의 높은 인슐린 요구는 결국 췌장의 베타세포를 고갈시켜 인슐린 분비는 감소되고 혈장인슐린 농도가 낮아진다. 그러므로 2형 당뇨병은 인슐린 저항성과 인슐린 결핍 둘 다 관련이 있으며 유전, 운동부족, 노화, 비만(특히 복부비만)에 의해 증가한다. 2형 당뇨병인 사람의 약 80~90%가 비만이며, 비만 자체가 인슐린 저항을 유발하는 직접적인 요인으로 추정된다. 증상은 다뇨와 다갈, 쉽게 피로를 느낀다.

(3) 임신성 당뇨병(Gestational diabetes mellitus; GDM)

임신 중기나 후기에 인슐린 저항성에 대해 인슐린 분비능력이 적절하게 보상하지 못해 발생하는 내당능장애이다. 일반적으로는 출산으로 임신이 종료되면 당뇨병이 사라지나 나중에 2형 당뇨병 발생위험이 있으므로 분만 후에도 지속적으로 관리해야 한다.

(4) 아동과 청소년의 2형 당뇨병

대부분 2형 당뇨병은 45세 이상에서 나타나는데, 과체중이며 당뇨 가족력이 있는 아동과 청소년들에게서도 2형 당뇨병 발현 위험이 증가한다. 음식 섭취 조절과 운동을 통한 당뇨병 예방 프로그램은 어린이들의 2형 당뇨병을 예방하기 위해 필요하다.

5) 당뇨병의 합병증

인슐린 결핍은 에너지 대사에 장애를 일으키고 고혈당은 전해질 불균형을 일으키며 여러 가지 합병증을 일으킨다.

(1) 급성 합병증

① 당뇨병성 케톤산증(diabetic ketoacidosis; DKA)

충분한 인슐린을 생산하지 못하고 지방을 연료로 분해해 혈중 산(케톤산) 농도가 높아질 때 발생한다. 1형 당뇨병 환자에게서 나타날 수 있다. 고혈당은 삼투성 이뇨, 탈수, 젖산산증을 유발한다. 케톤증의 특징은 산독증, 고혈당증, 탈수, 구토, 식욕부진, 다뇨, 다갈 증상이 나타난다. 산독증은 이산화탄소를 배출하면 부분적으로 회복된다. 과호흡 증후군인 깊은 호흡이 나타나며 호흡에서 과일향 냄새가 난다(아세톤호흡). 다뇨로 인해 전해질이 배설되어 산독증을 악화시켜 혼수상태가 되기도 한다. 케톤증은 인슐린 주사를 제때 맞지 못하거나 질병이나 감염, 알코올 중독, 스트레스에 의해서도 발생한다. 치료는 인슐린을 투여하고 정맥으로 전해질과 수분을 공급한다.

② 고혈당성 고삼투압성 비케톤성 증후군(hyperglycemic hyperosmolar nonketotic syndrome; HHNS)

인슐린 결핍에 의한 고혈당이 나타나며 혈당이 600mg/dL 이상으로 높아지기도 한다. 극심한 고혈당증은 세포 외액과 내액이 고갈되어 고삼투압성이 되며 혼수상태를 유발하기도 한다. 치료로는 수분과 전해질을 공급하고 적당한 양의 인슐린과 칼륨 보충이 있다.

③ 저혈당증

저혈당(<70mg/dL 미만의 혈당)은 인슐린을 과도하게 사용하거나, 단식, 공복상태에서 운동을 많이 하거나 알코올을 섭취하는 경우에 발생한다. 증상은 배고픔, 불안함, 심장의 두근거림, 불안감, 두통, 떨림, 피로감이 나타난다. 단순당(포도당)액 15~20g을 물에 타서 마신다. 사탕, 과일주스, 청량음료, 포도당 정제 등의 급속효성 탄수화물은 쉽게 당으로 변화되어 흡수되므로 좋다.

(2) 만성 합병증

오랜 기간 동안 높은 당 농도에 노출되면 세포와 조직이 파괴된다. 혈중의 포도당과 단백질이 반응하여 생성된 AGE(advanced glycation end products)가 축적되어 세포, 혈관, 미세혈관, 신경계를 손상시킨다. 또한 순환장애 등으로 인해 면역력이 떨어져 감염이 많이 발생한다.

① 대동맥 합병증

당뇨병은 동맥경화와 심혈관질환 발생 위험을 높인다. 혈전과 사지 동맥의 감소된 혈류는 보행 중 통증을 유발하며 족부궤양의 원인이 된다.

② 미세혈관 합병증

당뇨병이 오래 되면 망막의 모세혈관을 점차적으로 손상시켜 망막증으로 시력을 잃게 된다. 신장의 미세혈관 손상으로 인한 신장질환(신부전)이 당뇨 말기에 자주 일어난다.

③ 신경장애

당뇨병 환자들은 신경조직이 손상되어 신경자극 전달이 둔화되어 통증 마비, 사지의 감각저하가 나타나 상처를 입어도 환자가 모를 수 있다. 특히 발의 상처에 부주의해질 수 있어 족부궤양으로 진행될 수 있다.

6) 식사요법

의학적인 영양치료인 식사요법은 당뇨를 개선하는 데 도움이 된다. 적절한 음식물의 선택은 혈당 수준을 개선하고 당뇨 합병증의 진전을 더디게 할 수 있다.

(1) 에너지 섭취량의 결정

신장과 체중, 연령, 성별, 활동량에 따라 결정하며 표준 체중을 유지하는 것이 중요하다.

① 체질량지수에 기초한 표준 체중 산출

- 남성 : 표준 체중(kg) = 키(m) × 키(m) × 22
- 여성 : 표준 체중(kg) = 키(m) × 키(m) × 21

② 에너지 필요량 산출

- 육체활동이 거의 없는 환자 : 표준 체중 × 25~30kcal/kg
- 보통 활동 : 표준 체중 × 30~35kcal/kg
- 심한 육체활동 : 표준 체중 × 35~40kcal/kg

(2) 3대 영양소의 균형 있는 배분

1형 당뇨병은 탄수화물 45~60%, 단백질 15~20%, 지방 35% 미만, 2형 당뇨병은 탄수화물 55~60%, 단백질 10~20%, 지방 20~25%로 권장하고 있다.

① 탄수화물

탄수화물 섭취는 식사 사이의 혈당치에 변동을 줄이기 위해 식사와 간식을 매우 일관되게 계획해야 한다. 단순당 섭취는 제한하고 복합당질 위주의 식사를 한다. 과당을 과잉 섭취하는 경우 혈중 중성지방을 상승시킬 수 있다. 당 알코올은 섭취 후 혈당을 급격

혈당지수(Glycemic index; GI)

당질식품이 소화 흡수된 후에 혈당을 어느 정도 높이는 가를 수치화한 것으로 혈당을 빠르게 높이면 high GI 식품(70 이상), 혈당을 늦게 올리는 식품은 low GI (55 이하) 식품이다.
이는 식사를 하면 혈당이 상승하는데, 혈당이 상승하면 췌장에서 인슐린이 분비되어 간과 근육으로 포도당을 운반하고 여분의 에너지는 지방으로 축적되기 쉬우므로 혈당치를 천천히 올리는 음식을 섭취하면 혈당이 서서히 상승하게 되어 체지방의 축적이 덜 일어나게 된다.

당부하지수(Glycemic load; GL)

혈당지수에 1회 섭취분량의 영향을 반영한 값이다. 호박은 혈당지수가 75로 높기는 하지만, 호박의 80g 중 탄수화물은 단지 4g뿐이라서 상대적으로 혈당부하지수는 3으로 낮다.

당부하지수 = 당지수 × 1회 섭취분량에 함유된 탄수화물의 양/100

표 4-18 **음식의 GI 수치표**

GI 수치가 낮은 식품 (< 55)			GI 수치가 낮은 식품 (55 ~ 60)			GI 수치가 높은 식품 (> 70)		
식품명	GI	열량	식품명	GI	열량	식품명	GI	열량
녹차	10	0	메밀국수	54	340	옥수수	70	92
우뭇가사리	11	2	고구마	55	132	라면	73	381
다시마	17	138	바나나	55	86	베이글	75	273
호두	18	674	오트밀	55	380	쿠키	77	432
콩나물	22	0	현미	56	350	으깬 팥소	78	244
배추	23	14	건포도	57	301	우동(생)	80	270
오이	23	14	현미밥	58	130	핫케이크	80	261
양송이	24	11	호밀빵	58	264	딸기잼	82	262
우유	25	67	은행	58	187	찹쌀	80	360
콜리플라워	26	27	수박	60	37	케이크(생크림)	82	344
딸기	29	34	냉동 만두	60	214	흰 쌀밥	84	136
달걀	30	158	치즈피자	61	215	감자튀김	85	130
토마토	30	19	밤	60	164	떡	85	239
오렌지	31	46	황도캔	63	85	찰떡	85	235
청국장	33	172	토란	64	58	도너츠	86	387
사과	36	54	보리(압맥)밥	64	140	벌꿀	88	294
고등어	40	202	스파게티	65	149	찹쌀떡	88	235
대구	40	79	현미푸레이크	65	376	감자	90	76
두부	42	72	파인애플	65	51	식빵	91	264
바지락	44	51	참마	65	64	초콜릿	91	557
닭가슴살	45	105	소면(말린것)	68	356	바게트	93	279
쇠고기 안심	45	198	크로와상	68	431	과자 빵류(팥빵)	95	280
돼지고기 안심	45	223	카스텔라	69	323	캔디	108	396
통밀빵	50	265				설탕	109	384

출처: 대한영양사협회(2010). 대한당뇨병학회(2010).

04

하게 상승시키지는 않으나 하루에 30~50g 이상 섭취 시에는 설사를 일으키므로 다량 섭취는 하지 않는다. 케톤증 예방을 위해 하루 130g 이하로 탄수화물 섭취를 제한하는 저탄수화물 식사는 추천하지 않는다. 식품 섭취 후 혈당의 상승 정도를 비교하는 지표인 혈당지수(GI)를 참고한다. 펙틴, 구아검, 해조다당류 등 수용성 섬유소는 혈당을 낮추고 인슐린 필요량을 감소시키며 불용성 섬유소는 혈당, 혈청 콜레스테롤, 중성지방을 저하시키므로 충분히 섭취한다.

② 지방

총 지방량은 전체 칼로리의 20~25%를 초과하지 않도록 하며 포화지방의 섭취는 총 칼로리의 7% 이하로 제한하고, 트랜스지방의 섭취는 최소화하며, 콜레스테롤의 섭취는 하루 200mg 이하로 제한한다. LDL 콜레스테롤을 줄이기 위해 포화지방산의 섭취를 줄이고 단일 불포화지방산이나 다가 불포화지방산을 섭취한다.

③ 단백질

당뇨병 환자들의 단백질 권장량은 총 칼로리의 15~20%이다. 당뇨병의 경우 체단백질의 이화작용으로 근육량이 감소하고 면역이 저하되므로 질적으로 우수한 단백질 식사를 권장하고 있다. 신장 합병증이 있는 경우에는 단백질을 제한한다.

④ 알코올

알코올은 여성은 하루 1회, 남성은 2회를 허용한다. 그러나 알코올은 고혈당증의 원인이 되며 과도한 알코올 섭취는 고혈당증을 악화시킨다.

(3) 식사시간과 간격의 적절한 분배

혈당 수준을 일정하게 유지하기 위해서는 균형잡힌 식사를 규칙적으로 하며 식사량도 균등하게 나누어 섭취하는 것이 중요하다.

(4) 식품교환표를 이용한 식사계획

식품교환표란 우리가 일상생활에서 섭취하고 있는 식품들을 영양소의 구성이 비슷한 것끼리 6가지 식품군으로 나누어 묶은 표이다. 6가지 식품군은 곡류군, 어육류군, 채소군, 지방군, 우유군, 과일군으로, 균형잡힌 식사가 되기 위해서는 6가지 식품군을 골고루 섭취해야 한다.

- 교환단위

같은 군에 있는 식품들은 영양소 구성이 비슷하므로 에너지가 같으면 서로 바꿔 먹을 수 있다. 1회 섭취량이나 거래 단위 등을 기준으로 영양소 함량이 동일한 중량을 1교환단위라 한다. 같은 식품군 내에서 같은 교환단위끼리는 서로 자유롭게 바꾸어 먹을 수 있다.

- 1일 식사구성과 끼니별 식단배분

1일 총 에너지 필요량과 3대 영양소의 함량을 정하고 다음에는 식품군별로 먹어야 할 교환단위 수를 결정한다. 교환단위 수를 결정하면 끼니별 식사내용은 아침, 점심, 저녁, 간식으로 세분화한다.

표 4-19 **식품교환표**

분류		열량(kcal)	당질(g)	단백질(g)	지방(g)
곡류군		100	23	2	
어육류군	저지방	50		8	2
	중지방	75		8	5
	고지방	100		8	8
채소군		20	3	2	
과일군		50	12		
우유군	일반 우유	125	10	6	7
	저지방 우유	80	10	6	2
지방군		45			5

(5) 당뇨병 환자가 주의해야 할 식생활

① 식사는 규칙적으로 정해진 시간에 한다. 정해진 양을 정확히 계량하여 먹고 일정한 시간에 일정량의 운동을 해 표준 체중을 유지한다.

② 음식은 되도록 자극성 없이 싱겁게 먹는다. 소금의 섭취는 합병증인 동맥경화증을 진행시킬 수 있으므로 1일 10g 이하로 섭취한다.

③ 인슐린 주사를 맞을 경우 취침 전 밤참을 꼭 먹도록 한다. 잣죽과 같은 간단한 것으로 준비하고, 우유, 섬유소가 풍부한 과일, 채소 등을 적절하게 택하여 먹도록 한다.

④ 외식 시 설탕을 많이 사용한 음식, 튀긴 음식, 중국 음식은 피한다.

7) 인슐린 치료

인슐린 치료는 대사요구량에 충분한 인슐린을 생산할 수 없는 사람들에게 필요하다. 췌장에서 분비되는 인슐린 간격과 같게 하는 것으로 췌장은 식사 후 가장 많은 양의 인슐린을 분비하고 식사 사이와 밤에 적은 양의 인슐린을 분비한다. 주사부위는 복부, 허벅지, 상완 외측 등의 피하조직에 환자 스스로 주사한다. 1형 당뇨병 환자, 2형 당뇨병 환자 중 영양관리, 운동요법, 경구혈당강하제로 혈당이 조절되지 않을 때, 임신당뇨병 환자 등에게 사용한다.

(1) 인슐린의 종류와 기능

① 속효성 인슐린(regular insulin)

빠른 작용시간과 짧은 지속시간이 특징이며 식전에 주사하여 식후 혈당상승을 교정할 수 있다. 즉각적인 혈당강하가 필요할 때 사용한다. 15~30분 정도 작용 시작시간이 필요하며, 최고 작용시간은 2시간이며, 4~6시간 효과가 지속된다.

② 중간형 인슐린(NPH)

속효형과 지속형의 중간 정도의 지속시간을 갖고 있으며 속효형 인슐린에 비해 서서히 작용하므로 오전에 맞을 경우 오후에 최고에 달한다. 1일 1회 또는 2회 처방한다. 작용 시작 시간은 1~2시간 필요하며, 6~10시간 최고로 작용하며, 18~24시간 지속된다.

③ 혼합형 인슐린

중간형과 속효형 인슐린이 일정한 비율(70：30)로 가장 많이 사용하며 1회 주사로 2회의 최고 작용시간을 갖는다. 작용 시작시간이 15~30분이며, 최고 작용시간은 2~3시간, 8~12시간이다. 18~24시간 지속된다.

(2) 경구혈당강하제의 종류와 기능

경구혈당강하제는 췌장을 자극해 인슐린 분비를 촉진하며 인슐린의 작용을 강화하여 포도당의 이용을 높이며 당의 소화·흡수를 억제하는 작용을 한다.

① 술포닐 요소제(sulfonyl urea)：췌장 베타세포부터 인슐린의 분비를 자극하며 표적 장기에서 인슐린 수용체 수를 증가시키고 인슐린이 세포 내로 포도당의 진입을 도와주는 능력을 개선시켜 준다.

② 바이구아니드제(biguanides)：간에서 포도당 생성을 억제하며 인슐린의 저항성을 낮추어 인슐린 감수성을 증가시킨다. 또한 혈청 중성지방과 콜레스테롤을 감소시키고 HDL을 증가시키는 효과도 있다. 인슐린 분비를 자극하지 않아 저혈당 증세를 유발하지는 않으며 Metformin이 있다.

③ 당질분해효소 억제제(α-glycosidase inhibtors)：복합당질과 당질의 소화율을 낮추며

장에서의 포도당 흡수를 지연시켜 혈당이 급격히 올라가는 것을 막아준다.

8) 운동요법

인슐린 비의존형 당뇨병의 경우 유산소운동과 근력운동은 인슐린 감수성을 증가시키고 말초조직에 의한 포도당 사용이 증가해 혈당조절이 개선된다. 중등강도의 운동을 매일 30분 이상 하는 것이 바람직하다. 인슐린 의존형 당뇨병 환자는 인슐린이 부족해 혈당과 유리지방산의 유출이 증가해 케톤산증을 유발하고 심한 운동은 고혈당을 유발할 수 있으며 운동 후에는 저혈당을 유발할 수 있으므로 운동에 따라 인슐린 양과 식사량을 조절한다.

요약

- 당뇨병은 췌장의 베타세포에서 생성되는 인슐린 분비가 부족하거나 세포 인슐린 수용체의 결함으로 인해 탄수화물, 단백질, 지방대사 장애와 고혈당의 결과로 나타난다.
- 비타민 D 결핍은 당뇨병 발병과 대사장애에 영향을 미친다.
- 췌장에서 인슐린이 거의 분비되지 않거나 전혀 분비되지 않는 1형 당뇨병 환자들에겐 인슐린 치료가 필요하다. 2형 당뇨병은 인슐린 저항성의 특성을 가지고 있다.
- 1형 당뇨병의 증상은 다식, 다뇨, 다갈과 체중감소 등이다.
- 2형 당뇨병 증상은 다뇨, 다갈, 피로, 감염 등이다.
- 당뇨병 환자들은 저혈당, 고혈당증, 당뇨병성 케톤산증, 고혈당성 고삼투성 비케톤성 증후군 등이 급성으로 발생할 수 있다.
- 당뇨병 만성적인 합병증으로는 심혈관질환, 혈액순환 감소, 망막증, 신장장애, 신경장애 등이 있다.
- 당뇨병의 식사요법은 정상 수준의 혈당과 혈중 지질, 적정 체중을 유지할 수 있는 개별화된 식이계획이 필요하며 이를 위해 식품교환표, 혈당지수 등을 활용하는 것이 필요하다.

복습하기

01 다음 〈보기〉 중 당뇨병의 발생원인에 대한 설명으로 옳은 것은?

〈보기〉
가. 운동부족 및 과식에 의한 비만은 당뇨병의 원인이 된다.
나. 유전적인 요인이 크므로 부모가 당뇨이면 자녀에서 발생률이 높다.
다. 임신이나 스트레스에 의한 호르몬 변화는 당뇨병 발생률을 높인다.
라. 당뇨병의 발생률은 전 연령에서 비슷하게 나타난다.

① 가, 다
② 나, 라
③ 가, 나, 다
④ 가, 나, 다, 라

02 당뇨병의 증상으로 옳지 않은 것은?

① 쉽게 공복감을 느낀다.
② 갈증과 다뇨증이 나타난다.
③ 혈액이 알칼리성으로 된다.
④ 쉽게 피로하고 면역기능이 저하된다.

03 당뇨병 환자의 혈당이 증가하는 이유로 옳은 것은?

① 체지방의 분해가 감소하므로
② 포도당신생성 작용이 감소하므로
③ 소변으로 배설되는 포도당이 감소하므로
④ 혈액 포도당의 조직으로의 이동이 감소하므로

☞ 정답 및 해설은 385쪽에서 확인

04 당뇨병 환자에게 나타나는 고혈당 증상은 체내 어떤 호르몬의 부족에 의해서 일어나는가?

① 인슐린
② 글루카곤
③ 게스트론
④ 에스트로젠

05 당뇨병 환자에서 나타나는 저혈당의 원인으로 옳지 않은 것은?

① 구토나 설사
② 인슐린 과다작용
③ 과다한 음료 섭취
④ 식전의 과다한 운동

06 당뇨병 환자의 식사처방으로 옳지 않은 것은?

① 복합당류 섭취 제한
② 농축당질 섭취 제한
③ 콜레스테롤 섭취 제한
④ 비만인 경우 열량 섭취 제한

07 당뇨병 환자에게 가장 적당한 식품은?

① 쌀밥, 명란젓, 김치
② 토스트, 딸기잼, 커피
③ 케이크, 오렌지 주스, 콜라
④ 콩밥, 아욱된장국, 삼치조림

☞ 정답 및 해설은 385쪽에서 확인

제7절 심혈관계 질환

1 심장순환계의 구조

심혈관계는 심장, 혈관, 혈액으로 구성되어 있다. 심장은 중량이 250~300g이며 좌심방과 우심방, 우심실과 좌심실로 되어 있다. 좌심방과 좌심실 사이에는 이첨판, 우심방과 우심실 사이에는 삼첨판, 우심실과 폐동맥 사이에는 폐동맥판, 좌심실과 대동맥 사이에는 대동맥판이 있어 혈액의 역류를 막는다. 심박동수는 1분에 75회, 1회 박출량은 70mL이다.

혈관은 심장으로부터 조직으로 혈류를 전달하는 동맥, 말초의 혈액을 심장으로 돌아가도록 하는 정맥, 혈액과 조직액 사이의 물질교환이 일어나는 모세혈관으로 이루어져 있다. 관상동맥은 심근세포에 산소와 영양소를 공급해주는 동맥이다. 동맥과 정맥은 내피세포로 이루어진 내막, 평활근세포로 이루어져 탄력을 주는 중막, 섬유상인 외막으로 되어 있다. 혈액순환은 폐순환과 체순환으로 되어 있다. 체순환은 심장으로부터 폐를 제외한 전신으로 혈

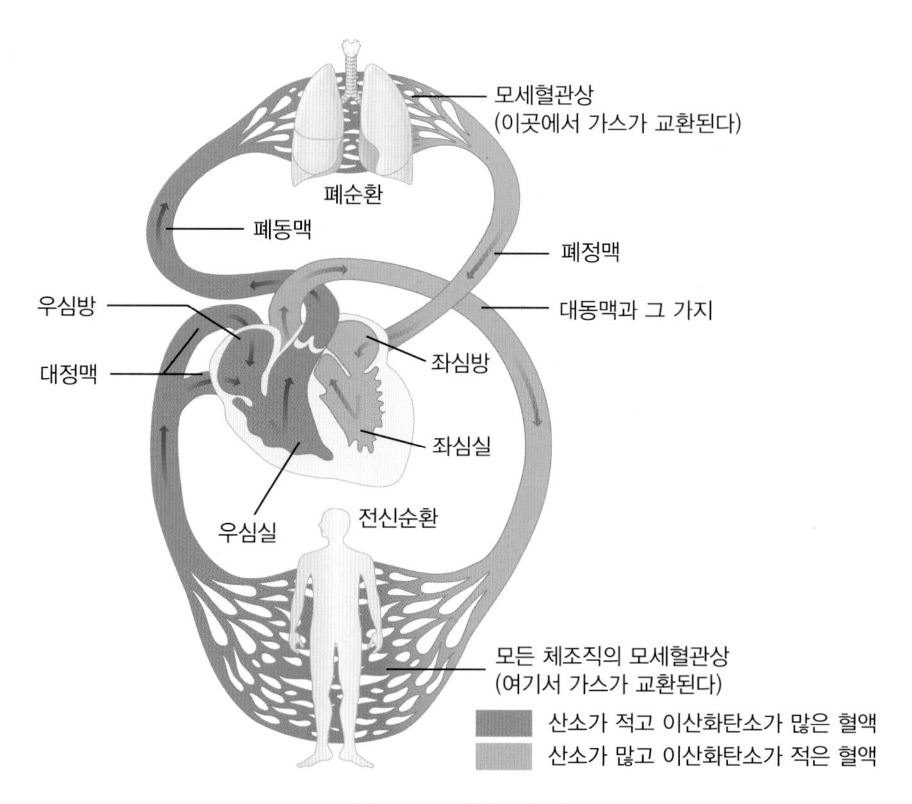

그림 4-16 **심혈관계 구조**

액을 보내고 돌아오게 하는 대순환이다. 폐순환은 심장으로부터 폐로 혈액을 보내고 폐에서 심장으로 돌아오게 하는 소순환계이다.

체순환과 폐순환

1. 체순환(대순환)

좌심실 ➜ 대동맥 ➜ 전신의 모세혈관 ➜ 대정맥 ➜ 우심방

2. 폐순환(소순환)

우심실 ➜ 폐동맥 ➜ 폐의 모세혈관 ➜ 폐정맥 ➜ 좌심방

2 심혈관계 질환

심혈관질환(cardiovascular disease)은 심장과 혈관에 발생하는 질병으로, 관상동맥질환(coronary artery disease; CAD)은 심근에 혈액을 공급하는 관상동맥의 죽상경화증(atherosclerosis)이 원인이다. 죽상경화증으로 인해 관상동맥의 혈류가 제한되어 산소와 영양소가 부족하게 되면 심근경색, 심장마비의 원인이 될 수 있다. 뇌 조직으로의 혈액공급이 차단될 때는 뇌졸중이 발생한다.

심혈관계 질환은 유전적인 요소와 환경적인 요인에 의해 복합적으로 발생한다. 유전적인 요인은 바꿀 수 없으나 환경적인 요인 중 순환기계 질환 발생에 영향을 미치는 식생활은 올바른 영양관리와 운동, 생활습관 교정 등으로 미연에 예방할 수 있다.

1) 죽상경화증(Atherosclesis)

죽상경화증은 동맥벽 손상으로 인해 관상동맥질환, 뇌졸중, 말초동맥질환 등을 야기할 수 있는 만성 염증과정이다. 비타민 D 결핍은 C-반응 단백질(CRP) 상승과 관련되고 이는 심혈관질환 발현 위험을 증가시킨다. 염증과 감염에 의해 동맥이 손상되는 기전은 먼저 면역세포인 단핵구가 LDL 콜레스테롤을 탐식하여 거품세포(foam cells)가 되며 동맥벽을 따라 축적지방반(fatty streaks)을 형성하고 결합조직, 평활근세포, 잉여 지질이 이 부위에 축적되면서 두꺼워지고 딱딱해지는 플라크가 된다. 동맥경화증이 악화되면, 동맥 내강이 좁아지게 되고 혈류를 방해하며 플라크는 쉽게 파열되어 동맥 안에서 혈전을 촉진한다.

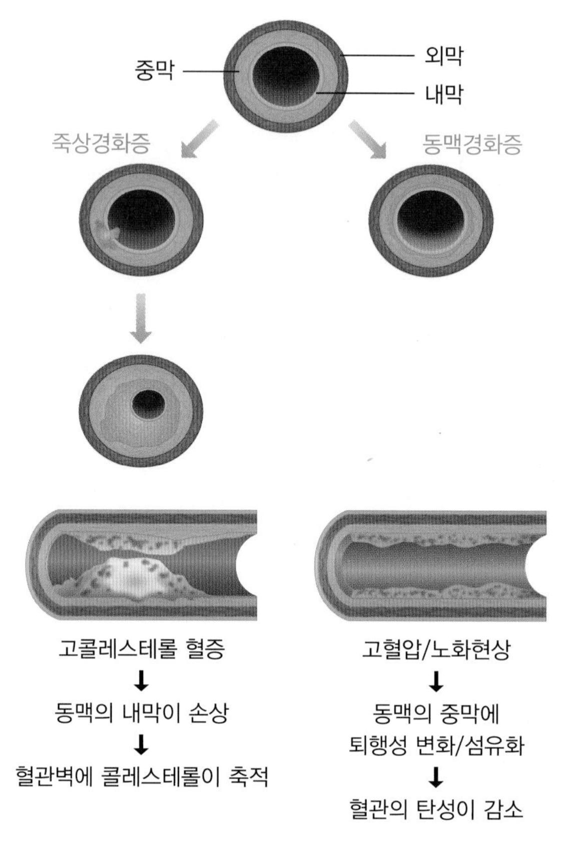

그림 4-17 **죽상경화증과 동맥경화증**

(1) 원인

조절 불가능한 위험요인에는 유전, 연령, 남성, 가족력 등이 있고 교정이 가능한 요인에는 이상지혈증, 고혈압, 흡연, 당뇨, 비만, 운동부족 등이 있다. 흡연 시 연기는 동맥세포의 정상기능을 손상시키고 혈관수축을 유발하며 산화스트레스를 증가시키고 혈액응고를 촉진한다. 만성적인 고혈당은 혈관세포를 손상시키는 화학물질을 생성한다.

(2) 증상

혈류가 혈전에 의해 부분적으로 막혀 협심증(angina pectoris)을 일으킬 수 있는 관상동맥의 병변을 유발할 수 있다. 심장으로 가는 혈류가 완전히 막히게 되면 심근경색(myocardial infarction; MI)이 발생한다. 혈전증이 뇌혈관에서 발생하면 뇌졸중, 신장동맥에 발생하면 신경화증이 나타난다.

(3) 식사요법

① 지방과 콜레스테롤 섭취 제한

동물성 식품에 많이 들어 있는 포화지방산은 혈중 콜레스테롤을 증가시키고 다가 불포화지방산은 혈중 콜레스테롤을 감소시키는 작용이 있으므로 단일불포화지방산과 불포화지방산으로 대체해 섭취한다. EPA(eicosapentaenoic acid)와 DHA(docosahexaenic acid)는 ω-3계의 불포화지방산으로 혈중 콜레스테롤을 낮추어 주는 작용이 있으므로 청어, 정어리, 꽁치, 전갱이, 연어 등의 생선류를 섭취하는 것이 바람직하다. 혈중 콜레스테롤치를 정상으로 유지하기 위해 하루 섭취량을 300mg 이하로 제한한다.

② 단백질의 섭취

단백질은 혈관의 탄력을 증가시키는 데 도움이 되므로 총 에너지 섭취량의 15~20% 또는 체중 1kg당 1~1.5g이 권장되며 아미노산가가 높은 어류, 난백, 대두, 저지방유 등을 섭취한다.

식품 중의 콜레스테롤 함량

- 달걀 노른자(17g): 235mg
- 오징어 생것(60g): 180mg
- 생크림 케이크(유지방 45%): 120mg
- 게(100g): 80mg
- 새우(60g): 78mg
- 샐러드유: 0mg

③ 당질 제한

단순당의 섭취를 피하고 복합당질을 섭취한다.

④ 에너지 제한

에너지를 제한하여 정상 체중을 유지하도록 한다.

⑤ 염분 제한

소금함량이 많은 짠 음식은 고혈압 발생의 위험을 높이게 되고 고혈압은 동맥경화의 주요 위험인자이므로 제한한다.

⑥ 비타민 무기질 섭취

지질의 산화를 방지해 주는 항산화영양소인 비타민 C가 많은 과일, 채소 등을 충분히 섭취하며 요오드, 인 등을 충분히 섭취한다.

⑦ 식이섬유의 섭취

펙틴, 만난, 알긴산 등의 수용성 식이섬유는 콜레스테롤과 담즙산의 흡수를 막고 셀룰로스와 리그닌 등의 불용성의 식이섬유도 장내 유해물질의 배설을 쉽게 하고, 변비를 개선하므로 섭취하는 것이 바람직하다.

⑧ 알코올

적당량의 알코올 섭취는 HDL 콜레스테롤 수준을 증가시켜 동맥경화를 예방하는 데 도움이 된다고 보고되어 있다. 여성은 하루에 한 잔, 남성은 두 잔이 넘지 않는, 즉 양이 적거나 적당량의 알코올을 섭취할 경우에만 관상동맥질환 위험을 감소시켰고 과다섭취는 오히려 사망률을 증가시켰다고 한다. 이때 한 잔은 맥주 355mL, 포도주 145mL, 위스키 같은 알코올 도수 40도인 경우는 45mL 정도인데, 이는 알코올 함량이 12~15g에 해당하는 양이다. 알코올 함량은 소주 20~25%, 포도주 11~12%, 청주 13~18%, 막걸리 6%, 맥주 3~5%이다.

알코올 섭취량(mL) × 술의 농도(%) × 0.8(알코올의 비중) = 알코올량(g)

예를 들어, 알코올 함량 20%의 소주 한 병(360mL) 섭취 시 360mL × 0.2 × 0.8 = 57.6g의 알코올을 섭취하는 셈이다. 동양 사람들은 알코올을 분해하는 효소가 서양인보다 적고 평균 체중도 낮다는 것을 감안하여 허용량을 넘지 않도록 한다.

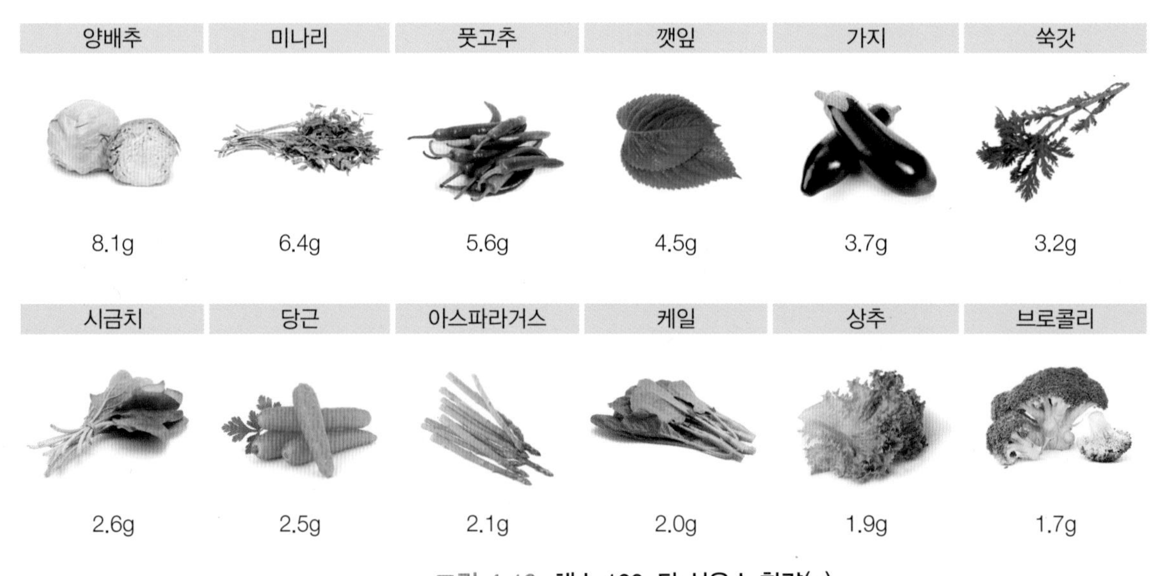

그림 4-18 **채소 100g당 섬유소 함량(g)**

표 4-20 **심장질환 위험 평가 기준치**

	정상군	위험군	고위험
총 콜레스테롤(mg/dL)	< 200	200~239	≥240
LDL 콜레스테롤(mg/dL)	< 100	130~159	160-189
HDL 콜레스테롤(mg/dL)	≥ 60	59~40	<40
중성지방(mg/dL)	< 150	150~199	200-499
체질량지수(BMI)	18.5~22.9	23~29.9	≥30
혈압(수축기/이완기 혈압)	<120/<80	120~139/80~89	≥140/≥90

호모시스테인과 동맥질환

동맥벽에 해로운 작용을 하는 호모시스테인은 산화 스트레스 혹은 동맥경화를 악화시킬 수 있다.

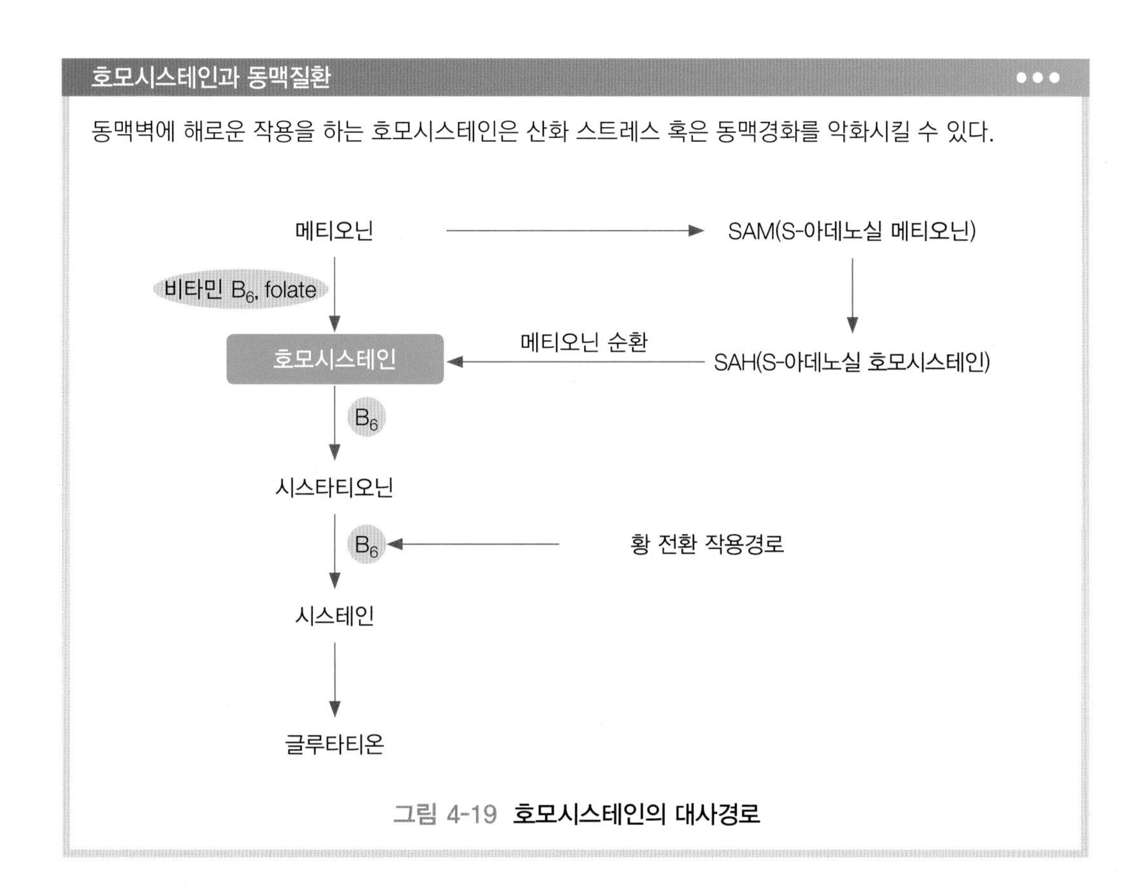

그림 4-19 **호모시스테인의 대사경로**

표 4-21 **식품과 심혈관계 치료제**

		체내에 미치는 영향	식품과 상호작용
항응고제 (와파린)			비타민 K를 섭취해야 함. 비타민 E, 생선기름과 함께 복용하면 출혈 경향이 높아짐
항고혈압제	베타-차단제	혈청 칼륨 수준 증가, 저혈당	
	안지오텐신 전환효소 저해제	맛에 대한 감각 감소, 혈청 칼륨 수준 증가	감초는 피함. 칼륨 보충과 칼륨을 함유한 소금 대용품은 피함

		체내에 미치는 영향	식품과 상호작용
고지혈증 치료제	스타틴(statins)	변비, 위에 가스가 참. 위장관 불쾌감, 혈청 간 효소 증가	약 효과를 증강시킬 수 있는 자몽 주스는 피함
	니코틴산	위장관 불쾌감, 혈청 간효소와 요산 수준 증가, 고혈당, 저혈압	알코올성 음료, 커피와 차는 피함
Digoxin		식욕부진, 오심, 위경련, 설사, 혈청 칼륨 증가와 혈청 마그네슘 수준이 감소	고 섬유식품과 마그네슘 보충은 약 흡수를 감소시킬 수 있음. 성 요한 초(St John's wort)는 약 효과를 감소시킬 수도 있음
이뇨제 (furosemide, spironolactone)		입술이 마름, 식욕부진	Furosemide 이용률은 음식과 함께 섭취 시 감소 수분 및 전해질 불균형, 고혈당(spironolactone), 고지혈증(spironolactone), 티아민과 아연 결핍 발생할 수 있음

2) 고혈압(hypertension)

고혈압은 뇌졸중, 심근경색, 혈관질환, 만성 신장질환의 주요 위험요인이다. 고혈압의 기준은 약간씩 차이가 있으나 수축기 혈압이 140mmHg 이상, 이완기 혈압이 90mmHg 이상일 때를 말한다. 대한고혈압학회 고혈압 팩트 시트 2020 발표에 의하면 우리나라 30세 이상 고혈압(140/90mmHg) 유병률은 29%라고 한다.

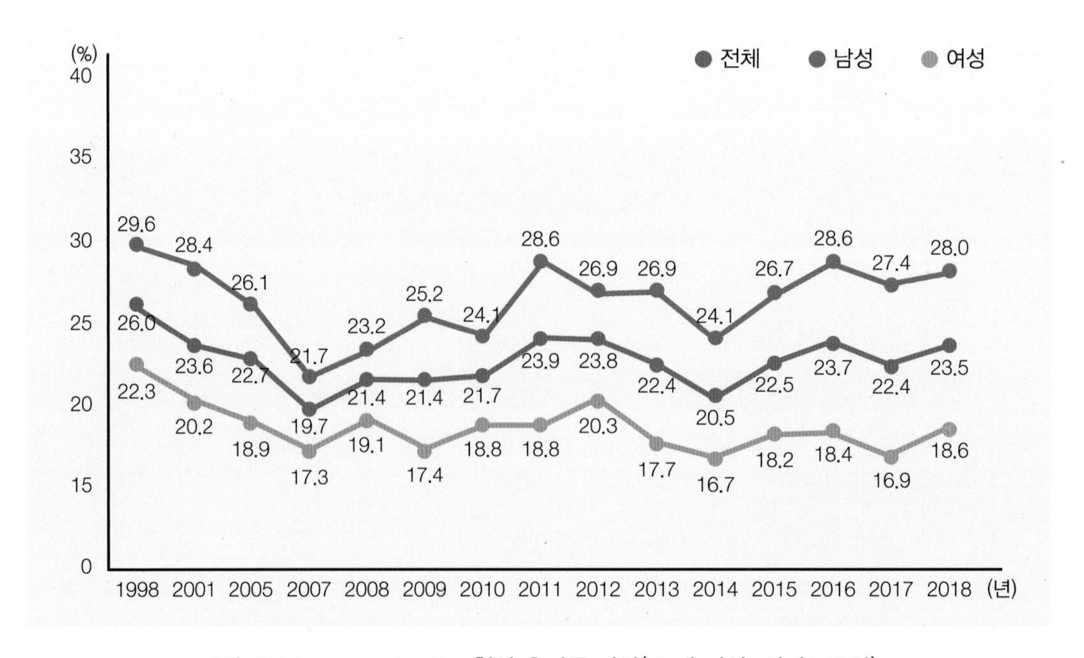

그림 4-20 1998~2018 고혈압 유병률 변화(20세 이상, 연령표준화)

출처: 대한고혈압학회. 2020 고혈압 팩트 시트.

(1) 혈압의 조절기전

혈압은 혈액이 혈관을 흐를 때 혈관벽에 미치는 압력으로 동맥혈압을 말한다. 심장은 심실이 수축할 때 많은 양의 혈액을 대동맥으로 밀어내므로 동맥의 압력이 높아지며 이를 수축기 혈압이라 한다. 반면 이완할 때에는 동맥에 소량의 혈액이 흐르게 되어 압력이 낮아지면 확장기, 또는 이완기 혈압이라 한다. 혈압은 심장으로부터 혈액을 내보내는 심근수축(심박출량)과 혈액이 세동맥에서 마주치는 말초저항으로부터 알 수 있다(혈압 = 심박출량 × 말초저항). 심박출량은 심박수 혹은 혈액량이 증가할 때 높아지며, 말초저항은 세동맥의 직경에 의해 가장 크게 영향을 받는다. 즉 총 혈액량은 혈액을 내보내는 심장과 수분을 재흡수하는 신장에 의해 조절되며 혈관저항은 혈액의 점도, 혈관 크기와 혈관벽 두께, 호르몬 등에 의해 영향을 받는다. 식염을 많이 섭취하거나 감정적으로 흥분하게 되면 알도스테론의 분비가 증가되어 신장의 세뇨관에서 나트륨의 재흡수를 촉진하게 되고, 항이뇨호르몬은 세뇨관에서의 수분 재흡수량을 증가시켜 체내 수분 보유량을 증가시킴으로써 혈압을 높이게 된다.

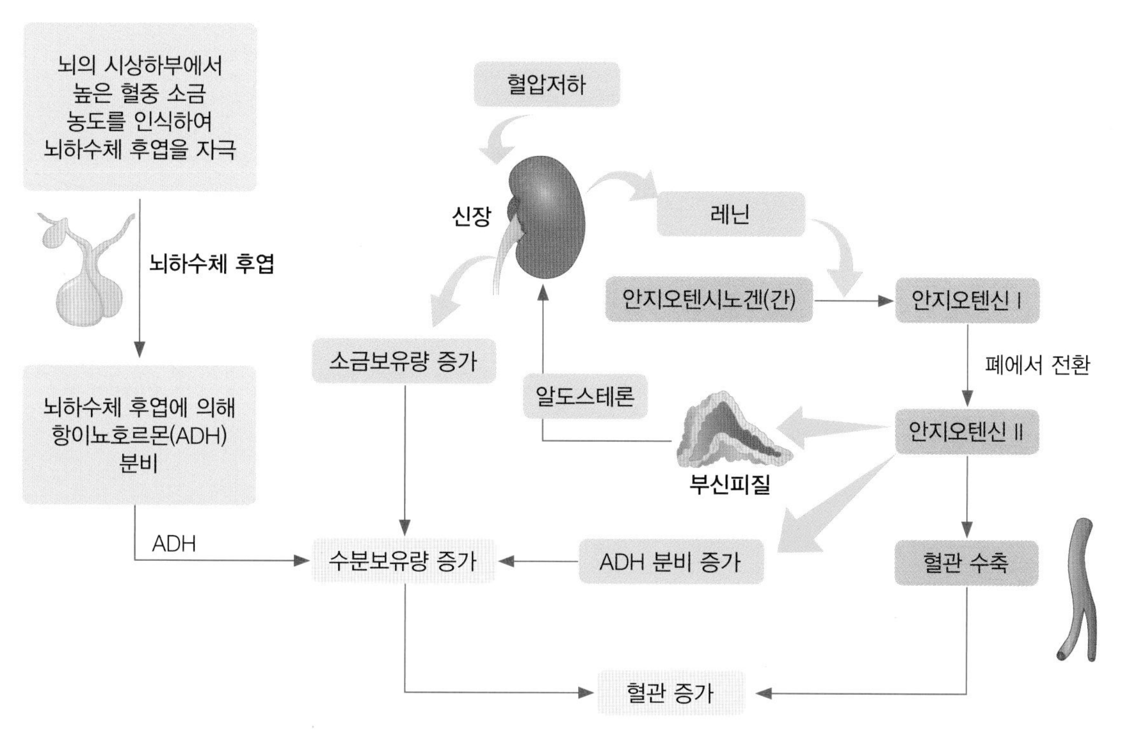

그림 4-21 **환경(식사요인, 심리적 요인)에 의한 혈압조절 기전**

(2) 원인

고혈압의 95% 정도가 원인이 알려져 있지 않으며 이를 일차고혈압(본태성 또는 원발성 고혈압)이라 하며 유전적 요인이 관련되어 있다. 레닌-안지오텐신-알도스테론 체계가 작용하기도 한다. 이차고혈압(이차성 고혈압)은 쿠싱증후군, 다낭성 신장질환, 당뇨병성 신증, 갑상샘 질환 또는 일차알도스테론증(원발성 알도스테론증)과 같은 질환에 의해서 발생한다.

쿠싱증후군(Cushing's syndrome)

당질부신피질호르몬(glucocorticoid) 생성을 자극하는 부신피질자극호르몬이 과도하게 분비되거나 부신에서 당질부신피질호르몬을 많이 생산하는 경우, 또는 치료를 위해 당질부신피질호르몬을 장기 복용한 경우에 발생한다.

① 연령

나이가 증가함에 따라 혈관이 노화되어 탄력이 줄어들고 단단해져 젊었을 때보다 센 힘으로 혈액을 밀어야 순환이 잘 되므로 혈압이 높아지게 된다. 30~40대는 남성의 고혈압 발생이 높으나 여성은 65세 이상에서 많아진다.

② 유전

유전적인 소인이 있는 경우 고혈압 발병이 높다.

③ 비만

고혈압을 가진 사람의 60% 가량이 비만으로 추정된다. 비만은 인슐린 저항성을 증가시키고 체내에 수분과 나트륨을 저장하려는 작용이 커지며 혈압을 높인다.

④ 식염의 과잉 섭취

식염을 많이 섭취하면 물을 많이 마시게 되어 혈액 양이 증가하면서 혈압이 높아진다. 그러나 식염 섭취가 모든 사람에게 혈압을 높이는 것은 아니며 식염 섭취에 민감하지 않은 사람은 혈압을 높이지 않고도 식염을 잘 배설한다. 반면 식염 섭취민감성이 있는 사람은 식염을 배설하는 데 정상보다 높은 혈압이 요구되어 고혈압이 되기 쉽다.

⑤ 알코올

지속적인 알코올 과다 소비는 혈압을 상승시킨다.

⑥ 식생활

과량의 포화지방산과 콜레스테롤 섭취는 혈압을 상승시키나 불포화지방산은 혈압을 감소시킨다.

⑦ 스트레스

스트레스는 교감신경을 자극하여 혈압을 증가시키지만 일시적이다. 그러나 계속적인 스트레스는 부신수질에서 에피네프린, 노르에피네피린 분비가 많아져 혈압이 상승한다.

(3) 증상

고혈압은 유병률은 높지만 특별한 증상이 없어 인지율이 낮으나 죽상경화증과 심혈관계 질환의 일차적인 주요 위험인자이다. 혈관의 높아진 압력을 지탱하기 위해 혈관 내층은 점점 두꺼워져서 혈관이 좁아진다. 이러한 혈관이나 조직 내의 변화는 심장과 신장으로 향하는 혈액의 흐름을 변화시키고 궁극적으로 기관들을 손상시킨다. 합병증이 생기기 전까지는 두통, 현기증, 이명현상을 보이다가 심부전, 협심증, 심근경색 등의 심장질환, 신경화, 신부전, 요독증 등의 신장질환, 뇌졸중, 뇌출혈 등의 뇌질환과 실명을 일으킬 수 있고 사망할 수도 있다.

(4) 식사요법

체중감량은 혈압을 낮추는 가장 효과적인 방법이다. 과체중이거나 비만이면 에너지 섭취 감소를 통한 체중감소, 나트륨은 적고, 칼륨·칼슘·마그네슘 함량이 높은 식사, 규칙적인 신체활동과 적정량의 알코올 섭취 등이 있다.

① 소금의 섭취량을 줄임

식염민감성 고혈압 환자, 노인, 중증 고혈압 환자는 식염 섭취를 줄이면 혈압 감소효과가 크다.

② 저염식사

고혈압, 울혈심부전, 복수가 있는 간경화 환자는 하루 나트륨 섭취를 2,000mg(식염 4g)으로 제한한다.

③ 경저염식사

하루 나트륨 섭취를 4,000mg(식염 9g)으로 제공한다.

나트륨과 칼륨과의 관계

체액의 균형을 조절하는 무기질인 나트륨(Na)은 수분을 보유하려는 성질이 있어 소금을 많이 섭취하면 혈액의 부피가 커지고 혈관이 압력을 많이 받아 혈압을 상승시키고 부종을 유발한다. 반면 칼륨은 나트륨과 대항작용을 하여 혈압을 저하시킨다. 칼륨 양이 많은 식품을 섭취해도 Na 함량이 너무 많으면 감압효과는 적으므로, K 함량이 많지만 Na 함량이 적은 식품을 권장한다. 감압이뇨제를 복용하는 환자는 K 부족이 되기 쉬우므로 K가 많은 식품을 섭취해야 한다. 그러나 신부전 합병증이 있는 환자가 K를 과잉 섭취하면 고칼륨혈증을 일으킬 수도 있다. 건강을 위해 소금 섭취를 하루 10g 이하로 줄인다.

나트륨 계산법

1. 소금을 나트륨으로 계산할 때

소금 양(mg) × 0.4= 나트륨 양(mg)(소금 1,000mg × 0.4 = 400mg)

2. 나트륨을 소금의 양으로 계산할 때

나트륨 양(mg) × 2.5= 소금 양(mg)(나트륨 400mg × 2.5 – 소금 1,000mg)

3. 나트륨 mg을 mEq로 계산할 때

나트륨 양(mg)/23(나트륨 원자량)= 나트륨 양(mEq)
1g 나트륨 = 1,000mg/23 – 나트륨 43.5mEq

④ 알코올의 섭취를 제한

잦은 음주는 에너지 섭취를 높임으로써 체중을 증가시키는 원인이 될 수 있고, 알코올 자체가 혈압을 상승시킨다. 1일 1~2잔(30g)의 알코올 섭취의 경우는 유해하지 않지만, 그 이상의 알코올을 섭취하는 경우에는 혈압을 상승시킨다. 또 여성은 남성에 비해서 알코올 분해효소가 적으므로 음주 시 혈압을 상승시키는 효과나 유해한 정도에 더 민감하게 반응하게 되므로 더욱 주의해야 한다.

⑤ 지방의 섭취를 줄임

포화지방산인 동물성 지방보다 불포화지방산인 식물성 지방을 섭취한다.

⑥ 신선한 과일과 채소를 섭취

신선한 과일이나 채소, 저지방 우유, 견과류에는 칼륨, 칼슘, 마그네슘이 함유되어 있어 고혈압의 발생을 예방하고, 고혈압인 경우에는 혈압을 감소시키는 데 도움이 될 수 있다.

⑦ 섬유소를 충분히 섭취

변비는 혈압을 상승시키는 요인이 될 수 있으므로, 섬유소를 충분히 섭취해서 변비를 예방한다.

(5) 체중관리

체중 감량은 혈압을 상당량 감소시킬 수 있다.

저열량의 항고혈압 식사법(Dietary Approaches to Stop Hypertension; DASH)

섬유소, 칼륨, 마그네슘 그리고 칼슘을 함유하고 있는 통곡류, 과일, 채소, 생선, 가금류, 견과류, 저지방 우유 및 유제품 섭취를 강조하고 붉은색 육류, 단 음식, 설탕을 함유한 음료, 포화지방(칼로리의 7%), 콜레스테롤(하루에 150mg), 총 지방량을 제한하는 식사이다.

표 4-22 **고혈압 환자를 위한 생활습관**

	권장사항
체중 감량	건강 체중 유지(체질량지수 25 이하)
권장식사 패턴	채소와 과일이 풍부하고 포화지방산을 낮춘 저지방 유제품으로 구성된 식이
나트륨 제한	하루에 2,400mg(소금은 6g 이하) 이하로 나트륨 섭취 감소
신체 활동	하루에 최소 30분 정도 유산소운동
적당량의 알코올 섭취	남성: 하루에 2잔으로 제한 여성과 체중이 가벼운 남성: 하루에 1잔으로 제한

3) 저혈압

수축기 혈압이 100mmgHg 이하 또는 이완기 혈압이 60mmHg 이하로 혈압이 낮아진 상태를 말한다.

(1) 원인과 증상

원인을 알 수 없는 일차저혈압(본태성 저혈압)이 있으며, 이차저혈압(증후성 혹은 속발성 저혈압)으로는 심장질환이나 내분비질환인 애디슨병, 기타 원인 질환이 있는 경우에 나타난다. 또한 기립저혈압은 일어설 때에 혈압이 떨어지는 경우로 체위저혈압이라고도 한다. 일차저혈압의 경우 위처짐(위하수)이나 위이완증이 있는 경우가 있다. 증상이 없는 경우도 있으나 대개 무기력, 피로, 어지럼, 두통, 불면, 손발이 차가워지는 증상 등이 나타난다. 손발이 차가워지는 것은 혈관 내의 압력이 낮아 신체의 말단까지 혈액이 운반되지 않기 때문이다. 또 정신적 자극에 예민하여 작은 일에도 가슴이 뛰고 빈혈증이 일어난다. 대체로 체질적으로 약하여 쉽게 피로를 느끼고 아침에 일어나기 어려워지며 항상 피로감이 있다.

(2) 식사요법

규칙적인 식습관과 균형잡힌 식사를 한다. 양질의 단백질이 풍부한 소화가 잘 되는 우유, 달걀, 치즈, 간, 생선 등과 비타민, 무기질이 풍부한 신선한 과일과 채소, 수분을 적절히 섭취한다.

4) 이상지혈증(Dyslipidemia)

이상지혈증은 혈중 지질 농도에 이상이 생긴 것으로 혈액 중에 콜레스테롤과 중성지방 등이 증가되거나 고밀도 지단백 농도가 저하되어 심근경색이나 뇌경색 등을 일으키는 위험인자이다.

콜레스테롤과 이상지혈증

콜레스테롤은 세포막의 필수 요소이고 담즙산, 스테로이드 호르몬, 비타민 D의 전구물질이다. 콜레스테롤은 지단백질 형태로 혈류를 따라 이동하며 혈장 지단백은 초저밀도 지단백질(very low density lipoprotein; VLDL), 저밀도 지단백질(low density lipoprotein; LDL), 고밀도 지단백질(high density lipoprotein; HDL)이 있다. 저밀도 지단백질은 총콜레스테롤의 60~70%를 구성하고 고밀도 지단백질이 나머지를 구성한다. LDL과 HDL(남성 40mg/dL, 여성 50mg/dL 미만일 때 낮다)이 비율이 불균형 상태일 때 이상지혈증이라 한다.
VLDL은 주로 혈류에서 발견되며 중성지방으로 구성되어 있으며 장기간의 과도한 알코올 섭취, 비만, 신체활동 부족, 당뇨병, 만성 신장질환 등에 의해 증가한다.
아포지단백 C-III(Apo-III)은 중성지방 대사의 주요 조절 요소로 관상동맥질환 발현과 관련이 있다.
콜레스테롤의 70%는 체내에서 생성되므로 식이를 통한 콜레스테롤 섭취는 심장병의 위험 요인은 아니다.

이상지혈증의 분류(프레드릭슨과 WHO)는 아래와 같다.

(1) I형(고카일로마이크론혈증)

고트리글리세라이드혈증(hypertriglyceridemia), 고카일로마이크론(chylomicron)증 또는 가족성 LPL 결손증(lipoprotein lipase deficiency)이라 한다.

① **원인**

리포프로테인 리파제(lipoprotein lipase; LPL)가 선천적으로 결손되어 지질 대사 과정에서 식사로 섭취된 중성지방을 운반하는 암죽미립(chylomicron)이 가수분해 되지 않아 혈중에 중성지방이 증가된 상태이다.

② **증상**

극히 드물게 발생하며 어렸을 때부터 나타난다. 발진성 황색종(eruptive xanthoma), 피부의 지방축적(특히 cholesterol ester 축적) 등이 나타난다.

③ **식사요법**

총 에너지 섭취량의 10% 정도 이하로 지방 섭취를 줄이는 저지방 식사로 1일 25~35g

이하로 섭취하되, 암죽미립(chylomicron)이 합성되는 재료인 긴사슬지방산의 섭취를 억제시키고 암죽미립을 형성하지 않고 장에서 흡수되는 중간사슬지방산(medium chain triglyceride; MCT)으로 섭취한다.

알코올은 간에서 중성지방의 합성을 촉진하고 췌장염을 유발할 수 있으므로 섭취를 금한다.

(2) IIa형[(고콜레스테롤혈증 IIa형 · 고LDL혈증 · 가족성 고콜레스테롤혈증 familial hypercholesterolemia) · 아포단백 CII 결손증(LDL 수용체 결손)]

① 원인

LDL 수용체가 결핍되어 LDL 제거가 불충분하게 되어 혈액 내 콜레스테롤이 증가한다.

② 증상

황색판(xanthelasma), 눈꺼풀에 지방축적, 황색종(xanthoma) 등이 나타난다.

③ 식사요법

총 지방과 포화지방산의 섭취가 증가하면 체내 콜레스테롤 합성이 증가되어 혈청 콜레스테롤과 LDL 콜레스테롤이 증가하므로 식사에서의 총지방과 포화지방산 섭취를 감소시킨다. 트랜스지방산은 포화지방산과 입체구조가 비슷하여 혈중 콜레스테롤을 증가시키므로 마가린, 쇼트닝의 섭취를 줄이고 팝콘, 튀김류, 도넛, 비스킷의 섭취를 제한한다. 콜레스테롤을 하루에 200mg 이하로 제한한다. 콜레스테롤이 많은 식품 중 섭취를 주의해야 할 식품으로는 간, 내장, 육류, 장어, 알류 등이 있다. 포화지방산이 많은 동물성 지방보다 불포화지방산이 많은 식물성 지방을 섭취하며 단일불포화지방산과 ω-3 지방산은 혈중 지질을 감소시키므로 바람직하다. 또한 콜레스테롤의 장내 흡수를 줄이기 위하여 수용성 식이섬유소를 20~30g 섭취한다. 고혈압이 있으면 나트륨 섭취를 제한한다.

(3) IIb형(혼합형 이상지혈증 IIb형 · 고LDL VLDL혈증)

LDL과 VLDL이 증가되어 있다.

① 원인

LDL(β-지단백) 수용체가 결핍되어 있으며 간에서 VLDL(pre β-지단백) 합성이 증가되어 나타난다.

② 식사요법

LDL 합성 저하를 위해 IIa형과 같이 P/S(다가 불포화지방산/포화지방산) 비율을 1~2로 하고 콜레스테롤을 하루에 300mg 이하로 제한한다. VLDL 합성 저하를 위해 에너지와 당질 섭취를 줄임으로써 간에서 중성지방 합성을 저하시킨다. 에너지는 표준 체중을 유지하도록 조절하며, 당질은 총 에너지의 40~45%로 공급하고 단순당의 섭취는 줄이고 알코올도 제한한다.

(4) III형(고IDL 혈증)

드문 유형으로 성인 초기에 발병한다. IDL은 VLDL과 LDL의 대사중간체로 VLDL이 LDL로 대사되는 과정의 장애로 IDL(intermediate density lipoprotein, 중간밀도지단백)의 농도가 상승하며, 혈청 중성지방과 콜레스테롤 농도가 모두 증가한다.

① 원인

VLDL의 과잉생산, 간 내 중성지방분해효소의 활성 저하, 고지방 및 고당질 식이 때문이다.

② 증상

발바닥과 손바닥에 황색종이 생기고 말초혈관에 동맥경화가 발생한다.

③ 식사요법

에너지 제한, 지방·당질·콜레스테롤의 섭취 제한, 식이섬유 섭취 증가를 권장한다. 올레산은 산화에 강해 동맥경화 예방에 좋으나 과잉 섭취하면 소장에서 암죽미립(chylomicron)의 합성과 분비를 증가시키고 간에서 아포 단백 β를 함유한 지단백의 분비를 증가시켜 암죽미립을 증가시킬 수 있다.

(5) IV형(고VLDL 혈증)

내인성 트리글리세라이드 혈증과 탄수화물 기인성 또는 알코올 기인성 이상지혈증이라고 하며, VLDL이 증가되며 콜레스테롤은 정상이거나 약간 많고 TG도 많다.

① 원인

간에서 TG의 합성이 높거나 VLDL 이화작용 저하 등이 원인으로 알려지고 있다.

② 증상

비만한 사람에서 많으며 지방간, 간기능장애, 담석증, 고요산혈증, 동맥경화 등의 증상이 있다.

③ 식사요법

혈중 중성지방을 낮추기 위해서 당질의 섭취를 제한한다. 특히 설탕, 과당 등은 중성지방을 증가시키므로 주의한다. 알코올은 간에서 중성지방의 합성을 촉진시키므로 섭취를 제한한다. 에너지 섭취량의 적정화와 비만인 경우 체중을 감소시키며, 포화지방산, 콜레스테롤, 양질의 단백질과 식이섬유는 섭취한다.

(6) V형(고chylomicron + VLDL 혈증)

I형과 IV형이 합쳐진 고카일로마이크론증과 이상지혈증이 일어난 것으로, TG는 1,000mg/dL 이상 높으며 매우 드물게 나타난다.

① 원인

혈액 중 LPL 부족으로 암죽미립이 대사되지 못하고 VLDL은 간에서 합성이 항진되는 반면에 혈중에서 대사되지 못하여 혈중 암죽미립과 VLDL, 즉 외인성(식사성) 중성지방과 내인성 중성지방이 모두 증가된 상태이다. 콜레스테롤 수치와 중성지방이 함께 높으면 동맥경화는 상승적으로 가속화되기 쉽다.

② 증상

발진성 황색종, 복통, 망막성 고지혈증, 고혈당증, 췌장염, 고요산혈증, 내당능저하 등이 있을 수 있다.

③ 식사요법

에너지, 지방, 당질, 알코올을 제한한다.

표 4-23 **이상지혈증 영양관리**

<table>
<tr><th>영양관리</th><th colspan="2">주의사항</th></tr>
<tr><td>총 열량 섭취</td><td colspan="2">비만이면 체중을 감소시킨다.</td></tr>
<tr><td>지질 섭취량</td><td colspan="2">총 열량 섭취량의 20% 이하로 제한한다.</td></tr>
<tr><td>콜레스테롤 섭취</td><td colspan="2">1일 300mg 이하로 섭취한다.</td></tr>
<tr><td rowspan="3">지방산</td><td colspan="2">혈중 LDL-cholesterol을 감소시키기 위해 탄소수 C_{12}-C_{16} 포화지방산의 섭취를 억제한다.</td></tr>
<tr><td>PUFA</td><td>혈중 cholesterol을 감소시키고 혈전 생성을 억제하기 위해 ω-3계 지방산의 섭취를 증가시킨다.
심혈관계 질환 예방에 효과적이다.</td></tr>
<tr><td colspan="2">P:M:S 비율을 1:1:1로 권장한다.</td></tr>
<tr><td>식이섬유소 섭취 증가</td><td colspan="2">혈중 콜레스테롤 농도를 감소시키는 펙틴, 검, 카라기난 등 가용성 섬유소 섭취를 증가한다.</td></tr>
</table>

5) 뇌졸중

뇌졸중은 뇌혈관질환으로 뇌경색(허혈뇌졸중, ischemic strokes)과 뇌출혈(출혈뇌졸중, hemorrhagic strokes) 등이 있다. 뇌경색은 뇌 조직으로의 혈류 흐름이 차단되어 나타나며, 뇌출혈은 뇌 안의 출혈로 뇌 조직을 파괴하거나 압박하는 것이다. 일과성 허혈발작(transient ischemic attacks)은 뇌에 일시적으로 허혈증상이 발생함으로 인해 시력이 흐려지고 분명하지 않은 말투, 무감각, 마비 혹은 언어장애를 보이는 것이다. 갑자기 발병하고 2분에서 30분 정도 짧게 지속된다. 이렇게 짧게 나타나는 뇌졸중은 심각한 뇌졸중이 발생할 수 있다는 경고이다.

(1) 원인

동맥경화, 고혈압, 흡연, 연령, 흡연 등이 위험인자이며, 당뇨, 증가된 LDL 콜레스테롤과 심혈관계 질환 병력 등이다.

(2) 종류

① 뇌경색

혈관에 혈전이 생겨 혈류장애가 일어나 신경조직에 산소와 영양소가 공급되지 않아 괴사된 상태로, 뇌동맥이 경화된 상태이다. 비만, 고혈압, 내당능 이상이 있는 사람에게서 나타난다.

② 뇌출혈

뇌혈관의 약해진 부위가 파열되어 출혈이 나타난 것으로 의식장애가 나타난다. 고혈압이 있는 중년 남성에게서 많이 나타난다.

(3) 증상

뇌동맥에 혈액순환 장애가 있을 때, 특히 뇌의 내압이 급격히 높아지면 갑자기 심한 두통과 메스꺼움 및 구토 등이 일어났다가 의식장애와 운동 또는 지각이상과 언어장애를 나타낸다. 신체의 한쪽이 약해지거나 마비될 수 있다.

(4) 식사요법

정상 체중을 유지하는 적절한 에너지 섭취와 지방은 총 에너지의 20% 정도로 제한하며 불포화 지방산을 섭취한다. 변비에 걸리지 않게 식이섬유를 충분히 섭취한다. 식염이 많은 식품은 혈압을 상승시키므로 제한한다. 초기에는 금식을 하며 24~48시간 정맥영양을 한다. 혼수상태일 때는 경관급식을 하며 흡인의 위험을 줄이기 위해 머리를 높인다. 맑은 유동식,

전유동식, 퓨레식, 기계적 연식으로 진행한다. 삼킴곤란(연하곤란)이 있는 경우가 많으므로 삼키는 기능이 완전한 지 확인하고 식사를 공급한다. 침 생성이 감소되어 있으면 소량의 수분과 농후제로 음식을 촉촉하게 하며 이뇨제를 사용하면 칼륨의 섭취를 증가시킨다.

6) 심장질환

(1) 울혈심부전

울혈심부전은 심장기능 장애로 심장수축력이 떨어져 심장에 들어온 충분한 혈액을 박출하지 못해 심장으로 가는 정맥과 조직에 수분이 울혈된 상태이다. 주로 노인들에게서 나타난다. 좌심실의 기능이 저하되면 폐순환계에 울혈이 생기고 우심실의 기능이 저하되면 체순환계에 울혈이 발생한다.

① 원인

관상동맥질환, 고혈압, 심장판막증, 허혈성 심장질환, 선천성 심장질환 등에 의해 발생한다.

② 증상

간, 복부, 다리에 수분이 축적되어 가슴통증, 소화와 흡수곤란, 다리와 발목 및 발에 부종을 초래할 수 있으며 수분이 폐까지 차서 호흡이 가빠지고 활동이 제한되어 급성 호흡부전을 유발할 수 있다. 복부팽창과 간 비대가 진행되면 식사 시 통증과 불편함이 심해질 수 있다. 좌심부전은 폐순환계에 울혈을 일으켜 폐부종, 호흡곤란, 천식, 청색증을 나타내고 우심부전은 체순환의 울혈을 일으켜 하지부종, 복수 등이 발생한다. 심부전 말기에는 심장성 악액질(cardiac cachexia)가 나타나는데 이 증상은 식욕과 음식섭취 감소에 의해 악화되어 나타나는 영양불량 상태이다. 심장성 악액질은 심한 체중감소와 조직 소모가 특징이다.

심부전의 증상

- 좌심부전 ➔ 심박출량 감소, 혈압저하-신장혈류 감소하여 여과량 저하 ➔ 체액량 증가 ➔ 말초에 부종
- 우심부전 ➔ 정맥울혈 ➔ 말초부전

③ 식사요법

식염과 수분제한은 수분축적과 심장의 부담을 줄여주고 심근수축력을 증강시키며 부종을 방지하기 위해 중증 심부전 환자는 하루에 1,000mg, 중등도 심부전 환자는 하루에 2,000mg 이하로 나트륨을 섭취하도록 권장한다. 부종을 제거하기 위해 이뇨제를 사용할 때에는 칼륨이 함께 배설되므로 저칼륨증이 되지 않도록 한다. 칼륨이 많은 식품은 바나나, 오렌지 주스, 감자, 토마토 등이 있다. 부종이 있는 경우 수분 제한이 필요할 수 있다. 에너지는 비만인 경우 심장에 부담이 되지 않도록 하루에 1,000~2,000kcal를 공급한다. 과식은 가로막을 압박하여 호흡곤란을 유발하므로 식사는 적은 양으로 자주 공급한다. 단백질은 심근을 강화시키므로 양질의 육류, 생선, 달걀, 두부, 저지방 우유 등으로 충분히 공급한다. 지방은 포화지방산과 콜레스테롤 함량이 많은 동물성 지방식품보다는 불포화지방산이 풍부한 식물성 기름과 ω-3 함량이 많은 등 푸른 생선을 섭취한다. 알코올은 말초혈관을 확장시키고 심박수를 증가시켜 심장에 부담을 주므로 제한한다. 섬유소 섭취는 변비문제를 해소하는 데 도움이 된다.

(2) 허혈성 심질환

허혈성 심질환은 관상동맥의 경화나 협착 등으로 인해 심장 내 혈류가 불충분해지고 산소공급이 부족할 때 발생한다.

① 원인

관상동맥 경화로 심근으로 들어가는 혈액의 양이 줄어 심근의 산소요구량에 비해 관상동맥으로부터 산소공급이 원활하지 않을 때 발생한다. 고혈압, 이상지혈증, 흡연, 당뇨병, 비만 등도 주요 위험인자이다.

② 종류

- 협심증(angina pectoris): 관상동맥의 경화로 협착이 생겨 심근에 산소공급이 줄어들면서 일시적인 심근의 허혈이 나타나 가슴에 통증을 느껴 가슴통증(흉통), 호흡곤란 등이 나타난다.
- 심근경색증(myocardial infarction): 관상동맥경화증으로 혈관이 협착되거나 폐쇄되어 심근에 산소가 공급되지 못하면 주위 심근이 괴사되어 심근경색이 나타나 강한 가슴통증이 30분 이상 지속되며 식은땀, 가슴에 통증을 느끼며 오심, 구토, 호흡곤란이 나타난다.

③ 식사요법

심장의 부담을 줄이는 것이 가장 중요하다. 나트륨, 포화지방, 수분, 에너지를 환자의 상태에 따라 조절한다. 많은 양의 식사는 위를 팽창시켜 호흡곤란을 유발하거나 식후에 열 발생을 증가시켜 심장에 부담을 주므로 소량씩 자주 식사한다. 표준 체중을 유지하기 위해 적절한 에너지 섭취를 하며 단백질을 충분히 공급한다. 다가 불포화지방산으로 섭취하며 콜레스테롤은 1일 300mg 이하로 하며 식이섬유소를 충분히 섭취한다. 알코올은 중성지방을 증가시키므로 제한한다.

요약

동맥경화는 동맥벽에 플라크가 쌓인 상태로 축적된 플라크가 파열되어 혈전증을 일으키고 혈류흐름을 차단할 수 있다. 협심증, 심장마비, 뇌졸증, 보행 시 통증, 신장병, 그리고 동맥류와 같은 합병증을 유발할 수 있다. 원인으로는 염증, 고혈압, 흡연, 이상지혈증 그리고 당뇨 등이 있다. 동맥경화는 어릴 때부터 진행될 수 있으므로 식생활 관리가 매우 중요하다. 에너지를 조절하고 포화지방, 단순당 섭취를 제한한다.
혈압은 혈액량, 심박수, 그리고 혈류에 대한 저항 증가와 같은 요인들에 의해 높아진다. 고혈압의 근본적인 원인은 알려져 있지 않지만, 주요 위험요인으로는 노화, 가족력, 인종적 차이, 비만 그리고 특정한 식이 선택 등이 포함된다. 나트륨, 포화지방, 콜레스테롤 함량이 많은 식사를 제한하고 칼륨, 칼슘, 마그네슘이 많은 식품을 섭취하는 것을 권장한다.
이상지혈증에는 5가지 형태가 있으며 총 에너지, 포화지방산, 콜레스테롤, 트랜스 지방산, 당질, 알코올을 제한하고 다가불포화지방산인 ω-3계열의 지방산과 식이섬유소를 섭취한다.
뇌졸중에는 뇌출혈과 뇌경색, 일과성 뇌허혈이 있다. 뇌졸중은 고혈압, 흡연, 당뇨병, 증가된 LDL 콜레스테롤 등이 원인이므로 이러한 질환들이 오지 않게 주의해야 한다. 식사요법은 환자의 상태에 따라 조절한다. 회복기에는 연하상태를 살펴 식사 진행하고 염분이 많거나 자극적인 음식은 제한한다.
울혈심부전은 일반적으로 다른 심혈관질환으로부터 초래된 만성적이고 점진적인 심장상태이다. 조직에 혈액을 충분히 송출하지 못해 정맥, 폐 그리고 다른 기관의 울혈과 기관의 기능이상을 초래한다. 울혈심부전은 울혈을 감소시키고 심장기능을 증강시키는 약물치료와 나트륨을 제한한다. 식사요법은 단백질은 충분히 공급하고 에너지, 지방, 나트륨, 단순당 섭취는 주의한다. 심장에 부담이 되지 않는 무자극성 식사를 공급하며 술, 탄산음료, 카페인 많은 음료 등은 제한한다.

복습하기

01 정상적인 수축기 및 이완기 혈압과 고혈압 시 수축기 및 이완기 혈압은?

① 120, 60mmHg 미만 – 120, 80mgHg 이상
② 120, 80mmHg 미만 – 140, 90mgHg 이상
③ 120, 80mmHg 미만 – 160, 100mgHg 이상
④ 120, 90mmHg 미만 – 200, 160mgHg 이상

02 다음 〈보기〉 중 우리나라 사람들의 높은 소금 섭취량에 크게 기여하는 것으로 알려진 음식은?

〈보기〉

가. 나물	나. 김치
다. 생선구이	라. 국이나 찌개

① 라 ② 가, 다
③ 나, 라 ④ 가, 나, 다

03 칼륨의 섭취와 고혈압과의 관계가 바르지 <u>않은</u> 것은?

① 칼륨은 혈압을 저하시키는 작용을 한다.
② 칼륨 함량이 많은 식품은 두류, 종실류, 어패류, 채소류 등이다.
③ 강압 이뇨제를 복용하는 환자는 Na/K의 섭취 비율이 2 정도가 좋다.
④ 고혈압 환자에게는 칼륨 함량은 많지만 나트륨 함량이 적은 식품을 권한다.

04 다음 〈보기〉 중 고지혈증의 분류 중 증가하는 지단백으로 맞는 것은?

〈보기〉

가. type I : chylomicron	나. type IIa : VLDL
다. type IIb : LDL, VLDL	라. type V : LDL

① 가, 다 ② 나, 라
③ 가, 나, 다 ④ 가, 나, 다, 라

☞ 정답 및 해설은 385쪽에서 확인

05 동맥경화증 환자에게 권장하는 사항으로 옳지 않은 것은?

① 금연
② 지속적 유산소운동
③ 포화지방산과 콜레스테롤 제한
④ 육류, 달걀 등 동물성 단백질 피함

06 다음 〈보기〉 중 울혈심부전 환자의 식사요법으로 적당한 것은?

〈보기〉
가. 단백질은 질이 좋은 것으로, 약간 증가된 60~80g 정도로 한다.
나. 식사의 양은 적은 양으로 자주 섭취한다.
다. 나트륨을 제한하고 소화가 잘 되는 식품을 섭취한다.
라. 섬유질이 많은 식품을 충분히 섭취한다.

① 가, 다
② 나, 라
③ 가, 나, 다
④ 가, 나, 다, 라

07 비만한 사람이 고혈압이 있을 때 식사요법으로 중요한 것은?

① 칼륨 제한, 단백질 제한
② 저열량 식사, 나트륨 제한
③ 탄수화물 제한, 단백질 제한
④ 체중조절을 위한 고열량 식사, 나트륨 제한

☞ 정답 및 해설은 385쪽에서 확인

제8절 신장질환

신장기능이 떨어지게 되면 체내에 노폐물이 쌓이고 고혈압, 부종, 수분 및 전해질 대사이상을 나타낼 뿐 아니라 전반적인 건강상태에 치명적인 영향을 미치게 된다.

1 신장의 구조

신장(kidney)은 척추를 중심으로 좌우에 1개씩 있으며 허리선 위쪽에 위치하고 있다. 신장의 겉부분을 피질, 내부를 수질이라 하며 각각의 신장에는 미세 기능단위인 네프론이 약 100만 개씩 있다. 네프론은 사구체, 세뇨관으로 되어 있으며 세뇨관은 근위세뇨관, 헨레고리, 원위세뇨관으로 구성되어 있으며 집합관, 신우, 방광으로 연결되어 있다. 신우는 집합관에서 운반되어 온 소변을 일시적으로 저장하였다가 수뇨관을 통해 방광으로 보낸다.

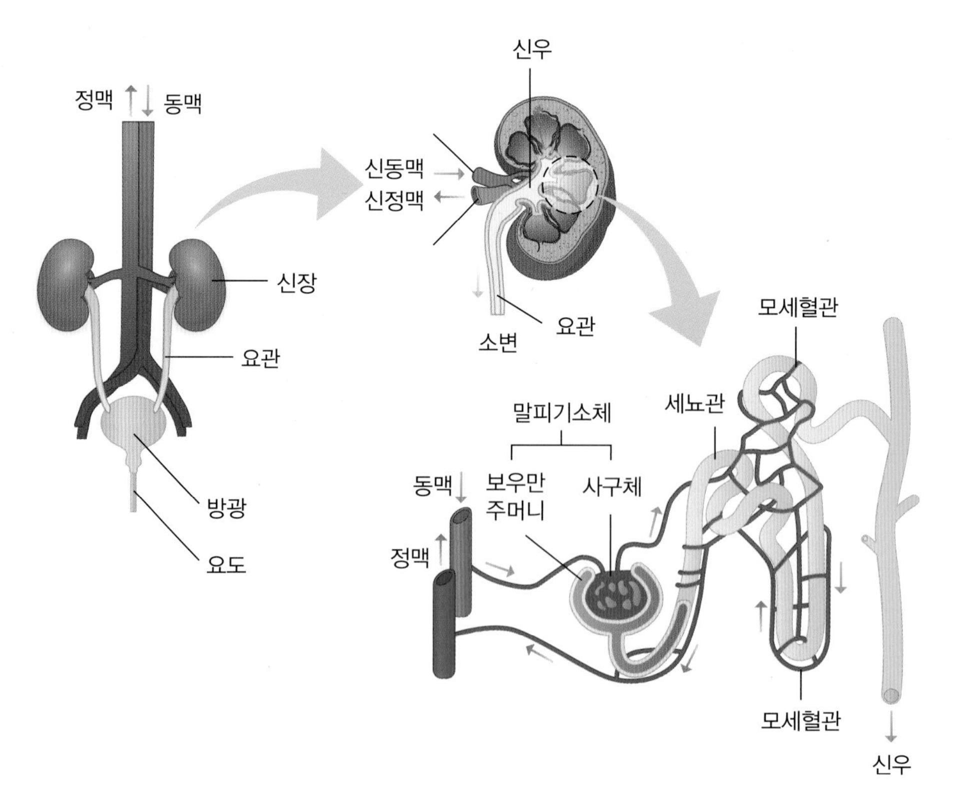

그림 4-22 신장의 구조

2 신장의 기능

신장은 체액의 항상성을 유지한다. 소변을 형성하고 노폐물을 제거하는 과정에서 체액, 전해질, 산-염기평형을 조절한다. 레닌(rennin)을 분비하여 혈압조절과 적혈구 합성에 관여하며 비타민 D를 활성화하여 혈중 칼슘 농도를 조절한다.

1) 배설기능

신장에서는 하루 심장박출 혈액량의 20%가 여과되고 세뇨관에서 재흡수가 일어나 약 1.5L의 소변을 생성·배설하여 체내 노폐물을 제거하고 항상성을 유지한다. 신장기능은 사구체에서 여과액이 생성되는 속도인 사구체여과율로 측정하며 125mL/분이 정상이다. 혈액은 사구체를 통과하면서 분자량이 작은 물질은 여과되고 세뇨관을 거치면서 수분, 포도당, 아미노산 등이 재흡수된다. 크레아티닌, 요소, 요산과 같은 질소 대사산물과 약물, 독성물질은 소변으로 배설된다.

2) 혈압조절

혈액량이 적어지거나 혈압이 저하되면, 신장에서 만들어진 레닌은 간에서 생산된 안지오텐시노겐(angiotensinogen)을 안지오텐신(angiotensin) I으로 활성화시키고 안지오텐신 I은 폐에 많이 존재하는 안지오텐신 전환효소(angiotension converting enzyme; ACE)에 의해 안지오텐신 II로 전환된다. 안지오텐신 II는 부신피질에서 알도스테론 분비를 촉진하여 신장에서 나트륨과 수분의 재흡수를 촉진해 체액을 늘리고 혈관을 수축시켜 혈압을 상승시킨다.

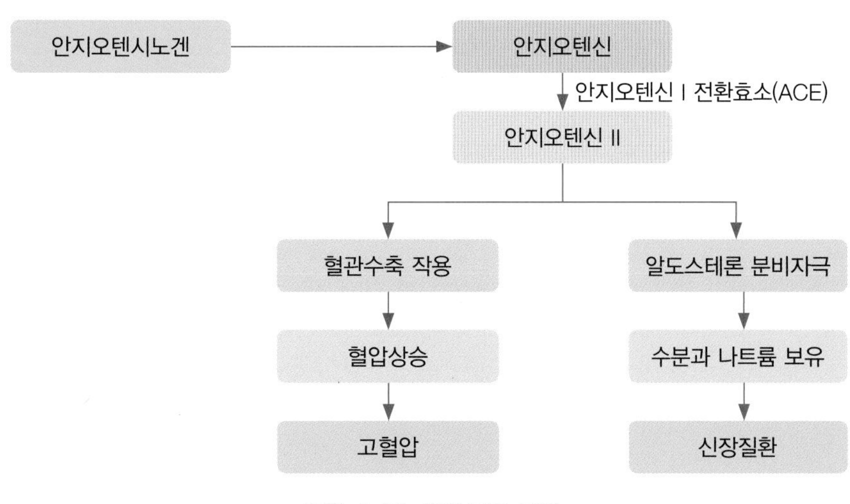

그림 4-23 **혈압조절 기전**

3) 체액의 평형 조절

수소이온 농도 조절과 나트륨, 칼륨, 염소이온 등의 전해질 농도를 통해 산-염기평형을 유지한다.

4) 조혈기능

에리트로포이에틴(erythropoietin)을 생성되어 적혈구의 생성을 자극한다.

5) 혈중칼슘의 항상성 조절

신장에서는 비타민 D를 활성화시키는 수산화효소가 있어 간에서 활성화된 25-(OH)D_3를 1,25-$(OH)_2$ D_3로 활성화시켜 혈액 내 칼슘 농도가 저하되어 부갑상샘호르몬 분비가 증가되면 소장에서 칼슘 흡수와 골격에서 칼슘의 이동을 촉진하여 혈중 칼슘 농도를 높인다.

3 신장에 이상이 있을 때 일반적 증상

1) 단백뇨

사구체로 단백질이 여과되어 세뇨관을 통과하면서 재흡수되지 못하면 소변으로 배출되는데 하루 5g 이상의 단백질이 배출되면 단백뇨라고 한다.

2) 부종

체액이 세포에 보유되면 부종이 나타나며, 단백뇨 때문에 저알부민혈증이 되면 삼투압이 저하되어 수분이 모세혈관 조직 사이로 이동되므로 부종이 나타나기도 한다. 신장질환에서는 안면에 부종이 먼저 생긴다.

3) 고혈압

신혈류량의 감소와 사구체여과량 감소 때문에 혈압이 상승하는데, 고혈압이 계속되면 신장 내부의 혈관은 동맥경화를 일으켜 신장이 축소되고 굳어져 신장이 경화된다.

4) 다뇨(Polyuria)와 결뇨(Oliguria)

급성 신부전의 경우, 요 배설능력이 급격히 떨어져서 소변의 하루 배설량이 500mL 이하가 되면 결뇨라고 한다. 그리고 세뇨관의 재흡수 능력이 저하되어 요 농축력이 약해지면, 소변의 색깔이 엷어지면서 요 배설량이 증가하는 다뇨가 나타난다.

5) 고질소혈증

질소성분의 배설능력이 저하되어 혈중 질소화합물이 증가하는 고질소혈증이 된다. 혈중 질소화합물은 단백질 이외에는 대부분이 요소이다. 요소 질소(blood urea nitrogen; BUN)는 8~18mg%으로 신장병 진단에 이용되며, 요산 질소는 0.83~2.31mg%, 크레아틴 질소는 0.19~0.45mg%, 암모니아 질소는 0.01~0.03mg%가 정상이다.

6) 혈뇨

방광이나 요로의 염증, 결석, 종양, 사구체신염 등으로 나타날 수 있다.

4 신장질환을 위한 식품교환표

단백질, 나트륨, 칼륨, 인 등의 영양소 섭취를 조절할 필요가 있는 신장질환 환자들을 위해 1997년 대한영양사회, 대한신장학회, 한국영양학회에서 공동으로 제작한 것이다. 곡류군, 어육류군, 채소군, 지방군, 우유군, 과일군, 에너지보충군의 7가지 식품군으로 구성되어 있다. 채소군과 과일군은 칼륨 함량을 세분화하였다. 1교환단위는 1회 섭취분량을 기준으로 영양소 함량이 비슷한 분량을 정한 것이다. 심한 단백질 제한의 경우 부족한 칼로리를 보충할 수 있도록 에너지보충 식품도 포함되어 있다.

표 4-24 **신장질환 식품교환표의 식품군별 영양소 함량(대한영양사협회, 2010)**

식품군		단백질 (g)	나트륨 (mg)	칼륨 (mg)	인 (mg)	에너지 (kcal)
곡류군		2	2	30	30	100
어육류군		8	50	120	90	75
채소군	1(칼륨 저함량)	1	미량	100	20	20
	2(칼륨 중등함량)			200		
	3(칼륨 고함량)			400		

식품군		단백질 (g)	나트륨 (mg)	칼륨 (mg)	인 (mg)	에너지 (kcal)
지방군		0	0	0	0	45
우유군		6	100	300	180	125
과일군	1(칼륨 저함량)	미량	미량	100	20	50
	2(칼륨 중등함량)			200		
	3(칼륨 고함량)			400		
열량보충군		0	3	20	5	100

1) 곡류군

곡류군은 주식이 되는 식품으로 구성되어 있으며 주 에너지원이다.

① 곡류군 1교환단위의 양(단백질 2g, 나트륨 2mg, 칼륨 30mg, 인 30mg, 에너지 100kcal)

식품명	무게(g)	목측량	식품명	무게(g)	목측량
쌀밥	70	1/3공기	가래떡	50	썰은 것 11개
국수(삶은 것)●	90	1/2공기	백설기	40	6 × 6 × 3cm
식빵●	35	1쪽	인절미	50	3개
백미	30	3큰술	절편(흰떡)	50	2개
찹쌀	30	3큰술	카스텔라	30	6.5 × 5 × 4.5cm
밀가루	30	5큰술	크래커	20	5개
마카로니(건)	30		콘플레이크	30	3/4컵

● 단백질과 나트륨 함량이 높으므로 1일 1회 이하로 섭취하도록 주의함

② 곡류군 중 칼륨이나 인 함량이 많아 섭취에 주의를 요하는 식품

식품명	무게(g)	목측량	식품명	무게(g)	목측량
감자●●	180	대 1개	호밀●	30	3큰술
고구마●	100	중 1/2개	밤(생)●	60	중 6개
토란●●	250	2컵	은행●●	60	
검정쌀●●	30	3큰술	메밀국수(마른 것)●	30	
보리쌀●	30	3큰술	메밀국수(삶은 것)●	90	
현미쌀●●	30	3큰술	시루떡●	50	
보리밥●	70	1/3공기	보리미숫가루●	30	5큰술
현미밥●●	70	1/3공기	빵가루●	30	
녹두●●	30	3큰술	오트밀●●	30	1/3컵
율무●●	30	3큰술	핫케이크가루●	25	
차수수●●	30	3큰술	옥수수●●	50	1/2개
차조●●	30	3큰술	팝콘●	20	

식품명	무게(g)	목측량	식품명	무게(g)	목측량
팥(붉은 것)●●	30	3큰술			

● 칼륨 ≥ 60mg, ● 인 ≥ 60mg
칼륨·인 주의: 감자, 고구마, 토란, 검정쌀, 보리쌀, 현미쌀, 보리밥

2) 어육류군

어육류군은 단백질로 구성된 식품이므로 허용된 범위 내에서 섭취한다.

① 어육류군 1교환단위의 양(단백질 8g, 나트륨 50mg, 칼륨 120mg, 인 90mg, 에너지 75kcal)

식품명	무게(g)	목측량	식품명	무게(g)	목측량
건어물 및 해산물			고기류		
뱅어포	10	1장	쇠고기	40	로스용 1장 (12 × 10.3cm)
북어	10	중 1/4토막	돼지고기	40	로스용 1장 (12 × 10.3cm, 탁구공 크기)
새우	40	중하 3마리, 보리새우 10마리	닭고기	40	소 1토막 (탁구공 크기)
문어●	50	1/3컵	개고기	40	소 1토막 (탁구공 크기)
물오징어●	50	중 1/4마리 (몸통)	소간	40	1/4컵
꽃게●	50	중 1/2마리	소갈비	40	소 1토막
굴●	70	1/3컵	우설	40	1/4컵
낙지●	70	1/2컵	돼지족, 돼지머리, 삼겹살	40	썰어서 4쪽 (3 × 3cm)
전복	70	중 1마리	소곱창	60	1/2컵
알류 및 콩류			소꼬리	60	소 2토막
달걀	60	대 1개	생선류		
메추리알	60	5개	각종 생선류	40	소 1토막
두부	80	1/6모			
순두부	200	1컵			
연두부	150	1/2개			

● 염분이 많으므로 물에 담가 염분을 충분히 뺀 후 조리함

② 어육류군 중 칼륨이나 인 함량이 많아 섭취를 주의해야 하는 식품

식품명	무게(g)	목측량	식품명	무게(g)	목측량
검정콩•	20	2큰술	치즈•	40	2장
노란콩•	20	2큰술	잔멸치(건)•	15	1/4컵
햄(로스)•	50	1쪽 (8×6×1cm)	건오징어•	15	중 1/4마리 (몸통)
런천미트•	50	1쪽 (5.5×4×2cm)	조갯살•	70	1/3컵
프랑크소시지•	50	1.5개	깐 홍합•	70	1/3컵
생선 통조림•	40	1/3컵	어묵	80	

• 칼륨 ≥ 200mg, • 나트륨 ≥ 250mg
나트륨 주의: 문어, 물오징어, 꽃게, 굴, 낙지
칼륨 주의: 검정콩, 노란콩
검정콩, 노란콩, 햄(로스), 런천미트, 프랑크소시지, 생선통조림, 치즈, 마른잔멸치, 마른오징어, 조갯살, 깐홍합, 어묵

3) 채소군

칼륨 함량에 따라 채소군 1(칼륨 저함량 100mg), 채소군 2(칼륨 중등함량 200mg), 채소군 3(칼륨 고함량 400mg)으로 나누었다.

① 채소군 1교환단위의 양

＊채소군 1(칼륨 저함량)(단백질 1g, 나트륨 미량, 칼륨 100mg, 인 20mg, 열량 20kcal)

식품명	무게(g)	목측량	식품명	무게(g)	목측량
달래	30	생 1/2컵	양파	50	익혀서 1/2컵
당근	30	생 1/2컵	양배추	50	익혀서 1/2컵
김	2	1장	가지	70	익혀서 1/2컵
깻잎	20	20장	고비(삶은 것)	70	익혀서 1/2컵
풋고추	20	중 2~3개	고사리(삶은 것)	70	익혀서 1/2컵
표고버섯(생)	30	중 5개	무	70	익혀서 1/2컵
더덕	30	중 2개	숙주	70	익혀서 1/2컵
치커리	30	중 12잎	오이	70	익혀서 1/2컵
배추	70	소 3~4장	죽순(통조림)	70	익혀서 1/2컵
양상추	70	중 3~4장	콩나물	70	익혀서 1/2컵
마늘종	40	익혀서 1/2컵	피망	70	익혀서 1/2컵
파	40	익혀서 1/2컵	녹두묵	100	1/4모
팽이버섯	40	익혀서 1/2컵	메밀묵	100	1/4모
냉이	50	익혀서 1/2컵	도토리묵	100	1/4모
무청	50	익혀서 1/2컵			

＊채소군 2(칼륨 중증 함량)(단백질 1g, 나트륨 미량, 칼륨 500mg, 인 20mg, 열량 20kcal)

식품명	무게(g)	목측량	식품명	무게(g)	목측량
무말랭이	10	불려서 1/2컵	우엉	50	익혀서 1/2컵
두릅	50	3개	풋마늘	50	익혀서 1/2컵
상추	70	중 10장	고구마순	70	익혀서 1/2컵
셀러리	70	6cm 길이 6개	느타리 버섯●	70	익혀서 1/2컵
케일	70	10cm 길이 10장	열무	70	익혀서 1/2컵
도라지	50	익혀서 1/2컵	애호박	70	익혀서 1/2컵
연근	50	익혀서 1/2컵	중국 부추	70	익혀서 1/2컵

● 인이 많이 함유된 식품

＊채소군 3(칼슘 고함량)(단백질 1g, 나트륨 미량, 칼륨 400mg, 인 20mg, 열량 20kcal)

식품명	무게(g)	목측량	식품명	무게(g)	목측량
양송이 버섯●	70	중 5개	쑥●	70	익혀서 1/2컵
고춧잎	50	익혀서 1/2컵	쑥갓	70	익혀서 1/2컵
아욱	50	익혀서 1/2컵	시금치	70	익혀서 1/2컵
근대	70	익혀서 1/2컵	죽순	70	익혀서 1/2컵
머위	70	익혀서 1/2컵	취	70	익혀서 1/2컵
물미역	70	익혀서 1/2컵	단호박	100	익혀서 1/2컵
미나리	70	익혀서 1/2컵	늙은 호박●	150	익혀서 1/2컵
부추	70	익혀서 1/2컵			

● 인이 많이 함유된 식품

4) 지방군

지방은 소화·흡수 후 노폐물을 거의 생성하지 않아 신장에 부담을 주지 않고 적은 양으로도 많은 에너지를 낼 수 있어 단백질을 제한하는 경우 농축 에너지로 사용하여 체단백질의 손실을 막는다.

① 지방군 1교환단위의 양(단백질 0g, 나트륨 0mg, 칼륨 0mg, 에너지 45kcal)

식품명	무게(g)	목측량	식품명	무게(g)	목측량
들기름	5	1작은술	카놀라유	5	1작은술
미강유	5	1작은술	쇼트닝	5	1.5작은술
옥수수기름	5	1작은술	마가린	6	1.5작은술
유채기름	5	1작은술	버터	6	1.5작은술
콩기름	5	1작은술	마요네즈	7	1.5작은술
참기름	5	1작은술			

② 지방군 중 단백질, 인, 칼륨 함량이 많아 섭취를 주의해야 하는 식품

식품명	무게(g)	목측량	식품명	무게(g)	목측량
베이컨	7	1조각	참깨	8	1큰술
땅콩	10	10개(1큰술)	피스타치오	8	10개
아몬드	8	7개	해바라기 씨	8	1큰술
잣	8	1큰술	호두	8	대 1개 또는 중간 1.5개

5) 우유군

우유군은 양질의 단백질이나 칼륨, 인의 함량이 많아 하루 허용된 양 이상의 섭취는 금하는 것이 좋다.

① 우유군 1교환단위의 양(단백질 6g, 나트륨 100mg, 칼륨 300mg, 인 180mg, 에너지 125kcal)

식품명	무게(g)	목측량	식품명	무게(g)	목측량
요구르트(액상)*	300	1.5컵 (100g 포장단위 3개)	두유	200	1컵
요구르트(호상)*	200	1컵 (100g 포장단위 2개)	연유(가당)*	60	1/2컵
우유	200	1컵	조제분유	25	5큰술
락토 우유	200	1컵	아이스크림*	150	1컵
저지방 우유(2%)	200	1컵			

1컵 = 200cc

* 요구르트나 연유(가당)은 1교환단위의 열량이 기준치의 1.5배임
* 아이스크림은 1교환단위의 열량이 기준치의 2.5배임

6) 과일군

과일군은 칼륨 함량에 따라 과일군 1(칼륨 저함량, 100mg), 과일군 2(칼륨 중등함량 200mg), 과일군 3(칼륨 고함량 400mg)으로 나누었다.

① 과일군 1교환단위의 양

*** 과일군 1(단백질 미량, 나트륨 미량, 칼륨 100mg, 인 20mg, 열량 50kcal)**

식품명	무게(g)	목측량	식품명	무게(g)	목측량
귤(통)	80	18알	자두	80	대 1개
금귤*	60	7개	파인애플	100	중 1쪽
단감	80	중 1/2개	파인애플(통)*	120	대 1쪽
연시	80	소 1개	포도	100	19개
레몬	80	중 1개	깐 포도(통)*	100	

식품명	무게(g)	목측량	식품명	무게(g)	목측량
사과	100	중 1/2개	프루츠칵테일(통)*	100	
사과 주스	100	1/2컵			

* 과일 통조림은 시럽을 제외해야 함

＊과일군 2(칼륨 중등 함량)(단백질 미량, 나트륨 미량, 칼륨 200mg, 인 20mg, 열량 50kcal)

식품명	무게(g)	목측량	식품명	무게(g)	목측량
귤	100	중 1개	살구	150	3개
다래	80		수박	200	1쪽
대추(건)	20	8개	오렌지	150	중 1개
대추(생)	60	8개	오렌지 주스	100	1/2컵
배	100	대 1/4개	자몽	150	중 1/2개
딸기	150	10개	파파야	100	
백도	150	중 1/2개	포도(거봉)	100	11개
황도	150	중 1/2개			

＊과일군 3(칼륨 고함량)(단백질 미량, 나트륨 미량, 칼륨 400mg, 인 20mg, 열량 50kcal)

식품명	무게(g)	목측량	식품명	무게(g)	목측량
곶감	50	중 1개	천도복숭아	200	소 2개
멜론(머스크)	120	1/8개	키위	100	대 1개
바나나	120	중 1개	토마토	250	대 1개
앵두	120		체리토마토	250	중 20개
참외	120	소 1/2개			

7) 에너지보충군

단백질을 많이 제한하는 경우 에너지보충군으로 에너지를 보충해주면 체단백질의 손실을 막을 수 있고 소화·흡수 후 노폐물이 거의 생기지 않으므로 신장에 부담을 줄일 수 있다. 그러나 복막투석을 하는 경우에는 투석액 내에 당이 포함되어 있으므로 에너지보충군의 섭취는 바람직하지 않다.

① 에너지보충군 1교환단위의 양(단백질 0g, 나트륨 3mg, 칼륨 20mg, 인 5mg, 에너지 100kcal)

식품명	무게(g)	식품명	무게(g)
과당	25	양갱	35
꿀	30	엿	30
녹말가루	30	물엿	30
당면	30	젤리	30
마멀레이드	40	잼	35
사탕	25	캐러멜	25
설탕	25	칼로리-S	25

② 에너지보충군 중 칼륨, 인 함량이 많아 주의해야 하는 식품

식품명	무게(g)	식품명	무게(g)
초콜릿	20	황설탕	25
흑설탕	25	로열젤리	80

5 신증후군(Nephrotic syndorome)

사구체의 모세혈관벽 손상으로 야기되는 신장장애로 혈장 단백질의 투과율이 비정상적으로 증가하여 소변으로 단백질이 1일 3g 이상 배설되며 모든 연령층에서 발생할 수 있으나, 특히 생후 1년 6개월에서 4년 사이의 어린이에게 가장 흔하게 나타난다.

1) 원인

사구체신염, 전신성 혈관염(전신홍반루푸스, systemic lupus erythematosus; SLE), 감염, 화학물질에 의한 손상, 당뇨병 등에 의해 발생한다.

2) 증상

단백뇨, 저알부민혈증, 부종, 혈액지질 농도 상승, 혈액응고 장애 등이 있다. 혈장단백질이 소변으로 배설되므로 혈액 내 단백질 수준이 저하되는데, 특히 알부민이 요로 배설됨에 따라 혈액 중 수분이 혈관 밖으로 빠져 나와 세포 사이에 축적되면서 부종이 생긴다. 단백질 손실이 계속되면 근육조직이 줄어들고 단백질-에너지 영양불량(PEM)과 영양소 부족이 발생한다. 면역글로불린 손실로 감염의 위험성이 높아지며 비타민 D 결합단백질의 결핍으로 칼슘 및 비타민 D 농도가 저하되어 골격계 질환이 나타난다. 혈중 LDL과 VLDL의 농도가 높고

특히 LDL 중에서 혈관손상을 가장 많이 일으킨다고 보고된 지단백질(a)형(변이형 LDL)의 농도가 높다. 또한 혈액응고를 억제하는 단백질이 손실되어 혈전이 증가하여 뇌경색 및 심장질환 발생위험이 높아진다.

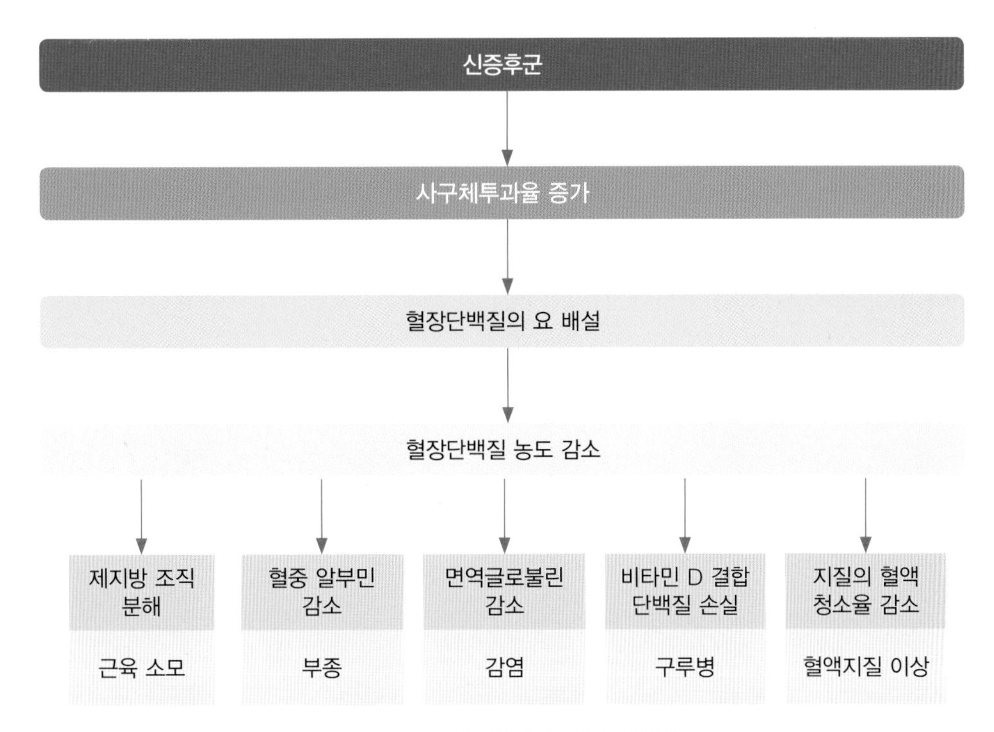

그림 4-24 **신증후군에 따른 증상들**

04

3) 식사요법

부종을 감소시키고 소변으로의 알부민 배출 감소, 단백질 영양부족과 근육 이화작용의 예방, 적절한 에너지 공급 및 신장질환의 진행을 지연시켜야 한다.

(1) 에너지

체단백질 분해를 막고 단백질 절약작용(protein sparing action)을 위하여 1일 체중 1kg당 약 35kcal 정도가 권장된다.

(2) 단백질

고단백 식사는 단백뇨 증상을 악화시킬 수도 있으므로 권장되지 않으며, 1일 체중 1kg당 0.8~1.0g의 단백질 섭취가 권장된다.

(3) 지질

포화지방과 콜레스테롤, 정제 설탕이 적은 식사는 상승된 혈액지질을 조절하는 데 도움이 된다. 콜레스테롤은 하루 200mg 이하로 섭취한다.

(4) 나트륨

1일 나트륨 섭취량은 2,000~4,000mg(소금 5~10g)으로 제한한다. 부종 때문에 이뇨제가 처방되었다면 칼륨이 손실되므로 칼륨을 보충한다.

(5) 비타민과 무기질

골손실을 예방하기 위하여 비타민 D와 칼슘 보충제를 처방하는 것이 바람직하다.

6 급성 신장손상(acute kidney injury; AKI, 급성 신부전, Acute renal failure)

신장 기능이 수 시간 또는 수 일 내에 급속하게 손상된 질환으로 질소성 노폐물이 혈액 내에 쌓이고 요 배설량이 감소하여 핍뇨나 무뇨가 동반될 수 있다.

1) 원인

외상, 약물, 패혈증, 상처 또는 수술 등에 의해 2차적으로 나타난다. 신장전(prerenal), 신장내(intrarenal) 및 신장후(postrenal)의 3가지 요인으로 분류한다.

(1) 신장전 요인(60~70%)

신장 내로의 혈류량을 갑작스럽게 감소시키는 인자들로서 심박출량 감소에 의한 심부전, 출혈과 화상으로 인한 저혈압과 체액부족 등이다.

(2) 신장내 요인(25~40%)

감염, 독성물질, 약물 등이 있다.

(3) 신장후 요인(5~10%)

결석, 종양에 의한 요도폐쇄 등이 있다.

2) 증상

신장 기능의 저하는 혈액 조성을 변하게 하며 요를 생성하거나 전해질과 산, 질소성 노폐물의 혈중농도를 조절하는 능력을 잃게 되며, 환자들은 1일 소변 배설량이 400mL 미만인 핍뇨기, 이뇨기, 회복기를 경험한다. 핍뇨기에는 수분과 전해질 배설이 정상적으로 이루어지지 않아 체내에 나트륨이 축적되어 부종이 나타나고 혈액 중의 칼륨과 인산, 마그네슘의 농도가 상승한다. 고칼륨혈증(hyperkalemia)은 심박수를 변하게 하고 심부전을 초래할 수 있다. 혈청 인산 농도가 상승하는 고인산혈증(hyperphosphatemia)은 부갑상샘호르몬의 분비를 과도하게 자극하고 혈중 칼슘 농도를 감소시킨다. 얼굴과 손, 발과 발목이 붓는다.

3) 식사요법

수분과 전해질 균형을 회복하고 혈중 독성 노폐물의 농도를 최소화하기 위하여 약물요법과 투석치료도 병행한다.

(1) 에너지

근육량을 보존하기 위해 1일 체중 1kg당 35kcal의 에너지를 공급한다.

(2) 단백질과 수분

① 투석을 하지 않는 경우

1일 단백질 섭취량을 체중 1kg당 0.6~0.8g/kg으로 제한하여 질소 노폐물의 생성을 억제한다.

수분 필요량은 요 배설량에 피부, 폐, 땀으로 손실되는 수분량인 약 500mL를 더한다.

② 신장기능이 향상되었거나 투석을 하는 경우

1일 단백질 섭취량을 체중 1kg당 1.0~1.4g/kg으로 증가하도록 권장한다.

투석을 하는 환자는 좀 더 자유롭게 수분을 섭취할 수 있으며 체수분 상태에 따라 1일 1.5~2.0L 정도의 수분이 허용된다.

③ 전해질

칼륨 섭취를 1일 2,000mg 이하로 제한한다. 인을 제한한다. 나트륨은 체수분 저류와 고혈압을 예방하기 위해 1일 2,000mg 이하로 제한한다.

칼륨 섭취를 줄이는 조리법

칼륨은 근육과 신경의 정상적인 활동에 중요하다. 혈중 칼륨 수준이 높으면 심장근육이 이완되고 박동이 느려져 심장마비를 초래할 수 있다. 칼륨은 짠맛을 내는 나트륨과 달리 맛으로 확인할 수 없으므로 식품을 통한 칼륨의 섭취를 줄이기 위해서는 다음과 같은 방법이 있다.
① 칼륨 함량이 적은 식품을 선택한다.
② 칼륨은 수용성이므로 잘게 썰어 재료의 10배 이상 되는 물에 2시간 정도 담가 두었다가 조리한다.
③ 껍질이 있는 식품은 껍질을 제거한 후 조리한다.

4) 약물치료

부종으로 이뇨제를 사용하는 경우 칼륨을 배설시키므로 칼륨 섭취에 주의한다. 고칼륨혈증 환자에게는 위장관(GI)에서 칼륨 이온과 결합하는 칼륨 교환수지를 처방하여 식품으로 섭취된 칼륨을 대변으로 배설시킨다. 고칼륨혈증은 인슐린을 사용하여 세포 외의 칼륨을 세포 내로 일시적으로 이동시키는데, 이때 저혈당증(hypoglycemia)을 방지하기 위하여 포도당을 함께 공급해야 한다. 만약 산독증(acidosis)이 있다면 중탄산염(bicarbonate)을 경구 또는 정맥으로 투여해야 한다.

7 만성 신장질환(Chronic kidney disease; CKD, 만성 신부전, Chronic renal failure)

만성 신장질환은 수 년 동안 특별한 증상 없이 진행되므로 환자가 만성 신장질환을 진단받으면 신장기능의 75% 이상 상실한 경우가 대부분으로 만성 신부전이라고도 한다.

1) 원인

당뇨병, 고혈압, 사구체신염, 신장경화(nephrosclerosis: 고혈압으로 인한 신장세동맥의 괴사), 폐쇄성 질환(신장결석, 종양 및 신장과 요로계의 선천성 결함), 전신홍반루푸스 등이 원인이며, 우리나라는 40% 이상이 당뇨병에 기인한 만성 신부전이다. 감염, 독성물질에의 노출, 세뇨관질환, 만성 신우신염, 신장의 선천이상에 의해서도 발생한다.

2) 증상

질소성 노폐물의 축적, 수분과 전해질 불균형 등으로 신체의 모든 체계에 영향을 미친다.

초기에는 식욕부진, 피로, 두통, 고혈압, 가려움증, 매스꺼움과 구토, 단백뇨 혈뇨 등의 증상이 나타나고 더 진행되면 전해질 불균형, 수분 절, 대사성 산독증, 단백질-에너지 결핍성 영양불량, 면역저하, 골형성장애 등이 나타난다. 신장이 산염기평형을 유지하는 기관이므로 만성 신장질환에서는 산독증이 발생한다. 이로 인해 혈중 산성물질을 중화하기 위하여 뼈에서 단백질과 인산염 같은 물질이 녹아 나오게 되어 골질환을 악화시킬 수 있다. 증상을 나타내는 요독증이 생긴다.

표 4-25 만성 신장질환의 단계

단계		사구체여과율[1] (mL/min/1.73m^2)
1	사구체여과율 정상 또는 증가	≥ 90
2	사구체여과율 약간 감소	60~89
3	사구체여과율 중간 정도 감소	30~59
4	사구체여과율 심하게 감소	15~29
5	신부전	< 15(또는 투석 시행)

주 1) 사구체여과율(GFR) 정상치는 1분당 약 125mL임

출처: A.S. Levey and coauthors(2003). National Kidney Foundation practice guidelines for chronic Kidney disease: Evaluation, classification and stratification. Annals of Internal Medicine 139. 137~147.

3) 식사요법

나트륨 섭취량을 제한하여 부종을 예방하고 혈압을 조절하며 충분한 에너지를 공급하여 체단백질의 분해를 막고, 단백질 섭취량을 제한하여 혈액 내의 질소 분해산물 축적을 막고 요독증을 예방한다.

표 4-26 만성 신장질환의 영양소 권장량

영양소	투석 전	혈액투석	복막투석
에너지(kcal/kg)	60세 미만: 35 60세 이상: 30~35	60세 미만: 35 60세 이상: 30~35	60세 미만: 35 60세 이상: 30~35 (투석을 통해 흡수되는 에너지 포함)
단백질(g/kg), 50%는 동물성 단백질로 공급	0.6~0.75	1.2	1.2~1.3

출처: Journal of the American Dietetic Association 104(2004). 404-409; J.A.Beto and V.K.Bansal. Medical nutrition therapy in chronic kidney failure: Integrating clinical practice guidelines.

(1) 에너지

정상 체중을 유지하고 근육 소모를 예방할 수 있도록 1일 체중 1kg당 35kcal로 섭취한다. 복막투석 환자들은 투석액에 포함된 1일 800kcal 정도의 포도당을 투석과정 중에 공급받으므로 에너지 섭취량 계산할 때 고려해야 한다.

(2) 단백질

요독증을 예방하기 위해 1일 단백질 섭취량은 체중 1kg당 0.6~0.75g이 적당하다. 이러한 저단백 식사는 질소성 노폐물을 적게 생성하므로 요독증의 위험을 낮출 수 있고, 고단백 식사보다 인의 함량도 적어 고인산혈증의 위험도 줄일 수 있다. 섭취하는 단백질의 약 50%는 달걀류, 우유 및 유제품, 육류, 가금류, 어류, 두류와 같은 양질의 단백질로 구성하여 섭취하여 필수 아미노산의 섭취가 적절하게 이루어지도록 한다. 저단백 빵류, 국수류 같은 곡물제품은 신장질환 환자들이 단백질 섭취의 증가 없이 에너지 섭취량을 증가할 수 있는, 상업적으로 유용한 제품들이다.

(3) 지질

상승된 혈액 지질 농도를 조절하고 심장질환의 위험을 낮추기 위하여 총 지방섭취량은 총 칼로리의 25~35%로 하고 포화지방과 콜레스테롤을 제한해야 한다.

(4) 나트륨과 칼륨

부종을 감소시키기 위해 1일 나트륨은 1,000~3,000mg 이하로 한다. 칼륨의 배설은 신장으로 통해 이루어지는데, 신장병 환자는 칼륨 제거기능이 저하되므로 칼륨 함량이 높은 식품을 섭취하면 혈액 내 칼륨 수치가 올라가 근육이 심장에 영향을 미쳐 사지마비, 부정맥, 심장마비를 일으킨다. 정제된 곡류는 정제되지 않은 곡류보다 칼륨 함량이 적으므로 쌀밥 위주로 섭취하고 통조림 과일을 섭취하며, 이때 시럽은 버린다.

투석과 칼륨

* 혈액투석: 칼륨 제한
* 복막투석: 칼륨을 좀 더 자유롭게 섭취할 수 있다.

(5) 칼슘과 인

신장 기능이 저하되면 비타민 D를 활성화할 수 없어 칼슘 흡수기전에 손상을 받게 된다. 혈 청 인의 농도가 높은 환자들은 인산 결합제를 식사와 함께 복용하여 혈청 인 농도를 조절한다. 현미, 잡곡류, 콩류에는 인이 많으므로 쌀밥 위주로 섭취하며 호두, 땅콩, 잣, 말린 과일, 단백질 식품, 콜라, 초콜릿, 피자, 코코아는 인이 많으므로 제한한다.

투석과 인

투석치료를 하게 되면 인의 제한과 칼슘 및 비타민 D의 보충이 필요하다. 고단백 식품에는 인의 함량도 많으므로 인의 섭취도 제한한다. 그러나 투석치료가 시작되면 단백질 섭취가 자유로워지므로 인 조절을 위해 인산 결합제가 반드시 필요하다. 칼슘이 풍부한 우유 및 유제품과 같은 식품들은 인 함량이 많으므로 식사에서 제한한다. 그러므로 환자들은 칼슘 필요량을 충족시키기 위해 칼슘 보충제를 꼭 복용해야 한다.

(6) 비타민과 무기질

신장질환 환자들은 비타민과 무기질의 섭취를 방해 받기 때문에 결핍의 위험이 증가하고 특히 투석환자는 수용성 비타민과 무기질이 투석액을 통하여 손실되기 때문에 보충제 복용이 필수적이다. 그러나 비타민 C의 보충은 1일 100mg으로 제한하여 과잉 섭취로 인한 신장 결석이 형성되지 않도록 한다. 또한 위장관 출혈, 철분 흡수 감소, 투석액을 통한 철분의 손실로 인해 결핍증이 나타날 수 있다.

(7) 수분

요 배설이 감소하기 전에는 제한할 필요가 없다. 물, 얼음, 주스, 아이스크림, 우유, 국, 탄산음료 등으로 수분을 공급한다.

4) 약물치료

고혈압의 치료는 신장질환의 진행속도를 늦추고 심혈관계 질환의 위험을 낮추는 데 중요한 부분이므로, 항고혈압제가 처방되며 에리쓰로포이에틴(erythropoetin)을 주사 또는 정맥 투여하여 빈혈을 치료하게 한다. 혈청 인 농도를 감소시키기 위한 인산염 결합제(음식물과 함께 복용), 산독증을 중화하기 위한 나트륨 중탄산염, 콜레스테롤 저하제 등이 사용된다.

비타민 D 활성형(calcitriol) 보충제도 혈청 칼슘 농도를 높이고 부갑상샘호르몬의 농도를 낮추는 데 도움이 된다.

8 사구체신염(Glomerulonephritis)

사구체의 모세혈관에 염증이 생기는 질환으로 급성 사구체신염은 갑자기 발병하고 빠른 시일 내에 치료가 가능하나 치료되지 않으면 만성 사구체신염이나 말기 신장질환으로 진행된다.

1) 원인

세균이나 바이러스, 자가면역에 의해 발생한다. 세균이나 바이러스 등의 항원에 항체가 결합하여 항원-항체 복합체가 형성되면 이들 복합체가 신장단위(nephron)의 상피세포와 사구체의 기저막에 축적되어 사구체염이 된다. 급성 사구체신염은 편도선염, 인두염, 감기, 중이염, 폐렴을 앓고 난 후 1~3주의 잠복기를 거쳐 나타난다. 3~10세 어린이에게 발병하기 쉬우며 5% 정도 환자는 50세 이후 발병한다.

2) 증상

급성 사구체신염은 혈액이 소변으로 빠져 나와 혈뇨와 단백뇨가 나타나고 사구체여과율 감소로 소변량이 감소하여 핍뇨를 보이다가 악화되면 무뇨를 보이기도 한다. 소변량이 감소하면 부종이 나타나고 소변량이 증가하면 부종이 개선된다. 부종은 얼굴, 눈가, 하지 전신부종으로 이어지며 고혈압이 초래되고 고혈압이 계속되면 심장에 영향을 주어 심부전을 일으킨다.

만성 사구체신염은 증상이 잘 나타나지 않거나 경미하지만 진행되면 고혈압과 단백뇨가 심하고 부종이 나타나며 요독증, 식욕부진, 구토, 경련을 수반하며 사망할 수도 있다.

3) 식사요법

(1) 에너지

급성 사구체신염 초기에는 체조직의 분해를 막기 위해 35~40kcal/kg으로 탄수화물 위주로 공급한다. 지방을 많이 섭취하면 케톤증, 고지혈증, 동맥경화증이 발생할 수 있으므로 적정량 공급한다.

(2) 단백질

소변량이 감소하는 급성 사구체신염 초기에는 단백질을 0.5g/kg 이하로 제한하다가 소변량이 증가하고 회복기가 되면 1.0g/kg까지 늘리며 양질의 단백질로 공급한다. 만성 사구체신염은 단백뇨가 있으면 1.0g/kg의 단백질을 공급한다.

(3) 무기질

소변량이 적고 부종과 고혈압이 있으면 나트륨 섭취를 제한하다가 소변량이 증가하면 나트륨의 섭취를 늘린다. 핍뇨기에는 1,000mg 이내(소금 3g 이내), 이뇨기에는 1,000~2,000mg(소금 3~5g), 회복기에는 2,000~3,000mg(소금 5~8g)을 공급한다. 핍뇨기에는 신장에서 칼륨 배설이 감소하여 고칼륨혈증으로 부정맥이 나타나 심장마비가 올 수 있으므로 칼륨 섭취를 제한한다.

(4) 수분

핍뇨기에는 전날 소변량에 500mL을 더한 양의 수분을 공급한다. 이뇨기에 들어서면 수분을 1,000~1,500mL로 늘리며 부종과 고혈압이 없어지는 회복기에는 수분 섭취를 제한하지 않아도 된다.

9 요독증

1) 원인

만성 사구체신염 말기에 신장의 기능저하 상태가 장기간 계속되면 요로 배설되어야 할 칼슘이나 질소 등이 혈액에 저류되어 전해물질의 평형이 이루어지지 않아 알칼리화하여 신경 증상이 일어난다.

2) 증상

① 식욕감퇴, 구토, 설사와 호흡에서 암모니아 냄새가 난다.
② 머리가 무겁고 권태감이 온다.
③ 혈액 내 저류된 유해물질이 뇌장애를 일으키기 때문에 혼수상태가 온다.

3) 식사요법

(1) 단백질

단백질을 제한한다(체중 1kg당 0.5~0.6g). 체액 전해질의 평형을 조절한다.

(2) 에너지

에너지 부족은 체단백질 분해를 촉진하여 혈중 질소화합물의 농도를 더 높이게 되므로,

충분한 에너지를 탄수화물과 지방으로 공급한다. 구토하고 식욕이 없으므로 포도당 주사 등으로 에너지를 공급한다.

(3) 나트륨과 칼륨, 수분

전해질 농도의 정상 유지가 어려워서 혈장 나트륨 농도가 감소하고 칼륨 농도가 증가한다. 그러므로 식염과 칼륨을 제한하며, 수분은 부종이 있을 때에만 제한한다.

10 투석(Dialysis)

투석은 혈액의 과도한 수분과 노폐물을 제거함으로써 신장의 기능을 대체하는 치료방법이다.

1) 혈액투석(Hemodialysis)

투석액이 들어있는 투석기(인공신장)에 혈액을 통과하게 하여 혈액 중의 수분과 노폐물을 선택적으로 제거하는 치료방법이다.

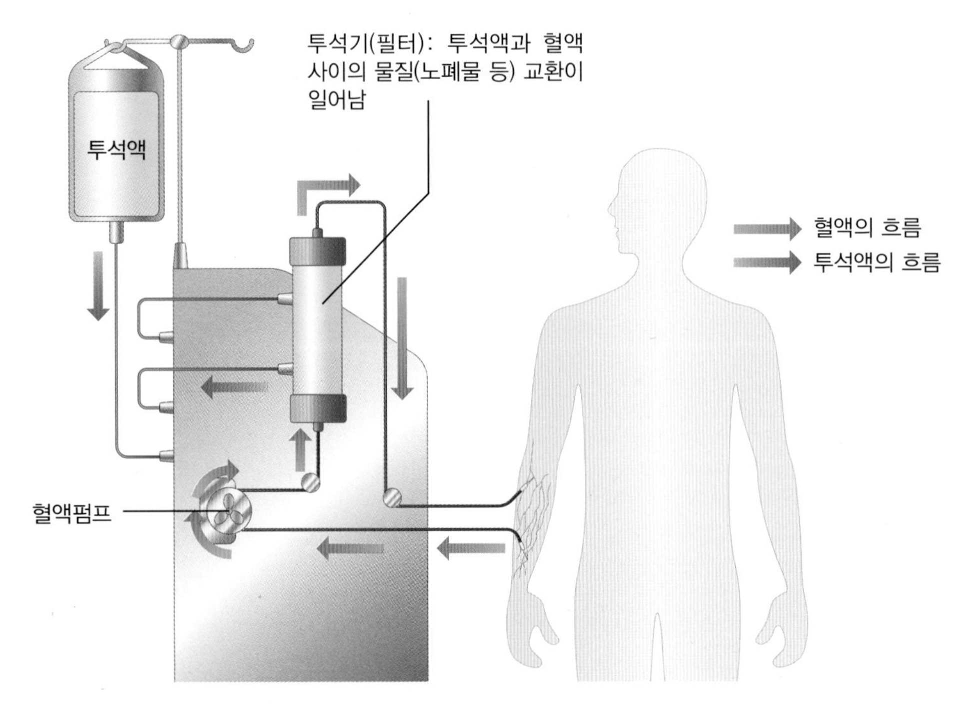

그림 4-25 **혈액투석**

(1) 특징

혈액투석 환자의 사망률과 이환율은 일반인에 비해 높은 편으로 이는 부적절한 관리에 의한 합병증의 발현과 영양불량 때문이므로 영양관리가 매우 중요하다. 과다한 노폐물과 수분 축적을 방지하며 만성 신장질환의 결과로 발생되는 대사장애의 영향을 최소화해야 한다.

① 에너지

혈액투석은 체조직의 이화작용을 상승시켜 에너지 필요량이 정상인에 비해 더 필요하므로 체단백질의 이화를 막고 단백질이 에너지원으로 사용되는 것을 방지하기 위해 에너지는 하루 35kcal/kg을 공급한다.

② 단백질

질소 분해산물이 체내에 과량 축적되는 것을 방지하고 양의 질소평형을 유지하기 위해 1.0~1.2g/kg의 단백질을 공급하며 섭취량의 최소 50% 이상은 생물가가 높은 식품으로 제공한다.

③ 지방

포화지방과 트랜스지방은 피한다.

④ 수분

하루 체중 증가량이 500g 이하가 되도록 수분 섭취량을 조절하며 하루 소변 배설량에 1,000mL을 더한 양을 공급한다.

④ 나트륨과 칼륨

나트륨(소듐, sodium)은 고혈압과 부종을 예방하고 심장기능에 부담을 줄이기 위해 2,000~3,000mg(소금 5~8g) 이하로 제한한다. 사구체여과율이 감소함에 따라 칼륨(포타슘, potassium) 배설은 증가한다. 고칼륨혈증은 심장부정맥이나 심장마비를 일으킬 수 있으므로, 혈액투석의 경우 칼륨 제한을 반드시 해야 한다. 1일 1,600~2,400mg 이하로 한다.

⑤ 칼슘 및 인

고인산혈증으로 야기될 수 있는 부갑상샘항진증을 예방하고 골이영양증을 방지하기 위해 1일 인섭취는 표준 체중 1kg당 15~17mg 이하로 한다. 우유, 유제품, 치즈, 소간, 초콜릿, 견과류와 콩류처럼 인이 많은 식품은 제한한다.

⑥ 비타민

신부전 시 신장은 칼시트리올(calcitriol), 비타민 D의 활성형을 생산하는 내분비 기능을 상실하게 되므로 활성형 비타민 D_3를 경구형(calcitriol)이나 정맥주사(IV)형으로 공급해야 골질환을 예방할 수 있다. 또한 투석 시 수용성 비타민, 특히 피리독신, 엽산 등이 손실될 수 있으므로 보충을 한다. 지용성 비타민 A, E, K는 보충할 필요가 없다.

⑦ 철분과 기타 무기질

혈액투석을 받는 환자들은 빈혈이 발생하기 쉽다. 빈혈은 적혈구 생산을 위해 골수를 자극하는 호르몬인 에리트로포이에틴(erythropoietin, 적혈구 생성인자)의 생산 감소로 발생하므로 적절한 철분공급을 하는 것은 정상적인 적혈구 형성을 위해 필요하다.

2) 복막투석(Peritoneal dialysis)

투석액을 환자의 복강 내로 주입하여 혈액이 복막에 의해 여과되도록 하는 치료방법으로, 불필요한 수분과 노폐물이 투석액으로 여과되어 수 시간 후에 체외로 배출된다. 투석액에 포도당이 포함되어 있어 삼투농도가 증가되고 과도한 수분 제거를 촉진시킨다.

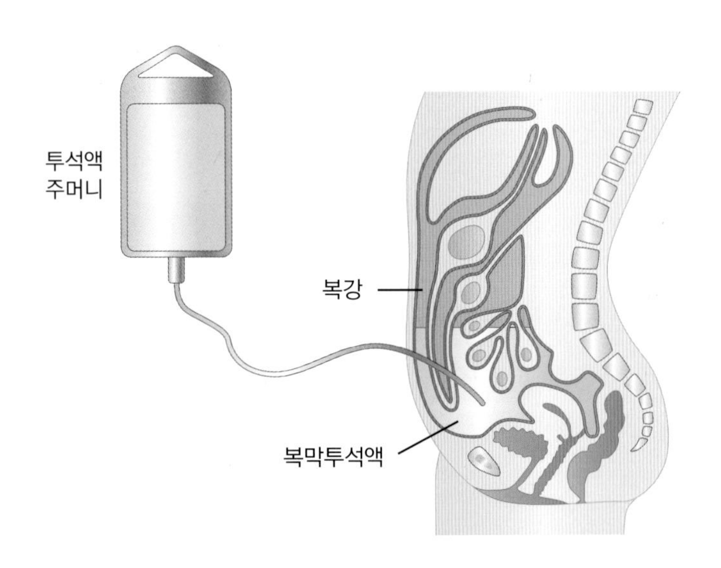

그림 4-26 **복막투석**

(1) 특징

지속적으로 투석이 이루어지므로 체내의 노폐물, 전해질, 수분 등이 일정한 상태로 유지되므로 엄격한 식사 제한에서 벗어날 수 있다는 장점이 있다. 그러나 합병증으로 복막염 발생위험이 높고 이상지혈증이 나타날 수 있다. 식사요법은 투석 시 손실되는 알부민을 대체하면서 양호한 영양상태를 유지하고 수분 불균형에 따른 합병증을 최소화하고 요독증 증상을 최소화할 수 있어야 한다. 복막투석 환자의 영양권장량은 환자의 체격 및 잔여 신장기능과 함께 교환 횟수, 투석액의 양, 투석액의 농도를 고려하여 결정된다.

① 에너지

체단백질의 이화를 막기 위해 에너지는 투석 전과 같이 35kcal/kg을 공급한다. 그러나 투석액으로부터 흡수되는 덱스트로즈는 중성지방을 높이고 체중증가의 원인이 될 수 있으므로 에너지 섭취를 조절한다. 투석액으로부터 얻어지는 에너지는 투석액의 농도와 용량에 따라 다르나 보통 400~800kcal 정도가 흡수되므로 환자의 체중 변화를 고려하여 에너지를 조절한다.

식사에 필요한 에너지 = 총 에너지요구량 - 투석액으로부터 얻는 에너지

투석액으로부터 얻는 에너지 = 덱스트로즈 농도(g/L) × 3.4kcal × 0.8 × 투석액량(L)

복막투석 환자들은 투석액에 포함된 1일 약 800kcal 상당의 포도당을 투석과정 중에 공급받게 되므로, 에너지 섭취량을 계산할 때에 이 부분도 고려해야 한다. 복막투석을 장기간 지속하는 경우에는 체중증가가 나타날 수 있다.

② 단백질

복막투석을 지속적으로 하면 단백질이 하루 약 6~10g 손실된다. 이를 보충하고 양의 질소평형을 유지하기 위해서는 하루 표준 체중 1kg당 1.2~1.3g의 단백질을 추가적으로 공급한다. 한편 투석액의 복강 내 잔류로 인한 복부팽만감 및 복압의 상승은 소화력을 저하시켜 단백질 섭취가 부족하게 되는 경우가 많으므로 단백질 섭취에 유의한다.

③ 수분

특별히 제한할 필요는 없으나 고혈압이나 부종이 있는 경우 제한한다.

④ 나트륨과 칼륨

나트륨과 칼륨은 지속적으로 제거되므로 엄격한 식이제한은 하지 않아도 된다.

⑤ 인

복막투석만으로는 인이 충분히 제거되지 못하므로 하루 체중 1kg당 17mg 이하로 제한한다. 인 섭취를 제한하는 것은 골형성장애 예방에 도움이 된다. 단백질 함량이 높은 식품은 인이 많으므로 조절하고 유제품을 제한한다.

⑥ 수용성 비타민과 무기질

투석으로 수용성 비타민과 무기질이 손실되므로 엽산과 철분 등이 포함된 비타민제 보충이 필요하다. 마그네슘은 혈관 석회화를 억제하므로 필요하다. 관상동맥 석회하는 투석환자들에게서 많이 발생한다.

11 신장이식

말기 신장환자에게 투석을 대체하는 가장 좋은 치료는 신장이식이다.

(1) 식사요법

① 이식 전 단계

수술 전 영양상태를 개선해야 한다. 투석을 오랜 기간 하게 되면 단백질과 혈액, 비타민 B_6, 엽산, 비타민 C, 비타민 D, 철분 결핍으로 인한 영양소 손실로 내장 단백질과 체중 감소가 흔하게 나타나며 식욕부진, 미각변화로 인해 영양부족인 경우가 많다.

② 장기이식 직후와 장기간 단계

이식 직후 에너지요구량은 수술 스트레스와 이화작용 때문에 30~35 kcal/kg으로 높아진다. 이식 후 6~8주 이후에는 에너지요구량이 감소하므로 정상체중 유지 수준으로 제공한다. 단백질 식이제한은 필요하지 않다. 신장이식 후 조직거부 증상을 예방하기 위해 면역억제제를 다량 투여받게 되면 당불내증이 초래되므로 탄수화물을 조절해야 한다. 이상지혈증이 발생하면 포화지방과 콜레스테롤을 제한하고 ω-3 지방산이 풍부한 식품은 염증을 감소시키므로 주도록 한다.

12 신장결석(Kidney stones)

신장결석은 요량이 감소되거나 요관이 막히거나 결석을 형성하는 물질의 농도가 증가하게 되면 형성된다. 여성보다 남성에게 많으며 결석이 요로를 막으면 통증과 혈뇨, 발열, 구토, 창백, 발한 등의 증상이 나타난다.

1) 수산칼슘결석(Calcium oxalate stones)

(1) 원인

소변 내 과도한 칼슘(고칼슘뇨증, hypercaliuria)은 칼슘 신결석의 가장 흔한 원인으로 고칼슘뇨증은 소장에서 칼슘이 과도하게 흡수되거나 신장 세뇨관에서 칼슘의 재흡수가 방해를 받거나 혈청 부갑상샘호르몬이나 비타민 D의 농도가 상승할 때 발생한다. 결석의 형성은 수산에 의해 영향을 더 많이 받는데 식물성 식품에 많이 함유되어 있다.

(2) 식사요법

① 단백질, 칼슘

동물성 단백질을 많이 섭취하면 칼슘 배설이 증가하므로 과량의 생선, 육류, 달걀은 피한다. 칼슘은 고칼슘혈증을 치료하고 장에서 수산과 결합하여 수산을 흡수를 방해하므로 고수산증과 칼슘평형을 위해 600~800mg 정도 권장한다.

② 나트륨, 칼륨

다량의 나트륨 섭취는 사구체여과율의 증가, 칼슘 재흡수의 감소 등으로 소변으로의 칼슘 배설을 증가시켜 칼슘 결정을 형성하므로 중등도의 나트륨을 공급한다. 칼륨은 나트륨을 배출시키고 신장 인산염 흡수를 증가시킴으로써 요중 칼슘 배설을 감소시킨다. 칼륨을 적게 섭취하는 것은 결석생성이 또 다른 위험이 되므로 과일과 채소를 많이 섭취하고 저지방 유제품을 섭취하는 것을 권장한다.

③ 수산

수산은 수산칼슘 결석의 주 요인으로, 칼슘은 수산의 흡수를 저해하므로 칼슘을 심하게 제한하면 수산의 흡수를 증가시켜 소변으로 수산 배설을 증가시킬 수 있다, 수산은 적은 양으로도 결정을 형성하므로 식사의 수산을 제한하며 수산이 비타민 C의 최종 대사산물이므로 수산과 비타민 C가 많이 함유된 식품과 보충제 사용은 금한다.

④ 수분

수분 섭취를 많이 하면 소변이 희석되어 결석 형성물질의 농도를 상대적으로 낮추므로 수분 섭취를 증가시킨다.

수산함량이 많은 식품

콩류(완두콩, 강낭콩), 두부, 무, 셀러리, 가지, 꽃상추, 부추, 두류(꼬투리 콩), 파슬리, 고구마, 시금치, 애호박, 포도, 딸기, 귤, 옥수수, 초콜릿, 코코아, 커피, 홍차, 은행, 참깨, 호두, 자두

2) 요산 결석(Uric acid stones)

요산은 퓨린의 대사산물이다.

(1) 원인

요산염 배설이 증가하거나 통풍 등에 의해 발생한다.

(2) 식사요법

동물성 단백질이 많은 식사는 요산 배설을 증가시키므로 제한하고 통풍과 같은 퓨린 대사 이상 환자는 퓨린 함량이 많은 식품인 육류의 간, 내장, 육즙, 멸치 등의 섭취를 제한한다.

3) 시스틴 결석(Cystine stones)과 스트루비트(Struvite stones) 결석

(1) 원인

시스틴 결석은 유전병인 시스틴뇨증(cystinuria) 환자에게 나타날 수 있는 결석으로, 신장 세뇨관에서 아미노산인 시스틴을 재흡수하지 못하여 소변 중의 시스틴 농도가 비정상적으로 상승해 결석이 형성된다.

스트루비트 결석은 주로 암모늄 인산마그네슘(magnesium ammonium)으로 구성되어 있으며 요소가 요로 감염에 의해 분해되어 암모니아를 생성함으로써 요가 알칼리성이 되어 생성된 결석이다.

(2) 식사요법

수분을 하루 4,000mL 이상 충분히 섭취한다. 시스틴은 대부분의 단백질 식품에 함유되어 있으므로 단백질 식품은 적당량 섭취하는 것이 권고된다.

요약

- 신장의 주요 기능은 신체의 화학적 항상성 유지를 돕는 것이다.
- 신증후군은 사구체 손상에 의해 발생하는 것으로 요중 단백질 배설 증가, 혈청 알부민 감소, 이상지혈증, 부종 등의 증상이 나타난다. 식사요법은 고혈압 조절, 부종 최소화, 요중 알부민 손실 감소, 근육 이화작용과 단백질 영양부족 예방 등을 할 수 있게 진행되어야 한다.
- 급성 신부전은 외상, 출혈, 쇼크, 신독성 화합물, 약물, 패혈증, 감염 등에 의해 신장의 기능이 갑자기 손상된 것으로 핍뇨나 무뇨가 동반될 수 있다.
- 만성 신장질환은 점진적으로 신장 기능이 손실된 것으로 장기간 진행된 당뇨병이나 고혈압인 경우에 발생하며 주로 수분과 전해질 이상 등이 발생한다. 식사요법은 저단백식, 수분과 나트륨 조절식, 칼륨과 인 제한식, 칼슘과 비타민 D 보충제 복용 등이 있다. 요독증의 경우에는 단백질을 제한해야 하며, 투석환자는 단백질을 어느 정도 공급할 수 있다. 투석에는 혈액투석과 복막투석이 있다.
- 결석에는 수산 결석, 요산 결석, 시스틴 결석이 있으며 수분섭취를 많이 하는 것이 필요하다. 칼륨을 많이 섭취하고 동물성 단백질 섭취를 줄이는 것도 도움이 된다.
- 신장식품교환표는 식품에 함유되어 있는 단백질, 나트륨, 칼륨, 인의 함량을 식품군별로 제시해 신장질환에 따라 적절한 식품선택을 가능하도록 한 것이다.

복습하기

01 비뇨기계에 속하지 않는 기관은?

① 신장
② 방광
③ 요도
④ 시누소이드

02 신장에서 분비되는 호르몬은?

① 레닌
② 코티솔
③ 알도스테론
④ 항이뇨호르몬

03 다음 〈보기〉 중 정상인의 소변검사 시 검출되어서는 안 되는 성분은?

〈보기〉

가. 염소	나. 포도당
다. 크레아티닌	라. 알부민

① 라
② 가, 다
③ 나, 라
④ 가, 나. 다

04 신장질환 식품교환표에서 제시한 육류군 1교환단위의 나트륨, 칼륨 및 인의 영양가는?

① 나트륨: 50mg, 칼륨: 120mg, 인: 90mg
② 나트륨: 50mg, 칼륨: 90mg, 인: 120mg
③ 나트륨: 100mg, 칼륨: 120mg, 인: 90mg
④ 나트륨: 100mg, 칼륨: 120mg, 인: 75mg

☞ 정답 및 해설은 385쪽에서 확인

05 다음 〈보기〉 중 만성 신부전 환자에게서 나타날 수 있는 증상은?

〈보기〉

가. 이상지혈증
나. 저인산혈증
다. 적혈모구빈혈
라. 피하지방 축적

① 라
② 가, 다
③ 나, 라
④ 가, 나, 다

06 다음 〈보기〉 중 투석하지 않는 만성 신부전 환자의 식사요법으로 옳은 것은?

〈보기〉

가. 수분을 엄중히 제한한다.
나. 고단백 식사를 제공한다.
다. 나트륨을 제한할 필요가 없다.
라. 정상 체중 유지를 목적으로 열량을 조정한다.

① 라
② 가, 다
③ 나, 라
④ 가, 나, 다

07 다음 〈보기〉 중 신장결석의 성분인 것은?

〈보기〉

가. 칼슘 결석
나. 수산 결석
다. 시스틴 결석
라. 빌리루빈 결석

① 라
② 가, 다
③ 나, 라
④ 가, 나, 다

☞ 정답 및 해설은 385쪽에서 확인

제9절 암(Cancer)

악성 조직의 성장인 암은 현대 의학이 발전했지만 아직도 완치되기 힘들며 사망률 또한 매년 증가하고 있다. 암은 형태에 따라 각기 다른 특성을 가지며 각각 다른 부위에 발생하고 서로 다른 과정과 증상도 다르며 암 종류에 따라 치료와 식사요법도 다르다.

(단위: 인구 10만 명당 명)

순위	사망원인	사망률	2018년 순위 대비
1	악성 신생물(암)	158.2	-
2	심장질환	60.4	-
3	폐렴	45.1	-
4	뇌혈관질환	42.0	-
5	고의적 자해(자살)	26.9	-
6	당뇨병	15.8	-
7	알츠하이머병	13.1	▲(+2)
8	간질환	12.7	▼(-1)
9	만성 하기도질환	12.0	▼(-1)
10	고혈압성 질환	11.0	-

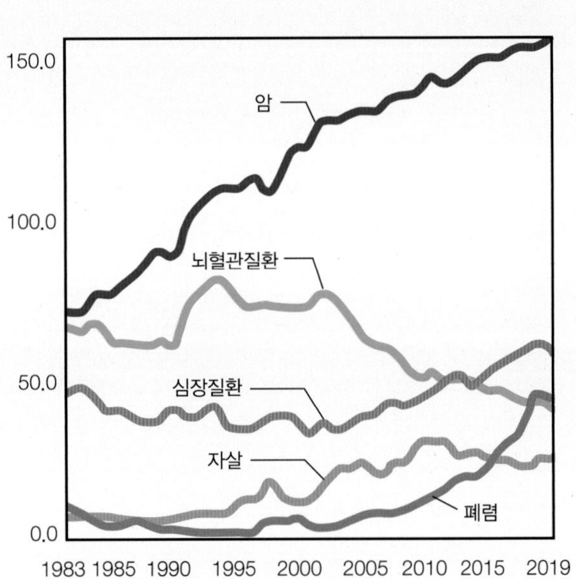

그림 4-27 2019년 사망원인 통계(통계청 2020)

1 암의 특징

암세포는 정상적인 성장 신호와는 독립적으로 작용하는 통제가 되지 않는 세포의 복제로 비정상적인 핵과 세포질, 유사분열 증가로 염색체가 변하게 된다 이러한 비정상 세포가 자가증식을 하여 인근 조직을 파괴하고, 다른 조직으로 전이되며, 원래 정상 조직의 기능과 분화 특성을 잃게 되고, 암세포 성장을 위해 영양분을 과도하게 끌어들여 주변 세포의 정상적인 성장과 기능을 방해한다.

2 암의 발생기전(Carcinogenesis)

1) 개시과정

세포가 화학물질, 방사선, 바이러스, 만성 염증 등에 노출이 되면 개체에서 유전적으로 돌연변이를 일으켜 유전자 변형과 유전자 손상이 일어나는 과정이다.

2) 촉진과정

돌연변이 세포의 비정상적이고 빠른 성장이 촉진된다. 촉진인자에는 에스트로젠, 테스토스테론, 질산염, 흡연, 내분비 교란제, 비스페놀 A, 알코올, 포화지방, 정제 설탕, 염분이 많고 섬유질, 피토케미컬, 비타민, 무기질이 적은 식품 등이 있다. 이 단계는 가역적이다.

3) 진행과정

세포가 있는 원래 위치에서 벗어난 비정상적인 세포의 진행이다. 진행단계에는 종양에 대한 염증 면역세포의 촉진과 구성과정에서 추가적인 돌연변이가 필요하다. 발암물질에는 염증, 석면, 벤젠, 과산화벤조일, 과산화물, 산화 스트레스 등이 있으며 비가역적 과정이며 점차적으로 전이된다. 대개 간, 폐, 뼈 등으로 전이되면 시작된 신체 부위의 이름을 따서 명명한다.

활성산소종(반응산소종, Reactive oxygen species; ROS)

체내에서 생성되며 다양한 세포 신호전달 경로에서 중요한 역할을 한다. 스트레스, 담배, 환경오염원, 방사선, 바이러스, 감염, 식이 및 세균 감염이 ROS 생성을 촉진한다.

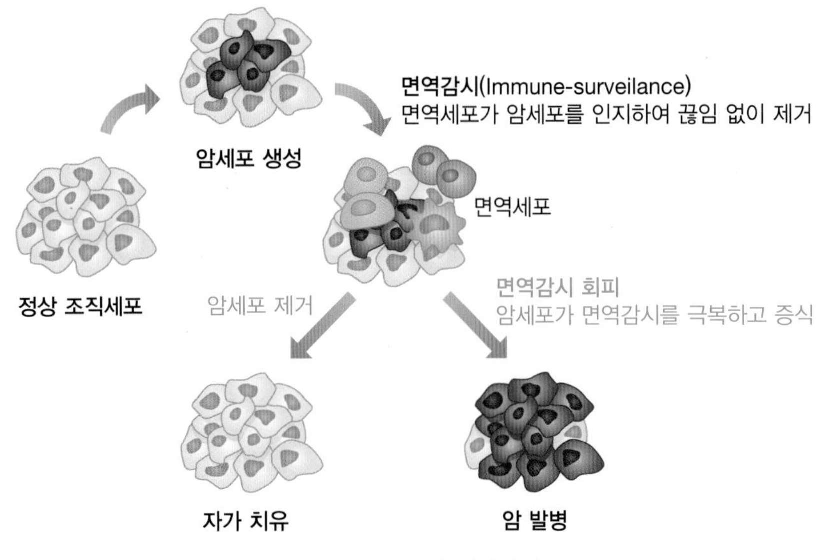

그림 4-28 **암 발병과정**

3 원인

1) 화학물질

발암물질에 의해 돌연변이가 유발되고 유전자 조절을 손상시켜 암을 유발한다. 흡연, 식품의 오염물질 등이다.

2) 방사선

X-ray, 방사능 물질, 햇볕 등에서 기인한 방사선에 노출될 경우 DNA가 손상될 수 있다.

3) 바이러스

암을 일으키는 바이러스가 조절 유전자 기능을 방해하여 암을 유발한다.

표 4-27 **암 발생위험을 증가시키는 환경인자들**

환경인자	암 발생 가능 부위
아플라톡신(곰팡이 핀 땅콩이나 곡물에 생성된 독소)	간
알코올[1]	구강, 인두, 식도, 후두, 간, 대장, 직장, 유방
석면(Asbestos)[2]	폐, 늑막, 복막
크롬(6가)화합물	폐
에스트로젠, 프로게스테론 대체요법	유방
면역억제제	림프조직
헬리코박터 파이로리 감염	위
B형과 C형 간염 바이러스 감염	간
유두종바이러스(HPV) 감염	자궁
방사선 조사	백혈구(백혈병), 유방, 갑상샘, 폐
자외선 조사	피부
담배	폐, 구강, 인두, 식도, 후두, 신우, 췌장, 방광, 신장

주 1) 알코올과 흡연을 동시에 할 경우 구강암, 인두, 후두암 식도암의 발병위험은 곱으로 증가한다.
2) 흡연자의 경우 암 발생위험은 대단히 증가한다.

4) 식생활

고지방, 탄 음식, 짜고 매운 음식, 식품 첨가물 등이 원인으로 작용할 수 있다.

표 4-28 **암과 식사요인**

암 발생 식사요인	암 발생부위
비만	대장(결장), 신장, 췌장, 식도, 자궁내막, 방광, 유방(폐경기 여성)
고지방	대장(결장), 전립샘
육류, 가공유	전립샘, 대장, 직장
짠 음식, 염장식품	위

질산아민과 암

강력한 발암물질로 질산이나 아질산이 식사 중의 아민이나 아마이드와 결합하여 생성되는 것으로 위, 대장, 방광뿐 아니라 침(타액)에서도 쉽게 일어난다. 채소, 과일, 항산화제 섭취는 질산아민의 생성을 억제하므로 암발생 초기와 진행단계에 효과적으로 작용하여 암을 억제할 수 있다.

4 분류

① 샘종(adenoma) : 샘조직에서 발생한다.
② 상피암(carcinoma) : 상피조직에서 발생한다.
③ 신경교종(gliomas) : 신경계 신경아교세포에서 발생한다.
④ 백혈병(leukemias) : 백혈구 전구체에서 발생한다.
⑤ 림프종(lymphomas) : 림프조직에서 발생한다.
⑥ 흑색종(melanomas) : 착색된 피부세포에서 발생한다.
⑦ 육종(sarcoma) : 근육이나 뼈와 같은 결합조직에서 발생한다.

5 암의 증상 및 치료

1) 암 관련 영양문제

(1) 악액질(Cachexia)

암이 진행되면 근육단백질 합성이 감소되며 근육은 아미노산을 포도당 생성에 사용하여 체단백질이 소모된다. 중성지질 분해가 증가되어 혈중 지질이 증가되며 인슐린 저항성이 나타난다. 즉 단백질과 에너지 영양불량이 나타나는데, 이를 악액질이라고 한다. 악액질은 식욕부진, 점진적인 체중감소, 쇠약, 빈혈, 조직기능의 손상, 무기력, 수분과 전해질 불균형, 영양소 대사이상, 면역기능 저하 등이 특징이다. 식욕부진(anorexia)은 암으로 인한 체력소모의 주된 요인이다. 악액질 상태가 되면 만성적 메스꺼움과 조기 만복감을 느끼며 쉽게 피로하고 통증이 심해 음식을 섭취할 수 없게 되며 정신적 스트레스로 인해 식욕이 더욱 감소한다. 이러한 악액질은 식품 섭취량 감소와 종양 증식에 따른 에너지 소모 증가가 주된 원인으로 종양을 제거하면 악액질 상태는 없어진다. 종양이 악액질을 일으키는 기전은 정확하지 않으나 암세포에서 생성되는 사이토카인(종양괴사인자 tumor necrosis factor; TNF-α, β, 인터루킨 interleukin IL-1,6, 인터페론 interferone-α 등)이 식욕부진과 체내 지방과 단백질 소모를 유발한다고 알려져 있다.

(2) 식욕부진

암세포가 분비하는 사이토카인에 의해 미각 및 냄새에 대한 감각이 변한다. 쓴맛에 예민해지고 단맛, 짠맛, 신맛에 대한 민감도는 감소하며 냄새에 예민하여 육류, 생선의 섭취가 힘들어진다. 혈액 내 혈당, 유리지방산, 아미노산 농도 변화로 식욕이 감소하고 식욕조절 호르몬 대사도 변화하며 구토, 메스꺼움 등으로 식욕부진이 심해진다.

(3) 포만감

조금만 먹어도 포만감을 느끼는데 이는 소화기계 분비물의 감소, 느린 소화, 소화기관 상피세포나 근육벽 위축 등 때문이다.

(4) 영양소 대사의 변화

① 에너지

암세포는 기초대사량을 증가시켜 에너지 소비를 증가시키므로 체중감소가 나타난다.

② 탄수화물

인슐린 저항성이 커지면서 정상 세포로 포도당 유입과 당원(glycogen) 합성이 감소한다. 코리회로 활성이 증가하여 젖산으로부터 포도당신생성이 증가하고 해당작용도 증가한다.

코리회로: 근육에서 혐기적 해당과정에 의해 생성된 젖산이 간으로 운반되어 포도당으로 합성되어 다시 근육으로 돌아가는 것을 말한다.

③ 단백질

단백질 합성이 감소하고 체단백질의 소모가 증가하여 혈중 알부민이 감소하며 면역이 저하된다. 포도당신생성이 활발해 근육 소모가 크며 근육손실은 체중감소의 주요 요인이다.

④ 지방

체지방 분해가 증가하여 혈중 유리지방산 농도가 증가하고 체내 저장지방이 고갈된다. 이는 암세포에서 지방분해를 촉진하는 사이토카인이 분비되고 에너지 소모량이 증가되며 탄수화물이 지방으로 전환이 잘 되지 않기 때문이다.

⑤ 수분과 전해질

설사나 구토 환자의 경우 수분과 혈중 나트륨, 칼륨 수준이 감소하고 수용성 비타민들의 손실이 초래된다.

2) 치료

암에 대한 1차적인 임상 치료법들—수술, 화학요법, 방사선요법 혹은 이들 세 가지 요법—을 병행해 암세포를 제거하고, 종양이 더 커지는 것을 막고, 증상을 경감시켜야 한다. 암은 조기진단이 가장 효과적인 치료법이다.

(1) 수술

암을 제거하고 주위 조직으로 전이되었는지를 확인하기 위해 수술이 이루어진다. 수술에 의한 대사적 스트레스로 단백질과 에너지 필요량이 증가하며 체력이 소모되며, 통증, 식욕부진 등으로 영양요구량은 크지만 음식의 섭취는 이를 따라가지 못해 영양불량 상태가 되며 치료가 어렵게 된다.

① 위 절제수술 후의 덤핑증후군

위의 2/3 이상을 절제한 후에는 환자의 약 50%가 정상 체중으로 회복되지 못하는데, 이는 위 절제 후에 위산분비 감소와 음식물이 정체됨에 따라 박테리아가 과잉 성장하여 설사 및 흡수불량을 일으키거나 위의 용적이 감소함으로써 식사 후에 만복감을 일찍 느끼고 설사 때문에 먹기를 두려워하여 체중이 감소하기 때문이다.

② 원인과 증상

일반적으로 섭취한 음식은 위에서 소화되어 미즙이 된 후에 소량씩 천천히 십이지장으로 이행되나, 위 절제로 인해 위의 크기가 작아지면 위액분비량도 감소되고 기계적인 운동도 저하된다. 따라서 위로 넘어온 음식물이 미즙이 되지 못하고 식후 10~15분에 덩어리째 급속히 십이지장이나 공장으로 넘어가게 되는데, 위 절제에 따른 위장의 기능적인 변화는 다음과 같다.

- 위산과 펩신, 내인자 분비가 감소하므로 단백질, 철분, 칼슘, 비타민 B_{12} 소화·흡수가 어렵다.
- 갑자기 넘어온 음식물로 인해 십이지장이 팽창해 췌액과 담즙분비가 감소되고 췌장효소 분비도 감소되어 단백질과 지방의 소화·흡수가 어렵다.
- 위산분비 감소로 위 내의 pH는 높아지고 췌액과 담즙분비 감소로 장 내의 pH는 떨어져서 세균의 상태를 변화시킨다.
- 위의 기능이 약화된 반면에 소장의 움직임은 증가한다.
- 포도당은 빠르게 흡수된다.

③ 조기 덤핑증후군

식후 10~15분에 나타나는데, 덩어리진 음식이 십이지장이나 공장으로 급속히 들어오면, 이때 공장은 팽창하고 상복부의 통증과 복부팽만감, 메스꺼움, 구토증이 유발된다. 음식물이 가수분해되어 삼투압이 상승되고, 상승된 삼투압을 정상으로 희석시키기 위해 장벽에 분포되어 있는 혈중 수분이 장 내로 이동하게 되고, 이로 인해 장은 팽만해져서 설사와 복통을 나타낸다. 그리고 혈중 수분 감소는 혈액량의 감소를 초래하여 기립저혈압, 두근거림(심계항진), 발한, 허약감, 경련, 현기증 등이 생긴다. 당질은 다른 영양소에 비해 위로부터 장으로 빨리 이동되어 다량의 당질이 십이지장과 공장 상부에서 신속히 흡수되는데, 이로 인해 고혈당이 되고 구토·발한·얼굴 충혈 등이 나타난다. 또한 내용물이 빠르게 장을 지남에 따라 락타제가 작용하지 못하므로 유당(락토스, lactose)이 가수분해되지 못해 우유나 유제품 섭취 시에 설사가 빈번하다.

④ 후기 덤핑증후군

식후 2시간이 되어 나타나는데, 조기 덤핑증후군의 증상인 고혈당이 초래되면 혈당을 낮추기 위해 인슐린이 과다 분비된다. 이로 인해 저혈당이 되어 오한, 무력감, 불안, 허기 등의 증상을 나타낸다.

⑤ 위 절제 후 식사와 덤핑증후군을 위한 식사요법

- 혈당을 급격히 올리는 단당류나 농축당은 피하고 달지 않은 과즙이나 복합당질인 죽과 채소류 등을 공급한다. 일반적으로 당질은 위에서 장으로 빨리 유입되고 소화·흡수되어 혈당을 올리므로 하루 100~200g으로 줄인다.
- 섬유소는 당질의 흡수속도를 늦출 수 있으므로 섬유소가 많은 곡류와 채소 및 과실을 잘 다지거나 씹어서 섭취하도록 한다.
- 지방은 음식물의 위통과 속도를 늦추므로 음식을 천천히 장으로 내려 보내고 에너지가 많기 때문에 체중을 유지하는 데 필요하다. 그러므로 지방변이 심하지 않으면 중등도 정도의 양을 주어도 괜찮다.
- 고단백질식을 한다. 단백질은 체중을 유지하고 상처를 회복하는 데 필요하며, 체조직을 구성하고 위점막을 강화시키므로 전체 에너지의 20%를 양질의 단백질로 공급한다.
- 부드럽고 무자극적인 음식을 소량씩 자주 급식하여 위에 부담을 줄이고 장으로의 다량 유입을 막는다.
- 식사 시의 액체는 위의 공복과 장의로의 빠른 유입을 촉진시키므로 식사 시에 물이나 다른 액체를 마시지 말고, 식전과 식후 30분 내지 1시간 전후에 저당질 음료를 공급하되, 특히 찬 음료는 빨리 위를 통과하므로 피하고 체온과 비슷한 온도가 좋다.
- 천천히 식사하도록 권하고 식후에는 바로 눕혀 20~30분간 정도 휴식한다. 이것은 음식이 조금 더 위에 머물러 있을 수 있기 때문이다.
- 기능적인 젖당불내증이 일어나므로 유당이 포함된 유제품은 피한다.
- 표준 체중을 유시할 수 있도록 1일 에너지 및 영양소 권장량을 충분히 공급하고 개인차를 관찰한다.

• 너무 뜨겁거나 짠 음식은 피한다.

표 4-29 **암 수술과 영양문제**

수술부위	수술이 미치는 영향
뇌와 목 부분의 수술	정상적인 영양 섭취에 변화를 줌으로써 심한 영양불량 유발 저작과 삼킴곤란 유발
식도 절제	위 운동 감소, 위산 생성 감소 누공 생성, 식도협착, 조기 만복감, 구토 지방변증, 설사
미주신경 절제	지방의 흡수불량과 설사 위 운동 감소, 덤핑증후군(위문조임근 절제 시)
위 절제	조기 만복감, 덤핑증후군, 저혈당, 지방과 단백질 흡수불량, 염산결핍, 내인자의 결핍, 비타민 B_{12}의 흡수불량, 철분, 칼슘, 지용성 비타민 흡수불량
소장 절제	설사, 지방변증, 지방, 지용성 비타민의 흡수불량, 담즙 손실, 탈수증, 수술 후 위산과다 분비, 과수산뇨증, 신결석 위험 증가. 비타민 B_{12}, 칼슘, 마그네슘의 흡수 감소
대장 절제	나트륨 및 전해질 불균형
췌장 절제	당뇨병 지방, 단백질, 지용성 비타민과 무기질 흡수불량

(2) 화학요법

화학요법은 암 성장을 억제하는 약물을 사용하여 치료한다. 암의 세포분열 과정을 방해하거나 분열하지 못하도록 한다. 화학요법이 건강한 세포를 파괴하지 않고 암세포만 없애야 하나 약들은 정상 세포에도 독성을 나타내고, 특히 빨리 분열하는 세포, 소화기관, 피부, 골수세포를 손상시킨다.

(3) 방사선요법

방사선요법은 암세포를 X선, 감마선 등으로 암세포를 사멸시키는 것이다. 방사선요법은 수술요법에 비해 기관의 구조와 기능을 유지한 채 종양의 크기를 위축시킬 수 있으며, 화학요법에 비해 전체 세포가 아닌 특정 세포에 대해 작용할 수 있으나 건강한 조직을 손상시킬 수 있고, 영양상태를 장기간 악화시킬 수 있다. 머리와 목 부위에 방사선 조사는 침분비샘과 맛봉오리(미뢰)를 손상시켜서 염증, 구강건조, 미각감퇴를 초래한다. 하복부의 방사선 조사는 소장에 염증이 생기는 방사선 장염을 초래하여 메스꺼움, 구토, 흡수불량과 설사를 일으킬 수 있다.

표 4-30 **암의 종류와 증상**

암의 종류	증상
위암	초기에는 거의 증상이 없다. 암이 진행되면 구토, 삼킴곤란, 상복부 팽만감, 불쾌감, 소화불량 및 통증, 토혈, 흑변, 흑색 혈변, 설사, 영양실조, 식욕부진, 체중감소, 빈혈 등을 보인다.
간암	초기에는 거의 증상이 없다. 암이 진행됨에 따라 서서히 식욕부진과 체중감소, 간의 비대로 상복부에 딱딱한 덩어리가 만져진다.
폐암	초기에는 증상이 없거나 기침, 가래, 혈담, 가슴통증 등이 생긴다. 그리고 암이 진행되면 체중감소, 호흡곤란, 쉰목소리 등이 나타난다.
대장암 직장암	대체로 통증은 없다. 그러나 항문에서 출혈이 있거나 대변에 피와 점액이 섞여 나오며 심한 악취가 난다.
유방암	초기에는 통증이 없고, 가슴에 잘 움직이는 덩어리가 있다. 점차 주위조직과 유착되어 고정되며 피부 또는 젖꼭지의 함몰이 나타난다. 점차 피부의 궤양과 통증 및 발적을 수반하고 유두에서 혈성 분비물이 나온다.
자궁암	초기에는 증세가 없거나 간혹 성교 후에 소량의 출혈이 있다. 점차 잦은 출혈과 함께 배변과 배뇨 시에도 출혈이 있으며, 악취가 나는 대하가 생긴다.
췌장암	대부분 서서히 발병한다. 식욕감퇴, 이유 없는 체중감소, 오심, 허약이 나타난다. 췌장 전체에 암이 퍼지면 상복부 및 등에 둔통이 생기고 황달과 소양증을 동반한다.
피부암	가벼운 경우는 얼굴 부위에 피부궤양이 증가하며, 궤양 주위에 융기된 부분이 나타난다. 심한 경우에는 몸에 검은 반점이 생기고 빛깔이 짙어지며 출혈과 함께 딱지가 생긴다.
전립샘암	50세 이상의 남성에게 주로 나타난다. 처음에는 뚜렷한 자각 증상이 없다가 암이 진행되면 배뇨장애와 신 기능장애가 일어난다.

6 식사요법

체중과 근육 감소를 최소화하고 영양소 결핍을 막아 환자가 암을 이겨낼 수 있도록 도와주어야 한다.

1) 에너지

암환자는 대사율이 증가하고 체조직 분해가 촉진되므로 에너지 공급을 증가시켜야 한다. 에너지 필요량은 환자의 현재 체중, 활동 수준, 대사적 스트레스 정도, 체중증가와 조직재생에 필요한 에너지로 체중 1kg당 25~35kcal이다. 영양상태가 바람직하면 2,000kcal 정도를 공급하고, 영양상태가 안 좋은 경우 3,000~4,000kcal 정도까지 공급한다. 탄수화물 위주로 공급하여 단백질이 에너지원으로 낭비되지 않도록 하며 지방은 여러 종류의 암 진행에 관련이 많은 것으로 알려져 있으므로 총 에너지의 30% 이하가 되도록 한다.

2) 단백질

조직재생, 회복 면역기능 향상을 위해 단백질을 충분히 공급한다. 단백질 권장량은 스트레스를 받지 않은 환자에 대해서는 체중 1kg당 1.0~1.2g이고, 치료 중인 환자는 1.2~1.5g, 암 악액질 환자의 경우 1.5~2.5g이다.

표 4-31 **암 종류에 따른 영양 관리**

암 부위	합병증	식이공급
뇌와 신경계	씹고 삼키기 어려움, 혼자 먹기 곤란	기계적 연식, 적응이 쉬운 도구 사용
머리와 목	삼킴곤란, 사래, 점막염증, 구강건조, 미각변경	관급식, 기계적 연식
식도	삼킴곤란, 식도막힘, 위산역류, 점막염증	관급식, 기계적 연식
위	거식증, 위배출 지연(더부룩), 조기만복감, 덤핑증후군, 흡수불량	관급식(폐쇄 혹은 다루기 힘든 덤핑증후군의 경우), 위절제후식, 소량 자주 급식, 당류와 불용성 섬유소 제한,
소장	수분 전해질 불균형, 장기능변경, 흡수불량, 젖당불내증, 점막염증, 세균의 지나친 증식, 단장증후군(절제 시), 장폐쇄	관급식 혹은 장폐쇄 시 TPN, 장염 혹은 단장증후군, 지방 제한식 혹은 젖당 제한식
췌장	흡수불량, 담즙 부족, 고혈당	지방 제한식, 소량 자주 급식. 탄수화물 조절식

입안이 헐거나 아파 음식을 먹을 수 없을 때

- 찬 음식 섭취는 통증을 진정시킨다.
- 아이스크림, 바나나 같은 부드러운 음식을 공급한다.
- 오렌지 주스, 토마토, 양념을 한 식품, 짠 식품, 생채소와 토스트 같이 거친 식품 등 입안을 쓰리게 하는 식품들을 피한다.
- 액체 음료는 상처부위에 닿지 않도록 한다.

구강건조증 

- 입을 따뜻한 소금물이나 구강세척제로 자주 닦는다.
- 식사와 식사 사이에 자주 소량의 음료를 마신다.
- 타액분비를 자극하기 위해 사탕이나 껌을 사용한다.
- 양치를 자주 한다.

3) 비타민, 무기질

식사 섭취가 줄어 비타민이나 무기질이 부족하기 쉬우므로 과일과 채소를 충분히 섭취하도록 권장하며 부족할 경우 보충제를 사용한다.

4) 수분

발열 등으로 인한 수분손실을 보충할 수 있도록 수분섭취량을 증가시킨다. 충분한 수분섭취는 신장에서 분해산물이나 약물 등의 배설을 원활하게 하므로 중요하다.

5) 경장과 비경장 영양지원

일반적으로 경장영양과 정맥영양은 장기간 혹은 영구적인 소화관 손상이나 식품 섭취를 방해하는 합병증이 있는 환자들에게 적용된다.

정맥영양은 만성 방사선 장염(radiation enteritis)과 같이 소화관 기능에 문제가 있는 환자에게 적절하며 소화관 기능을 유지하고 감염을 막기 위해서 정맥영양보다는 경장영양이 우선되어야 한다.

골수이식 환자는 소화관이 흔히 심하게 손상되기 때문에 이식 전후에는 중심정맥영양(total parenteral nutrition; TPN)이 필요하다. 소화관 기능이 회복되면 경구급식을 하도록 한다. 골수이식을 받은 환자는 면역이 저하되어 있으므로 식품으로 인한 질병을 최소화하기 위해 안전한 식품취급이 이루어지도록 이에 대한 교육이 이루어져야 한다. 신선한 과일과 채소, 익히지 않은 육류, 가금류, 난류 같은 식품들은 세균 수가 많아 감염이 일어날 수 있으므로 섭취를 피한다.

표 4-32 **암 예방을 위한 생활습관 및 식습관**

- 정상 체중을 유지한다.
- 운동을 습관화한다.
- 채식 위주의 식생활을 한다.
  - 하루에 다양한 종류의 채소와 과일을 5회 이상 섭취한다.
  - 가공되거나 정제된 곡물보다 전곡 제품을 선택한다.
  - 육류와 가공육의 섭취를 제한한다.
- 알코올과 흡연을 자제한다.

요약

암은 유전적 요인과 환경적 요인이 작용하여 발생하며, 발생하는 데 오랜 시간이 필요하다.
식사요인은 암을 유발할 수도 있으며 예방할 수도 있다.
암환자의 영양불량의 원인은 암 악액질(cancer cachexia)로 인한 체력 소모이다.
암환자를 위한 영양관리는 체중감소와 영양결핍을 최소화하여 식품 섭취를 할 수 있고, 암에 의한 치료를 이겨낼 수 있게 진행되어야 한다.

04

01 다음 〈보기〉 중 암 환자에 있어 악액질(cachexia)의 원인이 되는 것은?

〈보기〉

가. 식욕부진	나. 이미각증
다. 대사율 항진	라. 화학요법

① 가, 다
② 나, 라
③ 가, 나, 다
④ 가, 나, 다, 라

02 우리나라 사람의 사망원인 1위가 암이다. 암을 예방하기 위한 식사지침에서 제시한 내용으로 옳지 않은 것은?

① 가공식품은 안전하므로 많이 섭취한다.
② 감귤류, 녹황색 채소의 섭취를 늘린다.
③ 탄 음식과 곰팡이 있는 음식은 섭취하지 않는다.
④ 지방 섭취는 20% 내로 제한하고 ω-3 지방산을 많이 섭취한다.

03 암예방을 위한 식생활 방법에서 강조하지 않은 점은?

① 염장식품과 훈제식품을 섭취한다.
② 지방 섭취 열량을 20% 미만으로 한다.
③ 다양한 채소와 과일을 매일 섭취한다.
④ 체중을 조절하여 비만이 되지 않게 한다.

04 우리나라의 대장암 발생률이 크게 증가하고 있다. 대장암 환자에게 나타나는 증세와 영양문제를 맞게 짝지은 것은?

① 담즙분비 저하 – 골연화증, 체중증가
② 식욕부진, 간의 팽배 – 체중감소, 부종, 복수
③ 삼킴곤란, 구토, 소화·흡수 불량 – 체중감소, 빈혈
④ 식욕부진, 설사, 혈변 – 빈혈, 수분, 전해질 불균형

☞ 정답 및 해설은 385쪽에서 확인

05 다음 <보기> 중 암 환자에게서 일어나는 미각의 변화는?

> <보기>
> 가. 단맛에 대한 예민도는 떨어진다.
> 나. 신맛에 대한 예민도는 증가한다.
> 다. 쓴맛에 대한 예민도는 증가한다.
> 라. 짠맛에 대한 예민도는 증가한다.

① 라
② 가, 다
③ 나, 라
④ 가, 나, 다

06 다음 <보기> 중 유방암의 위험인자는?

> <보기>
> 가. 염장 식품의 섭취
> 나. 비만
> 다. 과다한 섬유질 섭취
> 라. 과다한 지방의 섭취

① 가, 다
② 나, 라
③ 가, 나, 다
④ 가, 나, 다, 라

☞ 정답 및 해설은 385쪽에서 확인

제10절 근골격계 질환

골격은 인체를 구성하고 보호하며 근육과 연결되어 신체의 움직임을 가능하게 해주는 기관으로 골격계 질환에는 골다공증, 골연화증, 관절염, 통풍 등이 있다.

1 골격의 구성

성인의 골격은 206개의 뼈로 구성되어 있으며 바깥쪽의 단단한 치밀골(cortical bone 또는 compact bone)과 안쪽의 부드러운 해면골(trabecular bone 또는 spongy bone)로 이루어져 있다. 팔다리 등의 긴뼈는 많은 치밀골을, 손목과 발목뼈, 척추 등 짧은 뼈는 해면골을 많이 포함하고 있다. 치밀골은 골간부를 구성하며 골격의 80%를 차지하고 있고, 해면골은 골단부를 구성하며 골격의 20%를 이루고 있다. 이러한 골격은 신체를 지지하고 체내의 무기질 균형을 이루어 항상성을 유지하고 있다. 골격은 뼈 조직(osseous tissue)으로 구성되어 있으며 뼈 조직은 조골세포, 파골세포, 골세포가 있다. 조골세포(osteoblast)는 유기질 기질(organic matrix)과 그 위에 무기질을 부착시켜 뼈 기질을 형성하는 뼈생성세포(bone-

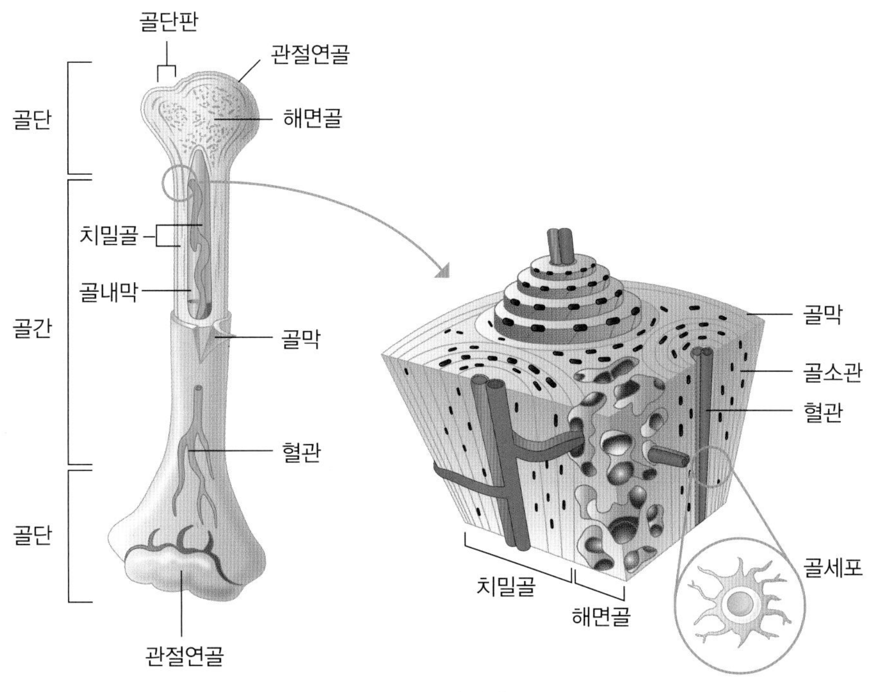

그림 4-29 긴뼈의 구조

forming osteoblast)이며, 파골세포(osteoclast)는 뼈의 무기질을 용해하고 콜라겐 기질을 분해하는 작용을 한다. 골세포는 뼈에 가장 많이 분포되어 있는 뼈 구성 세포이며 골모세포로부터 유도된다. 뼈는 인산칼슘염들이 하이드록시아파타이트 결정형 내에 하이드록실 이온들과 조화를 이루며 침착된 콜라겐 섬유들로 구성된 유기물의 망상구조이다.

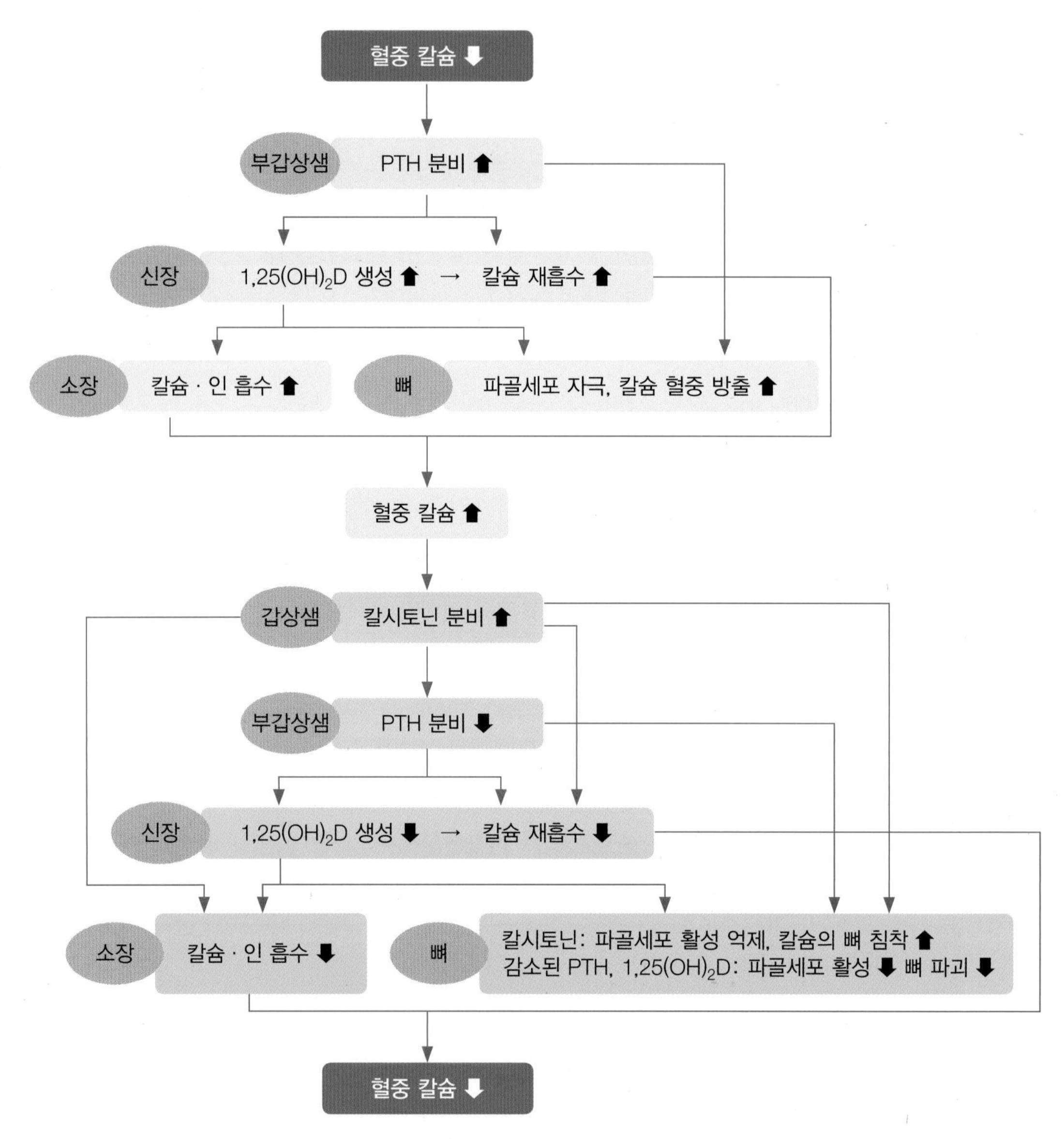

그림 4-30 **칼슘 항상성 기전**

2 골격과 칼슘 대사

뼈는 끊임없이 뼈 조직을 생성하고 분해하며 보수하고 재생시키는 대사적으로 매우 활발한 조직이다. 뼈 생성과 용해를 통한 과정이 일생동안 일어나며 이 두 과정의 균형에 의해 골질량이 결정되며 칼슘 대사과정과 혈중 칼슘 항상성 유지과정은 부갑상샘호르몬, 신장에서 생성되는 활성형 $1,25(OH)_2D_3$(1,25-dihydroxycholecalciferol), 갑상샘에서 분비되는 칼시토닌에 의해 조절된다.

우리가 음식으로 섭취한 칼슘은 위에서 대부분 가용화되어 소장 하부에서 확산과정을 통해 흡수된다. 그러나 흡수율은 낮아 성인의 경우 20~40%, 성장기 임신, 수유기에서 50~60% 정도이다. 흡수된 칼슘은 혈액으로 방출되고 체내 각 조직에서 중요한 역할을 수행하며, 혈액과 골격 사이에 동적 평형을 이루면서 뼈에 부착 또는 뼈로부터 용출된다.

혈중 칼슘 농도가 저하되면 부갑상샘에서 부갑상샘호르몬(parathyroid hormone; PTH)이 분비되고 신장에서 비타민 D_3를 활성화하여 $1,25(OH)_2D_3$(1,25-dihydroxycholecalciferol)로 전환시킴으로써, 장관으로부터 칼슘의 흡수를 촉진하고 골격에서 칼슘을 용출(bone resorption)시킨다. 반면에 혈중 칼슘 수준이 증가하면 갑상샘에서 칼시토닌이 분비되어 소장에서의 칼슘 흡수와 신장에서 칼슘 재흡수가 감소되고 뼈에 침착되는 칼슘의 양을 증가시키며 혈중칼슘 농도는 낮아진다.

3 골다공증(Osteoporosis)

골질량이 감소하고 골의 미세구조가 변화하여 뼈가 약해지고 골절이 일어나기 쉬운 상태로 영양상태에 의해 영향을 많이 받는 질환이다.

1) 골다공증의 분류

(1) 폐경 후 골다공증(Postmenopasual osteporosis)

척추뼈의 파열 골절증후군(vertebral crush fracture syndrome)이다. 치아의 손상이 있으며 발병요인으로는 폐경 후 에스트로겐(estrogen)의 분비 부족으로 칼슘의 흡수가 감소되어 골질량이 감소하게 되고 이러한 골질량의 손실이 오래 기간 지속되면 골다공증이 나타난다.

(2) 노인성 골다공증(Senile osteoporosis)

70세 이후의 노인에게 발병되며 주로 대퇴부 상부의 엉덩이뼈의 골절(osteoproti hip fracture)이 특징이며, 노화에 따른 뼈 손실이 원인이다. 즉 연령이 증가함에 따라 파골세포의 활성이 증가하고 활성형 비타민 D의 생합성은 감소하게 되며, 부갑상샘호르몬의 활성은 증가하기 때문이다.

(3) 이차성 골다공증

원인 질환으로 인해 골대사에 이상이 생겨 발생하는 골다공증으로 질환 자체가 골대사에 직접적인 영향을 미쳐 발생하는 경우와 질환 치료를 위해 복용한 약물로 인해 골질량 감소가 유발되어 방생하는 경우가 있다. 원인 질환으로는 갑상샘항진증, 부갑상샘항진증, 림프종, 백혈병, 다발골수종 등 일부 암과 칼슘의 흡수 및 비타민 D의 활성형 전환에 관련이 있는 소장, 간, 신장 및 췌장에 질환이 있는 경우이다. 또한 오랜 기간 누워 있는 환자, 코르티코스테로이드 등의 약제를 장기간 복용할 때도 골질량 감소가 초래되어 골다공증이 발생한다.

2) 골다공증 발생위험 요인

(1) 유전과 인종

유전적으로 골질량이 낮은 여성이나 가족 중에 골다공증 환자가 있는 경우에는 골다공증이 유발될 확률이 높아진다. 백인이 흑인보다 골밀도가 낮아 골다공증 발생 위험률이 높다.

(2) 연령과 성

골질량은 30~35세에 최대에 도달한 후 유지되다가 45세 이후에는 남녀 모두 골질량이 감소하기 시작한다. 여성이 남성보다 골질량이 낮고 폐경기 이후에는 에스트로젠 분비 감소로 골질량이 급격히 감소하여 골다공증이 발생하기 쉽다.

(3) 호르몬

폐경 후 여성은 에스트로젠 분비가 급격히 감소하여 칼슘 배설이 증가되고 칼슘의 흡수는 감소되어 골손실이 증가하게 되어 골다공증이 발생 위험이 높아진다.

(4) 체중

체중이 많이 나갈수록 골밀도가 높고 저체중이거나 체질량지수가 낮을수록 골밀도가 낮다.

(5) 신체활동

체중부하 운동 및 근력운동은 골밀도를 증가시키고 근력을 강화하여 골다공증 발생 위험을 낮춘다. 걷기, 조깅, 등산 등 체중에 의한 물리적 힘이 골격에 가해지는 운동을 1주일에 30분씩하고 3회 이상 하는 것이 골밀도를 증가시키는 데 도움이 된다.

(6) 식사요인

① 칼슘 섭취부족

성장기의 칼슘 섭취는 골격형성과 석회화에 매우 중요하다. 양질의 칼슘 식품을 섭취해 최대 골질량을 형성해야 한다. 칼슘의 흡수율은 단백질, 비타민 D, 락토스(lactose) 등에 의해 촉진되고 과량의 인산, 식이섬유, 수산, 피틴산, 지방 등은 흡수를 방해하므로 식생활을 올바르게 하는 것이 중요하다. 특히 노인은 칼슘 함유 식품의 섭취가 부족하고 흡수율도 저하되므로 더욱 주의를 기울여야 한다.

② 비타민 D

비타민 D는 간에서 25(OH)D_3로, 신장에서 1,25-(OH)D_3로 활성화되어 소장에서 칼슘 흡수를 촉진시킨다.

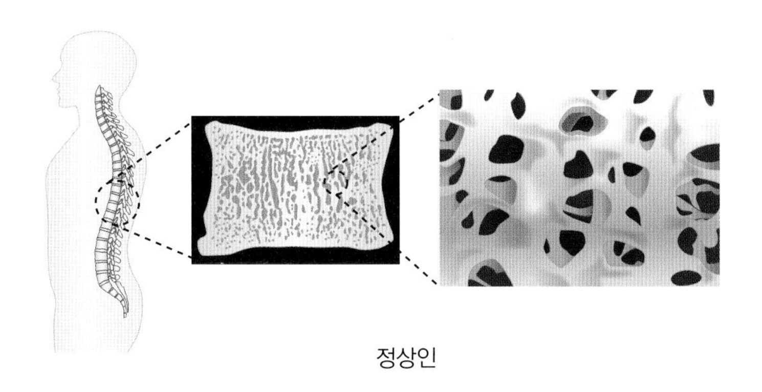

정상인

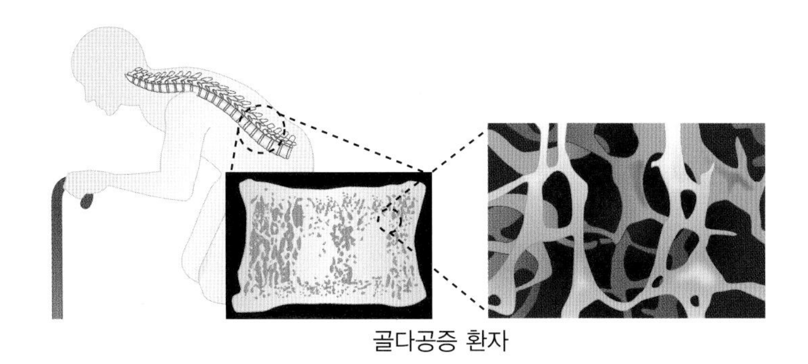

골다공증 환자

그림 4-31 **정상인과 골다공증 환자의 뼈**

③ 단백질

단백질은 뼈의 구성성분인 콜라겐을 제공함으로써 골격의 재형성 및 유지에 중요하지만 과잉 섭취는 요 중 칼슘의 과잉 배설을 초래하여 음의 칼슘평형이 되게 하는데, 특히 동물성 단백질에 함유되어 있는 함황아미노산(시스테인, 메티오닌)의 대사산물인 황산이 칼슘과 염을 형성하여 요 중에 배설되어 음의 칼슘평형을 만든다.

④ 인

부갑상샘호르몬의 분비를 자극하여 신세뇨관에서의 칼슘 재흡수를 촉진하여 소변 내 칼슘 배설을 감소시킬 수 있으므로 적당량의 인은 골밀도를 증가시킨다. 그러나 과량의 인 섭취는 칼슘의 흡수율을 감소시키고 배설을 촉진하여 골밀도를 감소시킨다. 칼슘과 인의 섭취량은 1:1의 비율로 섭취하는 것이 바람직하다.

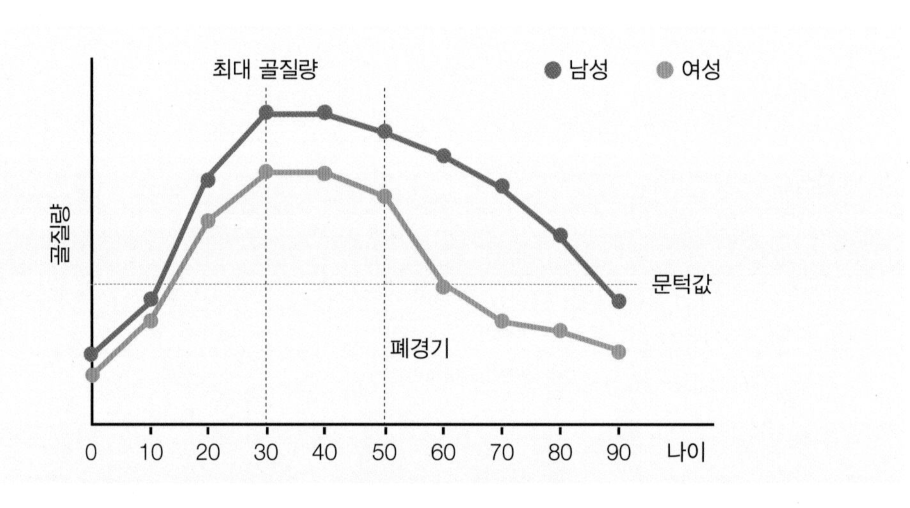

그림 4-32 **연령에 따른 골량의 변화**

출처: 대한골대사학회(2018). 골다공증의 진단 및 치료지침.

⑤ 나트륨

나트륨을 과잉으로 섭취하게 되면 소변을 통한 나트륨 배설 시 칼슘도 배설된다.

⑥ 식이섬유

식이섬유가 풍부한 식품은 수산이나 피틴산이 많이 함유되어 있어 칼슘의 흡수를 억제하며 칼슘과 결합하여 칼슘 배설을 증가시키므로 도정되지 않은 곡류나 채소 등을 너무 많이 섭취하는 것은 좋지 않다.

⑦ 기타 영양요인

알코올은 조골세포의 작용을 저해하여 뼈의 생성을 억제하고 비타민 D와 칼슘 등 각종 영양소 결핍을 유발하고 골밀도를 감소시켜 골다공증 발생 위험을 증가시킨다. 탄산음료의 과다섭취도 골다공증 발생에 영향을 미칠 수 있다. 과량의 카페인은 칼슘 흡수를 저해하며 소변으로의 칼슘 배설을 증가시킬 수 있다. 흡연하는 여성은 에스트로젠 대사가 촉진되어 혈중 에스트로젠 농도가 감소되어 폐경 후 골다공증 발생 위험이 높다.

3) 골다공증의 진단

골다공증은 특별한 증세가 없으므로 골밀도를 측정하여 진단하는데 측정된 절대 값보다는 T-값과 Z- 값을 이용한다. T- 값은 같은 성별에서 젊은 성인 집단의 평균 골밀도와 비교하여 표준편차로 나타낸 값이고 Z- 값은 같은 연령대의 골밀도 평균치와의 차이를 의미한다. Z- 값은 같은 연령대의 골밀도 평균치와의 차이를 나타낸다. 세계보건기구에서는 T- 값이 −1.0 이상이면 정상 골밀도, -1.0과 −2.5 사이이면 골감소증, -2.5 이하면 골다공증, -2.5 이하이면서 골절이 있으면 심한 골다공증이라고 진단한다. 소아, 청소년, 폐경 전 여성과 50세 이전 남성은 Z- 값을 사용하여 Z- 값이 −2.0 이하인 경우 연령 기대치 이하라고 하며 이차성 골다공증일 수도 있다.

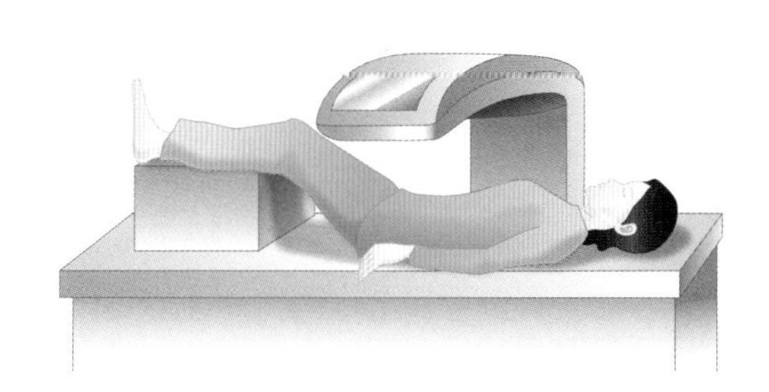
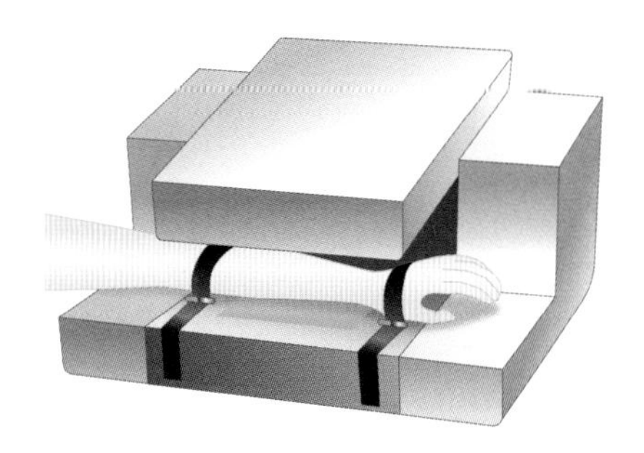

에너지가 높은 X-선과 에너지가 낮은 X-선을 두 번 촬영하여 얻은 자료로 골밀도 계산(척추, 대퇴골, 손목)

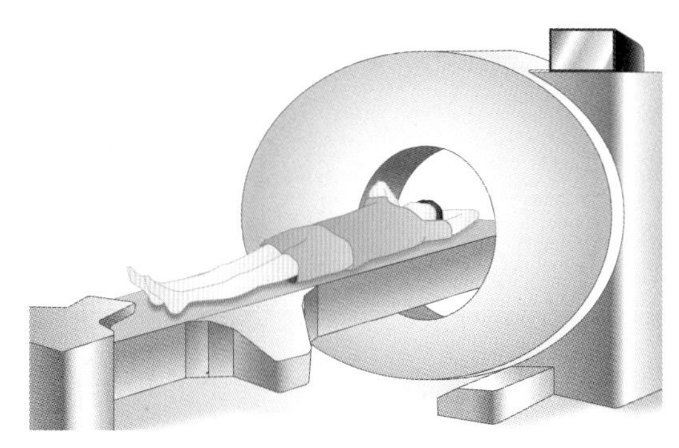

정량적 컴퓨터단층촬영법(QCT)
척추, 대퇴골, 말단골을 측정하는 방법으로 비싸고 방사선 조사량이 많다.

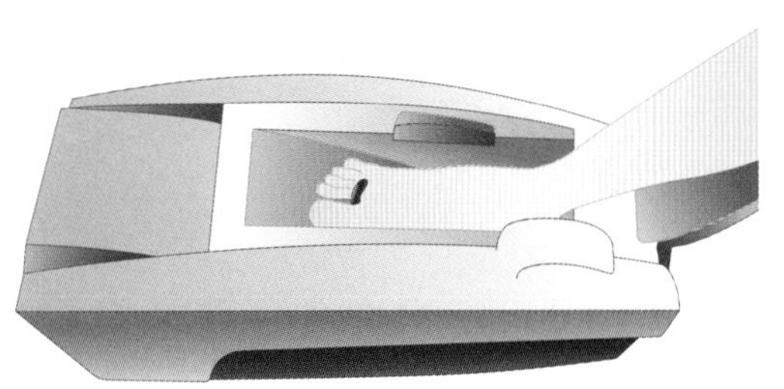

정량적 초음파 측정법
종골, 경골, 슬개골과 같은 말단 부위 측정하며 방사선에 노출되지 않으며 기계가 가벼워 쉽게 이동이 가능하다.

그림 4-33 **골밀도 측정방법**

(1) 이중에너지 X-선 흡수계측법(Dual energy X-ray absorptiometry; DXA)

요추와 대퇴골의 골밀도를 측정하여 가장 낮은 수치를 기준으로 연령별, 성별, 인종별 정상 평균값과 비교한다.

(2) 컴퓨터단층촬영(Computed tomography; CT)

골질량을 정량적으로 측정할 수 있는 방법이나 방사선 조사량이 많고 가격이 비싸다.

(3) 정량적 초음파 측정법

종골, 경골, 슬개골과 같은 말단부위의 뼈의 질을 측정하는 것으로 골절 예측에 도움이 되고 방사선에 노출되지 않고 기계의 무게가 가벼워 이동도 어렵지 않은 장점이 있으나 정확도는 검증이 되지 않아 치료효과 판정에는 사용하지 않고 있다.

표 4-33 **골다공증 진단기준**

구분	T-score[1)]
정상(nomal)	-1.0 이상
골감소증(osteopenia)	-1.0 ~ -2.5
골다공증(osteoporosis)	-2.5 이하
심한 골다공증(severe osteoporosis)	-2.5 이하 + 골다공증 골절

주 1) T-score는 동일한 성별에서 젊은 성인 집단의 평균 골밀도와 비교하여 표준편차로 나누는 값으로 -2.5 이하인 경우 골다공증으로 분류한다.

출처: WHO(1994). Assessment of fracture risk and its application to screening for postmenopausal osteoporosis. Report of a WHO Study Group. Technical Report Series.

4) 식사요법

(1) 칼슘 함유 식품 섭취

칼슘이 풍부한 식품을 하루에 2회 이상 섭취한다. 칼슘이 풍부한 식품에는 저지방 우유, 요구르트, 멸치, 뱅어포 등의 뼈째 먹는 생선이 있다. 미역, 다시마, 김 같은 해조류, 콩류, 견과류, 들깨, 무청 등 녹황색 채소에도 많이 있으나 채소와 콩류는 옥살산염과 피틴산염 때문에 칼슘 흡수율이 낮을 수 있다. 우유는 1컵 당 칼슘함량이 200mg으로 칼슘 함유량도 높고 젖당과 유단백질이 있어 골다공증 예방에 매우 좋은 식품이다.

식사로 칼슘 섭취가 어려운 경우에는 탄산칼슘, 구연산 칼슘 등의 칼슘 보충제를 복용을 권고할 수 있다. 탄산칼슘은 위산 분비가 적으면 음식과 복용하는 것이 좋다. 칼슘 보충제를 복용하게 되면 위장장애나 변비가 생길 수 있으며 신결석이나 고칼슘뇨증이 있는 경우에는 제한한다.

(2) 비타민 D 섭취

활성형 비타민 D는 장에서 칼슘의 흡수를 도와주므로 간유, 등 푸른 생선, 난황 같은 동물성 식품과 버섯 같이 비타민 D가 풍부한 식품을 섭취한다. 비타민 D는 자외선에 의해 피부에서도 합성된다. 하루 20~40분 정도 햇볕에 노출되면 비타민 D를 충분히 얻을 수 있다. 그러나 실내 근무자, 노인, 겨울, 일조량이 적은 지역에 사는 사람들은 비타민 D 보충제를 복용하는 것이 좋다. 장기간 과량으로 복용하면 고칼슘혈증과 고칼슘뇨증으로 신결석 등이 발생할 수 있으므로 주의한다.

(3) 단백질과 인

적정량의 단백질을 채소, 과일 같은 알칼리 식품과 함께 섭취하는 것이 바람직하다.

인이 많은 식품을 과량으로 섭취하면 칼슘과 결합해 대변으로 배설시키고 칼슘의 흡수율을 저하시킨다. 그러므로 인 함량이 많은 육류, 콩류, 우유, 달걀, 탄산음료 등은 과잉 섭취하지 않도록 주의한다.

(4) 비타민

비타민 C가 부족하면 콜라겐 합성이 감소될 수 있다. 비타민 C가 풍부한 귤, 고추, 딸기 등 과일과 채소를 충분히 섭취한다, 비타민 K는 뼈에 칼슘을 축적시키고 뼈 세포 생성에 필요한 영양소로 녹색 채소, 과일, 육류. 곡류 등에 많이 함유되어 있다.

(5) 무기질

마그네슘은 하이드록시아파타이트 결정 형성에 필요하며 칼륨은 신장에서 칼슘의 재흡수를 촉진하고 뼈에서 칼슘 용출을 억제한다. 철, 구리, 아연, 망간 등도 골격대사에 관여하는 효소의 보조인자로 작용하여 콜라겐 합성과 뼈 형성에 도움을 줄 수 있는 영양소이다. 나트륨의 과잉 섭취는 신장의 칼슘 배설을 증가시킬 수 있으므로 주의한다.

4 골연화증(Osteomalacia)

비타민 D 결핍으로 인해 어른에게 구루병과 비슷한 증상이 나타나는 질환으로 뼈가 얇아지고 쉽게 구부러지며 골 밀도가 감소한다.

1) 원인

비타민 D 섭취량의 부족, 햇빛에의 노출 차단, 장에서의 흡수장애, 비타민 D 대사에서의 유전적 결함 등이 있다. 신장장애로 비타민 D의 활성화가 잘 안 되거나 및 칼슘 섭취부족과 배설 증가, 만성적인 산중독증, 항경련성 진정제의 장기복용 등도 요인이 된다.

2) 증상

뼈의 통증, 유연화, 근육약화 등이 나타나며 척추가 체중을 지탱하지 못하여 신체가 구부러지고 기형을 유발하기도 한다. 심한 경우에는 뼈의 통증으로 잠을 잘 수가 없으며 물러진 뼈에서의 골절은 일반적인 현상이다.

3) 식사요법

충분한 태양광선을 쬐고 양질의 단백질과 우유 등의 칼슘 섭취가 중요하다.

5 류마티스관절염(Rheumatoid arthritis)

관절의 윤활막이 감염되어 붓고 연골까지 감염되어 손이나 발 등의 뼈마디에 통증을 일으키는 질환으로, 여성이 남성보다 많이 발생하며, 치료하지 않을 경우 재발과 악화를 거듭하게 되는 질병이다.

1) 원인

면역학적 기전이 중요한 역할을 하는 것으로 알려져 있다.

2) 증상

주로 관절의 윤활막에 발생한다. 일단 류마티스관절염이 시작되면 윤활막 조직의 혈액으로부터 여러 가지 염증세포들이 연골을 파괴하고 관절의 변형을 가져오며 관절 주위에 있는 뼈를 약하게 만든다. 체중감소, 오한, 고열 등이 동반되고 통증이 심하다.

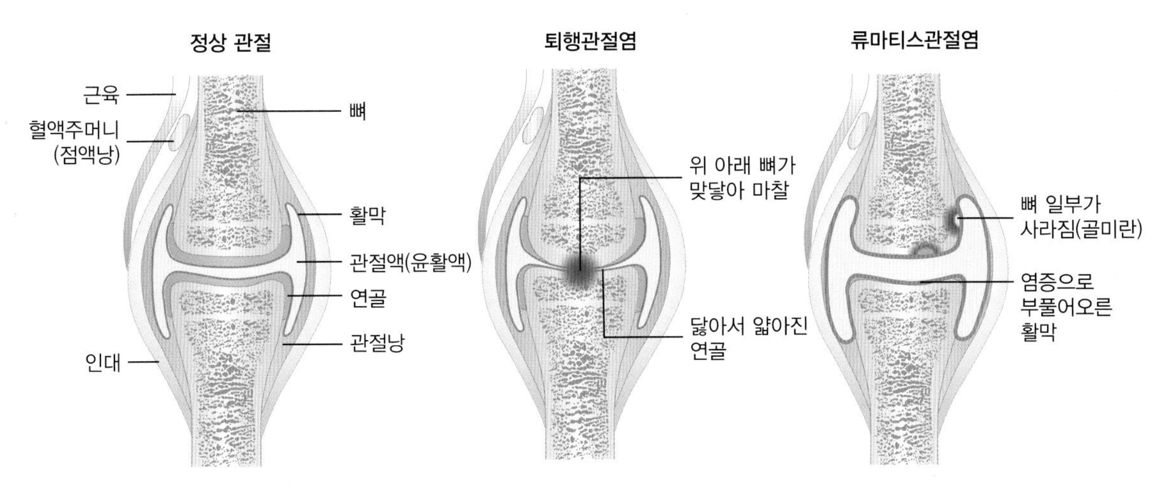

그림 4-34 **정상 관절, 퇴행관절염, 류마티스관절염의 비교**

3) 치료

만성 관절염에 의한 관절의 변형 및 기능소실이 발생하므로 통증과 염증을 억제하고 관절의 기능 소실을 최소화하여 정상적인 생활을 할 수 있도록 한다.

4) 식사요법

염증으로 인해 대사율이 항진되며 영양요구량이 증가한다. 소화기 점막 기능의 변화로 영양소의 흡수불량이 올 수 있으며 약물 사용으로 인한 위궤양과 위염 증상이 나타날 수 있다. 쇼그렌증후군(Sjögren's syndrome: 침과 눈물 분비가 감소하여 구강건조 및 안구건조 증상이 특징적으로 나타나는 만성 자가면역질환)과 같은 합병증이 생기기도 하는데 음식을 삼키는 것이 어렵고 심한 치아 손상, 미각과 후각변화 및 삼킴곤란 등을 일으킨다.

(1) 에너지

균형 잡힌 식사를 해야 하며 비만한 경우 관절이 압박을 받으므로 체중을 줄이도록 한다. 또한 많은 류마티스관절염 환자들이 빈혈과 체중감소 현상을 보이므로 적절한 영양공급이 필수적이다.

(2) 단백질

영양불량 상태이거나 염증상태라면 1.5~2g/kg/일까지 증가시켜 준다.

(3) 지방

ω-3 지방산은 염증을 억제시킨다고 알려져 있으므로 어유, 올리브유, 달맞이 꽃 기름 등의 섭취를 권장한다.

(4) 비타민

비타민 D는 류마티스관절염 합병증으로 발생하는 골연화증을 예방할 수 있으나 과량의 섭취는 신장의 석회화를 유발할 수 있으므로 주의한다. 비타민 C는 관절의 기질이 되는 교원섬유 합성을 촉진하므로 섭취를 권장한다. 약물을 오래 복용하면 위장점막 손상이 오고 혈청 비타민 B_6 농도가 낮아지므로 비타민 B_6가 함유된 식품을 섭취한다.

(5) 무기질

골다공증이나 골연화증이 나타나기 쉬우므로 칼슘을 충분히 섭취하고 빈혈 방지를 위해 철분, 셀레늄 등을 보충한다.

6 골관절염(Osteoarthritis)

나이가 들어감에 따라 염증성 변화 없이 관절을 보호하고 있는 연골이 소실되고 관절이 변형되면서 국소적으로 퇴행성 변화가 나타나는 질환으로, 퇴행관절염(degenerative arthritis)이라고도 한다. 관절염 중 가장 흔한 형태이고 중년 이후에 주로 발생하는데, 70세 이후의 노인들 중 70% 이상이 약간의 증상을 보이며 75세 이상이 되면 신체 어느 한 부위라도 영향을 받게 된다. 일반적으로 여성들이 남성들보다 더 빠른 나이에 발병한다.

1) 원인

관절부위의 외상, 관절의 과다 사용, 어긋난 모양으로 잘못 연결된 관절 때문에 일어난다. 체중과다에 의해 발생하기도 한다.

2) 증상

대부분의 환자들이 통증과 기능 손상을 경험하며, 특히 체중부하와 압력을 많이 받는 고관절, 무릎 및 발목관절이며 척추관절과 손가락관절에도 나타난다. 골관절염의 진행은 서서히 이루어지며 증상이 심해졌다 호전되는 과정을 거친다. 아침보다는 저녁이나 잠자기 전에 통증을 호소하는 경우가 많다.

3) 치료

염증성 변화 없이 연골의 소실과 관절의 변형이 초래되는 것이므로 관절의 통증을 감소시키고 관절 파괴 및 변형을 예방하고 기능의 손상을 최소화시킴으로써 질병의 진행을 늦추어야 한다. 살리실레이트와 소염제(nonsteroidal anti-inflammatory drugs; NSAIDs)를 사용하거나 코르티코스테로이드제를 사용한다. 소염진통제로 아스피린, 부르펜, 나부메톤, 브렉신, 인다신 등의 종류가 있으며 위장장애, 간장애, 신장장애 등이 있을 수 있다.

4) 식사요법

비만한 사람은 연골이 손상되기 쉬우므로 체중을 정상 체중으로 줄이고 칼슘과 비타민 D 등을 충분히 섭취한다.

커피, 인공 감미료, 또는 이것이 함유되어 있는 음료수(예 다이어트 콕 등), 소고기, 돼지고기, 베이컨, 햄 등 동물성 지방이 함유된 식품, 흰 설탕, 흰 쌀, 흰 밀가루 등 정제된 곡물, 옥수수, 옥수수 식용유, 식용유에 튀긴 음식, 초콜릿, 아이스크림, 치즈 등 우유 가공식품, 마가린, 술, 가지, 흰 감자 등은 관절염 환자의 증상을 악화시킬 수 있으므로 섭취를 제한한다.

표 4-34 **식품에 들어 있는 칼슘의 함유량**

식품 종류	칼슘 함유량/100g(mg)	식품 종류	칼슘 함유량/100g(mg)	식품 종류	칼슘 함유량/100g(mg)
멸치	1,860	현미	108	콩가루	188
미역	870	해바라기씨	315	메밀국수	169
파래	403	청어	232	우유	110
두부	181	농어	192	보리	50
검은콩	213	잉어	230	콩	215
콩	127	탈지분유	1,300	고등어	217
녹두	189	어묵	681	대구	176
아몬드	242	다시마	990	연어	170
땅콩	185	무말랭이	368	넙치	191

5) 운동

무리한 운동보다 수영, 산보(walking), 자전거 타기, 맨손체조 등이 증상 완화에 좋다.

7 통풍(Gout)

체내 퓨린체 대사이상으로 혈액의 요산치가 증가하고 배설은 감소하여 과잉의 요산이 연골관절 주위에 침착되어 염증을 유발하고 통증을 동반하는 질환으로 예방이 중요하다.

1) 원인

핵산은 퓨린과 피리미딘으로 이루어져 있고 퓨린체가 분해되어 생기는 최종 산물이 요산이다. 혈중 요산은 식품으로부터 섭취되는 요산과 신체에서 파괴되는 세포에서 유래되는 요산이 있다. 배설 시 혈중 요산 농도보다 높아져 통풍이 발생하는 경우와 식품에서 유래되는 핵산단백질이 풍부한 식품을 많이 섭취하는 것도 요산을 다량 생성하는 요인이 되므로 주의

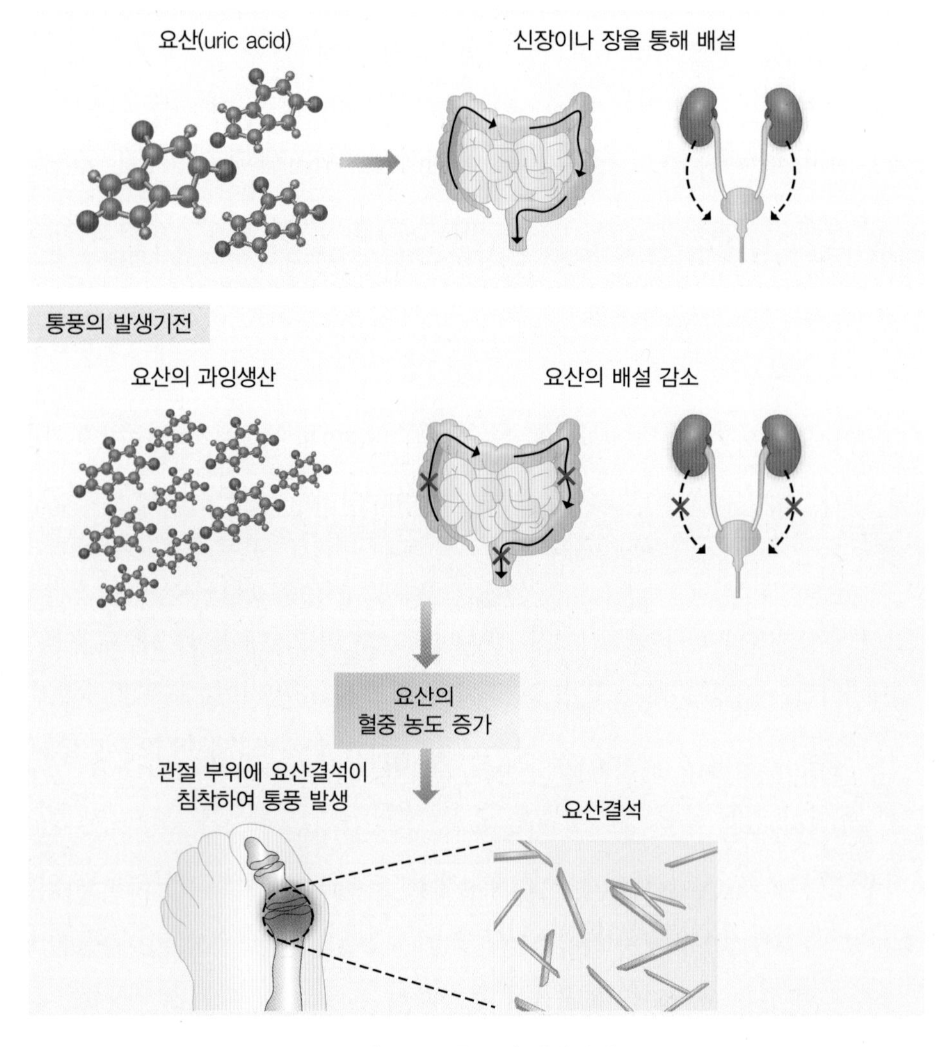

그림 4-35 **통풍의 발생기전**

한다. 대개 35세 이후 남성에게 많이 발생하며, 특히 비만한 사람, 씨름, 프로레슬링 등의 과격한 운동을 하는 사람에게서 많이 발생한다. 알코올을 과량 섭취하거나 티아지드계 강압이뇨제, 항결핵제의 사용으로 요산배설이 감소하거나 과식, 과로, 수술 또는 관절을 다쳤을 경우에도 통풍이 발생할 수 있다.

2) 퓨린 대사

체내 퓨린 뉴클레오티드는 주로 AMP(adenosine monophosphate), GMP(guanosine monophosphate)로 구성되어 있으며 퓨린 합성에는 glycine, glutamine, aspartic acid와 같은 아미노산이 관여한다. 분해는 nucleotide인 AMP, GMP에서 인산이 떨어져 나가 ribose-purine 염기인 nucleoside가 된다. 여기에서 리보스(ribose)가 분해되어 나가면 hypoxanthine, guanine이 된다. 이들 염기들은 다시 IMP, GMP로 재이용되나 일부는 xanthine-oxydiase의 작용으로 요산으로 분해되어 요로 배설된다.

3) 식사요법

(1) 정상 체중을 유지, 금연, 금주

비만한 경우 체중감량으로 정상 체중을 유지하면 인슐린 민감도가 증가하나 급격한 체중감소는 오히려 케톤체의 생성을 촉진해 요산 배설을 억제하므로 점진적으로 체중을 감량한다. 알코올은 요산의 배설을 방해하고 요산의 생합성을 촉진하므로 제한한다.

(2) 저퓨린 식사

정상적인 경우는 하루 평균 600~1,000mg 정도의 퓨린이 함유된 식사를 하지만, 통풍 환자는 100~150mg 정도로 제한하는 것이 바람직하다. 퓨린은 식사로 조절할 수 없는 내인성 요인에 의해서도 생성되므로 요산 생성을 억제하는 약제(allopurinol 복용 : 퓨린을 요산으로 분해시키는 효소인 xanthine-oxydiase의 저해제)로 조절한다. 퓨린 함량이 높은 고등어, 연어, 청어, 간, 신장, 진한 육수, 멸치, 멸치 육수 등의 식품을 제한하여 요산의 생성을 낮춘다.

(3) 수분 섭취

수분 섭취를 증가시켜 퓨린의 배설을 증가시킨다.

04

(4) 단백질

요산 생성에 관여하므로 과량의 섭취는 피한다. 그러나 우유와 달걀, 두부는 고단백질 식품이면서도 퓨린의 함량이 적으므로 통풍환자들에게 권장되고 있다. 체중 1kg당 단백질 1~1.2g으로 하루 60~75g 정도를 섭취한다.

(5) 지방

요산의 배설을 방해하고 통풍의 합병증인 고혈압, 심장병, 고지혈증, 비만 등과도 관련되므로 과량의 섭취는 피하고 불포화지방산 위주로 섭취한다.

(6) 알칼리성 식품과 비타민 C 섭취

과일, 채소 등의 알칼리성 식품은 요산으로 인한 소변의 산도를 중화시키는 효과가 있으므로 충분히 섭취하고 비타민 C도 소변으로 요산을 배설시키므로 좋은 급원이다.

(7) 나트륨 섭취 제한

통풍으로 인한 고혈압, 이상지혈증 등의 합병증 발생을 예방하기 위해 염분과 염장가공품 섭취를 줄인다.

8 근감소증(Sarcopneia)

일반적으로 골과 근육은 감소하고 지방이 증가하는 것을 말한다.

1) 원인

노화, 암, 당뇨병 등 각종 질환에 의해 나타난다.

2) 증상

근육이 감소함에 따라 각종 골격계 질환과 골절 등이 나타난다.

3) 식사요법

분지아미노산이 풍부하게 함유된 단백질 식품을 충분히 섭취하고 포화지방의 섭취는 감소시키며 비타민 D, 칼슘의 섭취는 증가시킨다.

복습하기

01 뼈의 생성을 맡고 있는 것은?

① 골세포
② 조골세포
③ 파골세포
④ 뼈의 기질

02 골다공증 발병에 영향을 미치는 위험인자가 아닌 것은?

① 폐경
② 비만
③ 운동부족
④ 비타민 D 섭취부족

03 우리나라 성인 여성(19~29세)의 칼슘 권장량은 얼마인가?

① 500mg
② 600mg
③ 700mg
④ 800mg

04 노인들의 골다공증 치료를 위하여 실시해야 하는 방법으로 적절한 것은?

① 충분한 휴식과 고칠분제제를 먹는다.
② 충분한 칼슘, 단백질과 비타민 D를 공급한다.
③ 걷기, 조깅보다 앉아 있거나 누워 지내는 것이 좋다.
④ 탄수화물의 섭취량을 줄이고 포만감이 많은 육류지방 섭취를 늘린다.

05 골다공증을 예방하기 위한 골질량을 증가시키는 요소로만 된 것은?

① 음주, 고단백 식사
② 고섬유질 식사, 흡연
③ 적정 칼슘 섭취, 운동
④ 고불소 섭취, 고섬유질 식사

06 칼슘의 좋은 급원에 속하지 않는 것은?

① 우유 및 유제품
② 쇠고기, 닭고기
③ 뼈째 먹는 생선류
④ 두류, 검정깨, 해조류

☞ 정답 및 해설은 385쪽에서 확인

제11절 혈액질환

1 빈혈

빈혈이란 적혈구의 크기, 수, 용적, 헤모글로빈 농도 등이 낮아져 혈액의 산소 운반능력이 떨어진 상태를 말한다.

1) 혈액의 생리기능과 구성성분

혈액은 산소를 폐에서 각 조직으로 운반하고 각 조직에서 나온 이산화탄소를 폐로 이동시키며, 소화·흡수된 영양소를 각 기관과 조직세포로 운반하고 생성된 노폐물을 신장, 폐, 피부 및 장 등을 통해 배출한다. 혈액은 신체 각 부위에 체열을 분포시켜 체온을 조절하고 삼투압과 산염기평형을 조절하여 신체 조직의 정상 pH를 유지한다. 또한 혈액에는 면역물질이 있어 생체를 감염으로부터 보호하는 작용을 하며 호르몬을 운반한다. 혈액은 혈구와 혈장으로 구성되어 있으며, 혈구는 적혈구, 백혈구, 혈소판으로 이루어져 있다. 건강한 성인의 혈액량은 전체 체중의 약 6~8%이다.

(1) 혈장(Blood plasma)

혈액 속의 세포 성분을 제외한 투명한 담황색의 액체성분으로 혈액의 약 55%를 차지하며, 그 중 90%는 수분이고, 단백질 약 8%, 나머지는 유기물질과 무기물질이다. 혈장단백질은 알부민(albumin)과 글로불린(globulin)으로 분류된다. 알부민은 혈장의 삼투압 유지에 중요한 역할을 하며 물이 혈관을 통해 밖으로 쉽게 빠져나가지 않도록 한다.

글로불린 분획 중에는 지단백(lipoprotein)도 들어 있어서 지질을 운반하는 역할을 가지고 있다. γ-글로불린 분획에는 면역항체가 들어 있어 면역 글로불린이라고 한다. 이 밖에 혈장단백질 속에는 혈액응고에 중요한 피브리노겐(섬유소원, fibrinogen), 기타 응고인자가 있다.

(2) 적혈구

적혈구는 무핵의 세포로 단백질을 합성, 분열은 하지 못하며 혈액 1mm^3 속에 남성은 약 500만, 여성은 약 450만 개가 들어 있으며, 유형성분의 99% 이상을 차지하고 있다. 적혈구는 혈류 속에서 여러 가지 모양으로 달라질 수 있어서 적혈구의 직경보다 작은 모세혈관도 통과할 수 있다. 적혈구 속에는 혈색소가 들어 있으며 전체 적혈구의 약 0.8%는 매일 사멸되고 또 다시 새로운 적혈구가 골수에서 만들어진다. 적혈구의 생성에는 비타민 B_{12}, 비타민 B_6, 엽산, 철, 구리 등의 영양소가 관여한다. 적혈구는 혈류 속에서 약 120일 동안 생존한 다음에 간, 비장, 림프절 등에 있는 망상내피세포에 있는 대식세포의 식균작용에 의해 파괴된다.

(3) 백혈구

백혈구는 핵을 가지고 있으며 골수와 림프절에서 형성되며 크기가 다양하고 과립 유무에 따라 과립백혈구(호중구, 호산구, 호염기구)와 무과립백혈구(단핵구, 림프구)가 있다.

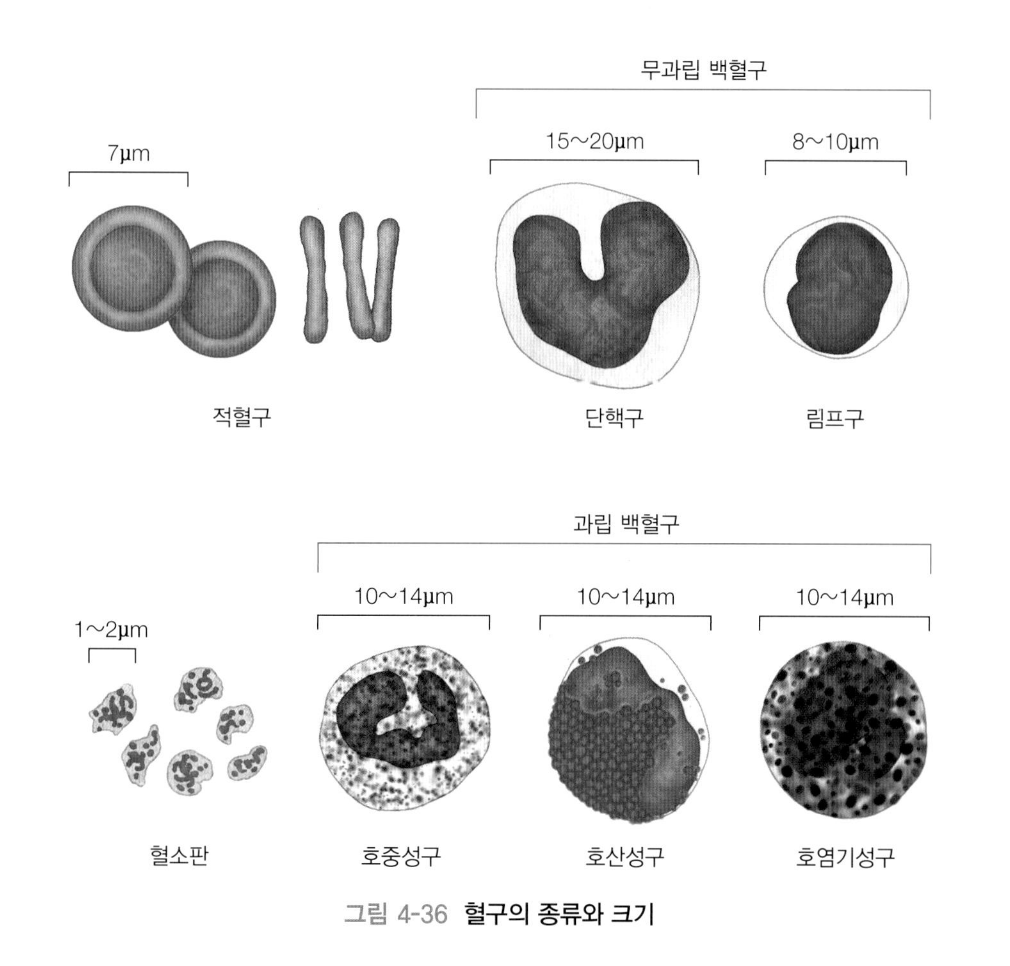

그림 4-36 **혈구의 종류와 크기**

(4) 헤모글로빈

적혈구 속에는 약 34% 가량의 헤모글로빈(hemoglobin; Hb)이 들어 있으며 헴(heme) 색소와 글로빈(globin) 단백질로 이루어진 것으로 글로빈은 4개의 폴리펩타이드 사슬로 구성되어 각 사슬에 헴이 한 개씩 결합되어 철 원자가 산소분자 한 개와 가역적으로 결합할

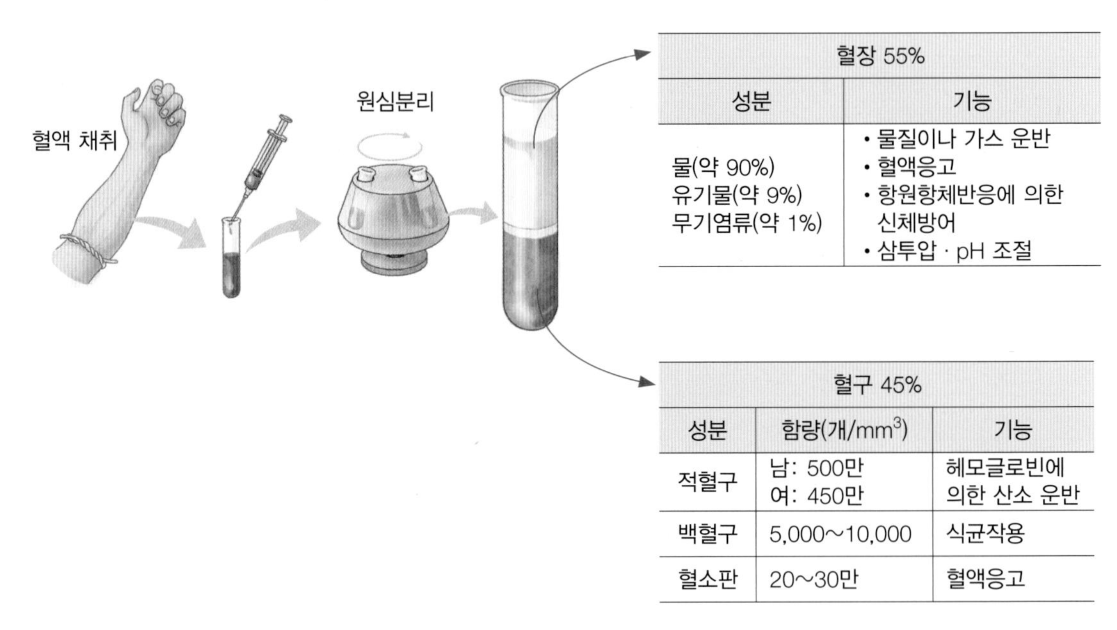

그림 4-37 **혈액의 조성**

수 있으므로 헤모글로빈 한 분자는 4개의 산소를 운반할 수 있다. 이산화탄소와 물의 반응을 촉매하는 탄산무수화효소(carbonic anhydrase)를 갖고 있어 이산화탄소를 중탄산염 형태로 폐로 운반한다. 골수에서 만들어지며 적혈구의 기본인 적혈모구 속에서 철은 protoporphyrin과 결합해서 heme을 만들며 각종 아미노산으로부터 globin이 합성되어 헤모글로빈을 형성한다. 헤모글로빈의 포피린 부분은 대식세포에 의해 담즙색소와 빌리루빈으로 전환되어 혈액으로 방출되고 간에서 담즙으로 분비된다. 철은 트랜스페린(transferrin) 형태로 골수로 운반되어 새로운 적혈구를 생성하거나 간이나 다른 조직으로 운반되어 패리틴 형태로 저장되었다가 재이용된다.

(5) 혈소판

골수에서 만들어지며 수명은 약 10일 정도이며 항응고작용에 관여한다. 출혈 시 혈액 속의 혈소판이 혈장 성분 속의 피브린(fibrin)에 부착하여 지혈이 된다.

2) 빈혈의 판정

(1) 적혈구 수, 혈색소 농도, 적혈구 용적

건강한 성인 남성의 적혈구 수는 $1mm^3$ 중 410~530만 개, 헤모글로빈 농도는 14~18g/100mL, 적혈구 용적은 43~52%, 여성의 적혈구 수는 380~480만 개, 헤모글로빈 농도는 12~16g/100mL, 적혈구 용적은 35~48%이다.

(2) 평균 적혈구 용적(Mean corpuscular volume; MCV)

한 개의 적혈구 용적으로 hematocrit는 단위용적의 혈액 속에서 적혈구가 차지하는 용적이며 이를 적혈구 수로 나누면 적혈구 한 개의 평균용적이 산출된다.

$$\text{MCV} = \frac{\text{hematocrit(\%)}}{\text{적혈구 수(백만)}} \times 100\mu^3$$

평균치는 $90\mu^3$이다.

(3) 평균 적혈구 헤모글로빈량(Mean corpuscular hemoglobin; MCH)

혈색소 농도는 100mL 속의 헤모글로빈의 양이므로 이것을 적혈구 수로 나누면 적혈구 한 개가 가지고 있는 헤모글로빈 양이 산출된다.

$$\text{MCH} = \frac{\text{hemoglobin 농도(g/100mL)}}{\text{적혈구 수(백만)}} \times 10\ \text{pg}$$

정상 범위는 27~32pg이다.

(4) 평균 적혈구 헤모글로빈 농도(Mean corpuscular hemoglobin concentration; MCHC)

헤모글로빈 농도와 헤마토크리트치(단위용적 중의 적혈구의 용적)에서는 적혈구 한 개의 헤모글로빈 농도가 산출된다.

$$\text{MCHC} = \frac{\text{hemoglobin 농도(g/L)}}{\text{hematocrit(\%)}}\ \text{pg}$$

평균치는 320~360(g/L)이다.

(5) 혈청 페리틴

철을 저장하고 있는 페리틴의 일부가 떨어져 나와 혈청에 존재한다. 혈청 페리틴이 12μg/L보다 적을 경우 철의 저장이 고갈된 것이다.

(6) 트랜스페린 포화도

트랜스페린 포화도는 혈청 철을 총 철 결합능력(total iron binding capacity; TIBC)으로 나누어서 얻어진다. 트랜스페린이 철과 결합할 수 있는 능력으로 혈장의 트랜스페린 농도를 나타낸다.

$$\text{트랜스페린 포화도(\%)} = \frac{\text{혈청 철(μmol/L)}}{\text{TIBC}} \times 100$$

3) 빈혈의 분류

(1) 철결핍빈혈(저색소성, 소혈구성 빈혈)

① 원인

식사 철 섭취량의 부족, 위 절제, 무산증, 흡수불량증후군 등에 의해 위 또는 장의 장애로 철의 흡수장애가 생겨 빈혈이 생긴다. 성장, 임신, 수유, 월경 등에 의한 체내 철 수요량의 증가에 의해 빈혈이 생기기도 하며 소화성 궤양, 위염, 암, 치질, 자궁근종, 월경과다 등의 급성 또는 만성 출혈에 의한 철 배설량의 증가로 인한 빈혈도 있다.

② 증상

초기에는 철 저장단백질인 페리틴과 헤모시데린이 고갈되며 철 흡수가 증가하고 골수와 간에 있는 철 저장량이 감소함에 따라 철 운반단백질인 트랜스페린의 철 결합능력이 증가한다. 좀 더 진행되면 혈장으로 들어가는 철이 충분하지 않은 조혈부족 단계로 혈장의 철 농도가 정상 보다 떨어져 골수의 철 요구량이 충족되지 않고 혈장의 철 운반단백질인 트랜스페린의 철 포화율이 감소한다. 트랜스페린 포화율이 15% 이하로 떨어지면 철이 골수로 전달되지 못해 골수에서 성장하고 있는 적혈구로 철이 전달되지 않아 프로토포르피린이 헴으로 전환되지 못하므로 순환하고 있는 적혈구의 프로토포르피린 수준이 정상 이상으로 증가한다. 절 저장량이 계속 고갈되면 혈장의 철이 감소하고 간과 골수에서의 조혈이 어려워지면 헤모글로빈 농도는 감소하고 적혈구 크기는 작아진다. 이로 인해 피로, 두통, 어지러움, 권태감, 호흡곤란, 창백한 안색 등이 나타난다. 이는 혈액을 중요 장기에 먼저 공급하기 위해 다른 조직의 활동성을 감소시키기 때문이다. 빈혈이 지속되면 숨이 차고 호흡곤란 등이 나타나고 더 심해지면 손톱 등의 모양이 달라지며 구각염 등의 증상이 나타난다.

③ 식사요법

고단백식을 하며 총 단백질량의 1/2을 동물성 단백질로 공급한다. 철분 공급을 위해 고철분식을 하고 비타민도 충분히 섭취시킨다. 식사가 끝난 다음에 바로 차 또는 커피를 마시는 것을 피하여 성분에 들어 있는 탄닌이 철 흡수를 억제하는 것을 피한다. 철분이 많은 식품으로는 간, 굴, 생선, 쇠고기, 닭고기, 달걀 노른자, 고등어, 참치, 갈치, 멸치, 조갯살, 새우 등 육류가 있다. 녹색 채소와 해조류는 철 함량은 많으나 수산과 섬유소가 많아 흡수율이 낮다. 건포도, 호박 씨, 해바라기 씨 등에도 많이 들어 있으나 지방함량이 많으므로 주의한다. 오렌지 주스 등 비타민 C가 풍부한 음료를 마시는 것은 철 흡수에 도움이 된다.

철은 우리 몸에서 적혈구의 헤모글로빈과 근육의 미오글로빈 합성에 꼭 필요한 무기질이나 배설통로가 특별히 없기에 독성을 유발할 수 있어 철의 흡수율은 약 10% 정도밖에 되지 않는다. 간과 비장, 장 점막 세포는 페리틴으로 철을 저장하고 있다가 필요할 때 트랜스페린이 혈액을 통해 철을 필요한 기관에 운반해 준다. 체내에 철이 많을 때는 헤모시데린으로 저장한다. 단백질과 결합하지 않은 철은 유리기로 작용하여 지방, 단백질, DNA 등을 공격해 손상시키기 때문이다.

표 4-35 **철 함량이 높은 식품(mg/100g)**

식품명	함량	식품명	함량	식품명	함량
쇠고기	3.0	콩	6.7	파래	129.5
돼지고기	4.5	푸른 채소	3.2	김	17.6
쇠간	10.1	초콜릿	4.0	마른 미역	13.8
돼지 간	16.4	당밀	4.3~11.3	흰밥	11.7
죽조개	8.7	간장	5.3	밀	3.2
피조개	7.3	건포도	3.3	무	0.6~0.4
바지락	13.4	검정콩	7.5	무청	7.3
달걀 노른자	6.5	두릅	37.5	쑥갓	4.2
뱅어포	7.2	들깻잎	15.0	쌀밥	0.3
뱀장어	2.0	파슬리	10.6	사과	3.5

(2) 거대적혈모구빈혈(Megaloblastic anemia)

엽산과 비타민 B_{12}가 결핍되면 골수와 혈액에서 DNA 합성이 저해되어 적혈구의 성숙과 분열이 억제되어 정상 적혈구보다 크고 미성숙한 적혈모구가 혈액에 나타난다.

① 원인

알코올 중독자는 엽산의 섭취, 흡수, 이용이 불량하고 배설량과 요구량은 증가하여 엽산결핍증이 가장 많이 나타난다. 엽산의 체내 저장량은 많지 않으므로 식사로 엽산의 섭취가 부족하면 체내 엽산의 결핍이 초래되고, 채소를 싫어하는 편식 또는 조리의 잘못에 의한 손실 등에 의한 섭취부족이 될 수도 있다. 만성간염, 흡수불량증후군 등에 의해 엽산 흡수의 장애로 발생할 수 있으며 임신, 용혈빈혈, 악성종양 등으로 엽산의 수요가 증가하는데 공급이 이에 따르지 못할 때에도 발생한다.

② 증상

거대적혈모구빈혈이 나타난다. 피곤, 호흡곤란, 설사, 기억력 감퇴, 식욕상실, 체중감소 등이 나타난다.

③ 영양관리

하루에 엽산을 50~100μg 정도 섭취한다. 엽산은 열에 쉽게 파괴되므로 생과일, 채소, 과일 주스 등을 섭취하는 것이 좋다. 고에너지, 고단백, 고비타민식을 섭취한다.

(3) 비타민 B_{12} 결핍(악성빈혈)

① 원인

비타민 B_{12} 결핍으로 인해 나타나는데 비타민 B_{12}는 육류, 어류, 가금류 등 동물성 식품에 많이 함유되어 있어 엄격한 채식주의자가 아니고서는 잘 나타나지 않는다. 위점막세포에서 분비되는 비타민 B_{12}를 흡수하는데 필요한 당단백질인 내적인자 부족으로 발생하는 경우가 더 많다. 위절제, 위암 등에 의해 위액분비가 감소되면 내적인자가 부족해 나타나기도 한다.

② 증상

엽산 결핍과 같은 증상 이외에도 신경의 말이집(수초)화가 제대로 이루어지지 않아 지각마비, 손발저림, 균형상실, 보행곤란, 운동실조 등의 증상이 나타나고 심해지면 기억력 실조, 환각 등의 신경계 장애가 나타난다.

③ 식사요법

동물성 단백질과 비타민 B_{12}가 많은 육류, 어류, 난류, 우유와 유제품, 해조류, 된장, 엽산이 풍부한 녹황색채소, 철분이 풍부한 식품을 섭취한다.

(4) 비타민 E 결핍 빈혈

비타민 E가 부족하면 항산화 작용이 약해져 적혈구 세포막을 구성하고 있는 다불포화지방산의 과산화로 인해 유리기 생성이 많아져 적혈구막을 손상시켜 용혈이 늘어난다. 유아들은 불포화지방산과 철분이 풍부한 조제분유를 먹였을 때 철분이 산화제로 작용하여 불포화지방산이 과산화되면서 용혈빈혈을 일으키기 쉬우며, 특히 조산아나 저체중아들은 비타민 E가 부족하기 쉬우므로 조제분유를 먹였을 때 용혈빈혈을 일으키기 쉽다.

표 4-36 **식품에 들어 있는 엽산 및 비타민 B_{12} 함량**

식품명	엽산 (μg/100g)	비타민 B_{12} (μg/100g)	식품명	엽산 (μg/100g)	비타민 B_{12} (μg/100g)
쇠간	300	50	양배추	20	0
돼지 간	220	30	상추	20	0
굴	240	15	당근	10	0
대구	50	1	포도	6	0
달걀 노른자	22	1.8	딸기	5	0
쇠고기	10	2	살구	3	0
달걀	8	7	자두	5	0
돼지고기	3	0.3	사과	1	0
우유	0.3	0	호두	77	0
시금치	80	0	땅콩	55	0
파슬리	40	0			

(5) 비타민 B_6(피리독신) 결핍으로 인한 빈혈

① 원인

비타민 B_6는 헴 합성 과정의 조효소로 작용하므로 부족하면 헤모글로빈 합성 부족에 의해 빈혈이 발생한다. 또한 헴 합성 과정에 피리독살-5-인산을 조효소로 하는 δ-아미노레불린산 합성효소의 선천적 결함으로 미성숙한 적혈구가 축적되고 헤모글로빈에 철이 결합되지 않는 빈혈이 나타나는 경우도 있다.

② 증상

적혈구 크기가 작고 혈청과 조직 내 철 수준은 정상이거나 높은 저염색빈혈(저색소성빈혈, hypochromic anemia)을 일으킨다.

③ 식사요법

피리독신 또는 피리독살 인산염을 하루에 50~200mg을 섭취하여 이를 예방한다.

(6) 낫적혈구빈혈(Sickle cell anemia)

① 원인

낫적혈구빈혈은 유전적인 질병으로서 헤모글로빈의 글로빈에 이상이 생겨 비정상적인 헤모글로빈이 되며 산소 농도가 낮은 곳에 노출되면 침전이 된다. 이 침전물 때문에 적혈구의 모양은 길어지고 굽어져서 낫 모양이 된다. 이때 적혈구의 막도 약해지며 약한 자극에도 터져서 용혈현상을 일으킨다. 용혈현상이 심해지면 혈액의 산소 운반능력이 떨어지면서 적혈구를 더욱 손상시켜 악순환이 된다.

② 증상

적혈구 파괴 시에 나오는 철분이 지나치게 많이 저장되면서 아연 결핍현상이 일어나 저체중, 거친 피부, 식욕저하가 일어나기도 한다.

③ 식사요법

낫적혈구빈혈 시에는 오히려 체내에 많은 철분이 저장되므로 철분 함량과 비타민 C가 적은 식사를 주어야 하며 엽산(하루에 400~600μg)과 아연을 보충해야 한다.

(7) 혈색소증(Hemochromatosis)

혈색소증은 철 과잉으로 인해 나타나는 질환이다.

① 원인

월경, 임신 수유 등 철 손실이 없는 남성에게서 더 많이 나타난다. 철 함유 토양에 오염된 식품 혹은 철제 요리기구 등에 의해 철을 과잉 섭취하는 경우 나타난다. 흡수된 철은 트랜스페린과 결합하여 골수(헤모글로빈 합성), 내피세포(저장), 태반(태아)으로 운반된다. 과잉된 철은 간, 비장, 골수의 대식세포 안에 페리틴과 헤모시데린(hemosiderin)으로 저장된다. 체내 철 배설능력이 제한되어 있어 하루 약 1mg의 철만이 소화기관, 소변, 피부로 제거된다.

② 증상

철 흡수가 증가되어 점진적인 철 축적이 일어난다. 대부분의 사람들은 자각 증상이 없으며 초기단계의 철 과잉은 피곤, 허약 등 철 결핍과 유사한 증세를 보인다. 나중에는 만성 복통, 관절통, 무기력, 월경불순이 나타난다. 지속적인 철 과잉은 간 비대, 피부 색소 침착, 당뇨, 관절염, 암, 심장질환, 성기능부전 등 여러 문제가 생길 수 있다.

③ 식사요법

햄, 철 섭취를 줄이고 철 흡수를 도울 수 있는 비타민 C 섭취도 제한하도록 한다.

요약

빈혈은 적혈구의 크기, 수, 용적, 헤모글로빈 농도 등이 낮아져 혈액의 산소 운반능력이 떨어진 상태이다.
빈혈의 종류에는 철결핍빈혈, 거대적혈모구빈혈, 용혈빈혈, 낫적혈구빈혈 등이 있다.

이것만은 꼭 알아놓을까요?

- **거대적혈모구빈혈** : 엽산과 B_{12}가 결핍되면 적혈구 분열에 관계하는 DNA 합성이 제대로 이루어지지 않아 적혈구 분화가 일어나지 못해 크기만 큰 적혈모구가 생겨 막이 얇고 쉽게 터져 산소를 충분히 공급하지 못한다.
- **악성빈혈** : 비타민 B_{12}가 결핍되어 거대적혈모구빈혈과 신경증상이 함께 나타난다.

04

복습하기

01 철 결핍 시에 가장 먼저 감소하는 지표는?

① 혈청 철
② 헤모글로빈
③ 혈청 페리틴
④ 헤마토크리트

02 평균 적혈구 혈색소량을 나타낸 식은?

① $\frac{\text{혈청 철}}{\text{적혈구 수}}$
② $\frac{\text{헤마토크리트치}}{\text{적혈구 수}}$
③ $\frac{\text{헤모글로빈 농도}}{\text{적혈구 수}}$
④ $\frac{\text{헤모글로빈 농도}}{\text{헤마토크리트치}}$

03 다음 〈보기〉 중 철분의 흡수율이 증가하는 것으로 구성된 것은?

〈보기〉
가. 3가 철 이온 상태로 먹을 때
나. 빈혈이 있을 때
다. 제산제와 같이 먹을 때
라. 오렌지 주스와 같이 마실 때

① 라
② 가, 다
③ 나, 라
④ 가, 나, 다

☞ 정답 및 해설은 385쪽에서 확인

04 다음 〈보기〉 중 용혈빈혈의 원인은?

〈보기〉

가. 비타민 E의 부족
나. 과다한 불포화지방 섭취
다. 낫적혈구빈혈
라. 화학약품에의 노출

① 가, 다
② 나, 라
③ 가, 나, 다
④ 가, 나, 다, 라

05 거대적혈모구빈혈에 걸리기 가장 쉬운 사람은?

① 비만 환자
② 채식주의자
③ 당뇨병 환자
④ 위산과디증 환지

06 다음 〈보기〉 중 비타민 B_{12} 결핍의 원인은?

〈보기〉

가. 채식주의
나. 위 절제 수술
다. 회장의 병변
라. 위액분비 저하

① 가, 다
② 나, 라
③ 가, 나, 다
④ 가, 나, 다, 라

☞ 정답 및 해설은 385쪽에서 확인

제12절 신경계 질환

1 뇌전증(Epilepsy)

뇌전증은 뇌 신경세포의 갑작스럽고 과도한 비정상적인 전기방출에 의해 경련, 감각장애, 의식불명 등의 발작이 반복적으로 재발되는 신경계 질환이다.

1) 원인

뇌전증의 원인은 잘 알려져 있지 않으나 유전적 요인이 크고 뇌질환, 중추신경계 장애로 발생한다. 소아 뇌전증의 경우 대뇌의 선천성 이상, 출생 전·후에 발생한 저산소 허혈성 뇌증, 뇌염, 두부외상 및 대사성 뇌질환에 의해 발생한다. 이외에도 뇌종양, 뇌혈관이상 및 뇌졸중(중풍) 등에 의해서도 발생한다.

2) 증상

의식 및 기억장애, 근육경련, 행동이상 등이 있다.

3) 약물치료

환자의 85%가 항경련제 치료에 의해 완전히 조절될 수 있으며, 잘 조절되지 않는 뇌전증에는 수술요법이 시행되고 있다. 약제로 사용되는 페노바비탈(phenobarbital) 및 페니토인(phenytoin), 프리미돈(primidone)은 간에서 비타민 D 대사를 항진시켜 칼슘의 장내 흡수를 저해한다. 수 년간 복용 시 골연화증이나 구루병을 유발하므로 어린이 1일 10~40μg, 성인 5μg의 비타민 D를 권장한다. 페니토인 대사 시 엽산이 필요하므로 엽산을 보충하면 페니토인 대사를 항진시킨다. 페노바비탈은 엽산에 의해 영향을 받지 않는다. 카바마제핀(carbamazepin), 바륨 등도 사용되고 있다. 약물치료 시 흔히 볼 수 있는 부작용들로 인지능력 저하, 어지럼증, 졸음, 소화불량 등이 있으나 이런 부작용들은 대개 시간이 경과하면서 없어진다.

4) 식사요법

(1) 케톤 식사(Ketogenic diet, 저당질, 고지방 식사)

케톤성 식사는 케토시스 상태가 되도록 당질의 양을 엄격하게 제한하고 지방의 양을 증가시킨 식사로 케톤체가 억제성 신경물질로 작용하여 항경련 효과를 나타내는 것으로 어린이들에게 조절효과가 크다. 혈액 내 케톤생성지표는 혈중 β-하이드록시 부티르산(β-hydroxybutyrate)이 4.0mmol/L 이상일 때 조절된다. 4:1 케톤성 식이와 MCT 식이가 있다. 4:1 케톤성 식이는 에너지를 75kcal/kg로 약간 제한하면서 지방질 4g, 탄수화물과 단백질의 합 1g의 비율로 식사를 공급하는 방법이다. 하루 전체 에너지를 3번으로 나누어서 공급하고, 각 식사 때마다 동일한 비율이 유지되도록 주의하여야 하며, 간식도 동일한 비율이 유지되도록 한다. 케톤성 식사요법은 탄수화물을 매우 제한하므로 음식에 대한 거부감이 심할 수 있으나, 설사나 복통 등 음식 자체로 인한 부작용은 훨씬 적은 것으로 알려져 있다.

중간사슬중성지방(medium chain triglyceride; MCT) 식사는 에너지 공급을 일반 권장량으로 유지하고 전체 에너지의 60%를 MCT로 보충하는 방법으로, 케톤 식사에 비해 간편하다. MCT 요법은 비용이 많이 들기는 하지만, 좀 더 많은 탄수화물과 단백질이 허용되어 음식에 대한 거부감을 줄일 수 있고, 칼로리당 케톤을 더 효과적으로 형성할 수 있는 octanoic acid와 decanoic acid가 많이 포함되어 있는 장점이 있으며, 혈청 콜레스테롤(cholesterol) 농도가 비교적 안정적으로 유지되는 이점이 있다. 또 케토시스가 케톤성 식사요법에 비해 보다 신속하게 나타나고 잘 유지되는 장점이 있으나, 소화장애, 복통, 설사 등 음식에 의한 소화기 부작용은 훨씬 더 심한 것으로 알려져 있다.

표 4-37 **케톤성 식사요법에서의 허용식품과 제한식품**

케톤성 식사요법 시에 제한해야 할 식품들	케톤성 식사요법 시에 허용 가능한 식품들
가당연유, 케익, 기침약(당분 함유 시럽제), 꿀, 쿠키, 아이스크림, 당밀, 파이, 젤리, 마멀레이드, 껌, 케첩, 샤베트, 사탕, 탄산음료, 시럽, 설탕, 페이스트리, 잼, 롤빵(단 것), 푸딩, 곡류 제품, 허용량 이외의 모든 빵	고추냉이, 향추출물, 무가당, 젤라틴, 차, 후추, 파슬리, 실파, 겨자, 향료, 식초, 코코아 가루, 소금, 커피, 육수, 카페인 제거 커피, 무가당

(2) 수분

수분은 적당량 섭취한다.

(3) 비타민 무기질 섭취

무기질과 비타민은 필요량만큼 공급하고 부족하면 약으로 보충한다. 특히 페니토인 같은 항경련제는 비타민 D와 엽산의 대사를 방해하여 골다공증 등을 유발할 수 있으므로 주의한다.

(4) 자극성 물질

커피, 알코올, 차, 맥주 등의 음료는 섭취하지 않는다.

(5) 케톤성 식사요법의 합병증

식욕저하, 음식 거부, 구토, 변비 및 설사 등이 있으며, 이는 지방 식사 종류의 조절 또는 약물 투여 등으로 증상을 완화시킬 수 있다. 또 약간의 성장장애나 골밀도 저하 등이 동반되기도 하나, 중지 후에는 정상화되는 것으로 알려져 있고, 비타민 D의 보조요법으로 예방할 수 있다. 혈중 요산이 계속 증가되어 있을 때 수분의 섭취를 늘려주는 것만으로도 요로결석을 예방할 수 있으며, allopurinol 같은 약제가 도움이 되기도 한다.

2 치매(Dementia)

치매는 뇌기능 장애로 기억, 인지, 신체활동 능력이 점진적으로 소실되는 증후군으로 알츠하이머치매, 혈관성 치매, 루이소체 치매, 알코올성 치매 등이 있다.

1) 알츠하이머치매(알츠하이머병, Alzheimer's disease)

뇌질환으로 인해 만성적이고 진행성으로 나타나며 기억력, 사고력, 이해력, 계산능력, 학습능력, 언어 및 판단력 등을 포함하는 뇌기능의 다발성 장애이다.

(1) 원인

베타 아밀로이드(β-amyloid) 단백질이 침착되어 생긴 노인성반(senile plaque)과 단백질이 비정상적으로 꼬여 있는 신경섬유 덩어리(neurofibrillary tangle)의 축적 때문에 뇌세포가 파괴되고 뇌기능이 손상되면서 발생하는 것으로 알려져 있다.

(2) 증상

기억력의 감퇴, 언어능력, 공간 감각, 추상적 사고능력, 문제해결능력 등의 인지적 기능의 감퇴가 점차적으로 진행되는 질환이다. 초기에는 건망증 같은 단기 기억력의 감퇴가 나타난다. 새로운 정보를 습득하고 저장할 수 없게 되며 일상생활을 해 나가는 데 있어 학습능력이 크게 떨어진다. 올바른 단어를 대지 못하거나 말을 잘 알아듣지 못하며, 실어증 등의 언어장애가 나타날 수 있다. 공각·지각능력의 장애로 익숙한 길을 잃거나, 실행능력의 장애로 몇 가지 순서를 밟아서 행해야 하는 일을 하는 데 어려움을 느끼게 된다. 또한 문제해결능력의 장애를 보일 수 있다. 행동 및 인격의 변화로 망상, 환각으로 인한 행동이상, 의심증, 심한 충동적 행동 등을 보일 수 있다.

(3) 식사요법

알츠하이머치매 환자는 왕성한 식욕을 보이기도 하나 식품 섭취량 부족 등으로 영양불량 상태가 되며 체중이 감소한다. 인지기능이 저하되어 주의집중이 힘들고 이성적 판단기능이 손상되어 배고픔, 갈증, 포만감을 인지할 수 없으며 말기에는 삼키는 것이 불가능하므로 고영양 음식을 제공하고 간식을 자주 제공해야 한다.

① 에너지

활동계수와 스트레스 계수를 고려하여 결정하며 정상 체중을 유지하도록 한다. 감염 증세가 있을 때는 에너지요구량을 증가시킨다.

② 단백질

1.0~1.25g/kg으로 권장한다.

③ 지방

ω-3 지방산, 불포화지방산이 함유된 식품을 섭취한다.

④ 비타민과 무기질

치매 예방에 효과가 있는 것으로 알려진 비타민 E, C, B_6, B_{12}, 엽산, 셀레늄 등이 함유되어 있는 식품과 어류를 충분히 공급한다.

⑤ 식습관

식사를 규칙적으로 하도록 한다. 변비를 방지하기 위해 채소, 과일을 충분히 섭취한다. 혼자 식사할 수 있게 하며 탈수를 방지하기 위해 수분을 공급한다.

2) 혈관성 치매(Vascular dementia)

뇌혈관질환이나 심혈관 이상으로 허혈 저산소성 뇌병변에 의해 발생한다.

(1) 원인

고혈압, 당뇨병, 이상지혈증, 동맥경화, 흡연, 음주 등의 원인으로 뇌혈관이 막히거나(뇌경색), 혈관이 터져(뇌출혈) 발생한다.

(2) 증상

인지능력이 손상되어 주의력이나 자기조절능력이 저하되고 팔·다리·안면마비, 발음장애, 삼킴곤란 등이 나타난다.

(3) 식사요법

동맥경화증, 고혈압, 심장질환, 이상지혈증 등의 질환 영양관리에 준해 계획한다.

- 정상 체중을 유지할 수 있는 에너지를 제공하고 단백질은 충분히 공급한다.
- 탈수 예방을 위해 수분을 적절히 공급한다.
- 비타민 E, 셀레늄, 콜린을 충분히 공급한다.
- 엽산과 비타민 B_{12}는 충분히 섭취시킨다.
- 음식은 소화되기 쉬운 조리법으로 조리하고 소량씩 자주 공급한다.
- 알코올은 제한한다.

3 파킨슨병(Parkinson's disease)

파킨슨병은 신경계의 퇴행성 장애로 50세 이후에 발병하며 현재 65세 노령 인구의 1% 정도가 파킨슨병을 앓고 있다고 보고되고 있다.

1) 원인

뇌의 흑질(substantia nigra)의 도파민 분비 신경세포가 점차적으로 소실되는 질병이다. 신경전달물질인 도파민은 기저핵으로 전달되어 운동을 원활히 하는 기능을 하는데, 도파민 분비가 감소하여 운동신경 회로들의 기능이 비정상적으로 변화되어 나타난다.

2) 증상

손이 떨리고(떨림, tremor), 몸동작이 느려지며 팔다리 근육이 뻣뻣해지는 근육강직(강직, rigidity)이 나타난다. 동작이 느려짐(slow movement)으로 인해 몸의 중심을 잡기 힘들고 넘어지며(자세불안정, postural instability), 얼굴이 무표정해지고, 구부정한 자세, 목소리 크기의 감소 및 심한 근육통과 관절통, 우울증이 수반되기도 한다. 음식 섭취와 관련하여 목과 입안의 근육이 느려져 삼킴장애가 생겨 음식을 삼키기가 어려워지며, 장운동이 느려져 변비도 흔하게 생긴다. 증상은 서서히 시작되고 진행속도도 느리나 치료하지 않으면 일상생활이 어렵고 여러 가지 합병증으로 사망할 수 있다.

3) 치료

부족한 도파민을 공급하기 위해 엘-도파(L-dopa 또는 levodopa)를 경구 투여한다. L-도파는 카테콜아민(도파민, 노르에피네프린, 에피네프린)의 전구물질로 아미노산인 티로신이 티로신 수산화효소(tyrosine hydroxylase)에 의해 L-도파로 전환된다. 약물 부작용으로 식욕부진, 구토, 후각기능 감소, 변비, 구강건조 등의 증상을 보이는데 엘-도파제제를 음식과 함께 먹으면 소화기관의 부작용이 감소된다.

4) 식사요법

L-도파 투여 효과를 돕고 질병의 진행과 증상이 악화되는 것을 방지하고 식사를 잘 할수 있게 해 성상 제중을 유지하고 변비를 예방하는 식사를 제공하도록 한다.

(1) 단백질

고단백식은 L-도파제의 흡수를 지연시켜 혈중 농도를 저하시키며, 특히 중성 아미노산들은 장에서 L-도파의 흡수를 방해하고 L-도파가 뇌로 들어가는 것을 경쟁적으로 방해한다고 알려져 있다. 체중 1kg당 0.5~0.8g의 단백질 섭취가 바람직하며 높은 생물가를 갖는 단백질 급원을 이용한다. 저녁에는 단백질량을 권장량 수준으로 주고 활동이 많은 낮 시간은 저단백식을 공급해 약물의 효과를 높인다.

(2) 비타민

비타민 B_6 보충은 L-도파 제제의 효과를 감소시키므로 주의한다. 왜냐하면 비타민 B_6는 L-도파가 도파민으로 전환하는데 필요한 효소인 DOPA 탈카복실화효소(decarboxylase)의 조효소로 작용하므로 충분히 섭취하는 것은 도파민으로 전환되는 것을 촉진하는 데 도움이 되나 과량의 비타민 B_6는 L-도파는 간에서도 도파민으로 전환되어 뇌에서의 L-도파 효력이 없어질 수 있기 때문이다.

(3) 체중유지

식욕감퇴나 삼킴장애로 인해 식품 섭취량이 감소하거나 떨림 등의 불수의 운동에 의해 에너지 소모가 증가하므로 적정한 체중을 유지하도록 한다. 비만하면 몸의 움직임이 어려워지고 합병증이 더 쉽게 오므로 체중증가에 유의한다. 식사는 적은 양을 자주 하고 지방량을 감소시키며 탄수화물의 섭취량을 늘린다. 운동부족, 배변근육의 운동력 저하 및 복용 약제에 의한 부작용으로 변비가 흔하므로 채소와 과일을 충분히 준다.

(4) 식사형태

질병이 진행됨에 따라 사지가 경직되므로 숟가락 사용도 힘들어지며 팔과 손이 떨려 혼자 식사하는 것이 어려워 음식을 쏟기도 한다. 그러므로 음식은 부드럽고 작은 형태로 주어 혼자 식사할 수 있게 한다.

4 다발경화증(Multiple sclerosis)

다발경화증은 중추신경계(시신경, 척수, 뇌)를 구성하고 있는 신경세포의 말이집과 축삭이 염증으로 탈락하여 신경자극 전달기능을 수행할 수 없게 되는 만성 퇴행성 신경계 질환이다.

1) 원인

정확한 원인은 알려져 있지 않으나 가족력 등 유전적 요인, 자가면역체계의 이상에 의해서도 발생한다고 한다.

2) 증상

중추신경계(뇌, 척수, 시신경)의 여러 부위가 경화되어 시각장애, 운동기능 약화, 부분적 마비, 경련 등의 증상이 나타나고 점차적으로 심해진다.

3) 식사요법

활동이 부자연스러워 운동량이 감소하여 체중증가가 일어나기 쉬우므로 체중을 잘 관리하고 삼킴곤란 증세가 있으므로 음식이 흡인되지 않도록 해야 한다. 신경장애성 방광 증세가 흔하게 나타나 소변을 자주 보고 요실금 등이 있으므로 자기 전에는 수분공급을 제한한다.

장도 신경장애로 인해 변비가 생길 수 있으므로 식이섬유소 함량이 높은 식품을 섭취한다. 비타민 C, E 같은 항산화 영양소와 비타민 D, ω-3 지방산 등이 풍부한 식품을 제공한다.

5 중증근무력증(Myasthenia gravis)

중증근무력증은 신경근육접합부의 신경전달 장애로 면역체계가 아세틸콜린 수용체에 대해 항체를 형성해 근육수축이 어렵고 근력이 약화되는 자가면역질환이다.

1) 원인

근육이 수축하기 위해서는 운동신경의 말단에서 분비되는 신경전달물질인 아세틸콜린이 근육 세포막에 있는 아세틸콜린 수용체에 결합함으로써 이루어지는데 근무력증 환자는 아세틸콜린 수용체에 대한 항체를 만들어 아세틸콜린이 수용체에 결합하는 것을 방해하고 수용체 수를 감소시켜 근육수축이 일어나지 않게 된다.

2) 증상

눈, 얼굴, 후두, 호흡기계에 문제가 발생하며 피로, 눈감기 어려움, 눈꺼풀처짐(안검하수), 사물이 두 개로 보이는 복시 등이 나타난다. 호흡기 근육수축이 어려워 호흡곤란이 올 수 있으며 배뇨조절 장애 등 여러 증상이 나타난다. 저작이나 삼킴곤란이 나타나 체중감소가 일어날 수도 있다.

3) 식사요법

아세틸콜린 분해를 억제하기 위한 항콜린에스터레이즈(anticholineesterase), 면역억제제, 가슴샘제거수술(가슴샘은 항체를 합성하는 B 림프구 성숙에 관여함) 등의 치료가 있다. 삼킴곤란이 심하면 음식의 점도를 조절하여 공급하며 경구섭취가 어려우면 경관급식을 한다. 음식은 소량씩 자주 공급하며 단백질은 근력 강화를 위해 체중 kg당 1~1.5g 정도 제공한다.

요약

신경계 질환에는 뇌전증, 알츠하이머치매, 혈관성 치매, 파킨슨병 등이 있다.
뇌전증 치료 식사요법은 케톤성 식사를 하는 것을 권하고 있다.

이것만은 꼭 알아놓을까요?

- 케톤성 식사는 케토시스 상태가 되도록 당질의 양을 엄격하게 제한하고 지방의 양을 증가시킨 식사이다.
- 4:1 케톤성 식사와 MCT 식사가 있다.

복습하기

01 다음 〈보기〉에 해당하는 식사는?

〈보기〉

- 소아의 뇌전증을 조절하기 위한 식사이다.
- 지방 함량이 높고 당질 함량이 낮다.

① 케톤식
② 저열량식
③ 젖당 제한식
④ 고탄수화물식

☞ 정답 및 해설은 385쪽에서 확인

제13절 감염 및 호흡기 질환

1 호흡기 질환

공기와 혈액 사이의 가스교환 과정의 혼란으로 혈액의 산소공급 감소와 이산화탄소 농도의 증가가 특징이다. 혈액 내 과잉의 이산화탄소는 호흡 패턴에 혼란을 일으키고 어떤 사람들에게는 식품 섭취를 방해할 수 있다. 더구나 호흡질환으로 인해 힘든 호흡은 정상적인 호흡을 할 때보다 더 높은 양의 에너지 손실이 수반되며, 따라서 에너지요구량이 올라가고 이산화탄소 발생량도 증가된다. 폐질환은 육체적 활동을 어렵게 하고, 결국 근육 소모로까지 이어질 수 있다. 그러므로 체중손실과 영양결핍은 호흡기 질환에서 위험한 결과를 초래할 수 있다.

1) 호흡기의 구조

코, 인후, 기관, 기관지와 폐로 구성되어 있다. 공기 중의 산소는 호흡기의 외부와 연결된 코를 통하여 들어와 인후와 기관지를 지나 세기관지, 도관, 폐포낭을 거쳐서 폐포에 이른다.

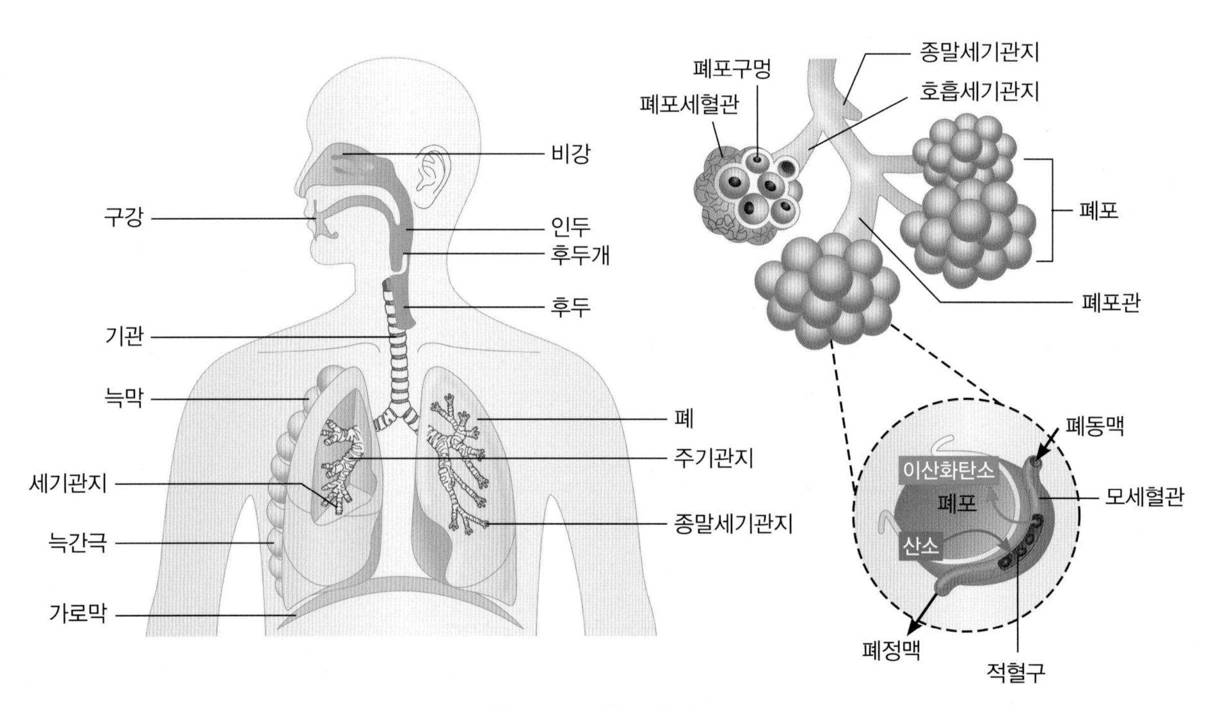

그림 4-38 **호흡기의 구조**

폐포에는 모세혈관이 발달하여 외부로부터 유입된 공기 중의 산소와 조직에서 혈액으로 들어온 이산화탄소를 교환한다. 비강에서 기관지에 이르는 부위에서는 공기의 온도와 습도를 조절하며 이물질을 제거한다. 폐는 공기 중의 산소를 흡입하여 이산화탄소를 배출하는 곳으로 우측에 3개, 좌측에 2개의 폐엽으로 나누어져 있고, 각 폐엽은 늑막의 견고한 막으로 싸여 있다. 폐포의 총 수는 약 30억 개에 달하며 각 폐포의 총 표면적은 70cm^{2}이다.

2) 호흡기의 기능

(1) 체내 산소공급

신체의 구성세포는 공기를 직접 받아들일 수 없어 코를 통해서 인후를 거쳐 기관지를 통해 폐로 들어와 폐동맥 혈액 속으로 들어가 각 세포로 운반되고 영양소를 산화시켜서 ATP를 합성하는 데 쓰인다.

(2) 이산화탄소의 배출

탄수화물, 지방, 단백질이 ATP를 합성하면서 이산화탄소가 생성되는데, 이것은 혈액으로 방출되어 탄산이 되어 폐로 운반되고 호흡을 함으로써 체외로 배출된다. 만일 이것이 제대로 되지 않으면 혈액 내 탄산이 많아져 체기능이 약화된다.

(3) 체액의 산-염기평형

체내의 가스성분을 일정하게 유지하고 끊임없이 생산되는 탄산은 체액을 유지한다. 이산화탄소 배출이 억제되면 호흡성 산혈증이 발생하게 되어 폐는 이산화탄소를 빠르게 배출하고 반대로 기체교환이 증가되어 이산화탄소가 손실되어 호흡성 알칼리증이 되면 이때는 호흡계가 이산화탄소 배출을 줄여 체내 pH를 정상으로 유지한다.

(4) 수분 및 열방출

호흡으로 인한 성인의 수분 배설량은 1일 400~500mL이다. 체온조절 시 땀과 호흡으로 수분을 배출시키며 열이 심하게 나면 호흡수가 많아진다. 또한 폐에서 안지오텐신 I이 안지오텐신 II로 전환된다.

3) 호흡기의 호흡과정

폐환기는 폐포 내 공기와 대기 사이의 공기교환으로 산소가 많은 대기 중 공기를 폐포 내로 흡인하고 이산화탄소 농도가 높은 공기를 체외로 배출한다. 외호흡은 공기와 혈액 사이의 산소와 이산화탄소의 교환과정으로 확산에 의해서 이루어지며, 내호흡은 산소 및 이산화탄소의 운반과 혈액과 조직세포 사이에서 이루어진다. 호흡운동은 호흡중추의 작용(대뇌피질, 시상하부 등 신경기구의 지배를 받아 호흡조절)에 의해서 가로막과 갈비사이(늑간) 근육이 규칙적으로 수축·이완을 되풀이함으로써 이루어지고 있다.

4) 호흡기 질환

(1) 만성폐쇄폐질환(Chronic obstructive pulmonary disease; COPD)

폐를 통한 공기흐름의 지속적인 장애가 특징으로 폐기능이 저하되고 만성 기관지염과 폐기종, 천식을 포함하는 폐질환을 말한다.

① 종류

- 만성 기관지염(chronic bronchitis)은 폐의 주기도 안쪽 점막의 지속적인 염증으로 과잉의 점액분비가 폐의 기도를 막아 점액 제거가 충분히 되지 않아 기도가 좁아지는 질병으로 만성적으로 기침을 하게 된다.
- 폐기종(emphysema)은 폐의 폐포가 점진적으로 손상되어 호흡곤란의 원인이 되는 질환으로 폐 탄성 조직, 세기관지와 폐포벽이 파괴되며 폐 표면적이 감소된다.

② 원인

흡연이 가장 큰 위험요인이며 호흡감염이나 먼지, 화학약품 등에 직업적으로 노출되어 있는 경우에도 발생한다. 유전적 요인들도 크게 작용한다.

③ 증상

만성 기관지염과 폐기종 환자들은 혈액 중의 정상적인 산소와 이산화탄소 농도를 유지하지 위하여 폐의 용량을 감소시키므로 숨이 가쁘고 호흡곤란이 발생하며 호흡기나 심부전으로 이어질 수 있다. 만성 폐쇄성 질환은 일반적인 활동도 호흡곤란으로 힘들게 되며 근육 소모가 발생한다. 체중감소, 조직의 소모, 에너지 불량, 복부의 통증, 위궤양이 발생한다. 폐의 확산능력이 감소되어 혈액의 산소공급과 이산화탄소 제거능력이 감소되며 폐 일부의 공기 유통이 두절되어 조직이 사멸한다. 폐순환 혈관의 저항력이 증가되며 폐동맥의 고혈압이 나타나 심장의 부담을 증가시키고 우심부전의 원인이 되며, 저산소증과 탄산과잉증이 발생되어 사망하게 된다.

④ 치료

호흡곤란과 기침을 경감시키고 합병증을 막기 위해 금연한다. 공기의 흐름을 원활하게 해주는 기관지확장제와 증상이 재발하는 것을 막는 코르티코스테로이드(항염증성 약

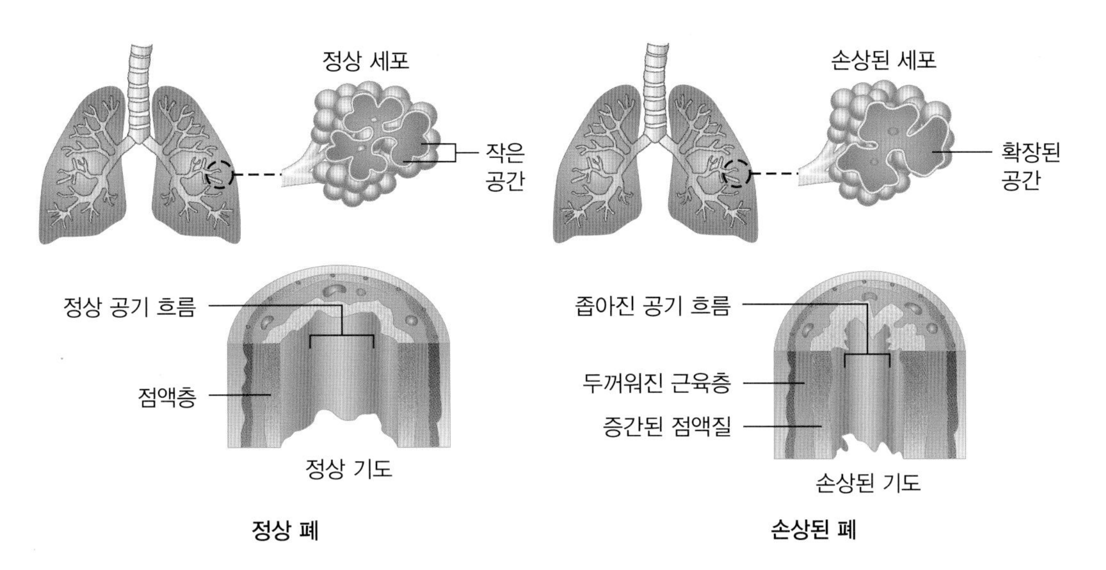

왼쪽은 건강한 기관지이며, 오른쪽 위 그림은 만성 기관지염으로, 염증으로 점막에서 분비물이 분비되어 기관지가 좁아져 공기의 흐름이 원활하게 이루어지지 않고 있다. 오른쪽 아래 그림은 폐기종으로 폐포가 손상되어 호흡곤란을 유발하게 된다.

그림 4-39 **만성폐쇄폐질환**

품)을 처방한다. 정상 체중을 유지하고 근육손실을 막기 위해 운동을 하는 것이 권장된다.

⑤ 식사요법

영양불량을 교정하고 건강한 체중을 유지하고 근육 소모를 막는 식사를 제공해야 한다. 호흡곤란으로 인해 씹기나 삼키기가 어려워 식욕을 잃을 수 있으며, 정신적인 스트레스로 인해 음식 섭취가 줄어 영양결핍을 유발하게 된다. 가로막(횡격막)과 폐의 변화로 복부의 부피가 줄어 조금만 먹어도 포만감을 느껴 영양불량이 될 수도 있다. 그러므로 하루에 먹을 음식의 양을 나누어 소량씩 자주 먹는다. 가스를 형성하는 음식들은 피하며 수분을 충분히 섭취해 두꺼워진 점막의 점액분비를 막아야 한다. 비만이나 과체중인 사람들은 체중을 정상으로 하여 호흡기에 부담을 덜어주는 것이 필요하다.

그러므로 식사요법은 호흡계수(소비된 산소량에 대한 생성된 이산화탄소량의 비율)에 의거하여 한다.

- 에너지 : 단백질-에너지 영양불량(protein energy malnutrition; PEM)이나 근육이 손실될 경우 충분한 에너지 섭취가 필요하다. 그러나 호흡기능이 좋지 못한 환자에게 과잉의 에너지 섭취는 이산화탄소 배출량을 증가시켜 폐에 부담을 주므로 주의한다.
- 지방 : 탄수화물은 호흡계수가 1.0이며 지방의 호흡계수는 0.7이므로 지방은 만성폐쇄폐질환의 좋은 에너지원이다.

호흡계수(호흡률 respiratory quotient; RQ)

소비한 산소와 생성된 이산화탄소의 비율이다. 탄수화물 식품이 대사를 통해 가장 많은 양의 이산화탄소를 생성하여 호흡계수가 가장 높다. 호흡률이 1보다 크면 탄수화물이 주 에너지원임을 나타낸다. 지방은 가장 적은 양의 이산화탄소를 생성하며 호흡계수가 0.7로 가장 낮다.

- 탄수화물 : 탄수화물 섭취량이 많으면 산소 소모량과 이산화탄소 생성 및 보유량이 증가하므로 적게 섭취한다.
- 단백질 : 폐조직을 보수하고 폐 근력을 유지하며 면역기능을 촉진하기 위해 체중 1kg당 1.2~1.7g 정도의 충분한 단백질을 섭취한다.
- 무기질 : 근육수축과 이완에 작용하는 마그네슘과 칼슘을 섭취한다. 체내 수분저류가 있으면 나트륨과 수분 제한이 필요하고 이뇨제를 사용하는 경우 칼륨 섭취를 증가시킨다.
- 비타민: 골밀도가 감소하고 당질부신피질호르몬(glucocorticoid) 약제 사용으로 비타민 D와 K가 부족될 수 있으므로 보충이 필요하다.

호흡곤란을 줄이기 위해서는 식사 전 30분간은 휴식을 취하고 식후 한 시간 내에는 운동을 하지 않는다. 소량씩 식사하는 것이 좋고 음료는 식사 사이에 섭취한다.

(2) 호흡부전

호흡부전은 공기와 순환하는 혈액 사이의 가스교환이 되지 않는 상태로 갑자기 발병하는 것은 급성호흡곤란증후군(acute respiratoy distress syndrome; ARDS)이라 한다. 중증 및 쇼크 환자, 중증외상, 폐혈증 환자에게서 발생한다.

① 원인

기도 상단의 장애나 허약, 호흡에 관련된 근육들의 마비로 발생할 수 있으며 폐 안에 위치한 색전이 혈액의 흐름을 막거나 유독물질들이 폐 조직을 손상시켜 나타날 수도 있다. 수술이나 내시경(abdominal procedure), 심한 외상과 감염에 의해서도 나타날 수 있다.

② 증상

가스교환이 제대로 이루어지지 않아 저산소혈증과 탄산과잉증이 나타나며 조직 안의 불충분한 산소공급은 세포기능을 막아 세포의 죽음을 유발한다. 탄산과잉증은 중추신경계와 심장의 기능을 방해하는 산과다증으로 이어질 수 있다. 호흡부전으로 인해 환자들은 호흡을 가쁘게 하고 심장박동 수도 늘어나 두통, 의식장애, 어지러움증이 발생할 수 있다. 호흡부전의 심한 경우는 부정맥을 유발할 수 있으며 결국에는 혼수상태에 이른다.

③ 식사요법

면역이 약한 호흡기에 무리를 주지 않으면서 폐기능을 보완하기 위해 충분한 영양을 공급한다. 이산화탄소 생성을 최소화하기 위해 탄수화물의 섭취를 제한하고 지방을 에너지원으로 하는 것이 좋으며 수액을 통해 수분평형을 유지한다. 폐부종을 교정하기 위해 수분제한이 필요하다. 심각한 호흡부전 환자는 식사를 스스로 할 수 없으므로 영양지원이 필요하며 경장영양으로 ω-3지방산과 항산화영양소인 비타민 C, E, β-카로틴 등을 강화하여 공급한다.

(3) 감기(Common cold)

다양한 바이러스에 의해 발생하는 호흡기계 감염성 질환이다.

① 원인과 증상

각종 바이러스에 의해 일어나며 과로, 영양상태가 좋지 못하거나 한랭, 습기 등에 의해 일어나며 콧물, 인후통, 두통, 전신권태, 발열 등의 증상을 보인다.

② 식사요법

발열로 인해 대사량이 증가하므로 에너지를 충분히 공급하기 위해 고에너지, 고단백 식사를 한다. 면역력 증강을 위해 고비타민 식사를 섭취하며, 특히 비타민 C를 섭취하는 것이 도움이 된다.

(4) 폐렴(Pneumonia)

① 원인 및 증상

폐에 염증이 생겨 폐포가 액체와 혈구로 차 있는 상태로 폐렴알균(폐렴구균), 감기 바이러스 등에 의한 감염으로 발생하며 폐포에 감염된 후 항원이 폐동맥 세포막으로 이동하고 여기에 구멍이 뚫려 액체와 적혈구, 백혈구 세포가 혈액에서 폐포로 흘러들어가고 감염된 폐포는 점차 액체와 세포로 차게 된다. 호흡곤란, 고열, 심하면 사망하게 된다.

② 식사요법

발열과 고열로 인해 체내 대사가 항진되지만 식욕부진으로 음식물 섭취가 어렵다. 고에너지, 고단백질, 고비타민 식품을 소량씩 자주 공급하고 우유나 요구르트, 고깃국물, 과즙 등 영양이 풍부한 음료를 충분히 준다. 충분한 수분공급은 탈수증세를 치료할 뿐 아니라 폐의 분비물과 가래의 배출을 돕는 데 도움이 된다.

(5) 폐결핵(Tuberculosis)

결핵균(*Mycobacterium tuberculosis*)이 호흡기를 통해 폐에 침입하여 감염을 일으키는 박테리아성 질병이다.

① 원인과 증상

과로 또는 장기 영양실조로 인한 저항력의 약화상태, 오염된 환경 속에서 결핵균에 의해 감염된다. 암 환자, 후천면역결핍증후군 환자, 만성질환자 등은 면역이 약화되어 있어 결핵 발생 위험이 높고 비만도 만성 염증상태이기 때문에 결핵에 노출될 수 있다. 권태감, 기침, 가래, 식은 땀, 체중감소가 나타나고 심해지면 객혈, 심한 기침, 발열 등의 증상이 있다.

② 식사요법

체조직 소모가 심한 소모성 질환이므로 에너지와 단백질을 충분히 공급한다. 그러나 에너지 과잉 섭취는 비만, 당뇨병, 동맥경화증의 원인이 될 수 있으므로 정상 체중을 유지할 수 있는 정도로 한다. 에너지는 하루 2,000~2,500kcal, 단백질을 체중 1kg당 1.5g으로 1일 75~100g 정도 공급한다. 유지방, 칼슘을 충분히 섭취(신경의 진정작용이 있고 결핵균의 석회화에 중요한 역할을 함)하고, 각혈이 있으므로 조혈작용이 있는 철분을 섭취하며, 비타민 A, C는 저항력을 강화시키므로 충분히 섭취한다. 또한 식품의 체내에서의 대사를 돕고 간 기능을 보호하기 위하여 비타민 B_1, B_2를 충분히 섭취한다. 칼슘대사와 흡수에 필요한 비타민 D를 섭취한다.

결핵약 아이소나이아지드(isoniazid, INH)을 복용하면 식품흡수가 감소하므로 식후 2시간 또는 식사 1시간 전에 복용하며 비타민 B_6를 고갈시키므로 보충해야 한다.

(6) 천식(Asthma)

폐의 기관지가 예민해져 기관지 근육이 수축하여 기도가 좁아지고 점막이 부어 관이 좁아지게 되어 숨이 차고 기침을 심하게 하는 질환이다. 천식은 비만세포가 알레르기원과 만나면서 유리되는 염증 매개자에 의해 초래되는 가역적인 기도폐쇄로 모세혈관 투과성 증가, 기관지를 둘러싼 평활근의 연축성 수축으로 기관지내강의 직경을 일시적으로 감소시킴으로써 호흡곤란을 초래한다. 대기오염, 흡연, 감염, 기타 요인에 의한 비알레르기성 천식도 있다.

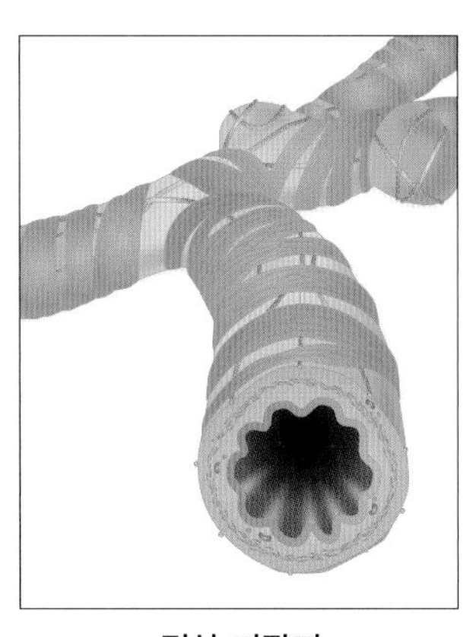
정상 기관지

천식

그림 4-40 정상 기관지와 천식일 때의 기관지

① 원인

감기, 바이러스 감염 및 운동 등의 비면역적 자극, 공기에 있는 외부 물질에 대한 알레르기 예민성 때문에 발생한다.

② 증상

기침, 가슴이 조이는 느낌 등의 증상이 나타나고 들숨보다 날숨이 훨씬 힘들게 되는 호흡곤란증으로 폐 안에 공기량이 많아져 가슴이 커진다.

③ 식사요법

다양한 과일, 채소, 통곡물 등은 항산화 영양소, 식이섬유소, 각종 비타민, 철, 마그네슘 등의 무기질이 풍부하다. 특히 비타민 C와 D, ω-3 지방산도 매우 중요한 영양소이다.

2 알레르기(과민반응)

알레르기 혹은 과민반응(hypersensitivity)은 어떤 항원에 대한 인체의 반응으로 여러 가지 물질들이 항원이 되어 천식, 가려움을 동반한 발진, 발열 등의 전신증상과 신경증상, 설사, 복통, 구토 등이 유발되는 것을 말한다.

1) 식품에 의한 과민반응

알레르기 환자 중 특정 식품에 과민반응을 보이는 식품 알레르기 환자가 가장 많은 비율을 차지한다. 특히 달걀, 우유, 메밀 등의 항원에 대해 IgE 항체를 만들어 비만세포에 작용하여 히스타민 등 각종 화합물질이 방출되어 반응을 나타내는 현상을 식품에 대한 과민반응이라 말한다. 소화관 내에서 반응이 일어나면 설사, 복통 등이 생기며, 재채기나 두드러기 등 심하면 호흡곤란 등의 증상도 일어난다. 또한 피부가 붉어지거나 붓고 가려운 증상 등을 나타내기도 한다.

(1) 달걀 알레르기

달걀 알레르기는 유아와 어린이들에게 가장 발생빈도가 높은 대표적인 식품 알레르기 중 하나이다. 달걀 알레르기를 일으키는 물질은 난백에 있는 오보알부민(ovalbumin), 오보뮤코이드(ovomucoid), 달걀 lysozyme이 있다. 유아들에게는 달걀 흰자보다는 노른자를 주는 것이 바람직한데 이는 달걀 흰자의 아비딘은 비오틴의 흡수를 방해하기 때문이다.

(2) 우유 알레르기

우유 알레르기는 락타제가 부족하여 우유를 분해하지 못해 설사, 복통 등의 증상이 나타나는 것을 말한다. 우유 알레르기가 있는 사람들은 두유나 콩 제품으로 대체하면 증상이 완화되는 경우가 많다.

(3) 메밀 알레르기

메밀 알레르기는 메밀을 섭취할 때 천식, 발작, 두드러기, 구토, 혈압저하 등의 증상이 나타나며 유아기에 주로 많이 발생한다.

(4) 글루텐 알레르기

밀가루에 있는 글루텐 단백질이 알레르기 증상을 일으킨다. 실리악 질환(celiac disease)은 매우 심한 위장증상으로 소맥류(밀, 보리, 귀리 등)를 섭취하면, 소장에 염증과 흡수불량이 나타난다.

2) 알레르기 식사요법

식품 알레르기의 원인이 되는 식품 항원을 섭취하지 않도록 하며, 제한되는 식품으로 인한 영양부족을 대체할 수 있는 식품을 잘 선택해 섭취하도록 한다. 대부분의 식품은 시간이 지나면 알레르기가 사라지지만 땅콩, 견과류, 해산물 등은 변화가 없는 경우도 많다.

① 식품재료는 신선한 것을 선택하고, 부패성이 높은 동물성 단백질 식품을 주의한다.
② 가공식품, 조리된 식품은 되도록 피하고 사용할 때에는 첨가물을 확인한다.
③ 채소류는 향기가 강한 채소를 피하고 가능한 가열 조리를 한다.
④ 기름은 신선한 것을 이용하고 향신료 및 자극성 있는 식품 등도 주의한다.

⑤ 소화·흡수가 잘 되는 식품을 이용한다.
⑥ 어린이의 간식, 음료 중에 알레르기 유발물질의 유무를 충분히 확인한다.
⑦ 과음, 알코올, 단백질 식품 섭취에 유의하고, 장내 가스 형성 식품 등을 금한다.

이 외에도 알레르기성 질환을 막기 위해서는 신선한 과일과 채소 등을 충분히 섭취하고 규칙적인 식생활을 유지하는 것도 중요하다.

표 4-37 **과민반응을 일으킬 수 있는 식품**

① 히스타민이 많은 식품: 시금치, 가지, 토마토, 옥수수, 죽순, 샐러리, 효모, 어류, 돼지고기, 쇠고기, 치즈
② 티라민이 많은 식품: 바나나, 오렌지, 아보카도, 자두, 가지, 치즈, 발효 식품, 간장, 된장
③ 세로토민이 많은 식품: 바나나, 토마토, 파인애플, 키위, 자두, 호두, 아보카도, 가지, 콜리플라워, 시금치
④ 아세틸콜린이 많은 식품: 토마토, 가지, 죽순, 마, 토란, 메밀
⑤ 트리메틸아민이 많은 식품: 오징어, 게, 새우, 가자미

호흡기 질환에는 흡연이 주요 원인이 될 수 있는 만성폐쇄폐질환과 폐기종이 있으며 그 외 폐렴, 폐결핵, 기관지 천식 등이 있다.
알레르기는 과민반응으로 식품에 대한 과민반응 유발 물질에는 우유, 달걀, 메밀 등이 있다.

이것만은 꼭 알아놓을까요?

호흡기 질환자에 대한 식사요법은 호흡기 부담을 줄이기 위해 이산화탄소 생성이 많은 탄수화물의 섭취를 줄이고 이산화탄소 배출이 적은 지방의 비율을 높인 식사 위주로 공급하는 것이 중요하다.

복습하기

01 심한 열과 땀을 계속 흘리는 폐렴 환자에게 공급해 줄 수 있는 음식은?

① 아이스크림
② 뜨거운 음료
③ 뜨거운 미역국
④ 젤리 수프와 된죽

02 다음 〈보기〉 중 폐결핵 환자의 식사요법으로 옳은 것은?

〈보기〉

가. 식염과 수분을 충분히 보충한다.
나. 칼슘의 섭취를 증가시킨다.
다. 비타민의 섭취를 증가시킨다.
라. 양질의 고단백질 식사를 한다.

① 가, 다
② 나, 라
③ 가, 나, 다
④ 가, 나, 다, 라

03 알레르기를 가장 적게 일으키는 식품은?

① 쌀
② 달걀
③ 복숭아
④ 고등어

04 식품 알레르기에 대한 설명으로 옳지 않은 것은?

① 식품 알레르기는 영유아기보다 노인에서 잘 발생한다.
② 겨자, 고추, 향신료는 신경성 알레르기를 잘 일으킨다.
③ 히스타민과 콜린이 함유된 식품이 알레르기를 잘 일으킨다.
④ 식사요법으로는 원인이 되는 식품을 먹지 않는 것이 최선책이다.

05 대두 및 두류에 알레르기를 가지고 있는 사람에게 제한할 필요가 없는 식품은?

① 콩가루
② 대두유
③ 들기름
④ 청국장

06 달걀에 대한 알레르기를 가지고 있는 사람이 먹어도 좋은 것은?

① 핫케이크
② 마요네즈
③ 요구르트
④ 인스턴트 라면

☞ 정답 및 해설은 385쪽에서 확인

제14절 내분비 및 선천적 대사장애

1 내분비계 및 호르몬

내분비계는 호르몬을 분비하는 기관과 조직을 총칭하는 것으로 뇌하수체, 갑상샘, 부갑상샘, 부신, 췌장의 랑게르한스섬, 생식샘 등이 있다. 내분비샘은 호르몬을 분비하며 호르몬은 순환계를 통해 표적기관으로 운반되어 대사과정의 동화와 이화작용, 근육기능, 성장과 생식, 에너지 생산, 스트레스 반응, 전해질 균형 등의 생리기능을 조절한다.

2 호르몬의 분류 및 기능

호르몬은 아미노산호르몬과 스테로이드계 호르몬이 있다. 지용성 호르몬에는 스테로이드 호르몬, 코티솔(cortisol), 프로스타글란딘(porstaglandin)이 있고, 아미노산 유도체에는 갑상샘호르몬, 카테콜아민(catecholamine; dopamin, noradrenaline, adrenaline)이 있다. 펩타이드호르몬으로는 항이뇨호르몬(antidiuretic hormone; ADH), 성장호르몬(growth hormone), 부갑상샘호르몬(parathyroid hormone; PTH), 당단백질인 난포자극호르몬(follicle stimulating hormone; FSH), 황체형성호르몬(luteinizing hormone; LH), 갑상샘자극호르몬(thyroid stimulating hormone; TSH) 등이 있다.

표 4-38 **호르몬의 기능**

내분비샘	호르몬	호르몬 성분	작용부위	기능
뇌하수체 전엽	성장호르몬(GH)	protein	전신	뼈와 근육의 성장
	갑상샘자극호르몬(TSH)	glycoprotein	갑상샘	갑상샘호르몬의 합성과 분비촉진
	부신피질자극호르몬(ACTH)	polypeptide	부신피질	부신피질호르몬의 합성과 분비촉진
	난포자극호르몬(FSH)	glycoprotein	난소 고환	난포의 성장, estrogen의 분비, 배란, 수정관의 발달 정자의 형성
	황체형성호르몬(LH)	glycoprotein	난소 고환	황체 형성, progesterone의 분비 간질조직의 자극, androgen의 분비
	젖분비호르몬(prolacin)	protein	젖샘	젖샘의 발달과 젖 분비

내분비샘	호르몬	호르몬 성분	작용부위	기능
뇌하수체 중간엽	멜라닌세포자극호르몬	polypeptide	피부	피부의 색소세포 자극하여 색소침착
뇌하수체 후엽	항이뇨호르몬(ADH)		말초혈관 신장관	혈압상승, 수분 재흡수
	옥시토신(oxytocin)		평활근 (자궁, 유선)	분만 시 자궁수축, 젖분비
갑상샘	티록신(thyroxine)	iodoamino acid	전신	조직의 산소소비, 대소속도 촉진, 기초대사율 조절
	칼시토닌(calcitonin)	polypeptide	뼈	뼈에서 칼슘용출 억제, 혈장의 칼슘 농도 낮춤
부갑상샘	부갑상샘호르몬(PTH)	polypeptide	뼈, 신장 위 장관	칼슘, 인 대사 조절
부신피질	알도스테론(aldosterone)	steroids	신장	염과 물의 균형 유지
	코티솔(cortisol)	steroids	전체 조직	탄수화물, 단백질, 지방 대사, 염증, 감염에 대한 저항성

3 호르몬 분비 장기들과 호르몬 분비이상 질환

1) 시상하부

배고픔, 갈증, 체액균형, 체온조절 같은 생리기능을 조절한다.

2) 뇌하수체(Pituitary)

(1) 구조

뇌하수체는 간뇌의 시상하부 아래에 있는 작은 내분비기관으로 전엽과 후엽으로 되어 있다.

(2) 기능

뇌하수체 전엽에서는 성장호르몬과 갑상샘자극호르몬, 부신피질자극호르몬(adrenocorticotropic hormone; ACTH), 유즙 생성을 자극하는 프로락틴, 난자와 정자를 생산하도록 난소와 고환을 자극하는 황체형성호르몬(lutenizing hormone; LH), 에스트로젠 분비와 정자생산을 증가시키는 난포자극호르몬(follicle stimulating hormone; FSH)이 분비된다.

뇌하수체 후엽에서는 항이뇨호르몬(antidiuretic hormone; ADH)과 옥시토신이 분비된다. 항이뇨호르몬은 신장에서 수분 재흡수를 증가시켜 혈액량을 증가시키고 혈액을 희석한다. 옥시토신(oxytocin)은 자궁수축을 증가시키는 작용이 있다.

(3) 뇌하수체 전엽 기능항진증

① 원인

뇌하수체에 이상이 생겨 성장호르몬이 과잉 분비되어 발생된다.

② 증상

발육 중의 어린이는 거인증이 되며 사춘기 이후에 과잉분비되면 말단비대증이 된다. 신진대사가 항진하고 맥박이 빨라지며 땀이 나기 쉬운 상태가 된다. 약 80%가 고혈당과 당뇨병을 발병하기도 하며 피로감과 위장장애를 유발한다.

③ 식사요법

탄수화물을 많이 섭취하면 인슐린 분비가 자극을 받으므로 탄수화물, 특히 흡수가 빠른 단순당의 섭취를 제한한다. 혈당 상승이 느린 단백질 위주의 식품을 섭취한다.

(4) 뇌하수체 전엽 기능저하증

① 원인

뇌하수체로부터 분비되는 호르몬의 부족으로 생식샘, 갑상샘, 부신피질의 기능이 저하되기 때문에 일어난다.

② 증세

발육 중의 어린이는 키가 작은 소인이 된다. 정상인에게 생기면 극도로 마르고 영양실조 상태가 되어 늙어 보이는 시먼즈병(Simmonds' disease)이 나타난다.

③ 식사요법

대사가 저하되어 의욕이 없으므로 단백질과 탄수화물을 충분히 섭취한다. 무기질 비타민류를 충분히 공급해야 한다.

(5) 요붕증

① 원인

뇌하수체 후엽의 항이뇨호르몬의 결핍으로 신장의 원위세뇨관과 집합관의 투과성이 손상되어 소변농축 능력이 상실되어 다량의 소변을 배설하여 탈수를 초래한다.

② 증상

탈수는 혈장 삼투압 증가를 유발해 갈증이 나며 다뇨, 빈뇨가 된다.

③ 식사요법

소변으로 배출되는 수분이 많으므로 체내 수분량을 보충하기 위해 수분을 충분히 공급한다. 뇌하수체호르몬을 투여하면 증상이 사라지며 효력이 없으면 식염 섭취량을 줄인다. 단백질은 필요량 이상으로 주지 않는다. 탄수화물 위주의 식사로 이루어진 고에너지, 고비타민 식이를 준다.

3) 갑상샘

목 앞부분에 있는 나비 모양의 장기로, 요오드를 포함하고 있는 티록신(thyroxine; T_4)과 트리요오드티로닌(트라이아이오도타이로닌, triiodothyronine; T_3), 칼시토닌을 생산하여 세포의 대사와 성장을 조절한다.

(1) 갑상샘항진증

혈중 갑상샘호르몬 농도가 높아져 있는 상태로 보통 혈장 T_3, T_4가 농도는 정상이나 TSH(thyroxine stimulating hormone) 농도가 낮고, 근육량 감소, 지질 대사 이상, 골격파괴 증가 등의 증상이 있다.

① 원인

그레이브스병(Graves' disease; 바제도병, Basedow's disease)이나 갑상샘자극호르몬이 과다 분비되어 나타난다.

② 증상

기초대사의 상승, 갑상샘종, 안구돌출, 빈맥(빠른맥), 불안, 발한, 불면, 신경과민, 피로, 체중감소, 설사, 탈모, 발열 등이 나타난다.

③ 식사요법

- 에너지 : 과잉 에너지는 대사를 항진시키므로 탄수화물과 지방을 주로 하는 식사로 하된 에너지 조절에 유의한다. 설사가 있으면 소화가 잘 되고 섬유소가 적은 식품을 사용한다.
- 지방 : 간기능에 장애가 없는 한 50~60g 정도 공급한다. 소화가 잘 되는 유화지방을 상용한다.
- 단백질 : 과잉 단백질은 대사를 항진시키므로 70g 정도 공급한다. 동물성 단백질은

갑상샘 분비를 높이는 트립토판이 많으므로 육류, 난류, 치즈 등은 피한다.

- 비타민과 무기질 : 요오드(아이오딘) 제한식을 한다. 미역, 다시마, 김 등은 금한다. 신선한 채소와 과실을 충분히 섭취한다. 칼슘과 인의 손실이 있으므로 우유, 참깨, 뼈째 먹는 작은 생선을 많이 섭취한다.
- 음료 : 알코올, 녹차, 콜라, 향신료는 자극하고 흥분시키는 역할을 하므로 금한다.

(2) 갑상샘저하증

① 원인

- 1차적 갑상샘저하증 : 식사 중 요오드 섭취부족, 갑상샘염, 또는 자가면역반응, 유전적 원인으로 인한 호르몬 생성부족, 약물복용 등에 의해 발생한다.

② 증상

- 크레틴병 : 태아기나 발육기에 갑상샘 기능이 저하되면 성장과 지능에 장애가 온다. 성인은 기초대사가 20~40% 저하된다. 맥박이 줄어들고 체온저하, 피부건조, 무기력, 권태 등을 느끼며 동작과 정신작용이 둔해진다.

③ 식사요법

요오드 함유량이 높은 식품과 동물성 단백질, 특히 쇠간, 육류, 지방이 많은 어패류를 많이 섭취한다. 하루 2,200~2,400kcal를 권장하며 에너지를 보충하기 위해 지방을 섭취한다.

4) 부신

신장의 윗부분에 있으며 안쪽에 위치한 수질과 바깥쪽의 피질로 구분되는데 부신피질은 코티솔(cortisol)을 포함하여 30여 종의 이상의 코르티코스테로이드를 생산한다. 시상하부에서 분비된 CRH(corticortropin releasing hormone)가 뇌하수체 전엽을 자극하면 ACTH(adrenocorticcotropic hormone)가 분비되고 ACTH가 부신피질을 자극하여 당질부신피질호르몬(당질코르티코이드, glucocorticoid)인 코티솔을 분비시킨다. 외층에서는 무기질부신피질호르몬(염류코르티코이드, mineralcorticoid)인 알도스테론을 분비하고 내층에서는 성호르몬인 안드로젠과 에스트로젠, 테스토스테론을 분비한다. 부신수질은 카테콜아민 물질인 에피네프린과 노르에피네프린을 분비한다.

(1) 부신피질호르몬

당질부신피질호르몬 중 코티솔은 간에서 지방이 탄수화물로 바뀌는 과정과 당원

(glycogen) 축적에 관여하고 인슐린과 대항작용을 하여 혈당 농도를 정상으로 유지한다. 무기질부신피질호르몬은 수분과 전해질 대사에 관여하는데, 특히 알도스테롤은 나트륨 대사를 조절한다. 부신피질호르몬(corticoid)은 모두 스테로이드 대사효소의 작용으로 콜레스테롤에서 생합성된다.

(2) 부신피질호르몬의 기능

당질부신피질호르몬은 당신생 과정을 촉진시키고 근육으로부터의 음의 질소평형을 유도해 인슐린 민감도를 감소시키게 된다.

(3) 부신피질호르몬 과잉증

① 원인

부신피질호르몬 과잉증은(쿠싱증후군, Cushing's syndrome)이라고 하며 ACTH 과다분비나 당질부신피질호르몬 과다분비 등에 의해 일어난다.

② 증상

단백질의 과도한 이화작용으로 단백질 결핍이 초래되고 근육이 소모되고 골다공증과 골절, 뼈의 통증이 나타나며 피부 콜라겐의 감소로 피부가 약화된다. 지방 대사의 장애로 복부비만이 나타나고 둥근얼굴(moon face)이 된다. 증가된 당질부신피질호르몬은 당신생 반응을 촉매하여 고혈당증을 유도하여 당뇨가 초래된다. 알도스테론의 증가는 나트륨과 수분의 보유량을 증가시키며 칼륨의 손실을 초래하여 저칼륨혈증을 가져오며 고혈압, 부종 등을 수반한다.

③ 식사요법

저당질 및 저염식사를 해야 하며 부신 절제수술이 먼저 이루어져야 한다.

(4) 부신피질호르몬 결핍증

① 원인

쿠싱증후군을 치료하기 위해 부신을 제거하면 결핍증인 애디슨병이 나타날 수 있다. 또한 암을 치료하기 위해 뇌하수체를 제거하면 부신피질에 대한 뇌하수체로부터의 자극이 결핍되어 부신의 쇠퇴로 증세가 나타나기도 한다.

② 식사요법

저혈당증이 일어나므로 고단백질, 저탄수화물의 식사를 섭취한다. 설탕은 되도록 피하고 지방은 에너지요구량을 충족시킬 수 있도록 충분한 양을 공급한다. 저혈당증을 막기 위해 식사 사이에 가벼운 음식을 섭취한다. 신장에 의해 칼륨이 충분한 양이 배설되지 않을 때는 칼륨의 섭취를 제한한다.

4 선천적 대사장애

선천적 대사장애는 영양소의 대사에 관여하는 효소나 조효소의 선천적 결함으로 대사되어야 할 물질이 대사되지 못해 체내에 축적되어 독성이 나타나거나 혹은 생성되어야 할 물질이 형성되지 못해 뇌 등에 손상을 일으키는 질환이다. 조기진단으로 초기에 발견·치료되지 않으면 평생 신체적 장애, 뇌기능과 성장장애 등에 장애를 일으킨다.

1) 페닐케톤요증(Phenylketonuria)

(1) 원인

선천적으로 아미노산인 페닐알라닌(phenylalanine)을 대사시키는 페닐알라닌수산화효소(phenyalanine hydroxylase: phenylalanine을 tyrosine으로 분해)가 결핍되어 나타난다.

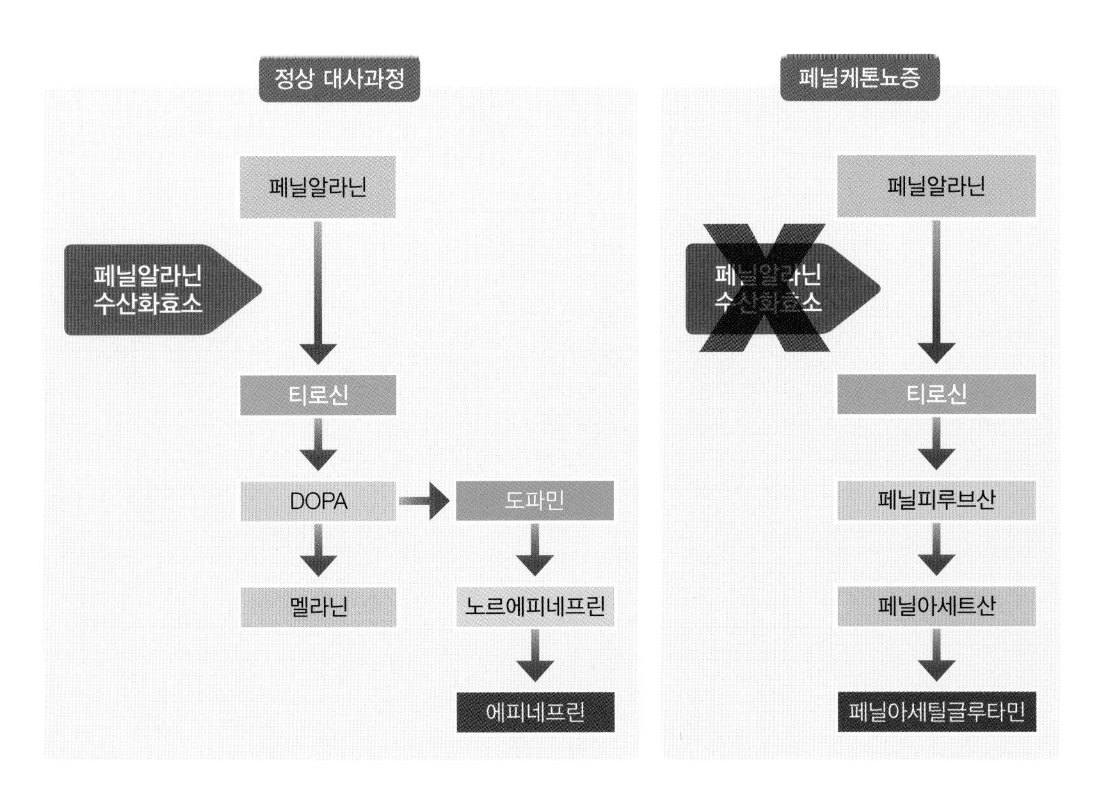

그림 4-41 Phenylalanine 대사장애

(2) 증상

페닐알라닌이 티로신으로 전환되지 못해 페닐피루브산(phenylpyruvic acid), 페닐아세트산 (phenylacetic acid), 페닐아세틸글루타민(phenyl acetyl glutamine) 등이 생성되며 혈액과 소변에서 이들 농도가 상승되어 뇌를 손상시키고 성장장애가 나타나며 멜라닌 색소 생성이 감소하여 피부가 하얗고 연한 모발 색을 나타내며 안구의 빛깔도 퇴색하고 부신수질 호르몬 합성이 저하되어 혈당 및 혈압저하가 나타난다. 혈청 중 페닐알라닌의 정상 농도는 2~6mg/100mL이나 페닐케톤뇨증 아이에게서는 15~60mg/100mL로 증가되어 있다. 초기에 치료하면 정상아로 성장할 수 있다.

(3) 식사요법

페닐알라닌이 함유된 식품을 엄격하게 제한해야 하나 천연의 모든 단백질 식품은 모두 페닐알라닌을 함유하고 있으므로, 페닐알라닌이 적거나 제거된 식품을 이용하고 특수 분유를 사용한다. 그러나 필수아미노산인 페닐알라닌은 성장기 아동에게 꼭 필요하므로 제한된 양을 공급한다. 지나치게 결핍되면 영양결핍이 되어 식욕부진, 설사, 성장장애, 감염, 저단백혈증이 나타난다. 성장에 필요한 페닐알라닌의 양은 1일 체중 1kg당 5~10mg으로 알려져 있다.

2) 갈락토세미아(Galactosemia)

(1) 원인

갈락토스가 포도당으로 전환되는데 필요한 갈락토스인산화효소(galactokinase), 갈락토스 1-인산 우리딜전달효소(galactose-1-phosphate uridyl transferase; GALT) 결핍으로 포도당으로 전환되지 못해 중간 생성물인 galactose-1-phosphate의 혈중 농도가 상승하는 유전적 질환이다. GALT 결핍이 가장 흔하다.

(2) 증상

출생 후 수유를 하면 구토와 설사를 계속하며 체중감소와 함께 포유가 힘들고 혈액과 요중에 갈락토스가 증가하여 간장애를 일으킨다. 간, 췌장, 안구의 수정체, 심장, 근육, 신장, 뇌수 등에 축적되어 영아는 간장애로 황달이 오게 된다.

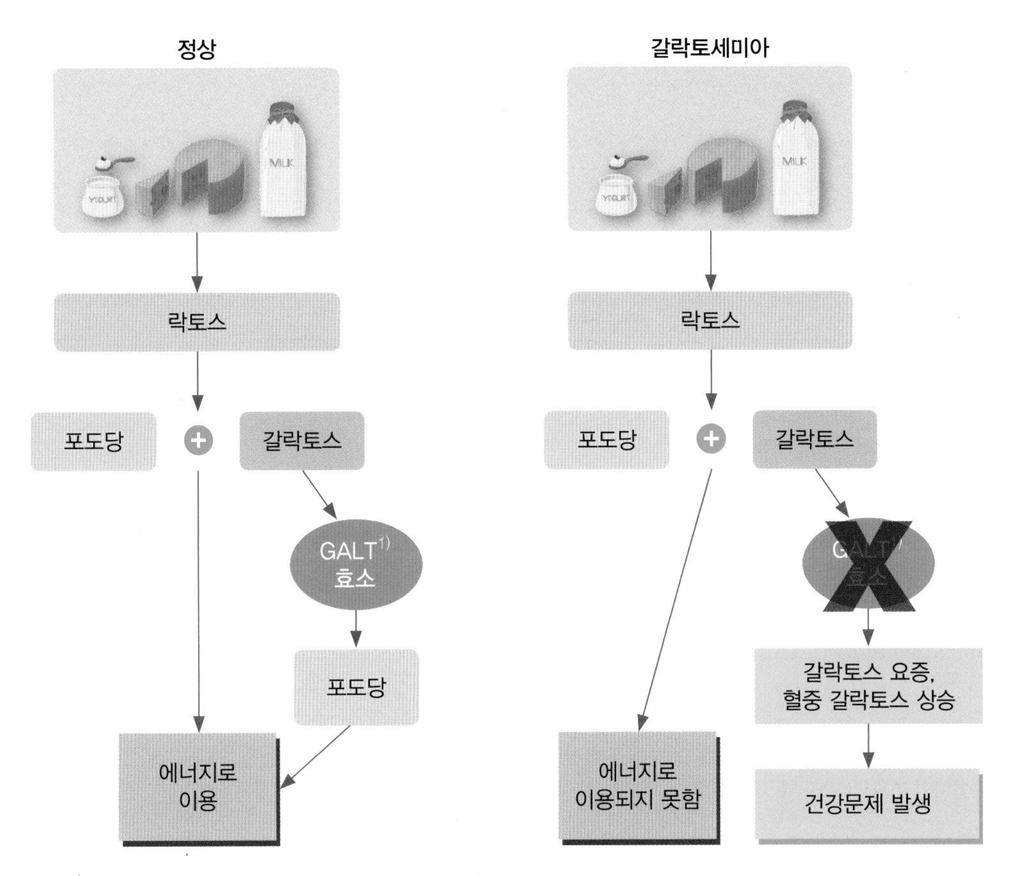

주 1) GALT: galactose-1- phosphate-uridyl transferase

그림 4-42 **갈락토스 대사**

(3) 식사요법

갈락토스가 함유된 우유와 유제품을 엄격하게 제한한다. 그러나 성장기 아이에게는 우유가 필요하므로 갈락토스를 제거한 특수 분유를 준다. 두유를 사용하는 것이 바람직하다.

3) 윌슨병(Wilson's disease)

(1) 원인

선천적으로 윌슨병 유전자에 돌연변이가 발생하면 간세포 안으로 운반된 구리를 셀룰로플라스민과 결합시켜 세포 밖이나 담도로 운반하지 못해 구리가 담즙으로 배설되지 못하고 간, 뇌, 신장, 각막 등에 구리가 축적되는 선천적 대사질환이다.

(2) 증상

간경화, 만성 활동성 간염, 간부전 등의 간질환, 손떨림, 발음곤란, 보행장애, 정서장애, 치매 등의 증상이 나타난다.

(3) 식사요법

혈청 구리 수준을 감소시키고 체내 구리의 축적을 방지하기 위해서는 식사 중의 구리성분을 제한해야 한다. 구리의 장내 흡수를 억제하기 위해 아연을 복용한다. 간과 뇌에서 구리를 제거하기 위해 킬레이트제(chelating agent)로 페니실아민(penicillamine)를 사용할 경우 비타민 B_6가 결핍될 수 있으므로 비타민 B_6를 보충한다(하루 25mg/mL). 구리 함량이 많은 간, 코코아, 초콜릿, 버섯, 조개, 건조된 과일 등의 식품은 제한한다.

4) 단풍당뇨증(Maple syrup urine disease; MSUD)

(1) 원인

선천적으로 분지아미노산(branched chain amino acid; BCAA)인 루이신(leucine), 이소루이신(isoleucine), 발린(valine)을 산화적 탈산화를 촉진시키는 효소(branced chain alpha-keto acid decarboxylase)가 결핍되어 나타나는 질병이다.

(2) 증상

생후 일주일 이내에 발견하여 치료를 하지 않으면 신경장애가 생기게 된다. 수유곤란, 구토, 경련 등의 증세가 나타나고 심하면 사망할 수도 있다.

표 4-39 **식품군별 분지아미노산 함량**

식품	교환량	이소루이신(mg)	루이신(mg)	발린(mg)	열량(kcal)
빵/곡류	0.3 교환	18	35	25	30
지방	1.5 교환	7	10	7	70
과일	1.5 교환	17	25	22	75
채소	0.8 교환	22	30	24	15
우유	0.5 교환	203	329	224	62

(3) 식사요법

루이신, 이소루이신, 발린이 함유된 식품을 제한한다. 단백질 분해를 억제하기 위하여 당질의 섭취를 증가시킨다. 무기질, 비타민은 충분히 공급한다.

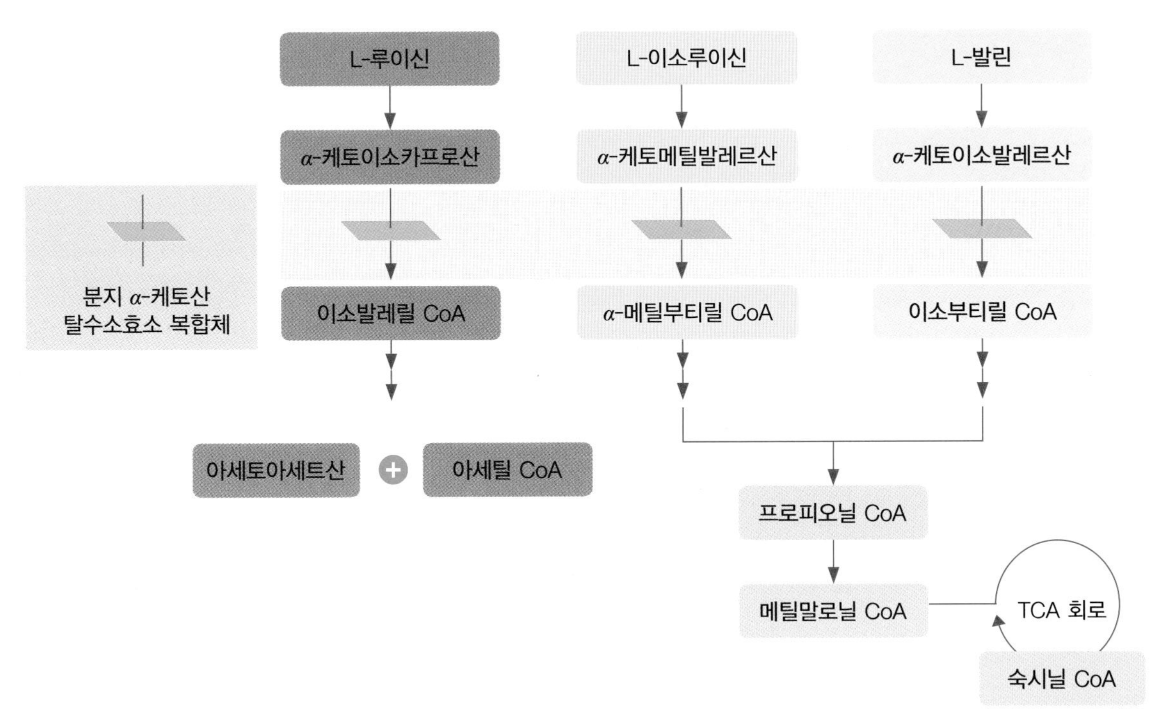

그림 4-43 **단풍당뇨증의 대사장애**

5) 티로신 대사장애(Tyrosinemia)

선천적으로 티로신 대사에 관여하는 효소가 결핍되어 티로신 대사물이 간, 중추신경계, 신장에 축적되어 여러 가지 증상이 나타나는 질환이다.

(1) 원인과 증상

① 1형 티로신혈증

티로신 분해의 마지막 단계에 필요한 효소인 푸마릴아세토아세테이트 하이드로라아제(furmarylacetoactate hydrolase; FAH)의 결핍 때문에 발생하는 질환으로 가장 심각하며 흔한 유형의 티로신혈증으로 출생 시부터 증상이 나타난다. 혈장 내의 티로신이 6~12mg/dL 정도로 상승하고 설사와 구토·성장장애를 보인다. 만성인 경우는 10세까지 이러한 증상이 계속되다가 사망에 이른다.

② 2형 티로신혈증

2~4세경에 나타나는 유전질환으로 티로신 분해의 첫 단계에 필요한 티로신 아미노기 전달효소(tyrosine transaminase) 결핍으로 나타나는 질환으로 티로신 대사산물이 요중으로 배설이 증가하여 발바닥, 손바닥이 각질화되며, 각막궤양이나 정신장애 등이 나타난다.

③ 3형 티로신혈증

매우 드문 질환으로 4-하이드록시 페닐피루베이트 디이옥시제나제(4-hydroxyphenylpyruvatedioxygenase) 결핍으로 발생한다.

(2) 식사요법

단백질 섭취량을 제한한다. 특히 티로신, 메티오닌 함량을 제한한다.

6) 글리코겐 저장병(당원병, Glycogen storage disease)

(1) 원인 및 증상

간에서 당원(glycogen)으로부터 포도당으로 전환되지 못해 당원이 간이나 근육조직에 비정상적으로 축적되어 일어나는 대사이상 질환으로 성장지연, 저혈당증, 간비대 및 콜레스테롤과 중성지방의 대사이상이 나타난다.

(2) 종류에 따른 식사요법

폰기에르케병(von Gierke's disease)은 glucose-6-phosphatase 결핍이 원인으로 당원이 간과 신장세포에 축적되어 심각한 저혈당 증세를 나타낸다. 탄수화물을 에너지원으로 하며 규칙적으로 배분하여 혈당을 정상적으로 유지하도록 한다.

코리병(Cori's disease, 한계 덱스트린증)은 amylo-1, 6-glucosidase 부족으로 당원이 분해될 때에 가지친 부위에서 더 이상의 분해가 일어나지 않아 많은 양의 당원이 간과 근육에 비정상적으로 축적된다. 식사요법은 탄수화물 공급을 적절히 하여 혈당을 정상적으로 유지하여야 한다.

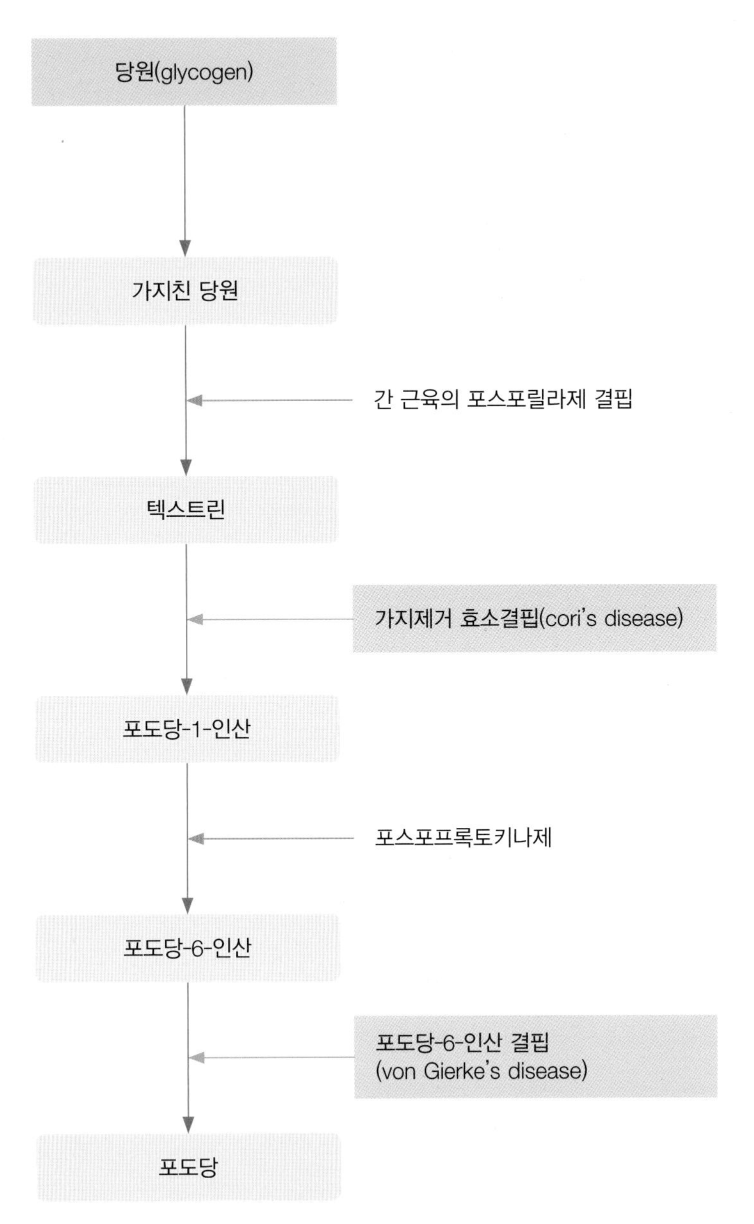

그림 4-44 글리코겐 저장병의 대사이상 기전

요약

내분비호르몬 분비이상 질환에는 뇌하수체 전엽 기능항진증(어린이—거인증, 성인—말단비대증)과 저하증(어린이—소인증, 성인—시먼즈병), 갑상샘저하증(크레틴병), 갑상샘항진증(그레이브스병), 부신피질호르몬 과잉증(쿠싱증후군)과 결핍증 등이 있다. 선천적 대사이상 질환에는 페닐케톤뇨증, 단풍당뇨증, 갈락토세미아, 윌슨병 등이 있다.

이것만은 꼭 알아놓을까요?

페닐케톤뇨증은 phenylalanine을 대사시키는 페닐알라닌 수산화효소[phenyalanine hydroxylase (phenylalanine을 tyrosine으로 분해)]가 선천적으로 결핍되어 티로신으로 전환되지 못하고 페닐케톤체가 생성되어 성장·발육을 저해하는 증상이다.

복습하기

01 최근 우리나라에 갑상샘 기능이상이 많아지고 있다. 갑상샘저하증과 관련 영양공급원 식품을 바르게 짝지은 것은?

① 아연 – 쇠고기, 간
② 철분 – 시금치, 달걀
③ 요오드 – 미역, 다시마
④ 비타민 D – 버섯, 삼겹살

02 다음 〈보기〉 중 뇌하수체 전엽의 기능으로 알맞은 것은?

〈보기〉
가. 티록신의 분비를 조절
나. 젖샘 발달과 젖 생성을 증진시킴
다. 근육과 뼈의 성장을 촉진
라. 체수분의 조절과 소변의 수분 배설 속도 조절

① 가, 다
② 나, 라
③ 가, 나, 다
④ 가, 나, 다, 라

03 다음이 〈보기〉가 설명하는 질병으로 알맞은 것은?

〈보기〉
부신피질호르몬의 결핍에 의한 것으로 저혈당증, 피로, 체중감소, 근육허약 등의 증세를 보이며, 칼륨의 배설이 잘 안 되는 경우도 있다. 고단백질, 저탄수화물 식사와 칼륨의 조절, 특히 야식이 필요하다.

① 요붕증
② 애디슨병
③ 바세도우병
④ 뇌하수체 전엽 항진증

☞ 정답 및 해설은 385쪽에서 확인

04 PKU(페닐케톤뇨증) 영아의 혈중 농도가 높아지는 물질과 이 영아에게 줄 수 있는 식품은?

① 티로신 - 족편
② 티로신 - 조제유
③ 발린, 이소루이신 - 우유
④ 페닐알라닌 - 페닐알라닌 제거 우유

05 단풍당뇨증의 식사요법과 치료로 적절치 않은 것은?

① 열량, 단백질을 엄격히 제한한다.
② 루이신, 이소루이신, 발린 등이 낮은 식사요법으로 치료한다.
③ 확실한 진단 후 교환수혈과 복막투석으로 대사산물을 제거한다.
④ 루이신, 이소루이신 등은 필수아미노산이므로 최소량을 특수조제유에 이용한다.

☞ 정답 및 해설은 385쪽에서 확인

제15절 수술과 화상

수술 전후 환자는 육체적으로 뿐만 아니라 심리적으로 많은 스트레스를 받게 되고 수술에 대한 두려움, 수술 후의 회복에 대한 의구심 등으로 체내 대사가 영향을 받게 된다. 영양적으로는 수술 전후 검사에 따른 금식, 경구 섭취제한으로 영양공급이 제대로 이루어지지 않을 수 있고 치료를 위해 여러 약물을 사용하게 되고 신체활동도 감소하므로 근육감소 등이 발생하고 영양불량 발생 위험이 높아질 수 있다.

1 수술이나 화상으로 인한 스트레스가 대사에 미치는 영향

수술이나 화상으로 인한 스트레스는 내분비계를 자극해 호르몬 반응을 유발하게 된다. 부신에서 카테콜아민(에피네프린과 노르에피네프린)을 분비시켜 심장근육을 자극하고, 혈류량을 증가시키며, 기초대사율을 증가시킨다. 에피네프린은 췌장에서 글루카곤 분비를 촉진시켜 당신생을 유도하여 수술 후의 일부 환자들은 고혈당 증세가 나타날 수 있다. 스테로이드인 코티솔은 단백질 분해를 증가시켜, 혈액 중의 아미노산을 증가시키며 아미노산을 포도당으로 전환시킨다. 이러한 단백질 분해로 인해 질소평형은 음이 되므로 상처부위의 새로운 체조직 합성을 위한 단백질 공급이 매우 중요하다. 저장지방이 분해되어 지방산을 유리시켜 간이나 조직에서의 에너지원으로 쓰이게 하므로 지방의 공급도 중요하다. 또한 알도스테론과 항이뇨호르몬이 분비되어 나트륨과 수분을 재흡수하여 혈액량을 유지한다.

표 4-40 **수술과 화상 등 스트레스로 인한 체내 대사변화**

호르몬	대사변화	
카테콜아민	• 대사율 증가 • 아미노산으로부터 포도당 생산 • 췌장으로부터 글루카곤 분비	• 간과 근육에서 당원 분해 • 지방조직으로부터 지방산 방출
글루카곤	• 간에서 당원 분해 • 지방조직으로부터 지방산 방출	• 아미노산으로부터 포도당 생산
코티솔	• 단백질 분해 • 아미노산으로부터 포도당 생산	• 간 당원에 대한 글루카곤 작용의 상승 • 지방조직으로부터 지방산 방출
알도스테론	• 나트륨 보유	
항이뇨호르몬	• 수분 보유	

2 수술 전의 식사요법

수술 전의 영양상태가 불량한 사람은 저영양으로 인해 상처회복이 지연되고 소화기관 수술의 경우는 영양소의 소화나 흡수에 장애가 생기게 된다. 이로 인해 상처부위가 쉽게 낫지 않을 수도 있으며 감염이 될 수도 있다. 고에너지, 고단백질, 비타민과 무기질, 수분, 전해질을 충분히 섭취한다.

1) 에너지

수술하기 전 영양상태가 불량한 환자는 평소보다 30~50% 더 증가된 35~45kcal/kg의 에너지를 공급한다.

2) 단백질

수술 시 대사항진으로 음의 질소평형을 나타내므로 체단백 분해를 방지하기 위해 단백질을 충분히 보유하고 수술하는 동안의 출혈에 대비하고 병균에 대한 감염 예방과 조속한 상처회복을 위해 단백질 섭취를 체중 1kg당 1.2~1.5g, 1일 100g 정도 섭취한다.

3) 당질

수술 전의 충분한 양의 당질은 체내 단백질 필요량을 절약하고 대사항진으로 인해 증가된 에너지 요구량을 충족시킬 수 있다. 특히 포도당은 수술 후의 케톤증과 구토를 방지할 수 있고 간에 당원 저장량을 증가시켜 간기능을 보호해주므로 충분히 섭취한다.

4) 비타민과 무기질

수술 전에는 대사가 항진되고 당질, 지질, 단백질 대사에는 비타민과 무기질이 꼭 필요하므로 충분히 공급한다. 비타민 C는 콜라겐 합성에 필수적이며 비타민 K는 지혈을 도와주므로 충분히 섭취한다. 빈혈이 있는 경우 철분, 단백질, 비타민 C 등이 풍부한 식품을 섭취하며 면역기능에 관여하는 아연 같은 무기질도 부족하지 않도록 한다.

5) 수분

수술하는 동안에 혈액, 전해질, 수분이 손실되므로 수술 전에 충분한 양의 전해질과 수분을 공급해 탈수되지 않고 체액의 균형을 이루도록 해야 하며 부족한 경우에는 정맥주사를 통해서 공급한다.

6) 음식 섭취

수술 전에는 금식하는데 이는 수술 후 음식이 남아 있으면 수술 후 회복이 지연되거나 위를 팽창시킬 수도 있으며 마취가 풀리면서 구토가 있을 경우 음식물이 흡인되어 폐 합병증이 올 수 있기 때문이다. 소화기계 수술 전에는 음식물의 잔여물을 적게 하기 위해 저잔사 식사나 액체 음식을 공급하기도 한다.

04

표 4-41 **저잔사식 허용식품과 제한식품**

	허용식품	제한식품
곡류	흰 밥, 찹쌀밥, 흰 빵, 국수, 체에 내린 감자	보리, 현미, 율무, 팥, 조, 수수, 콩류, 고구마, 옥수수, 통밀빵, 미숫가루
우유 및 유제품 (1일 1/2컵 이하)	우유, 요플레(딸기 제외), 푸딩, 아이스크림(과일, 땅콩 제외)	허용량 이상의 우유 및 유제품
육류	연한 소고기, 돼지고기, 달걀, 두부, 껍질 벗긴 닭고기, 생선	질긴 육류, 햄류, 조개류, 비지
채소류	잘 익은 시금치, 애호박, 당근, 가지(껍질 제외), 숙주, 양송이, 양상추, 채소 주스	생채소(양상추 제외), 허용식품 이외의 채소: 도라지, 고사리, 콩나물, 근대, 우엉, 부추 등 말린나물: 무말랭이, 건호박 등
과일류	잘 익은 바나나, 과일 통조림(복숭아, 포도 등), 과일 주스	
해조류, 견과류		해조류: 미역, 김, 다시마, 파래 등 견과류: 땅콩, 아몬드, 호두, 해바라기 씨 등
기타		과량의 된장, 고추장, 겨자가루 등, 팝콘, 포테이토칩 등의 간식

3 수술 후의 식사요법

수술 후에는 수술로 인한 스트레스와 긴장, 출혈, 체액상실, 체단백질 손실 등으로 영양소의 요구량은 증가하지만 영양소 섭취는 힘든 시기이므로 상처회복이 지연되고 면역력이 떨어져 또 다른 합병증을 유발할 수 있다. 수술 후 24~48시간은 5% 포도당 용액과 3% 아미노산 용액이 함유된 것을 정맥으로 공급하여 체단백질이 분해되는 것을 막고 전해질과 수분을 공급한다. 수술 후 가스가 나오고 위장기능이 정상화되면 맑은 유동식으로부터 시작해 일반식으로 이행시킨다. 상처가 크고 회복기간이 오래 걸리는 환자에게는 우선 중심정맥영양을 공급하고 경구로 식사가 가능하게 되면 전유동식을 시행하여 경과를 관찰하면서 소화가 무리 없이 이루어지면 연식 등으로 이행시킨다. 음식은 체온과 비슷한 온도의 음식을 공급한다. 저잔사, 저자극성 식사를 공급한다.

1) 에너지

수술 후 에너지 대사는 일반적으로 항진되므로 합병증이 없는 수술환자의 경우는 정상 필요량의 10% 정도 더 증가시키며 복합골절, 외상 등의 수술의 경우는 10~25% 더 증가시켜야 한다. 증가된 에너지 필요량을 당질과 지방으로 충분히 공급하지 않으면 체단백질이 손실되어 수술 후 질소 손실량을 보충하기 어렵고 상처회복이 지연된다. 체중 1kg당 35~45kcal를 공급한다.

2) 단백질

수술 후에는 체단백질이 분해되고 이화작용이 급격히 항진되어 혈청 단백질 농도는 저하하고 출혈로 인해 단백질 소모가 많으므로 단백질을 충분히 공급해야 한다. 특히 염증이나 감염 등의 우려가 많으므로 매일 약 150g 정도 혹은 체중 1kg당 1~2g의 단백질을 공급하도록 한다.

3) 당질, 지질

탄수화물의 충분한 공급은 단백질을 절약하여 단백질이 체조직 합성에 쓰일 수 있도록 한다. 지방은 소량으로 에너지를 많이 낼 수 있으므로 소화기관이나 질환 등에 방해가 되지 않으면서 소화되기 쉬운 지방 식품을 섭취하도록 한다.

4) 비타민과 무기질

수술 후에는 상처회복을 위해 상피조직 형성에 필요한 비타민 A와 콜라겐 형성에 필요한 비타민 C, 출혈로 인한 혈액 손실을 보충하기 위해 비타민 K를 충분히 섭취한다. 또한 탄수화물과 단백질 대사에 꼭 필요한 티아민, 리보플라빈, 니아신, 피리독신이 많은 식품을 공급하며 식품으로 섭취하기 어려운 경우에는 약제로 공급하도록 한다. 엽산, 피리독신, 비타민 B_{12} 등도 혈액 생성에 중요하므로 보충한다. 아연은 면역기능 향상과 단백질 대사에 관여하므로 부족되지 않도록 공급한다. 조직분해로 칼륨과 인이 손실되며, 특히 나트륨과 염소의 손실로 체액이 감소되며 혈액 손실로 철결핍빈혈이 생길 수도 있으므로 충분히 공급한다.

5) 수분과 전해질 대사

수술 후에는 발열, 땀, 구토 등에 의해 다량의 수분과 전해질이 손실되므로 하루에 2~3L의 수분을 공급하며 폐혈증 등의 합병증이 있을 경우에는 3L 이상의 수분을 공급하도록 한다. 수분과 전해질은 처음에는 정맥으로 공급하나 빠른 시일 내에 경구로 마실 수 있게 하는 것이 바람직하다.

6) 위 수술환자의 식사요법

중등도의 지방(30~40%), 저당질, 고단백(20%) 식사로 영양관리를 하며 당질의 양은 하루 100~200g으로 감소시킨다. 이는 고도의 삼투력을 가진 당이 공장으로 급속히 유입되는 것을 막기 위해서이다. 공복시간을 줄이고 체중증가를 위한 에너지 공급을 한다. 식사는 양이 많지 않고 건조하지 않게 하며 저당질 음료를 식사 후 30~1시간 후에 공급한다. 적당한 온도의 음식을 주고 식사 후 바로 눕혀 20~30분간 휴식하게 하며 천천히 식사한다.

7) 장절제 수술 후의 식사요법

소장이나 대장의 2/3 이상을 절제 수술하면 심한 대사장애, 영양불량이 일어난다. 단백질은 별 영향을 받지 않으며 포도당은 소장효소가 존재하는 한 쉽게 흡수되지만 지방은 잘 흡수되지 않아 지방변뿐만 아니라 소장 내에서 흡수되지 않는 칼슘, 마그네슘 흡수가 감소되고 지용성 비타민의 흡수도 억제된다.

제1단계는 비구강적 급식을 하고 제2단계는 소장이 적응할 수 있을 때까지 기다렸다가 유동식, 연식, 정상 식사로 전환시킨다. 식이섬유는 장 내에서 가스를 발생시키고 분변량을 증가시키므로 식이섬유가 적은 식품을 선택한다. 지나치게 뜨겁거나 찬 음식, 강한 향신료, 알코올, 카페인 등은 장의 운동을 자극하므로 주의한다. 회장절제술의 경우 대변량 증가, 체액 및 무기질과 단백질의 손실, 지방 및 비타민 B_{12}의 흡수불량이 나타나므로 지방을 제한하고 비타민 B_{12}를 정맥주사로 보충한다.

8) 담낭 수술환자의 식사요법

담낭이 제거되어 담즙산이 충분히 공급되지 못하므로 식사에서 지방을 조절해야 상처가 치유되고 환자를 편안하게 한다. 지방이 십이지장에 계속 있게 되면 콜레시스토키닌

(cholecystokinin; CCK)을 분비하게 되어 수술부위를 수축시켜 통증을 유발한다. 간으로부터 담즙산이 지방의 소화를 위해 충분히 분비될 때까지 적응기간을 필요로 하므로 처음에는 저지방식으로 하고 적응도에 따라 지방의 양을 늘려간다.

담낭환자의 수술 후 영양 급식

- 수술 후 제1일 : 수혈 정맥주사
- 제2일 : 맑은 유동식(홍차, 젤라틴)
- 제3일 : 묽은 미음, 탈지유, 과즙
- 제4일 : 고단백 유동식
- 제5일 : 구강으로 70~100g의 단백질 음식
- 제6일 : 저지방식 3~6개월

9) 편도선 절제 수술 후의 식사요법

편도선 수술 후에는 목이 매우 예민하므로 음식은 자극성이 없고 체온에 가까운 온도로 제공해야 한다. 차고 부드러운 음식은 수술환부의 출혈을 막는다. 수술 후 처음 24시간 동안에는 냉우유, 유제품을 공급하며 2일 후에는 따뜻한 액체와 음식에서 시작하여 미음, 죽 등을 공급하다가 10일 내에 정상 식사를 준다.

10) 골절과 외상 후의 식사요법

골절이나 외과적 수술 후에는 단백질 손실이 증가하므로 단백질을 보충한다.

단백질을 150g, 에너지는 3,000kcal 정도를 공급하며 수분과 전해질을 충분히 섭취시킨다.

11) 화상

화상은 열, 전기, 화학물질 등과의 접촉에 의해 피부조직이 손상된 것을 말하며 손상받은 체표면적이나 피부 조직의 깊이에 따라 치료를 하게 된다.

(1) 화상의 분류와 증상

피부는 표피, 진피, 피하조직, 근육층으로 구성되어 있는데 1도 화상은 표피만 손상된 것으로 피부의 발적과 통증, 부종이 생기는 정도이다. 2도 화상은 뜨거운 물 등에 의해 표피와 진피층이 손상을 입고 붓게 되며 통증과 물집·부종이 나타난다. 3도 화상은 피부 전체가 손상을 받고 피하조직까지 손상받는 경우를 말한다.

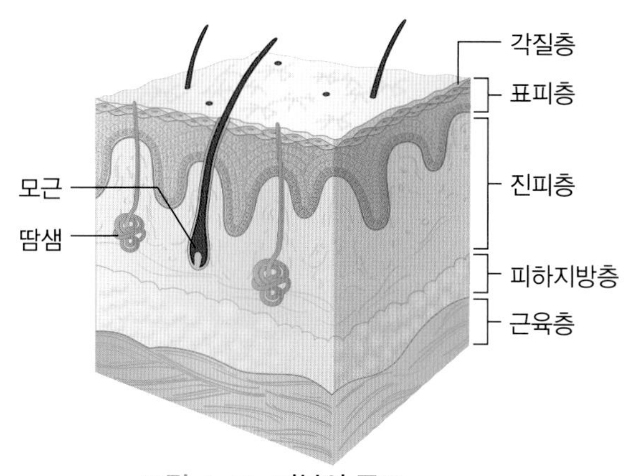

그림 4-45 **피부의 구조**

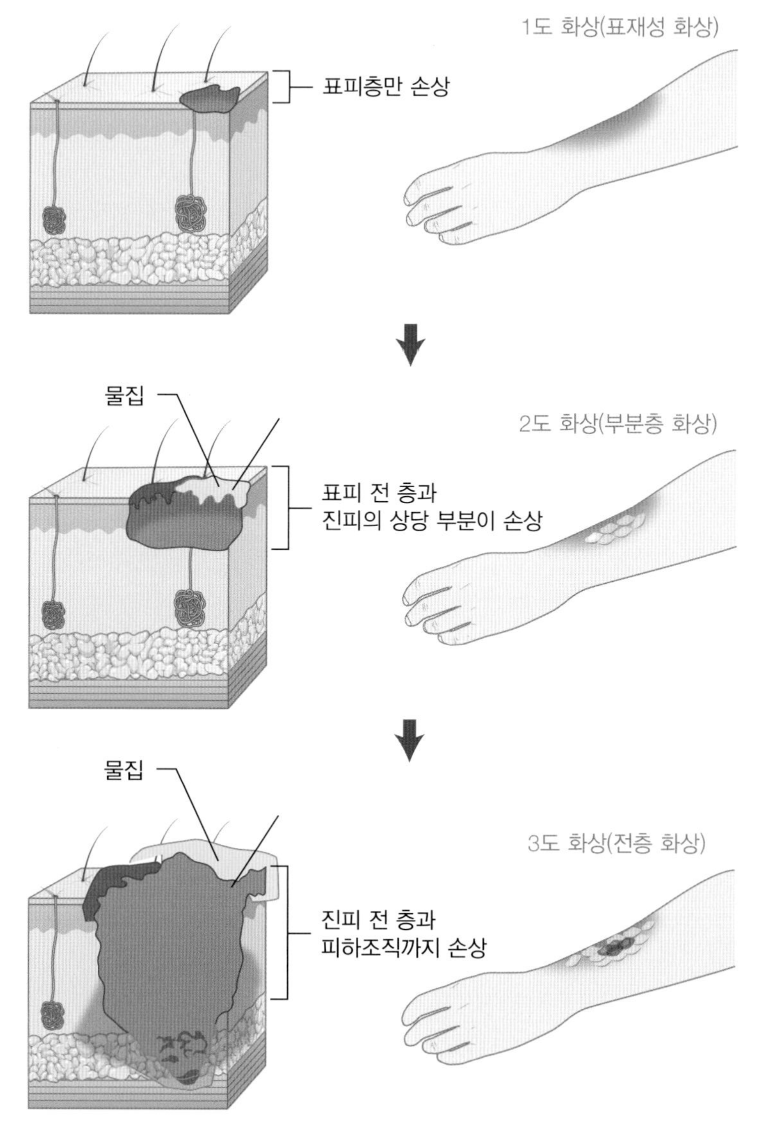

그림 4-46 **손상 깊이에 따른 화상의 분류**

(2) 식사요법

① 수분과 전해질 공급

화상을 입으면 상처를 통해 많은 양의 체액과 전해질의 손실이 있으므로 수분과 전해질을 충분히 보충한다. 수분은 7~10L를 공급한다.

② 에너지

에너지요구량은 화상 정도에 따라 다르며 감염이나 열이 나게 되면 에너지를 더 증가시켜야 한다. 체중감소는 질병의 감염률을 높이므로 화상 전 체중보다 10% 이상 감소되지 않도록 한다. 화상 전의 체중을 기준으로 약 50~90kcal/kg의 에너지가 필요하다.

③ 단백질

이화작용(hypercatabolism)의 증가로 소변으로 배설되는 질소량과 상처로 손실되는 질소량이 많아 단백질 결핍상태가 초래될 수 있으므로 손실된 체단백과 혈장단백을 보충하기 위해 고단백질 식사를 공급한다. 단백질은 화상부위가 체표면적의 20% 미만이면 1.5g/kg, 화상부위가 20% 이상인 경우는 2g/kg을 공급한다. 식사 사이에 고단백, 고에너지 음료를 공급한다.

Curreri가 제안하는 열량 필요량 계산식

1. 에너지 필요량

- 성인: 25kcal × 화상 전 체중(kg) + [40kcal × 전체 체표면적에 대한 화상의 %]
- 어린이: 30~100kcal(나이에 따른 RDA) × 화상 전 체중(kg) + [40kcal × 전체 체표면적에 대한 화상의 %]

2. 단백질 필요량

1g × 화상 전 체중(kg) + [3g 단백질 × 전체 체표면적에 대한 화상의 %]

④ 당질과 지질

당질은 총 에너지의 60~65%가 되도록 하며 과잉의 당질은 지방으로 전환되므로 바람직하지 않다. 지방은 총 에너지의 10% 정도를 공급하며 ω-3 지방산은 면역기능 강화에 중요므로 충분히 섭취한다.

⑤ 비타민과 무기질

화상으로 인한 체액소실과 조직액을 보충하기 위해 세포 내 수분이 빠져 나오게 되어 탈수상태가 되므로 비타민, 무기질, 전해질의 양을 충분히 공급한다. 콜라겐 합성을 위한 비타민 C는 하루에 1~2g을 공급하며 에너지와 당질 대사에 관여하는 비타민 B 복합체의 섭취를 증가시킨다. 아연은 체내 저장량의 20%가 피부에 있어 화상을 입게 되면 손실이 크므로 충분히 섭취한다. 화상을 입은 후 소변으로 마그네슘 배설이 늘어나므로 마그네슘을 공급하며 셀레늄 등의 무기질도 부족되지 않게 공급한다.

요약

수술 전후의 환자는 육체적으로 뿐만 아니라 심리적으로 많은 스트레스를 받게 되고 수술에 대한 두려움, 수술 후의 회복에 대한 의구심 등으로 체내 대사가 영향을 받게 되므로 영양공급이 중요하다. 화상은 열, 전기, 화학물질 등과의 접촉에 의해 피부조직이 손상된 것을 말하며 손상받은 체표면적이나 피부조직의 깊이에 따라 열량과 단백질 등의 공급이 달라지게 된다.

이것만은 꼭 알아놓을까요?

수술이나 화상은 인체 기관에 매우 큰 스트레스이므로 고열량, 고단백질 공급이 필요한 질환이다.

복습하기

01 다음 <보기> 중 수술 후 환자의 회복기에 나타나는 증상으로 옳은 것은?

〈보기〉
가. 양의 질소 균형이 나타난다.
나. 장 기능이 정상으로 회복된다.
다. 나트륨과 수분 배설이 증가한다.
라. 칼륨이 보유된다.

① 가, 다
② 나, 라
③ 가, 나, 다
④ 가, 나, 다, 라

02 수술 후 환자에게 탄수화물을 충분히 공급해 주어야 하는 이유는?

① 체지방의 분해를 억제하므로
② 에너지의 이용 효율이 가장 크므로
③ 소화·흡수가 잘 되는 영양소이므로
④ 단백질의 절약 작용을 할 수 있으므로

03 수술 후에 단백질을 공급할 때 양질의 단백질을 공급하는 것의 장점은?

① 체내에서 에너지 효율이 가장 크기 때문에
② 회복기에 필요한 에너지를 쉽게 공급할 수 있으므로
③ 단백질 합성에 필요한 비필수아미노산을 많이 함유하므로
④ 단백질 합성에 필요한 필수아미노산을 골고루 함유하므로

☞ 정답 및 해설은 385쪽에서 확인

04 다음 〈보기〉 중 위 절제 후 덤핑증후군을 예방하기 위한 식사요법은?

〈보기〉
가. 식사 중간에 물을 먹지 않는다.
나. 식후에는 비스듬히 누워 쉬도록 한다.
다. 단순당의 섭취를 줄이고 복합당질과 펙틴을 많이 준다.
라. 지방은 적당량 주고 단백질은 상처회복을 위해 충분히 준다,

① 가, 다
② 나, 라
③ 가, 나, 다
④ 가, 나, 다, 라

05 소장의 절제수술이 영양소 흡수에 미치는 영향으로 옳은 것은?

① 단백질의 흡수가 매우 제한된다.
② 당의 흡수는 비교적 잘 일어난다.
③ 지방의 흡수는 비교적 잘 일어난다.
④ 칼슘의 흡수는 비교적 잘 일어난다.

06 화상환자의 식사요법에 대한 설명으로 옳지 않은 것은?

① 화상환자의 열량 요구량은 화상 크기에 따라 다르다.
② 경구섭취가 가능할 경우 고단백, 고열량식을 제공한다.
③ 화상부위가 20% 이상이면 경장영양을 제공하는 것이 좋다.
④ 단백질 공급량은 화상부위가 20% 이상인 경우 1g/kg 정도가 좋다.

☞ 정답 및 해설은 385쪽에서 확인

참고문헌

권순자 외(2016). 식생활관리. 파워북.

권인숙 외(2020). 식사요법을 포함한 임상영양학. 교문사.

구재옥 외(2017). 식사요법 원리와 실습. 교문사.

구재옥 외(2017). 고급영양학. 파워북.

김나연 외(2020). 알기 쉬운 생화학. 지구문화사.

김덕희 외(2016). 베이직 영양학. 지구문화사.

김미현 외(2013). New 임상영양학. 지구문화사.

김미현 외(2018). 식사요법 및 실습. 파워북.

김정숙 외(2019). NEW 식품학. 지구문화사.

김유리 외(2016). 영양판정. 파워북.

김정상 외(2020). 생각이 필요한 영양화학. 수학사.

김혜영 외(2011). 식이요법. 지구문화사.

김혜영 외(2016). 최신 영양학. 도서출판 효일.

농촌진흥청(2016). 국립농업과학원 식품성분표(제9판). 농촌진흥청.

대한간학회(2013). 알코올 간질환 진료 가이드라인. 대한간학회.

대한간학회(2013). 비알코올 지방간질환 진료가이드라인. 대한간학회.

대한감염학회(2017). 감염관리 최신 지견 감염관리 전문과정 자료집. 대한감염학회.

대한비만학회(2008). 임상비만학(3판). 고려의학.

대한간질학회(2010). 임상간질학. PUBLIC.

대한가정의학회(2007). 한국인의 평생건강관리. 고려의학.

대한고혈압학회(2018). 우리나라 성인의 고혈압 진단기준.

대한골대사학회(2018). 골다공증 진단 및 치료지침.

대한당뇨병학회(2020). 당뇨병 진료지침.

대한당뇨병학회(2020). 당뇨병 팩트 시트 2020. 대한당뇨병학회.

대한당뇨병학회(2020). 당뇨병 식품교환표 활용지침(4판). 대한당뇨병학회.

대한신장학회(2013). 급성콩팥병의 예방과 관리를 위한 5가지 생활수칙. 대한신장학회.
http://www.ksn.or.kr

대한비만학회(2018). 비만 진료지침 2018. 대한비만학회.

대한소화기학회(2007). 간염. 군자출판사.

대한영양사협회(2010). 식사계획을 위한 식품교환표(개정판). 대한영양사협회.

대한영양사협회. 영양사가 알려주는 신장질환식 상차림.

대한영양사협회(2010). 임상영양관리지침서(3판).

대한의학회(2018). 고혈압 임상진료지침. 대한의학회.

대한의학회(2015). 이상지질혈증 치료지침. 대한의학회.

류 경 외(2017). 지속가능한 식생활관리. 파워북.

문수재 외(2016). 알기쉬운 영양학. 수학사.

변기원 외(2017). 고급영양학. 교문사.

보건복지부(2020). 한국영양학회 2020 한국인 영양소 섭취기준.

보건복지부(2016). 중앙암등록분부 국립암센터 국가 암등록 사업 연례보고서. 보건복지부.

보건복지부, 질병관리본부, 대한소아과학회(2017). 2017 소아청소년 성장도표. 보건복지부.

서광희, 강주의, 김지영, 도민희, 백진경, 원혜숙, 이복희 정지영(2019). 에센스고급영양학. 지구문화사.

서광희 외(2018). New 영양학. 지구문화사.

서광희 외(2013). New 고급영양학. 지구문화사.

서정숙 외(2010). NEW 영양학. 지구문화사.

서정숙 외(2018). 영양판정 및 실습. 파워북.

손숙미 외(2018). 임상영양학(개정판). 교문사.

송경희 외(2016). 식사요법. 파워북.

승정자 외(2006). 칼로리 핸드북. 교문사.

안은영, 정현애(2009). 파킨슨병의 병태생리. 고령자 · 치매작업치료학회지. 3(1). 1-9.

윤옥현 외(2016). 포인트 식사요법. 교문사.

양은주 외(2019). 새로 쓰는 임상영양학. 교문사.

윤미은 외(2013). New 보건영양학. 지구문화사.

박영심 외(2013). 식사요법. 수학사.

오세인 외(2017). 알기쉬운 영양학. 도서출판 효일.

이미숙 외(2018). 임상영양학. 파워북.

이보경 외(2018). 임상영양관리 및 실습. 파워북.

이승림 외(2017). 재미있는 영양학. 도서출판 효일.

이정원 외(2007). 영양판정. 교문사.

이연숙, 구재옥, 임현숙, 강영희, 권종숙. 이해하기 쉬운 인체생리학. 파워북.

이기열 감수, 박영심, 명춘옥, 남혜원, 이기완(2012). 식사요법. 수학사.

이상태(2015). New 식품영양학. 지구문화사.

이영미 외(2017). 영양판정 실습편. 도서출판 효일.

이채우(2009). 파킨슨병 치매에 대한 고찰. 고령자·치매작업치료학회지. 3(2)/ 59-71.

임경숙 외(2019). 임상영양학. 교문사.

임병우 외(2016). 기초면역학. 도서출판 효일.

전덕영 외(2019). 재미있는 식품과 영양. 수학사.

전형주 외(2017). 식사요법. 도서출판 효일.

정영진 외(2013). 식생활과 다이어트. 파워북.

주은정 외(2012). 질병 맞춤형 임상영양학. 교문사.

주은정 외(2016). 질병관리를 위한 임상영양학. 교문사.

통계청(2018). 2020년 사망원인 통계결과.

표석능, 손은화(2012). 면역학개론. 도서출판 신일북스.

한국산업간호협회(2007). 사업장보건인 금연지도자교육과정. 한국산업간호협회.

한정순 외(2017). 현대인을 위한 식생활과 건강. 지구문화사.

한정순 외(2016). New 생애주기 영양학. 지구문화사.

한정순(2010). NEW 간호와 영양.지구문화사.

한국영양학회(2009). 식품 영양소 함량 자료집.

한정순 외 편역(2015). 현대인을 위한 신개념 생활과 건강 편역서. 정담미디어.

한정순 외(2016). New 생애주기 영양학. 지구문화사.

한정순 외(2016). New 간호와 영양. 메디시언.

허재옥 외(2019). 고급영양학. 수학사.

허재옥 외(2016). 기초영양학. 수학사.

American dietetic Association(2015). Nutrition Care Manual.

DeBruyne, Pinna, Whithney(2015). Nutrition and Diet Therapy(7th ed). p. 308, 313.

Michelle McGuire, Kathy A Beerman(2013). National sciences from fundamentals to food(3rd edition). Wadsworth.

Dale B. Hahn, Wayne A. Payne, Ellen B(2013). Mauer Focus on health(11th edition). McGraw Hill.

Michele Grodner, Sara Long Roth, Bonnie C(2007). Walkingshaw Nutritional foundations and clinical applications A nursing approach(5th edition). Elsevier.

Michele Grodner, Sylvia Escott-Stump, Suzanne Dorner(2015). Nutritional foundations and clinical applications A nursing approach(6th edition). Elsevier.

Pamela C. Champe, Richard A(2008). Harvey Lippincott's illustrated reviews Biochemistry(4th edition). the Point.

Richard A. Harvey, Thao Doan, Roger Melvold, Susan Viselli, Carl Waltenbaugh(2014). Lippincott's Illustrated Reviews Immunology(2nd edition).

J.A.Beto and V.K.Bansal(2004). Medical nutrition therapy in chronic kidney failure: Integrating clinical practice guidelines. Journal of the American Dietetic Association. 104 (2004): 404-409.

http://health.mw.go.kr 국가건강정보포털, 보건복지부

http://www.cancer.go.kr 국가암정보센터

기타

ㄱ

REFERENCE

ㅅ

ㅈ

F

G

H

I

REFERENCE

P

R

S

REFERENCE

T

U

V

W

X

Z

Answer & Explanations

정답 및 해설

제1장 건강에 대한 이해

01 ①

제2장 건강을 위한 영양소의 이해

제1절 탄수화물과 식이섬유소

01 ④
탄수화물은 위, 소장을 거쳐 소화·흡수되어 단당류로 분해된다. 탄수화물은 다량 섭취하여도 거의 모두 열량원으로 사용되며, 쓰고 남은 열량원은 지방으로 전환되어 주로 피하조직에 축적된다. 식사 후 에너지가 충분한 상태에서 남은 여분의 포도당은 간 또는 근육에서 당원의 형태로 전환되어, 체내에 포도당이 부족하여 혈당이 떨어지거나, 신체에 필요한 에너지를 공급하지 못할 때에 당원이 포도당으로 전환되어 에너지원으로 이용된다.

02 ③
포도당은 영양상 가장 중요한 단당류이다. 사람의 혈액에는 포도당의 형태로 당질이 존재하며, 이를 혈당이라고 한다. 혈당 농도는 약 0.1%이다.

03 ①
섬유소는 영양적 가치는 낮으나 생리적으로 아주 중요하다. 섬유소는 소화관을 자극하여 연동작용을 촉진시키며 대변의 배설을 촉진시킨다. 섬유소는 주로 식물 세포벽을 이루는 주성분이며, 물에 녹지는 않으나 물을 흡수하는 성질이 있다. 따라서 섬유소를 적당량 섭취하면 대변의 수분을 유지해 주며, 대변의 장 통과시간을 줄여 준다.

04 ④
식사 후 에너지가 충분한 상태에서 남은 여분의 포도당은 간 또는 근육에서 당원의 형태로 전화되어 저장된다. 성인의 경우 일반적으로 간에 100g 정도, 근육에 250g 정도 저장할 수 있다. 탄수화물은 다량 섭취하여도 거의 모두 열량원으로 사용되며, 쓰고 남은 열량원은 지방으로 전환되어 주로 피하조직에 축적된다.

제2절 지질

01 ②
레시틴은 신체 세포의 중요한 성분이고 신경, 심장, 간, 골수 등에 많이 들어 있으며 콜린이 결합되어 있다. 천연 유화제로도 쓰이며 달걀 노른자에 다량 함유되어 있다.

02 ②
콜레스테롤은 성 호르몬과 비타민 D 및 담즙산을 합성하는 기본 물질이다. 성 호르몬 외에 코티솔, 알도스테론, 코르티코이드 호르몬 등의 전구체이기도 하다며, 지단백질의 구성성분으로 체내 각 세포로 운반된다. 지질을 분해시키는 소화액으로 담즙산이 있다. 그런데 담즙산은 콜레스테롤의 중요한 분해산물이다. 담즙산은 주로 간에서 콜레스테롤이 분해되어 생성되며, 담낭에서 농축시켰다가 지질식품을 섭취하면 장으로 배출된다.

03 ①
지단백질은 인지질·콜레스테롤·단백질의 함량이 각기 다르며 그 작용도 다르다. LDL은 콜레스테롤 함량이 가장 많으며, 인지질과 단백질의 함량도 많다. 즉 혈액 내 대부분의 콜레스테롤은 LDL에 존재한다. 반대로 HDL은 콜레스테롤의 농도는 낮고 단백질 함량은 많다.

04 ④
필수지방산은 지질의 운반과 대사, 면역작용, 세포막의 작용에 중요한 작용을 한다. 성장기 아동에게 필수지방산이 결핍되면 성장이 불량해지며 피부염과 습진 등이 발생하는 것으로 알려져 있다. 필수지방산은 주로 식물성 기름에 다량 함유되어 있다.

05 ③
필수지방산에는 리놀레산, 리놀렌산, 아라키돈산이 있다. 리놀레산의 기능은 성장인자, 항피부병 인자의 역할을 하며 채소 및 종자류에 많이 들어 있다. 리놀렌산은 성장인자의 기능을 가지고 있고 콩기름과 들기름에 많이 들어 있다. 아라키돈산은 항피부병 인자의 기능을 가지고 있으며 동물의 지방에 많이 함유되어 있다.

06 ①
지질의 소화는 거의 소장에서 이루어지며 담낭에서 소장으로 배출된 담즙에 의해서 유화된 후 소화효소의 작용을 받는다.

07 ②

지질의 소화는 거의 소장에서 이루어지며 담낭에서 소장으로 배출된 담즙에 의해서 유화된 후 소화효소의 작용을 받는다. 지질과 단백질 식품이 위에서 십이지장으로 내려오면 담즙분비가 증가된다. 담즙에는 지질을 유화시키는 담즙산염이 주종을 이루며, 뮤신 및 색소와 콜레스테롤이 함유되어 있다.

08 ④

지질의 대사과정이 일어나는 주된 장소는 간과 저축 지방조직이다. 간과 저축 지방조직에서 지질의 이동 및 산화, 지질의 합성 및 저장이다.

제3절 단백질

01 ③

02 ④

구형 단백질은 수용성으로서 대부분의 효소, 단백 호르몬과 혈장단백질 등이 그 예이다. 구형 단백질 중 영양적으로 중요한 것은 카세인, 달걀 알부민, 혈중 알부민과 글로불린, 헤모글로빈 등이다.

03 ①

불완전단백질은 단백질 급원이나 이것만을 섭취하였을 때 성장이 지연되고 체중이 감소하며 장기간 지속되면 사망한다. 이것에 속하는 단백질은 젤라틴, 옥수수의 제인이다.

04 ④

단백질 분해효소는 불활성 효소로 존재하며, 단백질 식품 섭취 시 활성화되어 식품을 분해한다. 위벽과 장벽세포가 분비하는 점성 물질인 점액 다당류가 장벽을 둘러싸고 있어 단백질 분해효소의 작용을 받지 못하도록 보호하고 있다.

05 ④

위벽과 장벽세포가 분비하는 점성 물질인 점액 다당류가 장벽을 둘러싸고 있어서 단백질 분해효소의 작용을 받지 못하도록 보호하고 있다.

06 ②

고단백 식사 때 질소 배설량이 저단백 식사 때보다 현저히 높으며, 이는 대부분 요소 질소이다.

제4절 지용성 비타민

01 ③

비타민 A의 전구체인 카로티노이드 중에서 가장 활성이 높고 β-카로틴이 α-카로틴, γ-카로틴, 크립토산틴 등 다른 카로티노이드들에 비해 비타민 A 활성이 두 배 이상이다.

02 ④

인체에서 수용성 비타민들은 혈액으로 직접 흡수되나 지용성 비타민은 먼저 림프로 들어간 후 혈액으로 들어간다. 수용성 비타민에는 비타민 B군과 비타민 C가 있으며 지용성 비타민에는 비타민 A, D, E 및 K가 있다.

03 ②

인체에서 수용성 비타민들은 혈액으로 직접 흡수되나 지용성은 먼저 림프로 들어간 후 혈액으로 들어간다. 혈액에서 많은 수용성 비타민들은 자유로이 돌아다니나 지용성 비타민들은 운반을 위해 단백질 운반체를 필요로 한다. 체세포에 도달하면 수용성 비타민들은 체액 내에서 자유로이 순환하지만 지용성 비타민들은 지방세포에 머물게 되어 쉽게 배설되지 않으므로 매일 섭취할 필요는 없으며 과잉섭취 시 독성을 나타낼 수 있다.

04 ④

비타민 E는 지용성으로 세포막의 인지질과 혈액 내 지단백에서 지방산의 산화를 일으키는 유리기를 제거하며 비타민 C와 같은 다른 항산화제에 의해 환원되어 재사용될 수도 있다. 또한 비타민 E는 식사로 섭취한 불포화지방산과 비타민 A의 산화를 방지한다. 거대적혈모구빈혈은 엽산이나 비타민 B_{12}의 결핍으로 발생되는 빈혈로 성숙한 정상 적혈구 수가 감소되어 산소운반 능력이 저하되는 빈혈을 말한다. 비타민 E의 결핍은 적혈구의 파괴로 인해 나타나는 용혈성 빈혈의 원인이 된다.

05 ④

비타민 K는 간에서 혈액응고 인자의 활성화에 관여한다. 혈액응고 인자들은 간에서 불활성형 단백질의 형태로 합성되며, 활성화되기 위해서 비타민 K가 필요하다.

06 ②

비타민 D는 비타민 D의 활성을 가진 화합물들의 총칭으로, 식물성 급원의 에르고스테롤과 동물성 급원의 콜레칼시페롤이 대표적이다. 다른 비타민과 달리 비타민 D는 체내에서 합성될 수 있다.

제5절 수용성 비타민

01 ①

쌀을 주식으로 하는 곳에서 나타난다.

02 ④

비타민 B_6는 소장 내 효소에 의해 모두 유리형으로 분해되어 소장 상부에서 쉽게 흡수된다. 일단 흡수된 비타민 B_6는 간에 와서 다시 인산과 결합하여 조효소인 피리독살 포스페이트(pyridoxal phosphate; PLP)가 되어 조직으로 가게 된다. 비타민 B_6는 조효소 PLP가 되어 아미노산 대사 등 여러 반응에서 작용한다.

03 ②

엽산이 부족한 사람의 골수에서는 혈액 내로 방출되는 성숙한 정상 적혈구 수가 감소되어 산소운반이 저하되는 빈혈이 발생하는데, 이를 거대적혈모구빈혈이라 한다.

04 ①

제Ⅱ철보다는 제Ⅰ철이 더 잘 용해되고 따라서 더 잘 흡수된다. 비타민 C는 제Ⅰ철이 제Ⅱ철로 산화되는 것을 방지할 뿐 아니라 제Ⅱ철로 산화되는 것을 제Ⅰ철로 환원시킴으로써 철분의 흡수를 돕는다.

05 ③

니아신은 NAD와 NADP 두 가지 조효소의 구성성분이다. 펠라그라의 증상은 3Ds로 표현되는 치매, 설사, 피부염과 이 병을 조기에 치료하지 않으면 죽음까지 이르러 4Ds라 한다.

06 ①

임산부의 엽산 결핍은 태아의 신경관 손상과 척추파열을 초래한다.

07 ④

비타민 B_{12}는 코발트를 포함한다.

08 ③

리보플라빈은 FMN과 FAD의 구성성분이며, 티아민은 인산과 결합하여 조효소 형태인 TPP로 되어 탄수화물 대사와 가지 달린 아미노산 대사의 탈탄산효소의 조효소로 관여한다. 흡수된 비타민 B_6는 간에 와서 인산과 결합하여 조효소인 PLP가 되어 조직으로 간다.

제6절 다량 무기질

01 ④

02 ④

섭취한 칼슘염은 산성 용액에서 더 잘 용해되는데 소장 상부는 위에서 내려온 염산과 섞여 있는 음식이 아직 알칼리성인 췌장액이나 소장액과 많이 섞이지 않은 곳이기 때문에 흡수는 대부분 소장의 상부에서 일어난다.

03 ②

혈중 칼슘 농도가 감소하면 부갑상샘호르몬이 뼈를 자극하여 뼈에 저장해 두었던 칼슘을 방출하게 하고, 신장으로부터 칼슘을 재흡수하며, 섭취한 칼슘의 흡수를 촉진시켜 혈액 내 칼슘 함량을 정상으로 유지하게 한다. 칼시토닌은 뼈에서 칼슘이 방출되는 것을 막아 혈액에 정상 이상으로 칼슘이 존재하지 않도록 조절한다.

04 ②

인은 니아신, 티아민, 비타민 B_6 등 여러 비타민의 활성화에 필요하다. 비타민 B_6는 인산과 결합하여 피리독살 인산염(PLP)이 되어 활성형이 된다.

05 ①

칼슘은 인, 소량의 나트륨, 마그네슘, 불소 등과 함께 뼈와 치아를 형성하며 근육 수축과정에 관여한다. 또한 혈액응고에 반드시 필요하다.

06 ②

칼슘은 인체에 가장 많은 무기질로 성인 체중의 1.5~2.2%(0.9~1.4/60kg 기준)를 차지하며 그 중 99%는 뼈와 치아에 존재하며, 나머지 1%는 혈액과 근육의 각 조직에 있다.

07 ①

황은 메티오닌, 시스틴, 시스테인 같은 황을 가지고 있는 마이노산으로 존재한다.

08 ④

인은 칼슘과 함께 뼈와 치아 대부분의 무기성분을 형성하며 단백질 합성에 필수적인 DNA와 RNA도 인을 함유하고 있다. 인은 탄수화물, 지질, 단백질의 산화과정에 작용하여 고에너지 화합물인 ATP를 합성한다.

09 ③

비타민 B_6는 피리독살, 피리독신 및 피리독사민의 세 가지 화합물들을 모두 일컫는 명칭이며, 이들은 모두 간에서 인산화과정을 거쳐 피리독살 포스페이트라는 조효소 형태가 되어 100여 개 이상의 효소가 관련된 반응에서 작용한다.

제7절 미량 무기질

01 ①

체내에서 이용되는 철분은 헤모글로빈이 파괴되어 철분이 재흡수된 것, 저장되었던 철분이 방출된 것과 섭취한 철분이 장에서 흡수된 것의 세 가지 급원에서 비롯된다.

02 ①

현미나 통밀같이 속겨를 가지고 있는 곡류에는 다량의 섬유소와 피트산이 있어 이들이 철분의 흡수를 방해하고, 식품첨가물로 사용되는 EDTA와 탄닌도 철분의 흡수를 방해한다고 알려졌다. 육류, 생선류, 가금류 같은 동물성 식품에 함유되어 있는 철분은 흡수율이 높고 다른 성분의 영향을 거의 받지 않으며, 감귤류에 많이 함유되어 있는 시트르산, 젖산, 위액에 존재하는 염산과 같은 산들도 철분의 흡수를 촉진한다.

03 ③

철분이 부족될 때에는 트랜스페린과 결합할 철의 부족으로 트랜스페린의 포화도가 낮고, 적혈구의 수가 정상 시보다 적기 때문에 헤마토크리트도 낮고, 헤모글로빈을 형성할 철분의 부족으로 헤모글로빈의 양도 적다. T_4, T_3는 요오드를 함유한 갑상샘호르몬이다.

04 ②

미오글로빈은 헤모글로빈으로부터 산소를 받아 그 산소를 일시적으로 저장해 가지고 있다가 ATP 형성을 위한 호기성 대사과정에서 산소를 방출하여 사용할 수 있게 한다.

05 ②

철분은 섭취한 철분의 약 10% 정도가 흡수된다. 그러나 성장기나 임신부와 같이 필요량이 많은 경우 철분의 흡수율은 높아진다. MFP 인자(meat, fish, poultry factor)인 육류, 생선류, 가금류에는 생체 내에서 이용이 잘 되는 헴형 철분이 들어 있을 뿐만 함께 먹은 다른 음식에 들어 있는 비헴형 철분의 흡수를 촉진하는 인자이다. 철분의 흡수는 대부분 십이지장과 소장의 상부에서 일어난다.

06 ③

성인의 체내에 함유되어 있는 요오드는 15~20mg이고 그 중 약 70~80%는 갑상샘에 존재하고, 나머지는 혈액과 근육 등 조직에 존재한다. 임신 중 태아에게 요오드의 공급이 적었거나 출생 후 어렸을 때 요오드의 공급이 부족되면 크레틴병이 발생한다. 요오드를 가장 많이 함유하고 있는 식품인 해산물이다.

07 ②

혈액으로 들어온 철분은 철분 운반단백질인 트랜스페린에 결합하여 필요한 곳으로 이동하게 된다.

제8절 수분

01 ②

체액은 세포내액과 세포외액으로 이루어지며, 세포외액에는 혈액의 혈장인 혈관내액과 세포 사이에 있는 세포간질액이 있으며 림프, 척수나 관절액, 안구액, 소화액, 요 등도 세포외액에 속한다. 신체 조직에 따라 수분비율이 달라서 지방조직은 근육조직보다 물을 적게 함유한다.

02 ④

총 1일 수분 배출량 2,350mL 중 약 1,300mL의 물이 신장에서 소변으로 나간다. 폐에서 약 400mL, 대변으로 150mL, 피부에서 땀으로 150mL가 소실된다. 호흡과 피부로부터도 증발을 통해 350mL를 소실한다.

03 ④

수분은 약하게 극성을 띠고 있기 때문에 영양소의 용매작용을 하면서 세포질의 주요 구성성분이 된다. 또한 세포내액에 들어 있는 탄수화물, 지질, 단백질의 가수분해 등 세포 내에서 일어나는 많은 화학반응에 참여한다.

04 ②

정상 체중의 1~2%의 수분손실 시 갈증을 일으키고 수분손실이 체중의 4%에 이르면 근육의 강도와 지구력이 떨어지며, 10~12%에서는 열중증으로 근육경련이나 정신착란 증세를 보인다. 영양실조에 의해 혈장단백질이 저하되면 혈관내액의 수분이 조직간액으로 누출되어 부종이 나타난다. 또한 나트륨이 과잉 보유되면 삼투압이 상승하는데 삼투압을 저하시키기 위하여 뇌하수체 후엽에서 항이뇨호르몬이 분비되어 조직간액의 수분이 축적되어 부종이 발생한다.

05 ④
부종은 조직사이질액에 수분이 저류되어 있는 상태를 말한다. 영양실조에 의해 혈장단백질이 저하되면 단백질에 의한 교질삼투압이 저하되어 혈관내액의 수분이 조직사이질액으로 누출되며 부종이 나타난다. 나트륨이 과잉 보유되면 삼투압이 상승하는데 삼투압을 저하시키기 위하여 뇌하수체 후엽에서 항이뇨호르몬이 분비되어 조직사이질액의 수분이 축적되어 부종이 발생한다.

제3장 건강을 위한 영양상태 판정

01 ④
체질량지수 = 체중(kg)/신장(m)^2

02 ①
고위험도 판정 알부민 농도
알부민 – 2.8g/dL, 이상 체중의 75% 이하

03 ①
혈청 요산 농도는 통풍이 있는지의 확인 검사이므로 기본적 검사항목은 아니다.

제4장 건강증진과 질환예방 및 치료를 위한 식사요법

제1절 식사요법의 개요

01 ①
적정 체중을 유지하는 것이다.

02 ③
환자의 상태에 따라 영양권장량을 고려한다.

03 ④
질병에 따라 특정 영양소의 조절이 필요하다.

제2절 병원식과 영양지원

01 ④
기질적 연식은 내과적으로는 아무런 장애가 없으나 치과질환 등으로 씹기가 곤란하거나 식도, 구강장애 등으로 삼키기 어려운 환자에게 주는 식사이다.

02 ①
수술이 끝난 후 어느 정도 시간이 경과하여 장내 가스가 나오기 시작하면 소량의 물이나 연한 보리차를 주는데 맑은 유동식의 목적은 수분공급이다. 수술을 받지 않아도 병이 심하고 위장에서 소량의 고형 반고형 음식이 소화작용에 부담을 주는 경우 맑은 유동식을 준다.

03 ④
경관급식의 적용대상
- 대사항진: 대수술 후, 패혈증, 외상, 화상, 장기이식, 후천면역결핍증후군
- 신경계 질환: 뇌혈관질환, 삼킴곤란, 머리의 외상, 염증
- 종양성 질환: 화학요법, 방사선 요법
- 기관계 부전: 호흡기계 부전, 신부전, 중추신경계 부전(혼수상태), 간부전, 다발성 장기부전

04 ①
무기질, 비타민은 필요량만큼 함유되어 있다.

제3절 구강 및 위·장질환

01 ④
정신적 스트레스, 약물, 과도흡연, 자극성 식품, 헬리코박터 파이로리 감염

02 ④
우유는 단백질 함량이 많아 너무 많이 마시거나 자주 사용하면 위산분비를 촉진한다.

03 ④
심하면 1~2일 절식한다.

04 ③
위산 부족은 위 내인자의 결핍을 초래한다.

05 ①
찜은 위산분비가 가장 적은 조리법이다.

제4절 간 · 담낭 · 췌장질환

01 ③
간기능
- 탄수화물, 지질, 단백질 등의 합성, 분해, 저장 등 대사의 중심
- 무기질과 비타민의 저장과 활성화, 중간 대사산물의 재이용과 분해작용
- 담즙을 생성하고 체내 독성물질을 해독시킴, 체내 방어 역할도 담당

02 ③
급성간염이 발생하면 황달, 불쾌감, 피로, 근육통, 식욕부진 등의 증상이 나타난다.

03 ④
고열량, 고단백질, 중등지방, 고비타민, 저염식사를 제공한다.

04 ③
간염 회복에는 단백질이 중요하다.

05 ②
담낭을 절제한 경우 지방 제한 식사를 한다.

06 ②
지방, 특히 포화지방산, 콜레스테롤을 다량 함유한 동물성 식품의 섭취를 줄인다.

제5절 비만과 저체중

01 ①
비만은 체지방이 과잉으로 축적된 상태이다.

02 ①
1주일에 0.5kg의 체중 감소를 위해 열량 섭취량을 1일 500kcal씩 감소시킨다.

03 ①
체질량지수 : 체중(kg)을 신장(m)의 제곱으로 나눈 값

04 ③
지방이 많은 식사는 케톤증을 유발하므로 바람직하지 않는다.

05 ①
갑상샘저하증일 때 비만이 발생한다.

06 ④

07 ④
- 열량 : 하루 권장되는 양에 500~1,000kcal 정도를 더하여 공급한다. 점진적인 열량 섭취 증가가 필요하다. 위의 부담이 적은 농축음식(예: 크림수프 등)
- 단백질 : 하루 100g 이상 섭취를 권장한다. 총 단백질 섭취량의 50%는 동물성 단백질로 공급한다.
- 탄수화물과 지방 : 체중증가를 위한 좋은 열량원이다. 조리 시 지방(식용유, 버터, 마가린 등)의 사용량 늘려 점진적으로 열량을 증가시킨다.

제6절 당뇨병

01 ③
당뇨병의 발생원인
① 유전적 요인
② 연령과 성
③ 비만과 활동 부족
④ 정신적 스트레스
⑤ 식사
⑥ 임신과 내분비이상

02 ③
당뇨병의 증상
① 고혈당
② 당뇨와 케톤뇨
③ 갈증과 다뇨
④ 식욕항진
⑤ 체중감소 및 체력쇠약

03 ④
혈액의 포도당 이용이 되지 않기 때문이다.

04 ①
인슐린: 혈당을 낮춘다.
글루카곤: 혈당을 높인다.

05 ③
인슐린을 과다하게 주사했거나 식사량이 부족했을 때 식사시간이 경과한 후, 심한 운동 후

ANSWER & EXPLANATIONS

06 ①
복합당질 위주 섭취, 단순당 제한

07 ④

제7장 심혈관계 질환

01 ③
고혈압 기준은 140/90mgHg이다.

02 ③
나트륨이 많은 식품에는 젓갈류, 김치류 등이 있다.

03 ③
칼륨은 세포내액에 많이 있는 양이온으로 혈압강하 작용이 있으며 나트륨보다 칼륨함량이 많은 식품을 섭취하는 것이 혈압을 낮추는 데 도움이 된다.

04 ①
- type Ⅰ: 카일로마이크론의 증가, 중성지방 증가, 리파제 활성 저하가 극히 드물다. 지방이 제한되고 알코올 역시 제한된다.
- type Ⅱ: LDL 증가, 중성지방 증가가 흔하다. 식이 콜레스테롤 과다 섭취, 열량이 제한된 식사, 저지방 식사, 포화지방산 감소
- type Ⅲ: IDL 증가 드물다. 탄수화물, 지방이 제한된다.
- type Ⅳ: VLDL 증가, 중성지방 증가 비만, 당뇨병 발생, 저탄수화물 식사, 저지방 식사, 저열량 식사
- type Ⅴ: VLDL과 카일로마이크론 증가 극히 드물다. 당뇨성 산증, 신염, 췌장염 시 발생 저지방, 저탄수화물 식사

05 ④
양질의 단백질 공급은 혈관을 튼튼하게 하므로 중요하다.

06 ③
섬유소가 많은 식품은 장내에서 가스를 발생하여 심장에 부담을 주므로 제한한다.

07 ②
열량, 나트륨, 포화지방, 콜레스테롤, 단순당을 제한한다.

제8절 신장질환

01 ④
시누소이드는 간소엽에 있는 모세혈관이다.

02 ①
신장에서 분비되는 호르몬은 레닌이며 알도스테롤은 부신피질, 항이뇨호르몬은 뇌하수체 후엽에서 분비된다.

03 ③
포도당이 소변으로 나오면 당뇨병이다.

04 ①
나트륨 50mg, 칼륨, 120mg, 인 90mg이다.

05 ②
빈혈은 골수기능 저하와 적혈구 생존기간이 감소되고 위장의 혈액손실이 증가되면서 나타난다. 또한 철분의 재이용이 저해되며, 빈혈로 인해 헤모글로빈의 산소운반 능력이 감소된다. 골격의 탈무기질화 촉진으로 골연화가 나타나타며, 혈중지질 높아진다.

06 ①
- 균형있는 영양소 섭취
- 단백질, 칼슘과 수분의 섭취량 조절
- 식품과 조리의 선택을 다양하게 하여 식욕과 음식의 맛을 증진시킴
  - 단백질 제한
  - 칼슘과 염분, 수분 제한
  - 정상 체중유지 열량을 제공한다.

07 ④
결석에는 수산결석, 요산결석, 시스틴 결석이 있다.

제9절 암

01 ④
악액질은 식욕부진, 이미각증, 대사율 항진 화학요법 사용 등으로 인해 극도의 체중감소와 근육감소로 인해 허약해진 상태를 말한다.

02 ①
가공식품에는 첨가물이 많이 들어가는데 특히 니트로사민 같은 물질은 육가공품의 발색제로 발암의 원인이 된다.

03 ①
자극적인 음식과 염장식품 등은 주의한다.

04 ④
대장은 수분 대사가 이루어지는 곳이므로 대장암이 발생하면 수분이나 전해질 불균형 등이 발생한다.

05 ②
쓴맛을 강하게 느낀다.

06 ②
유방암, 대장암 등은 지방의 과잉섭취에 의해 발생할 수 있다.

제10절 근골격계 질환

01 ②
뼈 생성은 조골세포에서 한다.

02 ②
골다공증에는 폐경에 의한 골다공증과 노화나 운동부족, 칼슘이나 비타민 D 섭취부족 등에 의해 발생한다.

03 ③
19~29세 성인 여성 칼슘 권장량은 700mg이다.

04 ②
육류지방은 포화지방이 많으므로 주의한다.

05 ③
칼슘, 비타민 D, 운동이 중요하다.

06 ②
우유 및 유제품이나 콩, 뼈채 먹는 생선 등이 좋은 공급원이다.

제11절 혈액질환

01 ③
혈청 페리틴은 철의 체내 저장량을 나타내는 지표로 철 저장량이 감소하면 가장 빨리 감소한다.

02 ③
헤모글로빈 농도를 적혈구 수로 나누어주면 된다.

03 ③
철은 비타민 C, 2가인 환원형 상태에서 흡수율이 좋으며 제산제는 위산을 묽게 하여 철의 용해도를 저하시켜 철의 흡수를 감소시킨다.

04 ④
비타민 E가 부족하거나 불포화지방을 과다하게 섭취하면 활성산소나 과산화지질이 쌓이면서 적혈구 막을 손상시켜 적혈구가 터지는 용혈현상이 나타난다.
낫적혈구빈혈은 유전적인 원인에 의해 낫 모양의 적혈구가 많이 쌓이면서 적혈구가 파괴되고 화학약품에 노출될 때도 적혈구가 파괴될 수 있다.

05 ②
동물성 식품을 전혀 섭취하지 않는 사람은 비타민 B_{12}가 결핍되어 거대적혈모구빈혈에 걸리기 쉽다. 엽산이 결핍될 때에도 발생하므로 결핍 영양소를 정확하게 파악해서 부족한 영양소를 섭취한다.

06 ④
비타민 B_{12} 결핍은 위를 절제하였거나 노화나 무산증으로 위액분비가 되지 않아 내인자 생성이 안 되면 발생할 수 있으며 비타민 B_{12}는 회장에서 흡수되므로 회장을 절제한 경우 흡수가 어렵다.

제12절 신경계 질환

01 ①
지방함량이 높고 당질 함량이 낮은 케톤식을 공급한다.

제13절 감염 및 호흡기 질환

01 ①
폐렴은 폐렴알균에 감염되어 발생하는데 심한 고열과 호흡곤란으로 음식 섭취가 어렵기 때문에 열을 내리고 충분한 수분을 섭취할 수 있돌고 우유, 요구르트, 과즙 등 영양이 풍부한 음식을 공급한다.

02 ④
에너지를 충분히 공급하고 동물성 단백질 위주의 고단백 식사를 제공한다. 우유 및 유제품을 공급하여 결핵균을 석회화시키고 수분을 충분히 공급한다.

03 ①

알레르기 유발 식품은 단백질 식품이 많다.

04 ①

05 ③

들기름은 들깨를 짠 기름이므로 대두 및 두유 알레르기가 있는 사람이 제한할 필요는 없다.

06 ③

요구르트는 우유를 발효시킨 것이므로 섭취해도 된다.

제14절 내분비 및 선천적 대사장애

01 ③

갑상샘은 기초대사와 관련이 있으며 이와 관련된 영양소는 요오드이다.

02 ③

뇌하수체 전엽에서는 성장호르몬이 분비되어 근육과 뼈의 성장을 촉진하며 갑상샘자극호르몬이 분비되어 티록신 분비를 조절하며 프로락틴이 분비되어 젖샘을 발달시키고 부신피질자극호르몬을 분비하여 당질, 지방, 단백질 대사에 영향을 준다.

03 ②

부신피질호르몬이 결핍되면 애디슨병이 나타난다.

04 ④

페닐알라닌을 대사시키는 페닐알라닌 수산화효소가 부족하여 티로신으로 전환되지 못하고 페닐케톤체가 생성되어 성장·발육을 저해하는 증상이다.

05 ①

단풍당뇨증은 분지아미노산을 대사시키지 못해 나타나는 질환이다.

제15절 수술과 화상

01 ④

수술 후 회복기에는 양의 질소평형이 나타나고 칼륨이 보유되며 장기능도 정상적으로 회보되며 나트륨과 수분 배설이 증가한다.

02 ④

탄수화물은 단백질 절약작용을 한다.

03 ④

양질의 단백질은 단백질 합성에 필요한 필수아미노산을 함유하고 있다.

04 ④

① 식사의 단순당 함량은 낮고 천천히 흡수되는 복합당질과 펙틴은 많아야 한다.
② 설탕, 사탕과 당이 농축된 음료는 금한다.
③ 기능적 젖당불내증으로 인해 우유와 유제품은 금한다.
④ 지방은 지방변이 심하지 않으면 중정도의 양을 주어도 괜찮다.
⑤ 단백질은 체중 유지와 상처 회복을 위해서 필요하다.
⑥ 식사 중간에 물을 섭취하지 않는다.
⑦ 식후에 누워 있는 것은 소화물이 공장으로 내려가는 속도를 늦추므로 증세를 완화시키는 데 도움이 된다.

05 ②

당의 흡수는 비교적 잘 된다.

06 ④

화상부위에 따라 영양공급이 달라지는데 단백질 공급은 화상부위가 20% 이상이면 2~3g/kg 정도가 좋다.

Appendix

부록

2020 한국인 영양소 섭취기준 - 에너지와 다량영양소

보건복지부, 2020

성별	연령	에너지(kcal/일)				탄수화물(g/일)				식이섬유(g/일)			
		필요 추정량	권장 섭취량	충분 섭취량	상한 섭취량	평균 필요량	권장 섭취량	충분 섭취량	상한 섭취량	평균 필요량	권장 섭취량	충분 섭취량	상한 섭취량
영아	0~5(개월)	500						60					
	6~11	600						90					
유아	1~2(세)	900				100	130					15	
	3~5	1,400				100	130					20	
남성	6~8(세)	1,700				100	130					25	
	9~11	2,000				100	130					25	
	12~14	2,500				100	130					30	
	15~18	2,700				100	130					30	
	19~29	2,600				100	130					30	
	30~49	2,500				100	130					30	
	50~64	2,200				100	130					30	
	65~74	2,000				100	130					25	
	75 이상	1,900				100	130					25	
여성	6~8(세)	1,500				100	130					20	
	9~11	1,800				100	130					25	
	12~14	2,000				100	130					25	
	15~18	2,000				100	130					25	
	19~29	2,000				100	130					20	
	30~49	1,900				100	130					20	
	50~64	1,700				100	130					20	
	65~74	1,600				100	130					20	
	75 이상	1,500				100	130					20	
임신부[1]		+0 +340 +450				+35	+45					+5	
수유부		+340				+60	+80					+5	

성별	연령	지방(g/일)				리놀레산(g/일)				알파-리놀렌산(g/일)				EPA+DHA(mg/일)			
		평균 필요량	권장 섭취량	충분 섭취량	상한 섭취량	평균 필요량	권장 섭취량	충분 섭취량	상한 섭취량	평균 필요량	권장 섭취량	충분 섭취량	상한 섭취량	평균 필요량	권장 섭취량	충분 섭취량	상한 섭취량
영아	0~5(개월)			25				5.0				0.6				200[2]	
	6~11			25				7.0				0.8				300[2]	
유아	1~2(세)							4.5				0.6					
	3~5							7.0				0.9					
남성	6~8(세)							9.0				1.1				200	
	9~11							9.5				1.3				220	
	12~14							12.0				1.5				230	
	15~18							14.0				1.7				230	
	19~29							13.0				1.6				210	
	30~49							11.5				1.4				400	
	50~64							9.0				1.4				500	
	65~74							7.0				1.2				310	
	75 이상							5.0				0.9				280	
여성	6~8(세)							7.0				0.8				200	
	9~11							9.0				1.1				150	
	12~14							9.0				1.2				210	
	15~18							10.0				1.1				100	
	19~29							10.0				1.2				150	
	30~49							8.5				1.2				260	
	50~64							7.0				1.2				240	
	65~74							4.5				1.0				150	
	75 이상							3.0				0.4				140	
임신부								+0				+0				+0	
수유부								+0				+0				+0	

주 1) 1, 2, 3 분기별 부가량
2) DHA

보건복지부, 2020

성별	연령	단백질(g/일)				메티오닌(g/일)				루이신(g/일)			
		평균 필요량	권장 섭취량	충분 섭취량	상한 섭취량	평균 필요량	권장 섭취량	충분 섭취량	상한 섭취량	평균 필요량	권장 섭취량	충분 섭취량	상한 섭취량
영아	0~5(개월)			10				0.4				1.0	
	6~11	12	15			0.3	0.4			0.6	0.8		
유아	1~2(세)	15	20			0.3	0.4			0.6	0.8		
	3~5	20	25			0.3	0.4			0.7	1.0		
남성	6~8(세)	30	35			0.5	0.6			1.1	1.3		
	9~11	40	50			0.7	0.8			1.5	1.9		
	12~14	50	60			1.0	1.2			2.2	2.7		
	15~18	55	65			1.2	1.4			2.6	3.2		
	19~29	50	65			1.0	1.4			2.4	3.1		
	30~49	50	65			1.1	1.3			2.4	3.1		
	50~64	50	60			1.1	1.3			2.3	2.8		
	65~74	50	60			1.0	1.3			2.2	2.8		
	75 이상	50	60			0.9	1.1			2.1	2.7		
여성	6~8(세)	30	35			0.5	0.6			1.0	1.3		
	9~11	40	45			0.6	0.7			1.5	1.8		
	12~14	45	55			0.8	1.0			1.9	2.4		
	15~18	45	55			0.8	1.1			2.0	2.4		
	19~29	45	55			0.8	1.0			2.0	2.5		
	30~49	40	50			0.8	1.0			1.9	2.4		
	50~64	40	50			0.8	1.1			1.9	2.3		
	65~74	40	50			0.7	0.9			1.8	2.2		
	75 이상	40	50			0.7	0.9			1.7	2.1		
임신부[1]		+12 +25	+15 +30			1.1	1.4			2.5	3.1		
수유부		+20	+25			1.1	1.5			2.8	3.5		

성별	연령	이소루이신(g/일)				발린(g/일)				리신(g/일)			
		평균 필요량	권장 섭취량	충분 섭취량	상한 섭취량	평균 필요량	권장 섭취량	충분 섭취량	상한 섭취량	평균 필요량	권장 섭취량	충분 섭취량	상한 섭취량
영아	0~5(개월)			0.6				0.6				0.7	
	6~11	0.3	0.4			0.3	0.5			0.6	0.8		
유아	1~2(세)	0.3	0.4			0.4	0.5			0.6	0.7		
	3~5	0.3	0.4			0.4	0.5			0.6	0.8		
남성	6~8(세)	0.5	0.6			0.6	0.7			1.0	1.2		
	9~11	0.7	0.8			0.9	1.1			1.4	1.8		
	12~14	1.0	1.2			1.2	1.6			2.1	2.5		
	15~18	1.2	1.4			1.5	1.8			2.3	2.9		
	19~29	1.0	1.4			1.4	1.7			2.5	3.1		
	30~49	1.1	1.4			1.4	1.7			2.4	3.1		
	50~64	1.1	1.3			1.3	1.6			2.3	2.9		
	65~74	1.0	1.3			1.3	1.6			2.2	2.9		
	75 이상	0.9	1.1			1.1	1.5			2.2	2.7		
여성	6~8(세)	0.5	0.6			0.6	0.7			0.9	1.3		
	9~11	0.6	0.7			0.9	1.1			1.3	1.6		
	12~14	0.8	1.0			1.2	1.4			1.8	2.2		
	15~18	0.8	1.1			1.2	1.4			1.8	2.2		
	19~29	0.8	1.1			1.1	1.3			2.1	2.6		
	30~49	0.8	1.0			1.0	1.4			2.0	2.5		
	50~64	0.8	1.1			1.1	1.3			1.9	2.4		
	65~74	0.7	0.9			0.9	1.3			1.8	2.3		
	75 이상	0.7	0.9			0.9	1.1			1.7	2.1		
임신부		1.1	1.4			1.4	1.7			2.3	2.9		
수유부		1.3	1.7			1.6	1.9			2.5	3.1		

주 1) 2, 3 분기별 부가량

보건복지부, 2020

성별	연령	페닐알라닌+티로신(g/일)				트레오닌(g/일)				트립토판(g/일)			
		평균 필요량	권장 섭취량	충분 섭취량	상한 섭취량	평균 필요량	권장 섭취량	충분 섭취량	상한 섭취량	평균 필요량	권장 섭취량	충분 섭취량	상한 섭취량
영아	0~5(개월)			0.9				0.5				0.2	
	6~11	0.5	0.7			0.3	0.4			0.1	0.1		
유아	1~2(세)	0.5	0.7			0.3	0.4			0.1	0.1		
	3~5	0.6	0.7			0.3	0.4			0.1	0.1		
남성	6~8(세)	0.9	1.0			0.5	0.6			0.1	0.2		
	9~11	1.3	1.6			0.7	0.9			0.2	0.2		
	12~14	1.8	2.3			1.0	1.3			0.3	0.3		
	15~18	2.1	2.6			1.2	1.5			0.3	0.4		
	19~29	2.8	3.6			1.1	1.5			0.3	0.3		
	30~49	2.9	3.5			1.2	1.5			0.3	0.3		
	50~64	2.7	3.4			1.1	1.4			0.3	0.3		
	65~74	2.5	3.3			1.1	1.3			0.2	0.3		
	75 이상	2.5	3.1			1.0	1.3			0.2	0.3		
여성	6~8(세)	0.8	1.0			0.5	0.6			0.1	0.2		
	9~11	1.2	1.5			0.6	0.9			0.2	0.2		
	12~14	1.6	1.9			0.9	1.2			0.2	0.3		
	15~18	1.6	2.0			0.9	1.2			0.2	0.3		
	19~29	2.3	2.9			0.9	1.1			0.2	0.3		
	30~49	2.3	2.8			0.9	1.2			0.2	0.3		
	50~64	2.2	2.7			0.8	1.1			0.2	0.3		
	65~74	2.1	2.6			0.8	1.0			0.2	0.2		
	75 이상	2.0	2.4			0.7	0.9			0.2	0.2		
임신부		0.8	1.0			3.0	3.8			0.3	0.4		
수유부		0.8	1.1			3.7	4.7			0.4	0.5		

성별	연령	히스티딘(g/일)				수분(mL/일)					
		평균 필요량	권장 섭취량	충분 섭취량	상한 섭취량	음식	물	음료	충분섭취량		상한 섭취량
									액체	총수분	
영아	0~5(개월)			0.1					700	700	
	6~11	0.2	0.3			300			500	800	
유아	1~2(세)	0.2	0.3			300	362	0	700	1,000	
	3~5	0.2	0.3			400	491	0	1,100	1,500	
남성	6~8(세)	0.3	0.4			900	589	0	800	1,700	
	9~11	0.5	0.6			1,100	686	1.2	900	2,000	
	12~14	0.7	0.9			1,300	911	1.9	1,100	2,400	
	15~18	0.9	1.0			1,400	920	6.4	1,200	2,600	
	19~29	0.8	1.0			1,400	981	262	1,200	2,600	
	30~49	0.7	1.0			1,300	957	289	1,200	2,500	
	50~64	0.7	0.9			1,200	940	75	1,000	2,200	
	65~74	0.7	1.0			1,100	904	20	1,000	2,100	
	75 이상	0.7	0.8			1,000	662	12	1,100	2,100	
여성	6~8(세)	0.3	0.4			800	514	0	800	1,600	
	9~11	0.4	0.5			1,000	643	0	900	1,900	
	12~14	0.6	0.7			1,100	610	0	900	2,000	
	15~18	0.6	0.7			1,100	659	7.3	900	2,000	
	19~29	0.6	0.8			1,100	709	126	1,000	2,100	
	30~49	0.6	0.8			1,000	772	124	1,000	2,000	
	50~64	0.6	0.7			900	784	27	1,000	1,900	
	65~74	0.5	0.7			900	624	9	900	1,800	
	75 이상	0.5	0.7			800	552	5	1,000	1,800	
임신부		1.2	1.5							+200	
수유부		1.3	1.7						+500	+700	

2020 한국인 영양소 섭취기준 - 지용성 비타민

보건복지부, 2020

성별	연령	비타민 A(μg RAE/일)				비타민 D(μg/일)			
		평균 필요량	권장 섭취량	충분 섭취량	상한 섭취량	평균 필요량	권장 섭취량	충분 섭취량	상한 섭취량
영아	0~5(개월)			350	600			5	25
	6~11			450	600			5	25
유아	1~2(세)	190	250		600			5	30
	3~5	230	300		750			5	35
남성	6~8(세)	310	450		1,100			5	40
	9~11	410	600		1,600			5	60
	12~14	530	750		2,300			10	100
	15~18	620	850		2,800			10	100
	19~29	570	800		3,000			10	100
	30~49	560	800		3,000			10	100
	50~64	530	750		3,000			10	100
	65~74	510	700		3,000			15	100
	75 이상	500	700		3,000			15	100
여성	6~8(세)	290	400		1,100			5	40
	9~11	390	550		1,600			5	60
	12~14	480	650		2,300			10	100
	15~18	450	650		2,800			10	100
	19~29	460	650		3,000			10	100
	30~49	450	650		3,000			10	100
	50~64	430	600		3,000			10	100
	65~74	410	600		3,000			15	100
	75 이상	410	600		3,000			15	100
임신부		+50	+70		3,000			+0	100
수유부		+350	+490		3,000			+0	100

성별	연령	비타민 E(mg α-TE/일)				비타민 K(μg/일)			
		평균 필요량	권장 섭취량	충분 섭취량	상한 섭취량	평균 필요량	권장 섭취량	충분 섭취량	상한 섭취량
영아	0~5(개월)			3				4	
	6~11			4				6	
유아	1~2(세)			5	100			25	
	3~5			6	150			30	
남성	6~8(세)			7	200			40	
	9~11			9	300			55	
	12~14			11	400			70	
	15~18			12	500			80	
	19~29			12	540			75	
	30~49			12	540			75	
	50~64			12	540			75	
	65~74			12	540			75	
	75 이상			12	540			75	
여성	6~8(세)			7	200			40	
	9~11			9	300			55	
	12~14			11	400			65	
	15~18			12	500			65	
	19~29			12	540			65	
	30~49			12	540			65	
	50~64			12	540			65	
	65~74			12	540			65	
	75 이상			12	540			65	
임신부				+0	540			+0	
수유부				+3	540			+0	

APPENDIX

2020 한국인 영양소 섭취기준 - 수용성 비타민

보건복지부, 2020

성별	연령	비타민 C(mg/일)				티아민(mg/일)			
		평균 필요량	권장 섭취량	충분 섭취량	상한 섭취량	평균 필요량	권장 섭취량	충분 섭취량	상한 섭취량
영아	0~5(개월)			40				0.2	
	6~11			55				0.3	
유아	1~2(세)	30	40		340	0.4	0.4		
	3~5	35	45		510	0.4	0.5		
남성	6~8(세)	40	50		750	0.5	0.7		
	9~11	55	70		1,100	0.7	0.9		
	12~14	70	90		1,400	0.9	1.1		
	15~18	80	100		1,600	1.1	1.3		
	19~29	75	100		2,000	1.0	1.2		
	30~49	75	100		2,000	1.0	1.2		
	50~64	75	100		2,000	1.0	1.2		
	65~74	75	100		2,000	0.9	1.1		
	75 이상	75	100		2,000	0.9	1.1		
여성	6~8(세)	40	50		750	0.6	0.7		
	9~11	55	70		1,100	0.8	0.9		
	12~14	70	90		1,400	0.9	1.1		
	15~18	80	100		1,600	0.9	1.1		
	19~29	75	100		2,000	0.9	1.1		
	30~49	75	100		2,000	0.9	1.1		
	50~64	75	100		2,000	0.9	1.1		
	65~74	75	100		2,000	0.8	1.0		
	75 이상	75	100		2,000	0.7	0.8		
임신부		+10	+10		2,000	+0.4	+0.4		
수유부		+35	+40		2,000	+0.3	+0.4		

성별	연령	리보플라빈(mg/일)				니아신(mg NE/일)[1]			
		평균 필요량	권장 섭취량	충분 섭취량	상한 섭취량	평균 필요량	권장 섭취량	충분 섭취량	상한섭취량
									니코틴산/니코틴아미드
영아	0~5(개월)			0.3				2	
	6~11			0.4				3	
유아	1~2(세)	0.4	0.5			4	6		10/180
	3~5	0.5	0.6			5	7		10/250
남성	6~8(세)	0.7	0.9			7	9		15/350
	9~11	0.9	1.1			9	11		20/500
	12~14	1.2	1.5			11	15		25/700
	15~18	1.4	1.7			13	17		30/800
	19~29	1.3	1.5			12	16		35/1000
	30~49	1.3	1.5			12	16		35/1000
	50~64	1.3	1.5			12	16		35/1000
	65~74	1.2	1.4			11	14		35/1000
	75 이상	1.1	1.3			10	13		35/1000
여성	6~8(세)	0.6	0.8			7	9		15/350
	9~11	0.8	1.0			9	12		20/500
	12~14	1.0	1.2			11	15		25/700
	15~18	1.0	1.2			11	14		30/800
	19~29	1.0	1.2			11	14		35/1000
	30~49	1.0	1.2			11	14		35/1000
	50~64	1.0	1.2			11	14		35/1000
	65~74	0.9	1.1			10	13		35/1000
	75 이상	0.8	1.0			9	12		35/1000
임신부		+0.3	+0.4			+3	+4		35/1000
수유부		+0.4	+0.5			+2	+3		35/1000

주 1) 1mg NE(니아신 당량) = 1mg 니아신 = 60mg 트립토판

보건복지부, 2020

성별	연령	비타민 B6(mg/일)				엽산(μg DFE/일)[1]			
		평균 필요량	권장 섭취량	충분 섭취량	상한 섭취량	평균 필요량	권장 섭취량	충분 섭취량	상한 섭취량[2]
영아	0~5(개월)			0.1				65	
	6~11			0.3				90	
유아	1~2(세)	0.5	0.6		20	120	150		300
	3~5	0.6	0.7		30	150	180		400
남성	6~8(세)	0.7	0.9		45	180	220		500
	9~11	0.9	1.1		60	250	300		600
	12~14	1.3	1.5		80	300	360		800
	15~18	1.3	1.5		95	330	400		900
	19~29	1.3	1.5		100	320	400		1,000
	30~49	1.3	1.5		100	320	400		1,000
	50~64	1.3	1.5		100	320	400		1,000
	65~74	1.3	1.5		100	320	400		1,000
	75 이상	1.3	1.5		100	320	400		1,000
여성	6~8(세)	0.7	0.9		45	180	220		500
	9~11	0.9	1.1		60	250	300		600
	12~14	1.2	1.4		80	300	360		800
	15~18	1.2	1.4		95	330	400		900
	19~29	1.2	1.4		100	320	400		1,000
	30~49	1.2	1.4		100	320	400		1,000
	50~64	1.2	1.4		100	320	400		1,000
	65~74	1.2	1.4		100	320	400		1,000
	75 이상	1.2	1.4		100	320	400		1,000
임신부		+0.7	+0.8		100	+200	+220		1,000
수유부		+0.7	+0.8		100	+130	+150		1,000

성별	연령	비타민 B12(μg/일)				판토텐산(mg/일)				비오틴(μg/일)			
		평균 필요량	권장 섭취량	충분 섭취량	상한 섭취량	평균 필요량	권장 섭취량	충분 섭취량	상한 섭취량	평균 필요량	권장 섭취량	충분 섭취량	상한 섭취량
영아	0~5(개월)			0.3				1.7				5	
	6~11			0.5				1.9				7	
유아	1~2(세)	0.8	0.9					2				9	
	3~5	0.9	1.1					2				12	
남성	6~8(세)	1.1	1.3					3				15	
	9~11	1.5	1.7					4				20	
	12~14	1.9	2.3					5				25	
	15~18	2.0	2.4					5				30	
	19~29	2.0	2.4					5				30	
	30~49	2.0	2.4					5				30	
	50~64	2.0	2.4					5				30	
	65~74	2.0	2.4					5				30	
	75 이상	2.0	2.4					5				30	
여성	6~8(세)	1.1	1.3					3				15	
	9~11	1.5	1.7					4				20	
	12~14	1.9	2.3					5				25	
	15~18	2.0	2.4					5				30	
	19~29	2.0	2.4					5				30	
	30~49	2.0	2.4					5				30	
	50~64	2.0	2.4					5				30	
	65~74	2.0	2.4					5				30	
	75 이상	2.0	2.4					5				30	
임신부		+0.2	+0.2					+1.0				+0	
수유부		+0.3	+0.4					+2.0				+5	

주 1) Dietary Folate Equivalents, 가임기 여성의 경우 400μg/일의 엽산보충제 섭취를 권장함
2) 엽산의 상한섭취량은 보충제 또는 강화식품의 형태로 섭취한 μg/일에 해당됨

2020 한국인 영양소 섭취기준 - 다량무기질

보건복지부, 2020

성별	연령	칼슘(mg/일)				인(mg/일)				나트륨(mg/일)			
		평균 필요량	권장 섭취량	충분 섭취량	상한 섭취량	평균 필요량	권장 섭취량	충분 섭취량	상한 섭취량	필요 추정량	권장 섭취량	충분 섭취량	만성질환 위험감소 섭취량
영아	0~5(개월)			250	1,000			100				110	
	6~11			300	1,500			300				370	
유아	1~2(세)	400	500		2,500	380	450		3,000			810	1,200
	3~5	500	600		2,500	480	550		3,000			1,000	1,600
남성	6~8(세)	600	700		2,500	500	600		3,000			1,200	1,900
	9~11	650	800		3,000	1,000	1,200		3,500			1,500	2,300
	12~14	800	1,000		3,000	1,000	1,200		3,500			1,500	2,300
	15~18	750	900		3,000	1,000	1,200		3,500			1,500	2,300
	19~29	650	800		2,500	580	700		3,500			1,500	2,300
	30~49	650	800		2,500	580	700		3,500			1,500	2,300
	50~64	600	750		2,000	580	700		3,500			1,500	2,300
	65~74	600	700		2,000	580	700		3,500			1,300	2,100
	75 이상	600	700		2,000	580	700		3,000			1,100	1,700
여성	6~8(세)	600	700		2,500	480	550		3,000			1,200	1,900
	9~11	650	800		3,000	1,000	1,200		3,500			1,500	2,300
	12~14	750	900		3,000	1,000	1,200		3,500			1,500	2,300
	15~18	700	800		3,000	1,000	1,200		3,500			1,500	2,300
	19~29	550	700		2,500	580	700		3,500			1,500	2,300
	30~49	550	700		2,500	580	700		3,500			1,500	2,300
	50~64	600	800		2,000	580	700		3,500			1,500	2,300
	65~74	600	800		2,000	580	700		3,500			1,300	2,100
	75 이상	600	800		2,000	580	700		3,000			1,100	1,700
임신부		+0	+0		2,500	+0	+0		3,000			1,500	2,300
수유부		+0	+0		2,500	+0	+0		3,500			1,500	2,300

성별	연령	염소(mg/일)				칼륨(mg/일)				마그네슘(mg/일)			
		평균 필요량	권장 섭취량	충분 섭취량	상한 섭취량	평균 필요량	권장 섭취량	충분 섭취량	상한 섭취량	평균 필요량	권장 섭취량	충분 섭취량	상한 섭취량[1]
영아	0~5(개월)			170				400				25	
	6~11			560				700				55	
유아	1~2(세)			1,200				1,900		60	70		60
	3~5			1,600				2,400		90	110		90
남성	6~8(세)			1,900				2,900		130	150		130
	9~11			2,300				3,400		190	220		190
	12~14			2,300				3,500		260	320		270
	15~18			2,300				3,500		340	410		350
	19~29			2,300				3,500		300	360		350
	30~49			2,300				3,500		310	370		350
	50~64			2,300				3,500		310	370		350
	65~74			2,100				3,500		310	370		350
	75 이상			1.700				3,500		310	370		350
여성	6~8(세)			1.900				2,900		130	150		130
	9~11			2,300				3,400		180	220		190
	12~14			2,300				3,500		240	290		270
	15~18			2,300				3,500		290	340		350
	19~29			2,300				3,500		230	280		350
	30~49			2,300				3,500		240	280		350
	50~64			2,300				3,500		240	280		350
	65~74			2,100				3,500		240	280		350
	75 이상			1,700				3,500		240	280		350
임신부				2,300				+0		+30	+40		350
수유부				2,300				+400		+0	+0		350

주 1) 식품 외 급원의 마그네슘에만 해당

2020 한국인 영양소 섭취기준 - 미량무기질

보건복지부, 2020

성별	연령	철(mg/일)				아연(mg/일)				구리(μg/일)			
		평균 필요량	권장 섭취량	충분 섭취량	상한 섭취량	평균 필요량	권장 섭취량	충분 섭취량	상한 섭취량	평균 필요량	권장 섭취량	충분 섭취량	상한 섭취량
영아	0~5(개월)			0.3	40			2				240	
	6~11	4	6		40	2	3					330	
유아	1~2(세)	4.5	6		40	2	3		6	220	290		1,700
	3~5	5	7		40	3	4		9	270	350		2,600
남성	6~8(세)	7	9		40	5	5		13	360	470		3,700
	9~11	8	11		40	7	8		19	470	600		5,500
	12~14	11	14		40	7	8		27	600	800		7,500
	15~18	11	14		45	8	10		33	700	900		9,500
	19~29	8	10		45	9	10		35	650	850		10,000
	30~49	8	10		45	8	10		35	650	850		10,000
	50~64	8	10		45	8	10		35	650	850		10,000
	65~74	7	9		45	8	9		35	600	800		10,000
	75 이상	7	9		45	7	9		35	600	800		10,000
여성	6~8(세)	7	9		40	4	5		13	310	400		3,700
	9~11	8	10		40	7	8		19	420	550		5,500
	12~14	12	16		40	6	8		27	500	650		7,500
	15~18	11	14		45	7	9		33	550	700		9,500
	19~29	11	14		45	7	8		35	500	650		10,000
	30~49	11	14		45	7	8		35	500	650		10,000
	50~64	6	8		45	6	8		35	500	650		10,000
	65~74	6	8		45	6	7		35	460	600		10,000
	75 이상	5	7		45	6	7		35	460	600		10,000
임신부		+8	+10		45	+2.0	+2.5		35	+100	+130		10,000
수유부		+0	+0		45	+4.0	+5.0		35	+370	+480		10,000

성별	연령	불소(mg/일)				망간(mg/일)				요오드(μg/일)			
		평균 필요량	권장 섭취량	충분 섭취량	상한 섭취량	평균 필요량	권장 섭취량	충분 섭취량	상한 섭취량	평균 필요량	권장 섭취량	충분 섭취량	상한 섭취량
영아	0~5(개월)			0.01	0.6			0.01				130	250
	6~11			0.4	0.8			0.8				180	250
유아	1~2(세)			0.6	1.2			1.5	2.0	55	80		300
	3~5			0.9	1.8			2.0	3.0	65	90		300
남성	6~8(세)			1.3	2.6			2.5	4.0	75	100		500
	9~11			1.9	10.0			3.0	6.0	85	110		500
	12~14			2.6	10.0			4.0	8.0	90	130		1,900
	15~18			3.2	10.0			4.0	10.0	95	130		2,200
	19~29			3.4	10.0			4.0	11.0	95	150		2,400
	30~49			3.4	10.0			4.0	11.0	95	150		2,400
	50~64			3.2	10.0			4.0	11.0	95	150		2,400
	65~74			3.1	10.0			4.0	11.0	95	150		2,400
	75 이상			3.0	10.0			4.0	11.0	95	150		2,400
여성	6~8(세)			1.3	2.5			2.5	4.0	75	100		500
	9~11			1.8	10.0			3.0	6.0	80	110		500
	12~14			2.4	10.0			3.5	8.0	90	130		1,900
	15~18			2.7	10.0			3.5	10.0	95	130		2,200
	19~29			2.8	10.0			3.5	11.0	95	150		2,400
	30~49			2.7	10.0			3.5	11.0	95	150		2,400
	50~64			2.6	10.0			3.5	11.0	95	150		2,400
	65~74			2.5	10.0			3.5	11.0	95	150		2,400
	75 이상			2.3	10.0			3.5	11.0	95	150		2,400
임신부				+0	10.0			+0	11.0	+65	+90		
수유부				+0	10.0			+0	11.0	+130	+190		

보건복지부, 2020

성별	연령	셀레늄(μg/일)				몰리브덴(μg/일)				크롬(μg/일)			
		평균 필요량	권장 섭취량	충분 섭취량	상한 섭취량	평균 필요량	권장 섭취량	충분 섭취량	상한 섭취량	평균 필요량	권장 섭취량	충분 섭취량	상한 섭취량
영아	0~5(개월)			9	40							0.2	
	6~11			12	65							4.0	
유아	1~2(세)	19	23		70	8	10		100			10	
	3~5	22	25		100	10	12		150			10	
남성	6~8(세)	30	35		150	15	18		200			15	
	9~11	40	45		200	15	18		300			20	
	12~14	50	60		300	25	30		450			30	
	15~18	55	65		300	25	30		550			35	
	19~29	50	60		400	25	30		600			30	
	30~49	50	60		400	25	30		600			30	
	50~64	50	60		400	25	30		550			30	
	65~74	50	60		400	23	28		550			25	
	75 이상	50	60		400	23	28		550			25	
여성	6~8(세)	30	35		150	15	18		200			15	
	9~11	40	45		200	15	18		300			20	
	12~14	50	60		300	20	25		400			20	
	15~18	55	65		300	20	25		500			20	
	19~29	50	60		400	20	25		500			20	
	30~49	50	60		400	20	25		500			20	
	50~64	50	60		400	20	25		450			20	
	65~74	50	60		400	18	22		450			20	
	75 이상	50	60		400	18	22		450			20	
임신부		+3	+4		400	+0	+0		500			+5	
수유부		+9	+10		400	+3	+3		500			+20	

식품교환표의 식품군별 영양소 기준 및 대표식품의 1교환단위

식품군		주 영양소	1교환단위의 예			영양소			열량 (kcal)
			식품	중량(g)	목측량	탄수화물(g)	단백질(g)	지방(g)	
곡류군		탄수화물	밥	70	1/3공기	23	2		100
어육류군	저지방	단백질	육류 어류	40 50	작은 1토막		8	2	50
	중지방						8	5	75
	고지방						8	8	100
채소군		비타민 무기질	채소	70	1/컵 (익힘)	3	2		20
지방군		지방	기름	5	1작은스푼			5	45
우유군	일반 우유	단백질	일반 우유	200mL	1컵	10	6	7	125
	저지방 우유		저지방 우유	200mL	1컵	10	6	2	80
과일군		탄수화물	사과	80	중 1/3개	12			50

출처: 대한영양사협회(2010). 식사계획을 위한 식품교환표(개정판).

혈당지수(당지수)

혈당지수(glycemic index; GI)란 섭취한 식품의 혈당 상승 정도와 인슐린 반응을 유도하는 정도를 나타내며, 순수 포도당을 100이라고 했을 때 비교하여 수치로 표시한 지수이다. 높은 혈당지수의 식품은 낮은 혈당지수의 식품보다 혈당을 더 빨리 상승시킨다.

식품의 당지수 예(포도당 섭취 기준)

높은 당지수의 식품(70 이상)		중간 당지수의 식품(56~69)		낮은 당지수의 식품(55 이하)	
떡	91	환타	68	현미밥	55
흰밥	86	고구마	61	호밀빵	50
구운감자	85	아이스크림	61	쥐눈이콩	42
시리얼(콘플레이크)	81	파인애플	59	우유	27
수박	72	페이스트리	59	대두콩	18

자료: 대한당뇨병학회(2010). 당뇨병 식품교환표 활용지침.

당부하지수

당부하지수(glycemic load; GL)는 혈당지수에 식품의 1회 섭취량을 고려한 것을 혈당지수에 식품의 1회 섭취량에 포함된 당질의 양을 곱한 다음 100으로 나누어 계산한다. 당뇨병 환자에게 총당질의 양뿐만 아니라 혈당지수, 당부하지수를 고려하여 식품을 선택하도록 하면 혈당 조절에 도움이 될 수 있다.

신장질환자를 위한 식품교환표 식품군별 1교환량

식품군		해당 식품과 1교환량
곡류		쌀밥 70, 백미 30, 가래떡 50, 백설기 40, 인절미 50, 절편(흰떡) 50, 카스텔라 30, 밀가루 30, ★식빵 35, ★크래커 20, ★국수(삶은 것) 90, ♣*보리밥 70, ♣*현미밥 70, ♣*감자 180, ♣고구마 100, ♣*옥수수 50, *보리미숫가루 30, *밤(생것) 60
어육류		고기류 40, 생선류 40, 새우 40, 물오징어 50, ★꽃게 50, ★굴 70, 두부 80, 연두부 150, 검은콩 20, *계란 60, *메추리알 60, ★*햄 50, ★*치즈 40, ★*잔멸치 15
채소	1군	김 2, 깻잎 20, 당근 30, 생표고 30, 치커리 30, 마늘쫑 40, 팽이버섯 40, 양파 50, 양배추 50, 배추 70, 가지 70, 무 70, 고사리(삶은 것) 70, 숙주 70, 오이 70, 콩나물 70, 피망 70, 녹두묵 100, 도토리묵 100
	2군	도라지 50, 연근 50, 우엉 50, 상추 70, *프로콜리 75, 열무 70, 애호박 70, 중국부추(호부추) 70, *느타리 70
	3군	아욱 50, 물미역 70, 근대 70, 미나리 70, 조선부추 70, 쑥갓 70, 시금치 70, 취 70, *양송이 70, 단호박 100
지방		참기름 5, 들기름 5, 콩기름 5, 올리브유 5, 버터 6, 마요네즈 6
우유		우유 200, 두유 200, 요구르트(호상) 100, 요구르트(액상) 100
과일	1군	단감 80, 연시 80, 사과 100, 자두 80, 파인애플 100, 포도 100, 사과 주스 100
	2군	귤 100, 대추(생) 60, 배 100, 딸기 150, 황도 150, 수박 200, 오렌지 150, 오렌지 주스 150, 자몽 150
	3군	키위 100, 바나나 120, 참외 120, 토마토 250
열량보충		설탕 25, 꿀 20, 녹말가루 30, 당면 30, 사탕 25, 잼 35, 물엿 30

★ 염분 주의 식품, ♣ 칼륨 주의 식품, * 인 주의 식품

단백질, 나트륨, 칼륨 조절을 위한 식품교환표

(교환단위당 영양소 함유량)

식품교환군	단백질(g)	열량(kcal)	인(mg)	나트륨(mg)	칼륨(mg)
곡류	2	100	30	2	30
어육류	8	75	90	50	120
채소 1	1	20	20	미량	100
2	1	20	20	미량	200
3	1	20	20	미량	400
지방	0	45	0	0	0
우유	6	125	180	100	300
과일 1	미량	50	20	미량	100
2	미량	50	20	미량	200
3	미량	50	20	미량	400
열량보충	미량	100	5	3	20

2017 소아·청소년 성장도표(신장별 체중)

신장(cm)	체중(kg) 표준점수		신장(cm)	체중(kg) 표준점수	
	남성 3~18세	여성 3~18세		남성 3~18세	여성 3~18세
88	-	12.3	114	20.4	20.1
89	-	12.6	115	20.7	20.5
90	13.2	12.9	116	21.1	20.9
91	13.4	13.1	117	21.5	21.3
92	13.7	13.4	118	22.0	21.7
93	13.9	13.6	119	22.4	22.2
94	14.2	13.9	120	22.8	22.6
95	14.5	14.2	121	23.3	23.1
96	14.7	14.4	122	23.8	23.6
97	15.0	14.7	123	24.3	24.0
98	15.2	15.0	124	24.9	24.5
99	15.5	15.2	125	25.4	25.1
100	15.8	15.5	126	26.0	25.6
101	16.0	15.8	127	26.6	26.1
102	16.3	16.1	128	27.2	26.7
103	16.6	16.4	129	27.8	27.3
104	16.9	16.7	130	28.4	27.9
105	17.2	17.0	131	29.1	28.5
106	17.6	17.4	132	29.7	29.1
107	17.9	17.7	133	30.4	29.7
108	18.2	18.0	134	31.1	30.4
109	18.6	18.3	135	31.8	31.0
110	18.9	18.7	136	32.6	31.7
111	19.2	19.0	137	33.3	32.3
112	19.6	19.4	138	34.0	33.0
113	20.0	19.8	139	34.8	33.6

| 건강을 위한 **영양과 식사요법** |

발 행 일 2021년 2월 16일 1판 발행
2022년 1월 25일 1판 2쇄
2024년 2월 5일 2판 발행

저 자 한정순 외

발 행 인 백동호
발 행 처 (주)고문사
서울특별시 서초구 방배로 127, 청오빌딩 2층
출판등록 1962년 5월 17일 제 10-2호
전 화 (02)325-8466~8
팩 스 (02)855-8469
전자우편 komoonsa@naver.com
홈페이지 http://www.komoonsa.co.kr

정 가 35,000원

ISBN 978-89-7386-880-3 93510